VOLUME 2

GUIDORIZZI

Um Curso de
CÁLCULO

6ª edição

O GEN | Grupo Editorial Nacional – maior plataforma editorial brasileira no segmento científico, técnico e profissional – publica conteúdos nas áreas de ciências exatas, humanas, jurídicas, da saúde e sociais aplicadas, além de prover serviços direcionados à educação continuada e à preparação para concursos.

As editoras que integram o GEN, das mais respeitadas no mercado editorial, construíram catálogos inigualáveis, com obras decisivas para a formação acadêmica e o aperfeiçoamento de várias gerações de profissionais e estudantes, tendo se tornado sinônimo de qualidade e seriedade.

A missão do GEN e dos núcleos de conteúdo que o compõem é prover a melhor informação científica e distribuí-la de maneira flexível e conveniente, a preços justos, gerando benefícios e servindo a autores, docentes, livreiros, funcionários, colaboradores e acionistas.

Nosso comportamento ético incondicional e nossa responsabilidade social e ambiental são reforçados pela natureza educacional de nossa atividade e dão sustentabilidade ao crescimento contínuo e à rentabilidade do grupo.

VOLUME 2

Um Curso de
CÁLCULO

Hamilton Luiz Guidorizzi

Doutor em Matemática Aplicada
pela Universidade de São Paulo

6ª edição

- O autor deste livro e a editora empenharam seus melhores esforços para assegurar que as informações e os procedimentos apresentados no texto estejam em acordo com os padrões aceitos à época da publicação, e todos os dados foram atualizados pelas autoras até a data do fechamento do livro. Entretanto, tendo em conta a evolução das ciências, as atualizações legislativas, as mudanças regulamentares governamentais e o constante fluxo de novas informações sobre os temas que constam do livro, recomendamos enfaticamente que os leitores consultem sempre outras fontes fidedignas, de modo a se certificarem de que as informações contidas no texto estão corretas e de que não houve alterações nas recomendações ou na legislação regulamentadora.

- O autor e a editora se empenharam para citar adequadamente e dar o devido crédito a todos os detentores de direitos autorais de qualquer material utilizado neste livro, dispondo-se a possíveis acertos posteriores caso, inadvertida e involuntariamente, a identificação de algum deles tenha sido omitida.

- Atendimento ao cliente: (11) 5080-0751 | faleconosco@grupogen.com.br

- Direitos exclusivos para a língua portuguesa
  Copyright © 2019, 2021 (2ª impressão) by
  LTC — Livros Técnicos e Científicos Editora Ltda.
  Uma editora integrante do GEN | Grupo Editorial Nacional

- Reservados todos os direitos. É proibida a duplicação ou reprodução deste volume, no todo ou em parte, sob quaisquer formas ou por quaisquer meios (eletrônico, mecânico, gravação, fotocópia, distribuição na internet ou outros), sem permissão expressa da editora.

  Travessa do Ouvidor, 11
  Rio de Janeiro, RJ — CEP 20040-040
  www.grupogen.com.br

- Capa: MarCom | GEN

- Imagem: ©Marina Kleper | 123RF.com

- Editoração eletrônica: EDEL

CIP-BRASIL. CATALOGAÇÃO NA PUBLICAÇÃO
SINDICATO NACIONAL DOS EDITORES DE LIVROS, RJ

G972c
6. ed.
v. 2

Guidorizzi, Hamilton Luiz
Um curso de cálculo : volume 2 / Hamilton Luiz Guidorizzi ; [revisores técnicos Vera Lucia Antonio Azevedo, Ariovaldo José de Almeida] - 6. ed. - [Reimpr.] - Rio de Janeiro : LTC, 2021.
: il. ; 24 cm.

Apêndice
Inclui bibliografia e índice
ISBN 978-85-216-3544-4

1. Matemática - Estudo e ensino. I. Azevedo, Vera Lucia Antonio. II. Almeida, Ariovaldo José de. III. Título.

18-50109 CDD: 510
          CDU: 51

Leandra Felix da Cruz - Bibliotecária - CRB-7/6135

Aos meus filhos
Maristela e Hamilton

Prefácio

Este volume é continuação do Volume 1. No Capítulo 1, destacamos as funções integráveis (de uma variável) que aparecem com mais frequência nas aplicações. Caso o leitor já tenha estudado o Apêndice D do Volume 1, este capítulo poderá ser omitido. No Capítulo 2 estudamos, com relação à continuidade e à derivabilidade, as funções dadas por integral, e, no Capítulo 3, as integrais impróprias. No Capítulo 4, são feitas várias aplicações das integrais impróprias à Estatística. No Capítulo 5, estudamos as equações diferenciais lineares de 2ª ordem e com coeficientes constantes, e no Capítulo 7 as funções de uma variável real com valores em $\mathbb{R}^n$ com relação a continuidade, derivabilidade e integrabilidade. Os Capítulos 8 a 16 são destinados ao estudo, com relação à continuidade e à diferenciabilidade, das funções de várias variáveis reais a valores reais. No Capítulo 17, introduzimos o conceito de *solução LSQ* (ou *solução dos mínimos quadrados*) de um sistema linear, e são feitas algumas aplicações desse conceito à geometria, bem como ao *ajuste*, por uma função linear ou polinomial, a um diagrama de dispersão.

Assim como no Volume 1, procuramos dispor os exercícios em ordem crescente de dificuldade. Com relação aos exercícios mais difíceis, vale aqui a mesma recomendação que fizemos no prefácio do Volume 1: não se aborreça caso não consiga resolver alguns deles; tudo que você terá que fazer nessas horas é seguir em frente e retornar a eles quando se sentir mais seguro.

Mais uma vez agradecemos, pela leitura cuidadosa do manuscrito, às colegas Élvia Mureb Sallum e Zara Issa Abud, à colega Lisbeth Kaiserliam Cordani pela leitura e pelas várias sugestões no Capítulo 4, e a Marcelo Pereira da Cunha pela revisão cuidadosa do texto. É ainda com grande satisfação que agradecemos à colega Elza Furtado Gomide pela leitura, pelos comentários e sugestões de manuscritos que deram origem às primeiras apostilas precursoras deste livro. Finalmente, agradecemos à colega Myriam Sertã Costa pela revisão cuidadosa do texto e pela inestimável ajuda na elaboração do Manual de Soluções.

Hamilton Luiz Guidorizzi

Agradecimentos especiais

Para esta nova edição, agradecemos a Vera Lucia Antonio Azevedo, professora adjunta I e coordenadora do curso de Matemática da Universidade Presbiteriana Mackenzie, a Ariovaldo José de Almeida, professor adjunto do curso de Matemática da Universidade Presbiteriana Mackenzie, pela revisão atenta dos quatro volumes, e a Ricardo Miranda Martins, professor associado da Universidade Estadual de Campinas (IMECC/Unicamp), pelos exercícios, planos de aula, material de pré-cálculo e vídeos de exercícios selecionados, elaborados com sua equipe, a saber: Alfredo Vitorino, Aline Vilela Andrade, Charles Aparecido de Almeida, Eduardo Xavier Miqueles, Juliana Gaiba Oliveira, Kamila da Silva Andrade, Matheus Bernardini de Souza, Mayara Duarte de Araújo Caldas, Otávio Marçal Leandro Gomide, Rafaela Fernandes do Prado e Régis Leandro Braguim Stábile.

Essa grande contribuição dos referidos professores/colaboradores mantém *Um Curso de Cálculo – volumes 1, 2, 3 e 4* uma obra conceituada e atualizada com as inovações pedagógicas.

LTC – Livros Técnicos e Científicos Editora

Material Suplementar

Este livro conta com os seguintes materiais suplementares, disponíveis no *site* do GEN | Grupo Editorial Nacional, mediante cadastro:

- Videoaulas exclusivas (livre acesso);
- Videoaulas com solução de exercícios selecionados (livre acesso);
- Pré-Cálculo (livre acesso);
- Exercícios (livre acesso);
- Manual de soluções (restrito a docentes);
- Planos de aula (restrito a docentes);
- Ilustrações da obra em formato de apresentação (restrito a docentes).

O acesso ao material suplementar é gratuito. Basta que o leitor se cadastre e faça seu *login* em nosso *site* (www.grupogen.com.br), clicando em GEN-IO, no *menu* superior do lado direito.

O acesso ao material suplementar online fica disponível até seis meses após a edição do livro ser retirada do mercado.

Caso haja alguma mudança no sistema ou dificuldade de acesso, entre em contato conosco (gendigital@grupogen.com.br).

GEN-IO (GEN | Informação Online) é o ambiente virtual de aprendizagem do GEN | Grupo Editorial Nacional

O que há de novo nesta 6ª edição

Recursos pedagógicos importantes foram desenvolvidos nesta edição para facilitar o ensino-aprendizagem de Cálculo. São eles:

- **Videoaulas exclusivas.** Vídeos com conteúdo essencial do tema abordado.

- **Videoaulas com solução de exercícios.** Conteúdo multimídia que contempla a solução de alguns exercícios selecionados.

- **Pré-Cálculo.** Revisão geral da matemática necessária para acompanhar o livro-texto, com exemplos e exercícios.

- **Exercícios.** Questões relacionadas diretamente com problemas reais, nas quais o estudante verá a grande importância da teoria matemática na sua futura profissão.

- **Planos de aula (acesso restrito a docentes).** Roteiros para nortear o docente na preparação de aulas subdivididos e nomeados da seguinte forma:

    - Cálculo 1 (volume 1),
    - Cálculo 2 (volumes 2 e 3) e
    - Cálculo 3 (volume 4).

Como usar os recursos pedagógicos deste livro

■ **Videoaulas exclusivas**

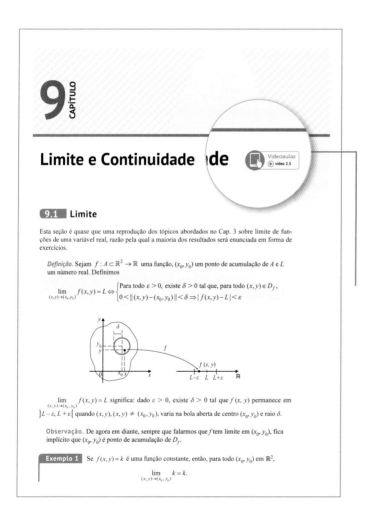

Videoaulas exclusivas (acesso livre): o ícone indica que, para o assunto destacado, há uma videoaula disponível *online* para complementar o conteúdo.

Videoaulas com solução de exercícios

Figuras em formato de apresentação **(acesso restrito a docentes):** *slides* com as imagens da obra para serem usados por docentes em suas aulas/apresentações.

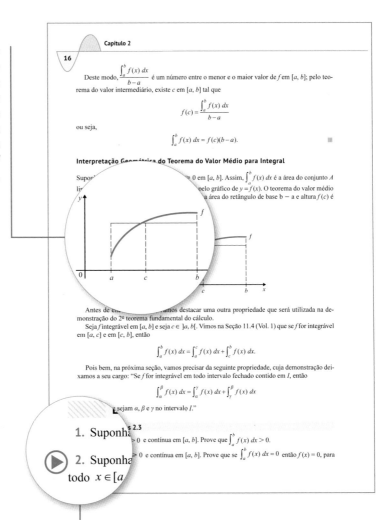

Videoaulas com solução de exercícios selecionados **(acesso livre):** o ícone indica que a solução detalhada do exercício está disponível *online*.

Pré-Cálculo

Pré-Cálculo (acesso livre): Revisão geral de Matemática, com exemplos e exercícios.

Exercícios

Exercícios (acesso livre): Exercícios desafiadores que testam a aprendizagem.

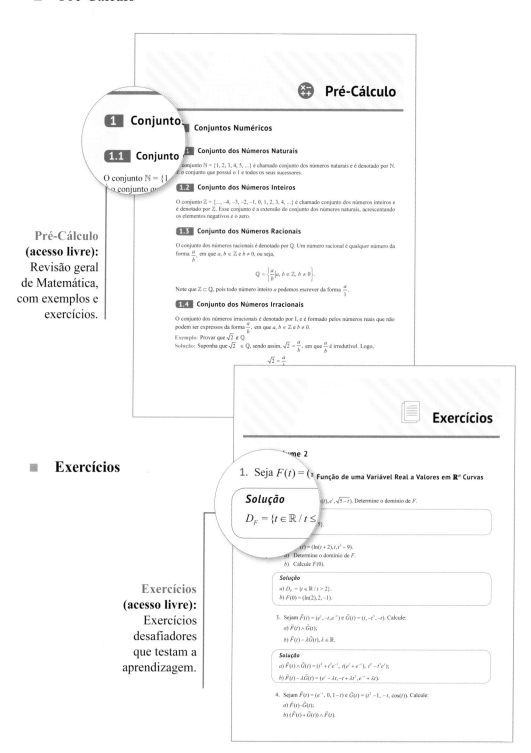

■ **Planos de aula (acesso restrito a docentes)**

Plano de Aula – Cálculo 2

Cálculo 2 – Aula 2

Assunto
Cálculo diferencial e integral de funções de uma variável real a valores em $\mathbb{R}^n$.

Referência
Volume 2, Seções...

Seja F uma função de uma variável real a valores em $\mathbb{R}^n$ e t_0 pertencente a A ou extremidade de um dos intervalos que compõem o domínio de F. Dizemos que $F(t)$ tende a $L \in \mathbb{R}^n$ quando t tende a t_0, e escrevemos

$$\lim_{t \to t_0} F(t) = L$$

se para todo $\varepsilon > 0$, existir $\delta > 0$ tal que, para todo $t \in D_f$,

$$0 < |t - t_0| < \delta \Rightarrow \|F(t) - L\| < \varepsilon$$

- Definição de continuidade: Sejam $F : A \to \mathbb{R}^n$ e $t_0 \in A$. Definimos

$$F \text{ é contínua em } t_0 \Leftrightarrow \lim_{t \to t_0} F(t) = F(t_0)$$

F é contínua em $B \subset A$ se for contínua em todo $t \in B$. Dizemos que F é contínua se for contínua em cada $t \in D_f$.

- Definição de derivada: Seja $F : A \to \mathbb{R}^n$ e $t_0 \in A$. Definimos a derivada de F em t_0 por

$$\frac{dF}{dt}(t_0) = \lim_{t \to t_0} \frac{F(t) - F(t_0)}{t - t_0}$$

desde que o limite exista.

- Definição de integral: Sejam $F : [a,b] \to \mathbb{R}^n$ uma função de uma variável real a valores em $\mathbb{R}^n$, $P : a = t_0 < t_1 < t_2 < ... < t_m = b$ uma partição do intervalo $[a, b]$ e c_i um ponto de $[t_{i-1}, t_i]$ para $i = 1, 2, ..., m$. Definimos a integral (de Riemann) de F em $[a, b]$ por

$$\int_a^b F(t)\, dt = \lim_{\max \Delta t_i \to 0} \sum_{i=1}^m F(c_i) \Delta t_i$$

- Sejam $F = (F_1, F_2, ..., F_n)$ uma função de uma variável real com valores em $\mathbb{R}^n$, $t_0 \in D_f$ e $L = (L_1, L_2, ..., L_n) \in \mathbb{R}^n$. Então
  - $\lim_{t \to t_0} F(t) = L \Leftrightarrow \lim_{t \to t_0} F_i(t) = L_i$ para $i = 1, 2, ..., n$. Assim, F será contínua em t_0 se e somente se cada componente de F o for.

Planos de aula (acesso restrito): Roteiros destinados aos docentes na preparação de aulas.

Vá além das páginas dos livros!

A LTC Editora, sempre conectada com as necessidades de docentes e estudantes, vem desenvolvendo soluções educacionais para o avanço do conhecimento e de práticas inovadoras de ensino e aprendizagem.

Conheça, por exemplo, os nossos cursos de Cálculo em videoaulas produzidos cuidadosamente para que o estudante possa assistir, praticar e consolidar conhecimentos. São eles:

- Pré-Cálculo
- Cálculo 1
- Cálculo 2
- Cálculo 3
- Cálculo 4

Trata-se de videoaulas completas com duração e didática especialmente planejadas para reter a atenção e a motivação do estudante.

Para mais informações, acesse
www.grupogen.com.br/videoaulas-calculo

Sumário geral

Volume 1

1. Números Reais
2. Funções
3. Limite e Continuidade
4. Extensões do Conceito de Limite
5. Teoremas do Anulamento, do Valor Intermediário e de Weierstrass
6. Funções Exponencial e Logarítmica
7. Derivadas
8. Funções Inversas
9. Estudo da Variação das Funções
10. Primitivas
11. Integral de Riemann
12. Técnicas de Primitivação
13. Mais Algumas Aplicações da Integral. Coordenadas Polares
14. Equações Diferenciais de 1ª Ordem de Variáveis Separáveis e Lineares
15. Teoremas de Rolle, do Valor Médio e de Cauchy
16. Fórmula de Taylor
17. Arquimedes, Pascal, Fermat e o Cálculo de Áreas

Apêndice A   Propriedade do Supremo
Apêndice B   Demonstrações dos Teoremas do Capítulo 5
Apêndice C   Demonstrações do Teorema da Seção 6.1 e da Propriedade (7) da Seção 2.2
Apêndice D   Funções Integráveis Segundo Riemann
Apêndice E   Demonstração do Teorema da Seção 13.4
Apêndice F   Construção do Corpo Ordenado dos Números Reais

Volume 2

1. Funções Integráveis
2. Função Dada por Integral
3. Extensões do Conceito de Integral
4. Aplicações à Estatística
5. Equações Diferenciais Lineares de 1ª e 2ª Ordens, com Coeficientes Constantes
6. Os Espaços $\mathbb{R}^n$
7. Função de uma Variável Real a Valores em $\mathbb{R}^n$. Curvas
8. Funções de Várias Variáveis Reais a Valores Reais
9. Limite e Continuidade
10. Derivadas Parciais

xviii Sumário geral

11 Funções Diferenciáveis
12 Regra da Cadeia
13 Gradiente e Derivada Direcional
14 Derivadas Parciais de Ordens Superiores
15 Teorema do Valor Médio. Fórmula de Taylor com Resto de Lagrange
16 Máximos e Mínimos
17 Mínimos Quadrados: Solução LSQ de um Sistema Linear. Aplicações ao Ajuste de Curvas

Apêndice A Funções de uma Variável Real a Valores Complexos
Apêndice B Uso da HP-48G, do Excel e do Mathcad

Volume 3

1 Funções de Várias Variáveis Reais a Valores Vetoriais
2 Integrais Duplas
3 Cálculo de Integral Dupla. Teorema de Fubini
4 Mudança de Variáveis na Integral Dupla
5 Integrais Triplas
6 Integrais de Linha
7 Campos Conservativos
8 Teorema de Green
9 Área e Integral de Superfície
10 Fluxo de um Campo Vetorial. Teorema da Divergência ou de Gauss
11 Teorema de Stokes no Espaço

Apêndice A Teorema de Fubini
Apêndice B Existência de Integral Dupla
Apêndice C Equação da Continuidade
Apêndice D Teoremas da Função Inversa e da Função Implícita
Apêndice E Brincando no Mathcad

Volume 4

1 Sequências Numéricas
2 Séries Numéricas
3 Critérios de Convergência e Divergência para Séries de Termos Positivos
4 Séries Absolutamente Convergentes. Critério da Razão para Séries de Termos Quaisquer
5 Critérios de Cauchy e de Dirichlet
6 Sequências de Funções
7 Série de Funções
8 Série de Potências
9 Introdução às Séries de Fourier
10 Equações Diferenciais de 1ª ordem
11 Equações Diferenciais Lineares de Ordem n, com Coeficientes Constantes
12 Sistemas de Duas e Três Equações Diferenciais Lineares de 1ª Ordem e com Coeficientes Constantes

13	Equações Diferenciais Lineares de 2ª ordem, com Coeficientes Variáveis
14	Teoremas de Existência e Unicidade de Soluções para Equações Diferenciais de 1ª e 2ª Ordens
15	Tipos Especiais de Equações
Apêndice A	Teorema de Existência e Unicidade para Equação Diferencial de 1ª Ordem do Tipo $y' = f(x, y)$
Apêndice B	Sobre Séries de Fourier
Apêndice C	O Incrível Critério de Kummer

Sumário

1 **Funções Integráveis, 1**
  1.1 Alguns Exemplos de Funções Integráveis e de Funções Não Integráveis, 1
  1.2 Funções Integráveis, 6

2 **Função Dada por Integral, 8**
  2.1 Cálculo de Integral de Função Limitada e Descontínua em um Número Finito de Pontos, 8
  2.2 Função Dada por uma Integral, 12
  2.3 Teorema do Valor Médio para Integral, 15
  2.4 Teorema Fundamental do Cálculo. Existência de Primitivas, 17
  2.5 Função Dada por uma Integral: Continuidade e Derivabilidade, 22

3 **Extensões do Conceito de Integral, 24**
  3.1 Integrais Impróprias, 24
  3.2 Função Dada por uma Integral Imprópria, 28
  3.3 Integrais Impróprias: Continuação, 31
  3.4 Convergência e Divergência de Integrais Impróprias: Critério de Comparação, 33

4 **Aplicações à Estatística, 39**
  4.1 Função Densidade de Probabilidade. Probabilidade de Variável Aleatória Contínua, 39
  4.2 Função de Distribuição, 43
  4.3 Valor Esperado e Variância de Variável Aleatória, 44
  4.4 Distribuição Normal, 47
  4.5 Função de Variável Aleatória, 51
  4.6 A Função Gama, 56
  4.7 Algumas Distribuições Importantes, 58

5 **Equações Diferenciais Lineares de 1ª e 2ª Ordens, com Coeficientes Constantes, 62**
  5.1 Equação Diferencial Linear, de 1ª Ordem, com Coeficiente Constante, 62
  5.2 Equações Diferenciais Lineares, Homogêneas, de 2ª Ordem, com Coeficientes Constantes, 64
  5.3 Números Complexos, 69
  5.4 Solução Geral da Equação Homogênea no Caso em que as Raízes da Equação Característica São Números Complexos, 73
  5.5 Equações Diferenciais Lineares, Não Homogêneas, de 2ª Ordem, com Coeficientes Constantes, 81

6 Os Espaços $\mathbb{R}^n$, 90
- 6.1 Introdução, 90
- 6.2 O Espaço Vetorial $\mathbb{R}^2$, 90
- 6.3 Produto Escalar. Perpendicularismo, 91
- 6.4 Norma de um Vetor. Propriedades, 96
- 6.5 Conjunto Aberto. Ponto de Acumulação, 100

7 Função de uma Variável Real a Valores em $\mathbb{R}^n$. Curvas, 104
- 7.1 Função de uma Variável Real a Valores em $\mathbb{R}^2$, 104
- 7.2 Função de uma Variável Real a Valores em $\mathbb{R}^3$, 106
- 7.3 Operações com Funções de uma Variável Real a Valores em $\mathbb{R}^n$, 108
- 7.4 Limite e Continuidade, 111
- 7.5 Derivada, 115
- 7.6 Integral, 123
- 7.7 Comprimento de Curva, 125

8 Funções de Várias Variáveis Reais a Valores Reais, 133
- 8.1 Funções de Duas Variáveis Reais a Valores Reais, 133
- 8.2 Gráfico e Curvas de Nível, 137
- 8.3 Funções de Três Variáveis Reais a Valores Reais. Superfícies de Nível, 146

9 Limite e Continuidade, 148
- 9.1 Limite, 148
- 9.2 Continuidade, 153

10 Derivadas Parciais, 158
- 10.1 Derivadas Parciais, 158
- 10.2 Derivadas Parciais de Funções de Três ou Mais Variáveis Reais, 170

11 Funções Diferenciáveis, 173
- 11.1 Função Diferenciável: Definição, 173
- 11.2 Uma Condição Suficiente para Diferenciabilidade, 178
- 11.3 Plano Tangente e Reta Normal, 183
- 11.4 Diferencial, 187
- 11.5 O Vetor Gradiente, 190

12 Regra da Cadeia, 193
- 12.1 Regra da Cadeia, 193
- 12.2 Derivação de Funções Definidas Implicitamente. Teorema das Funções Implícitas, 206

13 Gradiente e Derivada Direcional, 222
- 13.1 Gradiente de uma Função de Duas Variáveis: Interpretação Geométrica, 222
- 13.2 Gradiente de Função de Três Variáveis: Interpretação Geométrica, 228
- 13.3 Derivada Direcional, 232
- 13.4 Derivada Direcional e Gradiente, 236

14 Derivadas Parciais de Ordens Superiores, 247
14.1 Derivadas Parciais de Ordens Superiores, 247
14.2 Aplicações da Regra da Cadeia Envolvendo Derivadas Parciais de Ordens Superiores, 251

15 Teorema do Valor Médio. Fórmula de Taylor com Resto de Lagrange, 261
15.1 Teorema do Valor Médio, 261
15.2 Funções com Gradiente Nulo, 263
15.3 Relação entre Funções com Mesmo Gradiente, 265
15.4 Polinômio de Taylor de Ordem 1, 270
15.5 Polinômio de Taylor de Ordem 2, 275
15.6 Fórmula de Taylor com Resto de Lagrange, 278

16 Máximos e Mínimos, 280
16.1 Pontos de Máximo e Pontos de Mínimo, 280
16.2 Condições Necessárias para que um Ponto Interior ao Domínio de f Seja um Extremante Local de f, 282
16.3 Uma Condição Suficiente para um Ponto Crítico Ser Extremante Local, 285
16.4 Máximos e Mínimos sobre Conjunto Compacto, 290
16.5 O Método dos Multiplicadores de Lagrange para Determinação de Candidatos a Extremantes Locais Condicionados, 295
16.6 Exemplos Complementares, 306

17 Mínimos Quadrados: Solução LSQ de um Sistema Linear. Aplicações ao Ajuste de Curvas, 313
17.1 Teorema de Pitágoras, 313
17.2 Solução LSQ de um Sistema Linear com Uma Incógnita, 314
17.3 Solução LSQ de um Sistema Linear com Duas ou Mais Incógnitas, 317
17.4 Ajuste de Curva: A Reta dos Mínimos Quadrados, 323
17.5 Coeficiente de Determinação. Correlação, 330
17.6 Plano dos Mínimos Quadrados. Ajuste Polinomial, 333

Apêndice A Funções de uma Variável Real a Valores Complexos, 334
A.1 Funções de uma Variável Real a Valores Complexos, 334
A.2 Definição de $e^{\lambda t}$, com λ Complexo, 336
A.3 Equações Diferenciais Lineares, Homogêneas, de 2ª Ordem, com Coeficientes Constantes, 343
A.4 Equações Diferenciais Lineares, de 3ª Ordem, com Coeficientes Constantes, 344

Apêndice B Uso da HP-48G, do EXCEL e do MATHCAD, 346
B.1 As Funções *UTPN*, *NMVX* e *NMVA*, 346
B.2 As Funções *UTPC*, *C2NX* e *C2NA*, 351
B.3 As Funções *UTPT*, *TNX* e *TNA*, 352
B.4 As Funções *UTPF*, *FNNX* e *FNNA*, 353
B.5 Menu Personalizado, 353

- B.6 Resolvendo Sistema Linear no Solve System, 354
- B.7 Resolvendo Sistema Linear no Ambiente Home. As Funções *LSQ*, *RREF* e *COL+*, 356
- B.8 Programa para Construir Matriz: A Variável *MATR*, 362
- B.9 Utilizando o Aplicativo Fit Data para Ajuste de Curva pelo Método dos Mínimos Quadrados. As Funções *Predx* e *Predy*, 364

Respostas, Sugestões ou Soluções, 389

Bibliografia, 433

Índice, 434

CAPÍTULO 1

Funções Integráveis

O objetivo deste capítulo é destacar as funções integráveis que vão interessar ao curso. Este capítulo poderá ser omitido pelo leitor que já tenha estudado o Apêndice D do Vol. 1.

1.1 Alguns Exemplos de Funções Integráveis e de Funções Não Integráveis

Nesta seção, apresentaremos alguns exemplos de funções integráveis e de funções não integráveis, trabalhando diretamente com a definição de integral de Riemann.

Antes de começar a estudar os exemplos que apresentaremos a seguir, sugerimos ao leitor rever a definição de integral de Riemann apresentada na Seção 11.3 do Vol. 1.

Exemplo 1 Prove, pela definição, que a função constante $f(x) = k, x \in [a, b]$, é integrável em $[a, b]$ e que $\int_a^b f(x)dx = k(b-a)$.

Solução

Para toda partição $P: a = x_0 < x_1 < x_2 < \ldots < x_{i-1} < x_i < \ldots < x_n = b$ de $[a, b]$ tem-se, independentemente da escolha de c_i em $[x_{i-1}, x_i]$, i variando de 1 a n,

$$\sum_{i=1}^n f(c_i) \Delta x_i = \sum_{i=1}^n k \Delta x_i = k \sum_{i=1}^n \Delta x_i = k(b-a).$$

Segue que dado $\varepsilon > 0$ e tomando-se um $\delta > 0$ qualquer tem-se, independentemente da escolha dos c_i,

$$\left| \sum_{i=1}^n f(c_i) \Delta x_i - k(b-a) \right| = 0 < \varepsilon$$

para toda partição de $[a, b]$, com máx $\Delta x_i < \delta$. Logo,

$$\lim_{\text{máx } \Delta x_i \to 0} \sum_{i=1}^n f(c_i) \Delta x_i = k(b-a)$$

ou seja, f é integrável em $[a, b]$ e

$$\int_a^b f(x)dx = k(b-a).$$

Antes de passarmos ao próximo exemplo faremos a seguinte observação.

Observação. De acordo com a definição de integral, sendo f integrável em $[a, b]$, dado $\varepsilon > 0$ existirá $\delta > 0$ que só depende de ε, mas não da escolha dos c_i, tal que

$$\left| \sum_{i=1}^{n} f(c_i) \Delta x_i - \int_a^b f(x)\, dx \right| < \frac{\varepsilon}{2}$$

para toda partição P de $[a, b]$, com máx $\Delta x_i < \delta$. Segue que se P for uma partição de $[a, b]$, com máx $\Delta x_i < \delta$, e se c_i e $\bar{c}_i$ ($i = 1, 2, \ldots, n$) forem escolhidos arbitrariamente em $[x_{i-1}, x_i]$, teremos

$$\left| \sum_{i=1}^{n} f(c_i) \Delta x_i - \int_a^b f(x)\, dx \right| < \frac{\varepsilon}{2}$$

e

$$\left| \sum_{i=1}^{n} f(\bar{c}_i) \Delta x_i - \int_a^b f(x)\, dx \right| < \frac{\varepsilon}{2}$$

e, portanto,

$$\left| \sum_{i=1}^{n} f(c_i) \Delta x_i - \sum_{i=1}^{n} f(\bar{c}_i) \Delta x_i \right| < \varepsilon$$

para toda partição P de $[a, b]$, com máx $\Delta x_i < \delta$ independentemente da escolha de c_i e $\bar{c}_i$. Deste modo, se f for integrável em $[a, b]$, duas somas de Riemann quaisquer relativas a uma mesma partição P, com máx Δx_i suficientemente pequeno, devem diferir muito pouco uma da outra, e o módulo da diferença entre elas deverá ser tanto menor quanto menor for máx Δx_i.

Exemplo 2 (Exemplo de função não integrável.) Prove que

$$f(x) = \begin{cases} 1 \text{ se } x \in \mathbb{Q} \\ 0 \text{ se } x \notin \mathbb{Q} \end{cases}$$

não é integrável em $[0, 1]$.

Solução

Seja $P : 0 = x_0 < x_1 < x_2 < \ldots < x_{i-1} < x_i < \ldots < x_n = 1$ uma partição qualquer de $[0, 1]$. Se $c_1, c_2, \ldots, c_n$ forem *racionais*

① $$\sum_{i=1}^{n} f(c_i) \Delta x_i = \sum_{i=1}^{n} \Delta x_i = 1.$$

Se $\bar{c}_1, \bar{c}_2, \ldots, \bar{c}_n$ forem *irracionais*

② $$\sum_{i=1}^{n} f(\bar{c}_i) \Delta x_i = 0.$$

De ① e ② e da observação anterior segue que f *não é integrável* em $[0, 1]$.

Exemplo 3 Seja $f:[0, 2] \to \mathbb{R}$ dada por

$$f(x) = \begin{cases} 0 \text{ se } x \neq 1 \\ 1 \text{ se } x = 1. \end{cases}$$

Prove que f é integrável em $[0, 2]$ e que $\int_0^2 f(x)dx = 0$.

Solução

Seja P uma partição qualquer de $[0, 2]$ e suponhamos que $1 \in [x_{j-1}, x_j]$.

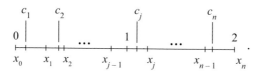

Se $1 \in \,]x_{j-1}, x_j[$,

$$\sum_{i=1}^n f(c_i)\Delta x_i = \begin{cases} 0 \text{ se } c_j \neq 1 \\ \Delta x_j \text{ se } c_j = 1. \end{cases}$$

Se $1 = x_{j-1}$ e $c_{j-1} = c_j = 1, \displaystyle\sum_{i=1}^n f(c_i)\Delta x_i = \Delta x_{j-1} + \Delta x_j$.

Fica a seu cargo concluir que, em qualquer caso

$$\left| \sum_{i=1}^n f(c_i)\Delta x_i - 0 \right| \leq 2 \text{ máx } \Delta x_i$$

independentemente da escolha dos c_i. Portanto,

$$\lim_{\text{máx } \Delta x_i \to 0} \sum_{i=1}^n f(c_i)\Delta x_i = 0 = \int_0^2 f(x)\, dx.$$

Observe que a função do exemplo anterior *não é contínua* em $[0, 2]$, entretanto, é integrável em $[0, 2]$.

Exemplo 4 Seja

$$f(x) = \begin{cases} 1 \text{ se } 0 \leq x \leq 1 \\ 2 \text{ se } 1 < x \leq 2. \end{cases}$$

Prove que f é integrável em $[0, 2]$ e que $\int_0^2 f(x)\, dx = 3$.

Solução

Consideremos a partição $0 = x_0 < x_1 < \ldots < x_{j-1} < x_j < \ldots < x_n = 2$ e suponhamos que $1 \in [x_{j-1}, x_j]$.

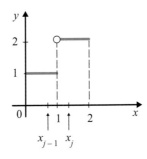

Temos:

$$\sum_{i=1}^{n} f(c_i)\,\Delta x_i = \begin{cases} x_{j-1}+(x_j-x_{j-1})+2(2-x_j) & \text{se } x_{j-1} \leq c_j \leq 1 \\ x_{j-1}+2(x_j-x_{j-1})+2(2-x_j) & \text{se } 1 < c_j \leq x_j \end{cases}$$

Segue que

$$\sum_{i=1}^{n} f(c_i)\,\Delta x_i - 3 = \begin{cases} 1-x_j & \text{se } x_{j-1} \leq c_j \leq 1 \\ 1-x_{j-1} & \text{se } 1 < c_j \leq x_j \end{cases}$$

(Interprete geometricamente.) Logo,

$$\left|\sum_{i=1}^{n} f(c_i)\,\Delta x_i - 3\right| \leq \text{máx } \Delta x_i$$

independentemente da escolha dos c_j. Portanto,

$$\lim_{\text{máx } \Delta x_i \to 0} \sum_{i=1}^{n} f(c_i)\,\Delta x_i = 3 = \int_0^2 f(x)\,dx.$$

Exemplo 5 Prove que

$$f(x) = \begin{cases} 1 & \text{se } x=0 \\ \dfrac{1}{x} & \text{se } 0 < x \leq 1 \end{cases}$$

não é integrável em [0, 1].

Solução

Seja P uma partição qualquer de [0, 1] e $\sum_{i=1}^{n} f(c_i)\,\Delta x_i$ uma soma de Riemann de f relativa a esta partição. Tomemos c_1 em $]0, x_1[$. Se mantivermos fixos $c_2, c_3, \ldots, c_n$, teremos

$$\lim_{c_1 \to 0^+} \sum_{i=1}^{n} f(c_i)\,\Delta x_i = +\infty. \text{ (Por quê?)}$$

Logo, *não* existe número L tal que

$$\lim_{\text{máx } \Delta x_i \to 0} \sum_{i=1}^{n} f(c_i)\,\Delta x_i = L$$

ou seja, f não é integrável em [0, 1].

Funções Integráveis

Observe que a função do exemplo anterior *não é limitada* em [0, 1]. (Lembramos que *f* limitada em [*a*, *b*] significa que existem reais α e β tais que, para todo $x \in [a, b]$, $\alpha \leq f(x) \leq \beta$.)

O próximo teorema, cuja demonstração encontra-se no Apêndice D do Vol. 1, conta-nos que uma *condição necessária* para *f* ser integrável em [*a*, *b*] é que *f* seja *limitada* neste intervalo. Tal condição não é suficiente, pois,

$$f(x) = \begin{cases} 1 \text{ se } x \in \mathbb{Q} \\ 0 \text{ se } x \notin \mathbb{Q} \end{cases}$$

é limitada em [0, 1], mas não é integrável neste intervalo.

Teorema. Se *f* for integrável em [*a*, *b*], então *f* será limitada em [*a*, *b*].

Exercícios 1.1

1. Seja $f: [0, 1] \to \mathbb{R}$ dada por

$$f(x) = \begin{cases} 0 \text{ se } x \notin \left\{0, \frac{1}{2}, 1\right\} \\ 1 \text{ se } x \in \left\{0, \frac{1}{2}, 1\right\} \end{cases}$$

Prove que *f* é integrável em [0, 1] e que

$$\int_0^1 f(x)dx = 0.$$

2. Seja $f: [0, 1] \to \mathbb{R}$ dada por $f(x) = \begin{cases} x \text{ se } x \in \mathbb{Q} \\ 0 \text{ se } x \notin \mathbb{Q} \end{cases}$

a) Verifique que se os c_i forem racionais $\sum_{i=1}^{n} f(c_i) \Delta x_i$ tende a $\frac{1}{2}$, quando máx $\Delta x_i \to 0$.

b) Prove que *f* não é integrável em [0, 1].

3. Calcule, caso exista, e justifique sua resposta.

a) $\int_0^2 f(x) \, dx$ em que $f(x) = \begin{cases} 1 \text{ se } 0 \leq x < 1 \\ 4 \text{ se } x = 1 \\ 2 \text{ se } 1 < x \leq 2. \end{cases}$

b) $\int_0^3 f(x) \, dx$ em que $f(x) = \begin{cases} 1 \text{ se } 0 \leq x < 2 \\ 3 \text{ se } 2 \leq x \leq 3 \end{cases}$

c) $\int_0^1 f(x) \, dx$ em que $f(x) = \begin{cases} \dfrac{1}{x^2} \text{ se } 0 < x \leq 1 \\ 2 \quad \text{ se } x = 0 \end{cases}$

d) $\int_{-1}^1 f(x) \, dx$ em que $f(x) = \begin{cases} x \text{ se } x \in \mathbb{Q} \\ -x \text{ se } x \notin \mathbb{Q} \end{cases}$

1.2 Funções Integráveis

Os teoremas que enunciaremos a seguir, e cujas demonstrações encontram-se no Apêndice D do Vol. 1, destacam as funções integráveis que vão interessar ao curso.

O teorema 1 conta-nos que toda *função contínua* em [a, b] é integrável em [a, b] e, o Teorema 2, que toda função *limitada* em [a, b] e *descontínua em apenas um número finito de pontos* de [a, b] é integrável em [a, b].

Teorema 1. Se f for contínua em [a, b], então f será integrável em [a, b].

Teorema 2. Se f for limitada em [a, b] e descontínua em apenas um número finito de pontos de [a, b], então f será integrável em [a, b].

Exemplo 1 $f(x) = \cos 3x$ é contínua em [−1, 5], logo integrável neste intervalo.

Exemplo 2 Verifique se

$$f(x) = \begin{cases} x^2 & \text{se } -1 \leq x < 1 \\ 2 & \text{se } 1 \leq x \leq 3 \end{cases}$$

é integrável em [−1, 3].

Solução

f é limitada em [−1, 3], pois, para todo x em [−1, 3], $0 \leq f(x) \leq 2$; além disso, f é descontínua apenas em $x = 1$. Pelo teorema 2, f é integrável em [−1, 3].

Exemplo 3 Verifique se

$$f(x) = \begin{cases} \dfrac{1}{x-1} & \text{se } -1 \leq x < 1 \\ 2 & \text{se } 1 \leq x \leq 3 \end{cases}$$

é integrável em [−1, 3].

Solução

Não, pois f não é limitada em [−1, 3].

Exercícios 1.2

1. A função dada é integrável? Justifique.

   a) $f(x) = \dfrac{x}{1+x^2}, -1 \leq x \leq 2$

   b) $f(x) = e^{-x^2}, 0 \leq x \leq 4$

c) $f(x) = \begin{cases} x^2 & \text{se } -2 \leq x < 1 \\ \dfrac{2}{x} & \text{se } 1 \leq x \leq 2 \end{cases}$

d) $f(x) = \begin{cases} 1 & \text{se } x = 0 \\ \dfrac{\text{sen } x}{x} & \text{se } 0 < x \leq 1 \end{cases}$

e) $f(x) = \begin{cases} 0 & \text{se } x = 0 \\ \text{sen}\dfrac{1}{x} & \text{se } 0 < x \leq 1 \end{cases}$

f) $f(x) = \begin{cases} 0 & \text{se } x = 0 \\ \dfrac{1}{x}\text{sen}\dfrac{1}{x} & \text{se } 0 < x \leq \dfrac{2}{\pi} \end{cases}$

g) $f(x) = \begin{cases} x^2 & \text{se } -1 \leq x < 0 \\ 5 & \text{se } x = 0 \\ 2 & \text{se } 0 < x \leq 1 \end{cases}$

h) $f(x) = \begin{cases} \dfrac{1}{x^2} & \text{se } |x| \leq 1, x \neq 0 \\ 3 & \text{se } x = 0 \end{cases}$

CAPÍTULO 2

Função Dada por Integral

2.1 Cálculo de Integral de Função Limitada e Descontínua em um Número Finito de Pontos

O teorema que vamos enunciar e demonstrar a seguir conta-nos que se f e g forem integráveis em $[a, b]$ e se $f(x)$ for diferente de $g(x)$ em apenas um número finito de pontos, então suas integrais serão iguais.

Teorema. Sejam f e g integráveis em $[a, b]$ e tais que $f(x) \neq g(x)$ em apenas um número finito de pontos. Então

$$\int_a^b f(x)\,dx = \int_a^b g(x)\,dx.$$

Demonstração

$h(x) = g(x) - f(x)$ é integrável em $[a, b]$ e $h(x) = 0$, exceto em um número finito de pontos. Como

$$\lim_{\text{máx } \Delta x_i \to 0} \sum_{i=1}^n h(c_i)\,\Delta x_i$$

independe da escolha dos c_i, resulta que tal limite é zero, pois, para cada partição P de $[a, b]$, podemos escolher c_i em $[x_{i-1}, x_i]$ $i = 1, 2, \ldots, n$ de modo que $h(c_i) = 0$. Assim

$$\int_a^b h(x)\,dx = \lim_{\text{máx } \Delta x_i \to 0} \sum_{i=1}^n h(c_i)\,\Delta x_i = 0$$

ou seja,

$$\int_a^b (g(x) - f(x))\,dx = 0$$

e, portanto,

$$\int_a^b f(x)\,dx = \int_a^b g(x)\,dx.$$

Função Dada por Integral

Exemplo 1 Calcule $\int_0^2 f(x)\,dx$

$$f(x) = \begin{cases} x^2 & \text{se } 0 \leq x \leq 1 \\ \dfrac{2}{x} & \text{se } 1 < x \leq 2 \end{cases}$$

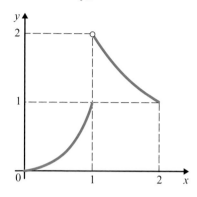

Solução

f é integrável em [0, 2], pois é limitada e descontínua em apenas $x = 1$. Temos

$$\int_0^2 f(x)\,dx = \int_0^1 f(x)\,dx + \int_1^2 f(x)\,dx.$$

Em [0, 1], $f(x) = x^2$; logo,

$$\int_0^1 f(x)\,dx = \int_0^1 x^2\,dx = \frac{1}{3}.$$

Em [1, 2], $f(x)$ difere de $\dfrac{2}{x}$ em apenas $x = 1$; daí

$$\int_1^2 f(x)\,dx = \int_1^2 \frac{2}{x}\,dx = \left[2\ln x\right]_1^2 = 2\ln 2.$$

Portanto,

$$\int_0^2 f(x)\,dx = \frac{1}{3} + 2\ln 2.$$

Exemplo 2 Calcule $\int_0^x f(t)\,dt, x \geq 0$, em que

$$f(t) = \begin{cases} t & \text{se } 0 \leq t < 1 \\ t^2 - 1 & \text{se } t \geq 1. \end{cases}$$

Solução

Para todo $x \geq 0$, f é integrável em [0, x], pois, neste intervalo, f é limitada e descontínua no máximo em um ponto. Temos

$$\int_0^x f(t)\,dt = \begin{cases} \int_0^x t\,dt & \text{se } 0 \leq x \leq 1 \\ \int_0^1 t\,dt + \int_1^x (t^2 - 1)\,dt & \text{se } x > 1 \end{cases}$$

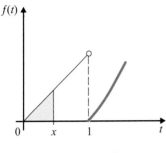 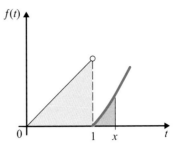

$$\int_0^x f(t)\,dt = \int_0^x t\,dt \qquad \int_0^x f(t)\,dt = \int_0^1 t\,dt + \int_1^x (t^2-1)\,dt.$$

Como

$$\int_0^x t\,dt = \frac{x^2}{2} \text{ e } \int_1^x (t^2-1)\,dt = \left[\frac{t^3}{3} - t\right]_1^x = \frac{x^3}{3} - x + \frac{2}{3}$$

segue que

$$\int_0^x f(t)\,dt = \begin{cases} \dfrac{x^2}{2} & \text{se } 0 \leq x \leq 1 \\ \dfrac{1}{2} + \dfrac{x^3}{3} - x + \dfrac{2}{3} & \text{se } x > 1 \end{cases}$$

ou seja,

$$\int_0^x f(t)\,dt = \begin{cases} \dfrac{x^2}{2} & \text{se } 0 \leq x \leq 1 \\ \dfrac{x^3}{3} - x + \dfrac{7}{6} & \text{se } x > 1. \end{cases}$$

Sejam $x_1, x_2, \ldots, x_p$, p pontos do intervalo $[a, b]$ e seja f uma função definida em todos os pontos de $[a, b]$, exceto em $x_1, x_2, \ldots, x_p$. Suponhamos f limitada e contínua em todos os pontos de seu domínio. Pela definição de integral, não tem sentido falar na integral de f em $[a, b]$, pois f não está definida em todos os pontos de $[a, b]$. Entretanto, a função g definida em $[a, b]$ e dada por

$$g(x) = \begin{cases} f(x) & \text{se } x \notin \{x_1, x_2, \ldots, x_p\} \\ m_i & \text{se } x = x_i, i = 1, 2, \ldots, p \end{cases}$$

em que $m_1, m_2, \ldots, m_p$ são números escolhidos arbitrariamente, é integrável em $[a, b]$ e o valor da integral independe da escolha dos m_i. Nada mais natural, então, do que definir a *integral de f em $[a, b]$* por

$$\int_a^b f(x)\,dx = \int_a^b g(x)\,dx.$$

Exemplo 3 Calcule $\int_0^2 f(x)\,dx$ em que

$$f(x) = \begin{cases} x^3 & \text{se } 0 \leq x < 1 \\ \dfrac{1}{x^2} & \text{se } 1 < x < 2. \end{cases}$$

Solução

$$\int_0^2 f(x)\,dx = \int_0^1 x^3\,dx + \int_1^2 \frac{1}{x^2}\,dx = \frac{1}{4} + \left[-\frac{1}{x}\right]_1^2 = \frac{3}{4}.$$

Exemplo 4 $\int_0^1 \frac{1}{x}\,dx$ não existe no sentido de Riemann, pois $\frac{1}{x}$ não é limitada em $]0, 1]$.

Exercícios 2.1

1. Calcule

a) $\int_0^2 f(x)\,dx$ em que $f(x) = \begin{cases} 2 & \text{se } 0 \leq x < 1 \\ \dfrac{1}{x} & \text{se } 1 \leq x \leq 2 \end{cases}$

b) $\int_{-1}^3 f(x)\,dx$ em que $f(x) = \begin{cases} 1 & \text{se } -1 \leq x < 0 \\ x^2 & \text{se } 0 < x < 2 \\ 0 & \text{se } 2 \leq x \leq 3 \end{cases}$

c) $\int_{-1}^3 f(x)\,dx$ em que $f(x) = \begin{cases} \dfrac{x}{1+x^2} & \text{se } x \neq 1 \\ 5 & \text{se } x = 1 \end{cases}$

d) $\int_{-2}^2 g(u)\,du$ em que $g(u) = \begin{cases} \dfrac{1}{u^2} & \text{se } |u| \geq 1 \\ u & \text{se } |u| < 1 \end{cases}$

2. Calcule

a) $\int_0^x f(t)\,dt$ em que $f(t) = \begin{cases} 1 & \text{se } 0 \leq t < 1 \\ 0 & \text{se } t \geq 1 \end{cases}$

b) $\int_{-1}^x f(t)\,dt$ em que $f(t) = \begin{cases} t^2 & \text{se } -1 \leq t \leq 1 \\ 2 & \text{se } t > 1 \end{cases}$

c) $\int_0^x f(t)\,dt$ em que $f(t) = \begin{cases} t^2 & \text{se } -1 \leq t \leq 1 \\ 2 & \text{se } t > 1 \end{cases}$

d) $\int_0^x f(t)\,dt$ em que $f(t) = \begin{cases} 1 & \text{se } 0 \leq t < 1 \\ 2 & \text{se } 1 \leq t < 2 \\ 3 & \text{se } t \geq 2 \end{cases}$

Capítulo 2

2.2 Função Dada por uma Integral

Seja f uma função definida num intervalo I e integrável em todo intervalo $[c, d]$ contido em I. Seja a um número fixo pertencente a I. Para todo x em I, a integral $\int_a^x f(t)\, dt$ existe; podemos, então, considerar a função F definida em I e dada por

① $$F(x) = \int_a^x f(t)\, dt.$$

Nosso objetivo é estudar a F com relação à continuidade e derivabilidade. Na Seção 2.4, estudaremos ① supondo f *contínua* em I; provaremos que, neste caso, F é *derivável* em I e que $F'(x) = f(x)$ *para todo* $x \in I$. Na Seção 2.5, estudaremos ① supondo apenas que f seja integrável em todo intervalo $[c, d] \subset I$ e, portanto, não necessariamente contínua em I. Provaremos, então, que mesmo neste caso F será *contínua* em I; provaremos, ainda, que F será *derivável em todos os pontos em que f for contínua* e se p for um ponto de continuidade de f, então $F'(p) = f(p)$.

Observe que, tendo em vista o que dissemos acima, o *gráfico de F não pode apresentar salto.* Portanto, se você estiver esboçando o gráfico de uma função dada por uma integral e se o seu gráfico apresentar salto, apague e comece de novo!

Exemplo 1 Esboce o gráfico de $F(x) = \int_0^x f(t)\, dt$ em que

$$f(t) = \begin{cases} 1 \text{ se } 0 \leqslant t < 2 \\ 2 \text{ se } t \geqslant 2. \end{cases}$$

Solução

F está definida para todo $x \geqslant 0$. Temos

$$F(x) = \begin{cases} \int_0^x 1\, dt & \text{se } 0 \leqslant x \leqslant 2 \\ \int_0^2 1\, dt + \int_2^x 2\, dt & \text{se } x > 2 \end{cases}$$

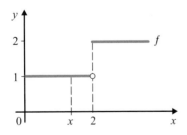
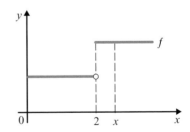

$\int_0^x f(t)\, dt = \int_0^x 1\, dt$ se $0 \leqslant x \leqslant 2$ $\qquad$ $\int_0^x f(t)\, dt = \int_0^2 1\, dt + \int_2^x 2\, dt$ se $x > 2$

$$F(x) = \begin{cases} x & \text{se } 0 \leqslant x \leqslant 2 \\ 2x - 2 & \text{se } x > 2. \end{cases}$$

Observe que F é contínua e que $F'(x) = f(x)$ em todo $x \neq 2$.

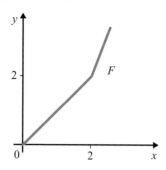

Exemplo 2 Esboce o gráfico da função

$$F(x) = \int_0^x f(t)\,dt \text{ em que } f(t) = \begin{cases} 1 & \text{se } -1 \leq t < 1 \\ 2 & \text{se } t \geq 1 \end{cases}$$

Solução

O domínio de F é o intervalo $[-1, +\infty[$. Temos:

$$F(x) = \int_0^x f(x)\,dx = \begin{cases} \int_0^x 1\,dt & \text{se } -1 \leq x \leq 1 \\ \int_0^1 1\,dt + \int_1^x 2\,dt & \text{se } x > 1 \end{cases}$$

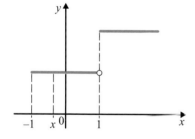

$\int_0^x f(t)\,dt = \int_0^x 1\,dt$ se $-1 \leq x \leq 1$ $\qquad$ $\int_0^x f(t)\,dt = \int_0^1 1\,dt + \int_1^x 2\,dt$ se $x > 1$

$$F(x) = \begin{cases} x & \text{se } -1 \leq x \leq 1 \\ 1 + [2t]_1^x & \text{se } x > 1 \end{cases} = \begin{cases} x & \text{se } -1 \leq x \leq 1 \\ 2x - 1 & \text{se } x > 1 \end{cases}$$

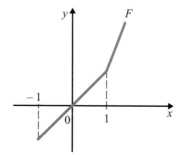

Capítulo 2

Exemplo 3 Considere a função $F(x) = \int_1^x f(t)\, dt$ em que $f(t) = \dfrac{1}{t}, t \neq 0$.

a) Determine o domínio de F.
b) Verifique que $F'(x) = f(x)$ para todo $x > 0$.

Solução

a) Se $x > 0$, f será contínua no intervalo de extremidades 1 e x; logo, $\int_1^x f(t)\, dt$ existe para todo $x > 0$. Se $x \leq 0$, a integral $\int_1^x f(t)\, dt$ não existe, pois f não é limitada em $]0, 1]$. O domínio de F é, então, o intervalo $]0, +\infty[$.

b) $F(x) = \int_1^x \dfrac{1}{t}\, dt$, $x > 0$; assim

$$F(x) = \left[\ln t\right]_1^x = \ln x.$$

Segue que $F'(x) = \dfrac{1}{x} = f(x), x > 0$.

Exercícios 2.2

1. Esboce o gráfico da função F dada por

a) $F(x) = \int_0^x f(t)\, dt$ em que $f(t) = \begin{cases} 2 & \text{se } 0 \leq t < 1 \\ \dfrac{1}{t} & \text{se } t \geq 1 \end{cases}$

b) $F(x) = \int_1^x t\, dt$

c) $F(x) = \int_1^x f(t)\, dt$ em que $f(t) = \begin{cases} 2 & \text{se } t \leq 0 \\ 0 & \text{se } t > 0 \end{cases}$

d) $F(x) = \int_1^x f(t)\, dt$ em que $f(t) = \begin{cases} 0 & \text{se } t \leq 1 \\ 1 & \text{se } t > 1 \end{cases}$

e) $F(x) = \int_0^x f(t)\, dt$ em que $f(t) = \begin{cases} t & \text{se } -2 \leq t \leq 0 \\ e^{-t} & \text{se } t > 0 \end{cases}$

f) $F(x) = \int_{-5}^x f(t)\, dt$ em que $f(t) = \begin{cases} 0 & \text{se } |t| \geq 1 \\ t^2 & \text{se } |t| < 1 \end{cases}$

g) $F(x) = \int_0^x e^{-|t|}\, dt$

2. Seja $F(x) = \int_0^x f(t)\, dt$ em que $f(t) = \begin{cases} t & \text{se } t \neq 1 \\ 2 & \text{se } t = 1 \end{cases}$

a) Esboce o gráfico de F.
b) Calcule $F'(x)$.

3. Determine o domínio da função F

a) $F(x) = \int_2^x \dfrac{1}{t-1}\, dt$

b) $F(x) = \int_0^x \dfrac{1}{t-1}\, dt$

c) $F(x) = \int_0^x \dfrac{t}{t^2 - 4}\, dt$

d) $F(x) = \int_3^x \dfrac{t}{t^2 - 4}\, dt$

4. Seja $F(x) = \int_0^x f(t)\, dt$ em que $f(t) = \begin{cases} t^2 & \text{se } t < 1 \\ \dfrac{2}{t} & \text{se } t \geq 1. \end{cases}$

a) Verifique que $F'(x) = f(x)$ em todo x em que f for contínua.
b) F é derivável em $x = 1$?

5. Seja $F(x) = \int_0^x f(t)\, dt$ em que $f(t) = \begin{cases} 1 & \text{se } t \neq 1 \\ 2 & \text{se } t = 1. \end{cases}$

a) Verifique que $F'(x) = f(x)$ em todo x em que f for contínua.
b) F é derivável em $x = 1$? Em caso afirmativo, calcule $F'(1)$ e compare com $f(1)$.

6. Seja $F(x) = \int_0^x f(t)\, dt$ em que $f(t) = \begin{cases} t^2 & \text{se } t < 1 \\ \dfrac{1}{t} & \text{se } t \geq 1 \end{cases}$

Verifique que $F'(x) = f(x)$ para todo x.

2.3 Teorema do Valor Médio para Integral

No próximo parágrafo, vamos enunciar e demonstrar o 2º teorema fundamental do cálculo. Para tal, vamos precisar do *teorema do valor médio* ou *teorema da média para integral*.

Teorema (do valor médio para integral). Se f for contínua em $[a, b]$, então existirá pelo menos um c em $[a, b]$ tal que

$$\int_a^b f(x)\, dx = f(c)(b - a).$$

Demonstração

Como f é contínua em $[a, b]$, pelo teorema de Weierstrass, f assume em $[a, b]$ valor máximo e valor mínimo. Sejam M o valor máximo e m o valor mínimo de f em $[a, b]$. Assim, para todo x em $[a, b]$,

$$m \leq f(x) \leq M$$

e daí

$$\int_a^b m\, dx \leq \int_a^b f(x)\, dx \leq \int_a^b M\, dx$$

ou seja,

$$m(b - a) \leq \int_a^b f(x)\, dx \leq M(b - a)$$

e, portanto,

$$m \leq \frac{\int_a^b f(x)\, dx}{b - a} \leq M.$$

Capítulo 2

Deste modo, $\dfrac{\int_a^b f(x)\, dx}{b-a}$ é um número entre o menor e o maior valor de f em $[a, b]$; pelo teorema do valor intermediário, existe c em $[a, b]$ tal que

$$f(c) = \dfrac{\int_a^b f(x)\, dx}{b-a}$$

ou seja,

$$\int_a^b f(x)\, dx = f(c)(b-a).$$

Interpretação Geométrica do Teorema do Valor Médio para Integral

Suponhamos f contínua em $[a, b]$ e $f(x) \geq 0$ em $[a, b]$. Assim, $\int_a^b f(x)\, dx$ é a área do conjunto A limitado pelas retas $x = a$, $x = b$, pelo eixo x e pelo gráfico de $y = f(x)$. O teorema do valor médio conta-nos, então, que existe c em $[a, b]$ tal que a área do retângulo de base $b - a$ e altura $f(c)$ é igual à área de A.

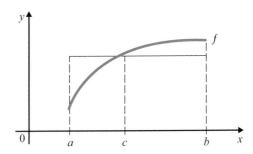

Antes de encerrar a seção, vamos destacar uma outra propriedade que será utilizada na demonstração do 2º teorema fundamental do cálculo.

Seja f integrável em $[a, b]$ e seja $c \in\ ]a, b[$. Vimos na Seção 11.4 (Vol. 1) que se f for integrável em $[a, c]$ e em $[c, b]$, então

$$\int_a^b f(x)\, dx = \int_a^c f(x)\, dx + \int_c^b f(x)\, dx.$$

Pois bem, na próxima seção, vamos precisar da seguinte propriedade, cuja demonstração deixamos a seu cargo: "Se f for integrável em todo intervalo fechado contido em I, então

$$\int_\alpha^\beta f(x)\, dx = \int_\alpha^\gamma f(x)\, dx + \int_\gamma^\beta f(x)\, dx$$

quaisquer que sejam α, β e γ no intervalo I."

Exercícios 2.3

1. Suponha $f(x) > 0$ e contínua em $[a, b]$. Prove que $\int_a^b f(x)\, dx > 0$.

2. Suponha $f(x) \geq 0$ e contínua em $[a, b]$. Prove que se $\int_a^b f(x)\, dx = 0$ então $f(x) = 0$, para todo $x \in [a, b]$.

3. Suponha $f(x) \geq 0$ e integrável em $[a, b]$. A afirmação

$$\text{`` } \int_a^b f(x)\, dx = 0 \Rightarrow f(x) = 0 \text{ em } [a, b]\text{''}$$

é falsa ou verdadeira? Justifique.

4. Suponha f contínua em $[a, b]$. Prove

$$\int_a^b [f(x)]^2\, dx = 0 \Leftrightarrow f(x) = 0 \text{ em } [a, b].$$

5. Sejam f e g contínuas em $[a, b]$, com $f(x) \geq 0$ em $[a, b]$. Prove que existe $\theta \in [a, b]$ tal que

$$\int_a^b f(x)\, g(x)\, dx = g(\theta) \int_a^b f(x)\, dx.$$

2.4 Teorema Fundamental do Cálculo. Existência de Primitivas

Seja f *contínua* no intervalo I e seja a um ponto em I. Como estamos supondo f contínua em I, para todo x em I, a integral $\int_a^x f(t)\, dt$ existe; podemos, então, considerar a função F definida em I e dada por

$$F(x) = \int_a^x f(t)\, dt.$$

Provaremos a seguir que a F acima é uma primitiva de f em I, isto é, $F'(x) = f(x)$ para todo x em I. No que segue, referir-nos-emos a este resultado como *2º teorema fundamental do cálculo* ou, simplesmente, *teorema fundamental do cálculo*.

Teorema (fundamental do cálculo). Seja f definida e contínua no intervalo I e seja $a \in I$. Nestas condições, a função F dada por

$$F(x) = \int_a^x f(t)\, dt, x \in I$$

é uma primitiva de f em I, isto é, $F'(x) = f(x)$ para todo x em I.

Demonstração

Precisamos provar que, para todo x em I,

$$F'(x) = \lim_{h \to 0} \frac{F(x+h) - F(x)}{h} = f(x).$$

Temos

$$\frac{F(x+h) - F(x)}{h} = \frac{\int_a^{x+h} f(t)\, dt - \int_a^x f(t)\, dt}{h} = \frac{\int_x^{x+h} f(t)\, dt}{h}.$$

Pelo teorema do valor médio para integrais existe c entre x e $x + h$ tal que

$$\int_x^{x+h} f(t)\, dt = f(c)\, h.$$

Capítulo 2

Assim,
$$\frac{F(x+h)-F(x)}{h} = f(c).$$

Tendo em vista a continuidade de f em I e observando que c tende a x quando h tende a zero resulta

$$F'(x) = \lim_{h \to 0} \frac{F(x+h)-F(x)}{h} = f(x). \qquad \blacksquare$$

Observe que o teorema fundamental do cálculo garante-nos que toda função contínua em um intervalo admite, neste intervalo, uma primitiva e, além disso, exibe-nos, ainda, uma primitiva.

Exemplo 1 Seja $F(x) = \int_1^x \frac{3}{1+t^4} \, dt$. Calcule $F'(x)$.

Solução

Observe que o domínio de F é $\mathbb{R}$, pois, $f(t) = \frac{3}{1+t^4}$ é contínua em $\mathbb{R}$. Pelo teorema fundamental do cálculo

$$F'(x) = \left[\int_1^x f(t) \, dt\right]' = f(x)$$

ou seja,
$$F'(x) = \frac{3}{1+x^4}.$$

Na notação de Leibniz
$$\frac{d}{dx}\left(\int_1^x \frac{3}{1+t^4} \, dt\right) = \frac{3}{1+x^4}.$$

Exemplo 2 Calcule $\dfrac{d}{du}\left(\int_0^u \operatorname{sen} t^2 \, dt\right)$.

Solução

Seja $f(t) = \operatorname{sen} t^2$. Temos:
$$\frac{d}{du}\left(\int_0^u f(t) \, dt\right) = f(u)$$

ou seja,
$$\frac{d}{du}\left(\int_0^u \operatorname{sen} t^2 \, dt\right) = \operatorname{sen} u^2.$$

Exemplo 3 Calcule $G'(x)$ sendo $G(x) = \int_1^{x^2} \frac{3}{1+t^4} \, dt$.

Solução

$$G(x) = F(x^2) \text{ em que } F(x) = \int_1^x \frac{3}{1+t^4} \, dt.$$

De
$$G'(x) = F'(x^2)2x \text{ e } F'(x) = \frac{3}{1+x^4}$$

resulta
$$G'(x) = \frac{6x}{1+x^8}.$$

Podemos, também, calcular $G'(x)$ da seguinte forma:
$$G(x) = \int_1^u \frac{3}{1+t^4} dt \text{ em que } u = x^2;$$

$$\frac{dG}{dx} = \frac{d}{du}\left(\int_1^u \frac{3}{1+t^4} dt\right)\frac{du}{dx} = \frac{3}{1+u^4} \cdot 2x.$$

Portanto,
$$G'(x) = \frac{6x}{1+x^8}.$$

Exemplo 4 Calcule $H'(x)$ sendo $H(x) = \int_{\text{sen } x}^{x^3} \frac{3}{1+t^4} dt$.

Solução

Como $f(t) = \frac{3}{1+t^4}$ é contínua em $\mathbb{R}$, tomando-se um número real qualquer, por exemplo 1, tem-se, para todo x,

$$H(x) = \int_{\text{sen } x}^{1} \frac{3}{1+t^4} dt + \int_1^{x^3} \frac{3}{1+t^4} dt$$

ou

$$H(x) = \int_1^{x^3} \frac{3}{1+t^4} dt - \int_1^{\text{sen } x} \frac{3}{1+t^4} dt;$$

daí

$$H'(x) = \frac{3}{1+(x^3)^4}(x^3)' - \frac{3}{1+(\text{sen } x)^4}(\text{sen } x)'$$

ou seja,

$$H'(x) = \frac{9x^2}{1+x^{12}} - \frac{3\cos x}{1+\text{sen}^4 x}.$$

Outra forma para se obter $H'(x)$ é a seguinte: como $f(t) = \frac{3}{1+t^4}$ é contínua em $\mathbb{R}$, f admite uma primitiva F; assim

$$H(x) = \int_{\text{sen } x}^{x^3} \frac{3}{1+t^4} dt = [F(t)]_{\text{sen } x}^{x^3}$$

ou seja,

$$H(x) = F(x^3) - F(\text{sen } x)$$

daí

$$H'(x) = F'(x^3)3x^2 - F'(\text{sen } x)\cos x.$$

Como

$$F'(t) = \frac{3}{1+t^4}$$

segue

$$H'(x) = \frac{9x^2}{1+x^{12}} - \frac{3\cos x}{1+\operatorname{sen}^4 x}.$$

Exemplo 5 Suponha $f(t)$ contínua em $[-r, r] (r > 0)$ e considere a função

$$F(x) = \int_0^x f(t)\, dt, \, x \in [-r, r].$$

Prove que se f for uma função par, então F será ímpar.

Solução

A nossa hipótese é de que f é contínua em $[-r, r]$ e $f(t) = f(-t)$ em $[-r, r]$. Queremos provar que

$$F(-x) = -F(x) \text{ em } [-r, r].$$

Como $F(x) = \int_0^x f(t)\,dt$ e f é contínua em $[-r, r]$, pelo teorema fundamental do cálculo

$$F'(x) = f(x) \text{ em } (-r, r).$$

Temos, também,

$$[F(-x)]' = F'(-x)(-x)' = -F'(-x)$$

ou seja,

$$[F(-x)]' = -f(-x), \text{ pois } F' = f.$$

Segue que, para todo x em $[-r, r]$,

$$[F(x) + F(-x)]' = F'(x) - F'(-x) = f(x) - f(-x)$$

ou seja,

$$[F(x) + F(-x)]' = 0.$$

Logo, existe uma constante k tal que, para todo x em $[-r, r]$, $F(x) + F(-x) = k$. Mas $F(0) = \int_0^0 f(t)\,dt = 0$ e, assim, $k = F(0) + F(-0) = 0$. Portanto, $F(x) + F(-x) = 0$ ou $F(-x) = -F(x)$, para todo $x \in [-r, r]$.

Exercícios 2.4

1. Calcule $F'(x)$ sendo F dada por

   a) $F(x) = \int_{-2}^{x} \dfrac{3t}{1+t^6}\, dt$

   b) $F(x) = \int_{2}^{x} \operatorname{sen} t^2\, dt$

   c) $F(x) = \int_{x}^{2} \cos t^4\, dt$

   d) $F(x) = \int_{1}^{x^2} \operatorname{sen} t^2\, dt$

   e) $F(x) = \int_{0}^{2x} \cos t^2\, dt$

   f) $F(x) = \int_{x^2}^{x^3} \dfrac{1}{5+t^4}\, dt$

   g) $F(x) = x^3 \int_{1}^{x} e^{-s^2}\, ds$

   h) $F(x) = \int_{0}^{x} x^2\, e^{-s^2}\, ds$

   i) $F(x) = \int_{x}^{1} \operatorname{arc\,tg} t^3\, dt$

   j) $F(x) = \int_{0}^{x} (x-t)\, e^{-t^2}\, dt$

2. Suponha $f(t) \geq 0$ e contínua em $\mathbb{R}$. Estude a função $F(x) = \int_{1}^{x^3+3x^2} f(t)\, dt$ com relação a crescimento e decrescimento.

3. Determine uma função $\varphi : \mathbb{R} \to \mathbb{R}$, contínua, tal que para todo x
$$\varphi(x) = 1 + \int_{0}^{x} t\, \varphi(t)\, dt.$$

4. Suponha f contínua em $[-r, r]$ ($r > 0$) e considere a função
$$F(x) = \int_{0}^{x} f(t)\, dt.$$
Prove que se f for uma função ímpar, então F será uma função par.

5. Suponha f contínua em $\mathbb{R}$ e periódica com período p, isto é, $f(x) = f(x+p)$ para todo x. Prove que a função
$$g(x) = \int_{x}^{x+p} f(t)\, dt \quad x \in \mathbb{R}$$
é constante. Interprete graficamente.

 6. Calcule $\int_{0}^{1} F(x)\, dx$, em que $F(x) = \int_{1}^{x} e^{-t^2}\, dt$. (*Sugestão*: integre por partes.)

7. Calcule $\int_{0}^{\pi} G(x)\, dx$, em que $G(x) = \int_{\pi}^{x} \operatorname{sen} t^2\, dt$.

8. As funções *cosseno hiperbólico* e *seno hiperbólico*, que se indicam, respectivamente, por ch e sh, são dadas por
$$ch\, t = \frac{e^t + e^{-t}}{2} \quad \text{e} \quad sh\, t = \frac{e^t - e^{-t}}{2}.$$

a) Verifique que para todo t, $(ch\, t)' = sh\, t$.
b) Verifique que, para todo t, o ponto $(ch\, t, sh\, t)$ pertence ao ramo da hipérbole $x^2 - y^2 = 1$ contido no semiplano $x > 0$.
c) Sendo $F(t)$ a área da região sombreada mostre que
$$F(t) = \frac{1}{2}(ch\, t) \cdot (sh\, t) - \int_{1}^{ch\, t} \sqrt{x^2 - 1}\, dx \quad \text{para } t \geq 0. \text{ Calcule } F'(t).$$

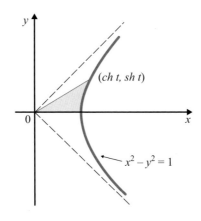

Capítulo 2

d) Prove que $F(t) = \dfrac{t}{2}, t \geq 0$.

e) Qual é, então, a interpretação para o parâmetro t que ocorre em $ch\ t$? Compare com o parâmetro t que ocorre em $\cos t$.

2.5 Função Dada por uma Integral: Continuidade e Derivabilidade

Nesta seção vamos estudar, com relação a continuidade e derivabilidade, a função

$$F(x) = \int_a^x f(t)\, dt, x \in I,$$

em que f é suposta integrável em todo intervalo fechado contido em I e, portanto, não necessariamente contínua em I.

Teorema 1. Seja f integrável em qualquer intervalo fechado contido no intervalo I e seja a um ponto fixo de I. Então a função dada por

$$F(x) = \int_a^x f(t)\, dt, x \in I,$$

é *contínua* em I.

Demonstração

Seja $p \in I$; existe um intervalo $[\alpha, \beta] \subset I$ tal que $a, p \in [\alpha, \beta]$ e se p não for extremo de I, podemos tomar α e β de modo que $p \in\ ]\alpha, \beta[$. Como f é limitada em $[\alpha, \beta]$, pois é integrável neste intervalo, existe $M > 0$ tal que $|f(t)| \leq M$ em $[\alpha, \beta]$. Para todo x em $[\alpha, \beta]$ temos

$$F(x) - F(p) = \int_a^x f(t)\, dt - \int_a^p f(t)\, dt = \int_p^x f(t)\, dt.$$

De $-M \leq f(t) \leq M$, para todo $t \in [\alpha, \beta]$, segue que, para todo $x \in [\alpha, \beta]$,

$$-M(x - p) \leq \int_p^x f(t)\, dt \leq M(x - p),\text{ se } x \geq p,$$

e

$$-M(p - x) \leq \int_x^p f(t)\, dt \leq M(p - x),\text{ se } x \leq p.$$

Pelo teorema do confronto,

$$\lim_{x \to p} F(x) = F(p). \qquad \blacksquare$$

Teorema 2. Sejam f e $F(x) = \int_a^x f(t)\, dt$ como no teorema 1. Nestas condições, se f for contínua em $p \in I$, então F será derivável em p e $F'(p) = f(p)$.

Demonstração

Seja $p \in I$, e suponhamos que p não seja extremo de I. Vamos provar que se f for contínua em p então

$$\lim_{x \to p} \frac{F(x) - F(p) - f(p)(x - p)}{x - p} = 0$$

que equivale a
$$F'(p) = \lim_{x \to p} \frac{F(x)-F(p)}{x-p} = f(p).$$

Temos

① $$F(x)-F(p)-f(p)(x-p) = \int_p^x f(t)\,dt - \int_p^x f(p)\,dt = \int_p^x [f(t)-f(p)]\,dt.$$

Sendo f contínua em p, dado $\varepsilon > 0$ existe $\delta > 0$, com $]p-\delta, p+\delta[\subset I$, tal que
$$p-\delta < t < p+\delta \Rightarrow -\varepsilon < f(t)-f(p) < \varepsilon;$$
daí, para todo x em $]p-\delta, p+\delta[$,

② $$-\varepsilon|x-p| < \int_p^x [f(t)-f(p)]\,dt < \varepsilon|x-p|.$$

De ① e ② resulta
$$0 < |x-p| < \delta \Rightarrow \left|\frac{F(x)-F(p)-f(p)(x-p)}{x-p}\right| < \varepsilon$$

e, portanto,
$$\lim_{x \to p} \frac{F(x)-F(p)-f(p)(x-p)}{x-p} = 0.$$

Analise você o caso em que p é extremo de I.

CAPÍTULO 3

Extensões do Conceito de Integral

3.1 Integrais Impróprias

Estamos interessados, nesta seção, em dar um significado para os símbolos

$$\int_a^{+\infty} f(x)\, dx, \quad \int_{-\infty}^{a} f(x)\, dx \text{ e } \int_{-\infty}^{+\infty} f(x)\, dx.$$

Definição 1. Seja f integrável em $[a, t]$, para todo $t > a$. Definimos

$$\int_a^{+\infty} f(x)\, dx = \lim_{t \to +\infty} \int_a^t f(x)\, dx$$

desde que o limite exista e seja finito. Tal limite denomina-se *integral imprópria* de f estendida ao intervalo $[a, +\infty[$.

Observação. Se $\lim_{t \to +\infty} \int_a^t f(x)\, dx$ for $+\infty$ ou $-\infty$ continuaremos a nos referir a $\int_a^{+\infty} f(x)\, dx$ como uma integral imprópria e escreveremos

$$\int_a^{+\infty} f(x)\, dx = +\infty \text{ ou } \int_a^{+\infty} f(x)\, dx = -\infty.$$

Se ocorrer um destes casos ou se o limite não existir, diremos que a integral imprópria é *divergente*. Se o limite for finito, diremos que a integral imprópria é *convergente*.

Suponhamos $f(x) \geq 0$ em $[a, +\infty[$ e que f seja integrável em $[a, t]$ para toda $t > a$. Seja A o conjunto de todos (x, y) tais que $0 \leq y \leq f(x)$ e $x \geq a$. Definimos a área de A por

$$\boxed{\text{área } A = \int_a^{+\infty} f(x)\, dx.}$$

Exemplo 1 Calcule $\int_1^{+\infty} \frac{1}{x^2} dx$.

Solução

$$\int_1^{+\infty} \frac{1}{x^2} dx = \lim_{t \to +\infty} \int_1^t \frac{1}{x^2} dx.$$

Como

$$\int_1^t \frac{1}{x^2} dx = \left[-\frac{1}{x}\right]_1^t = -\frac{1}{t} + 1,$$

resulta

$$\int_1^{+\infty} \frac{1}{x^2} dx = \lim_{t \to +\infty} \left[-\frac{1}{t} + 1\right] = 1.$$

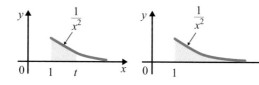

área $= \int_1^t \frac{1}{x^2} dx$ área $= \int_1^{+\infty} \frac{1}{x^2} dx$

Como $\int_1^{+\infty} \frac{1}{x^2} dx = 1$, a integral imprópria é convergente.

Exemplo 2 A integral imprópria $\int_1^{+\infty} \frac{1}{x} dx$ é convergente ou divergente? Justifique.

Solução

$$\int_1^t \frac{1}{x} dx = [\ln x]_1^t = \ln t.$$

Assim,

$$\int_1^{+\infty} \frac{1}{x} dx = \lim_{t \to +\infty} \ln t = +\infty.$$

Logo, a integral imprópria é divergente.

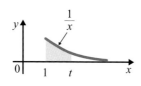 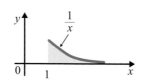

área $= \int_1^t \frac{1}{x} dx = \ln t$ área $= \int_1^{+\infty} \frac{1}{x} dx = +\infty$

Capítulo 3

Exemplo 3 Suponha $s > 0$ e calcule $\int_0^{+\infty} e^{-st} \cos t \, dt$.

Solução

$$\int_0^{+\infty} e^{-st} \cos t \, dt = \lim_{u \to +\infty} \int_0^u e^{-st} \cos t \, dt.$$

$$\int_0^u \underbrace{e^{-st}}_{f} \underbrace{\cos t}_{g'} \, dt = \left[e^{-st} \operatorname{sen} t \right]_0^u - \int_0^u -se^{-st} \operatorname{sen} t \, dt = e^{-su} \operatorname{sen} u + s \int_0^u e^{-st} \operatorname{sen} t \, dt.$$

Assim

① $\quad \int_0^u e^{-st} \cos t \, dt = e^{-su} \operatorname{sen} u + s \int_0^u e^{-st} \operatorname{sen} t \, dt.$

Por outro lado,

$$\int_0^u \underbrace{e^{-st}}_{f} \underbrace{\operatorname{sen} t}_{g'} \, dt = \left[e^{-st} (-\cos t) \right]_0^u - \int_0^u -se^{-st} (-\cos t) \, dt$$

daí

② $\quad \int_0^u e^{-st} \operatorname{sen} t \, dt = -e^{-su} \cos u + 1 - s \int_0^u e^{-st} \cos t \, dt.$

Substituindo ② em ① vem

$$\int_0^u e^{-st} \cos t \, dt = e^{-su} \operatorname{sen} u - se^{-su} \cos u + s - s^2 \int_0^u e^{-st} \cos t \, dt.$$

Daí

$$(1+s^2) \int_0^u e^{-st} \cos t \, dt = e^{-su} \operatorname{sen} u - se^{-su} \cos u + s$$

e, portanto,

$$\int_0^u e^{-st} \cos t \, dt = \frac{1}{1+s^2} \left[e^{-su} \operatorname{sen} u - se^{-su} \cos u + s \right].$$

Sendo sen u e cos u limitadas e $\lim_{u \to +\infty} e^{-su} = 0$ (lembre-se de que estamos supondo $s > 0$) resulta

$$\lim_{u \to +\infty} e^{-su} \operatorname{sen} u = 0 \quad \text{e} \quad \lim_{u \to +\infty} se^{-su} \cos u = 0$$

e, portanto,

$$\int_0^{+\infty} e^{-st} \cos t \, dt = \lim_{u \to +\infty} \frac{1}{1+s^2} \left[e^{-su} \operatorname{sen} u - se^{-su} \cos u + s \right] = \frac{s}{1+s^2}.$$

Assim,

$$\int_0^{+\infty} e^{-st} \cos t \, dt = \frac{s}{1+s^2}$$

Definição 2. Seja f integrável em $[t, a]$ para todo $t < a$. Definimos

$$\int_{-\infty}^a f(x) \, dx = \lim_{t \to -\infty} \int_t^a f(x) \, dx.$$

Definição 3. Seja f integrável em $[-t, t]$, para todo $t > 0$. Definimos

$$\int_{-\infty}^{+\infty} f(x) \, dx = \int_{-\infty}^0 f(x) \, dx + \int_0^{+\infty} f(x) \, dx$$

desde que ambas as integrais do 2º membro sejam convergentes.

Observação. Com relação à definição 3, se as duas integrais que ocorrem no 2º membro forem iguais a $+\infty$ (ou $-\infty$), ou se uma delas for convergente e a outra $+\infty$ (ou $-\infty$), poremos

$$\int_{-\infty}^{+\infty} f(x)\, dx = +\infty \left(\text{resp.} \int_{-\infty}^{+\infty} f(x)\, dx = -\infty\right).$$

Exercícios 3.1

1. Calcule:

a) $\int_{1}^{+\infty} \frac{1}{x^3}\, dx$

b) $\int_{0}^{+\infty} e^{-x}\, dx$

c) $\int_{0}^{+\infty} e^{-sx}\, dx\ (s>0)$

d) $\int_{1}^{+\infty} \frac{1}{\sqrt{x}}\, dx$

e) $\int_{0}^{+\infty} t e^{-t}\, dt$

f) $\int_{0}^{+\infty} t e^{-st}\, dt\ (s>0)$

g) $\int_{0}^{+\infty} x e^{-x^2}\, dx$

h) $\int_{0}^{+\infty} \frac{1}{1+x^2}\, dx$

i) $\int_{0}^{+\infty} \frac{1}{s^2+x^2}\, dx\ (s>0)$

j) $\int_{1}^{+\infty} \frac{1}{x^4}\, dx$

l) $\int_{2}^{+\infty} \frac{1}{x-1}\, dx$

m) $\int_{2}^{+\infty} \frac{1}{x^2-1}\, dx$

n) $\int_{0}^{+\infty} \frac{x}{1+x^4}\, dx$

o) $\int_{1}^{+\infty} \frac{1}{\sqrt[3]{x^4}}\, dx$

p) $\int_{0}^{+\infty} e^{-t}\,\text{sen}\, t\, dt$

q) $\int_{1}^{+\infty} \frac{1}{x^3+x}\, dx$

2. Calcule $\int_{1}^{+\infty} \frac{1}{x^\alpha}\, dx$, em que α é um real dado.

3. Calcule

a) $\int_{-\infty}^{0} e^x\, dx$

b) $\int_{-\infty}^{-1} \frac{1}{x^5}\, dx$

c) $\int_{-\infty}^{-1} \frac{1}{\sqrt[3]{x}}\, dx$

d) $\int_{-\infty}^{0} x e^{-x^2}\, dx$

e) $\int_{-\infty}^{+\infty} f(x)\, dx$ em que $f(x) = \begin{cases} 1 & \text{se } |x| \leq 1 \\ 0 & \text{se } |x| > 1 \end{cases}$

f) $\int_{-\infty}^{+\infty} e^{-|x|}\, dx$

g) $\int_{-\infty}^{+\infty} \frac{1}{4+x^2}\, dx$

h) $\int_{-\infty}^{+\infty} f(x)\, dx$ em que $f(x) = \begin{cases} 1 & \text{se } |x| \leq 1 \\ \dfrac{1}{x^2} & \text{se } |x| > 1 \end{cases}$

4. Determine m para que $\int_{-\infty}^{+\infty} f(x)\, dx = 1$, sendo

$$f(x) = \begin{cases} m & \text{se } |x| \leq 3 \\ 0 & \text{se } |x| > 3 \end{cases}$$

Capítulo 3

5. Determine k para que se tenha $\int_{-\infty}^{+\infty} e^{k|t|} \, dt = 1$.

6. Determine m para que $\int_{-\infty}^{+\infty} f(x) \, dx = 1$ em que

$$f(x) = \begin{cases} mx^2 & \text{se } |x| \leq 1 \\ 0 & \text{se } |x| > 1 \end{cases}$$

7. Sejam dados um real $s > 0$ e um natural $n \neq 0$.

   a) Verifique que

   $$\int_0^{+\infty} e^{-st} t^n \, dt = \frac{n}{s} \int_0^{+\infty} t^{n-1} e^{-st} \, dt.$$

   b) Mostre que $\int_0^{+\infty} e^{-st} t^n \, dt = \frac{n!}{s^{n+1}}$.

8. Sejam α e s, $s > 0$, reais dados. Verifique que

   a) $\int_0^{+\infty} e^{-st} \operatorname{sen} \alpha t \, dt = \frac{\alpha}{s^2 + \alpha^2} \quad (\alpha \neq 0)$
   b) $\int_0^{+\infty} e^{-st} \cos \alpha t \, dt = \frac{s}{s^2 + \alpha^2}$

   c) $\int_0^{+\infty} e^{-st} e^{\alpha t} \, dt = \frac{1}{s - \alpha} \quad (s > \alpha)$
   d) $\int_0^{+\infty} e^{-st} \, dt = \frac{1}{s}$

   e) $\int_0^{+\infty} e^{-st} t \, dt = \frac{1}{s^2}$
   f) $\int_0^{+\infty} e^{-st} t e^{\alpha t} \, dt = \frac{1}{(s - \alpha)^2} \quad (s > \alpha)$

9. Utilizando o Exercício 8, calcule $\int_0^{+\infty} e^{-st} f(t) \, dt$ sendo:

   a) $f(t) = \operatorname{sen} t + 3 \cos 2t$
   b) $f(t) = 3t + 2e^{3t} + te^t$

10. Suponha que, para todo $t > 0$, f seja integrável em $[-t, t]$; suponha, ainda, que $f(x) \geq 0$ para todo x. Prove que

$$\int_{-\infty}^{+\infty} f(x) \, dx = \lim_{t \to +\infty} \int_{-t}^{t} f(x) \, dx.$$

3.2 Função Dada por uma Integral Imprópria

Suponhamos f definida em $\mathbb{R}$ e tal que, para todo x, $\int_{-\infty}^{x} f(t) \, dt$ seja convergente. Podemos, então, considerar a função F definida em $\mathbb{R}$ dada por

$$F(x) = \int_{-\infty}^{x} f(t) \, dt.$$

Fixado o real a, para todo real u,

$$\int_u^x f(t) \, dt = \int_u^a f(t) \, dt + \int_a^x f(t) \, dt;$$

fazendo $u \to -\infty$ resulta

$$\int_{-\infty}^{x} f(t) \, dt = \int_{-\infty}^{a} f(t) \, dt + \int_a^x f(t) \, dt$$

e, portanto,

$$F(x) = \int_{-\infty}^{a} f(t) \, dt + H(x)$$

em que
$$H(x) = \int_a^x f(t)\, dt.$$

Já vimos que $H(x)$ é contínua e que H é derivável em todo x em que f for contínua; além do mais, $H'(x) = f(x)$ em todo x em que f for contínua. Como $\int_{-\infty}^{a} f(t)\, dt$ é constante, resulta que F é contínua e que $F'(x) = f(x)$ em todo x em que f for contínua.

Exemplo 1 Esboce o gráfico de $F(x) = \int_{-\infty}^{x} f(t)\, dt$ em que $f(t) = \begin{cases} 1 & \text{se } |t| \leq 1 \\ 0 & \text{se } |t| > 1. \end{cases}$

Solução

$$\int_{-\infty}^{x} f(t)\, dt = \int_{-\infty}^{x} 0\, dt \qquad \int_{-\infty}^{x} f(t)\, dt = \int_{-\infty}^{-1} 0\, dt + \int_{-1}^{x} 1\, dt$$

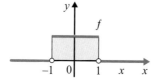

$$\int_{-\infty}^{x} f(t)\, dt = \int_{-\infty}^{-1} 0\, dt + \int_{-1}^{1} dt + \int_{1}^{x} 0\, dt$$

$$\int_{-\infty}^{x} f(t)\, dt = \begin{cases} \int_{-\infty}^{x} 0\, dt & \text{se } x \leq -1 \\ \int_{-\infty}^{-1} 0\, dt + \int_{-1}^{x} 1\, dt & \text{se } |x| < 1 \\ \int_{-\infty}^{-1} 0\, dt + \int_{-1}^{1} dt + \int_{1}^{x} 0\, dt & \text{se } x \geq 1 \end{cases}$$

ou seja,

$$F(x) = \int_{-\infty}^{x} f(t)\, dt = \begin{cases} 0 & \text{se } x \leq -1 \\ x+1 & \text{se } |x| < 1 \\ 2 & \text{se } x \geq 1 \end{cases}$$

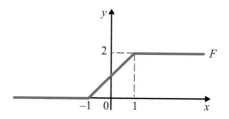

Observe: F é contínua e $F'(x) = \begin{cases} 0 \text{ se } |x| > 1 \\ 1 \text{ se } |x| < 1. \end{cases}$

Exemplo 2 Esboce o gráfico da função $F(x) = \int_{-\infty}^{x} f(t)\, dt$ em que $f(t) = \begin{cases} \dfrac{1}{t^2} & \text{se } |t| \geq 1 \\ 1 & \text{se } |t| < 1. \end{cases}$

Solução

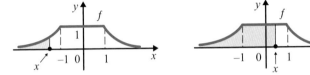

$\int_{-\infty}^{x} f(t)\, dt = \int_{-\infty}^{x} \dfrac{1}{t^2}\, dt \qquad \int_{-\infty}^{x} f(t)\, dt = \int_{-\infty}^{-1} \dfrac{1}{t^2}\, dt + \int_{-1}^{x} 1\, dt$

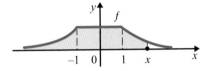

$\int_{-\infty}^{x} f(t)\, dt = \int_{-\infty}^{-1} \dfrac{1}{t^2}\, dt + \int_{-1}^{1} 1\, dt + \int_{1}^{x} \dfrac{1}{t^2}\, dt$

Assim,

$$\int_{-\infty}^{x} f(t)\,dt = \begin{cases} \int_{-\infty}^{x} \dfrac{1}{t^2}\, dt & \text{se } x < -1 \\ \int_{-\infty}^{-1} \dfrac{1}{t^2}\, dt + \int_{-1}^{x} 1\, dt & \text{se } -1 \leq x \leq 1 \\ \int_{-\infty}^{-1} \dfrac{1}{t^2}\, dt + \int_{-1}^{1} 1\, dt + \int_{1}^{x} \dfrac{1}{t^2}\, dt & \text{se } x > 1. \end{cases}$$

$$\int_{-\infty}^{x} \dfrac{1}{t^2}\, dt = \lim_{k \to -\infty} \int_{k}^{x} \dfrac{1}{t^2}\, dt = \lim_{k \to -\infty} \left[-\dfrac{1}{x} + \dfrac{1}{k} \right] = -\dfrac{1}{x}.$$

Em particular, $\int_{-\infty}^{-1} \dfrac{1}{t^2}\, dt = 1$. Então

$$F(x) = \int_{-\infty}^{x} f(t)\, dt = \begin{cases} -\dfrac{1}{x} & \text{se } x \leq -1 \\ 1 + [t]_{-1}^{x} & \text{se } -1 < x \leq 1 \\ 1 + 2 + \left[-\dfrac{1}{t} \right]_{1}^{x} & \text{se } x > 1 \end{cases}$$

ou seja,

$$F(x) = \begin{cases} -\dfrac{1}{x} & \text{se } x \leq -1 \\ x+2 & \text{se } -1 < x \leq 1 \\ -\dfrac{1}{x}+4 & \text{se } x > 1. \end{cases}$$

Como f é contínua, F é derivável em todos os pontos; assim, o gráfico de F não apresenta "bico".

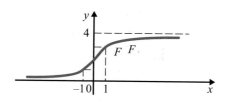

Exercícios 3.2

Esboce o gráfico de $F(x) = \int_{-\infty}^{x} f(t)\, dt$ em que

1. $f(t) = \begin{cases} 2 & \text{se } |t| \leq 1 \\ 0 & \text{se } |t| > 1 \end{cases}$

2. $f(t) = \begin{cases} t & \text{se } -1 \leq t \leq 1 \\ 0 & \text{se } |t| > 1 \end{cases}$

3. $f(t) = \begin{cases} \dfrac{1}{t} & \text{se } t \geq 1 \\ 0 & \text{se } t < 1 \end{cases}$

4. $f(t) = \begin{cases} t & \text{se } 0 \leq t \leq 1 \\ \dfrac{1}{t} & \text{se } t > 1 \\ 0 & \text{se } t < 0 \end{cases}$

5. $f(t) = \begin{cases} 0 & \text{se } |t| > 1 \\ 1-t^2 & \text{se } |t| \leq 1 \end{cases}$

6. $f(t) = e^{-|t|}$

7. $f(t) = \dfrac{1}{1+t^2}$

8. $f(t) = \begin{cases} 0 & \text{se } t \leq 0 \\ e^{-t} & \text{se } t > 0 \end{cases}$

9. $f(t) = \begin{cases} \dfrac{1}{(t-2)^2} & \text{se } t \leq 1 \\ \dfrac{1}{t} & \text{se } t > 1 \end{cases}$

10. $f(t) = \begin{cases} 0 & \text{se } t \leq 0 \\ 1 & \text{se } 0 < t \leq 1 \\ \dfrac{1}{t} & \text{se } t > 1 \end{cases}$

3.3 Integrais Impróprias: Continuação

O objetivo deste parágrafo é estender o conceito de integral para função definida e *não limitada* num intervalo de extremos a e b, com a e b reais.

Capítulo 3

Definição 1. Seja f não limitada em $]a, b]$ e integrável em $[t, b]$ para todo t em $]a, b[$. Definimos

$$\int_a^b f(x)\, dx = \lim_{t \to a^+} \int_t^b f(x)\, dx$$

desde que o limite exista e seja finito. O número $\int_a^b f(x)\, dx$ denomina-se *integral imprópria* de f em $[a, b]$. Se o limite for $+\infty$ ou $-\infty$, continuaremos a nos referir a $\int_a^b f(x)\, dx$ como uma integral imprópria e escreveremos $\int_a^b f(x)\, dx = +\infty$ ou $\int_a^b f(x)\, dx = -\infty$, conforme o caso. Se ocorrer um destes casos ou se o limite não existir, diremos que a integral imprópria é *divergente*. Se o limite for finito, diremos que a integral imprópria é *convergente*.

Já observamos que uma *condição necessária* para uma função f admitir integral de Riemann num intervalo $[a, b]$ é que f seja limitada em $[a, b]$. Deste modo, se f não for limitada em $[a, b]$, f não poderá admitir, neste intervalo, integral de Riemann; entretanto, poderá admitir *integral imprópria*.

Exemplo Calcule $\int_0^1 \dfrac{1}{\sqrt{x}}\, dx$.

Solução

$f(x) = \dfrac{1}{\sqrt{x}}$ é não limitada em $]0, 1]$ e integrável (segundo Riemann) em $[t, 1]$ para $0 < t < 1$; de acordo com a definição anterior,

$$\int_0^1 \frac{1}{\sqrt{x}}\, dx = \lim_{t \to 0^+} \int_t^1 \frac{1}{\sqrt{x}}\, dx = \lim_{t \to 0^+} \left[2 - 2\sqrt{t}\right] = 2$$

ou seja,

$$\int_0^1 \frac{1}{\sqrt{x}}\, dx = 2.$$

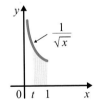

área $= \int_t^1 \dfrac{1}{\sqrt{x}}\, dx$.

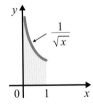

área $= \int_0^1 \dfrac{1}{\sqrt{x}}\, dx$.

Exercícios 3.3

1. Calcule

a) $\int_0^1 \dfrac{1}{\sqrt[3]{x}}\, dx$

b) $\int_0^1 \dfrac{1}{x}\, dx$

c) $\int_1^3 \dfrac{x^2}{\sqrt{x^3 - 1}}\, dx$

d) $\int_0^1 \ln x\, dx$

2. Suponha f não limitada em $[a, b[$ e integrável em $[a, t]$ para $a < t < b$. Defina $\int_a^b f(x)\,dx$.

3. Calcule

   a) $\int_0^1 \dfrac{1}{\sqrt{1-x^2}}\,dx$

   b) $\int_0^2 \dfrac{1}{\sqrt{2-x}}\,dx$

   c) $\int_{-1}^2 \dfrac{1}{4-x^2}\,dx$

   d) $\int_0^1 \dfrac{x}{\sqrt{1-x^2}}\,dx$

4. Suponha f não limitada e contínua nos intervalos $[a, c[$ e $]c, b]$. Defina $\int_a^b f(x)\,dx$.

5. Calcule

   a) $\int_0^2 \dfrac{1}{\sqrt[3]{x-1}}\,dx$

   ▶ b) $\int_{-1}^1 \dfrac{1}{|x|}\,dx$

6. Suponha f contínua em $]a, b[$ e não limitada em $]a, c]$ e em $[c, b[$. Defina $\int_a^b f(x)\,dx$.

3.4 Convergência e Divergência de Integrais Impróprias: Critério de Comparação

Em muitas ocasiões estaremos interessados não em saber qual o valor de uma integral imprópria, mas sim em saber se tal integral imprópria é convergente ou divergente. Para tal fim, vamos estabelecer, nesta seção, o *critério de comparação* que nos permite concluir a convergência ou a divergência de uma integral imprópria comparando-a com outra que se sabe ser convergente ou divergente.

Observamos, inicialmente, que se f for integrável em $[a, t]$, para todo $t > a$, e se $f(x) \geq 0$ em $[a, +\infty[$, então a função

$$F(x) = \int_a^x f(t)\,dt, x \geq a$$

será *crescente* em $[a, +\infty[$. De fato, se x_1 e x_2 são dois reais quaisquer, com $a \leq x_1 < x_2$, então

$$F(x_2) - F(x_1) = \int_a^{x_2} f(t)\,dt - \int_a^{x_1} f(t)\,dt = \int_{x_1}^{x_2} f(t)\,dt \geq 0.$$

Assim, quaisquer que sejam x_1, x_2 em $[a, +\infty[$,

$$x_1 < x_2 \Rightarrow F(x_1) \leq F(x_2).$$

Logo, F é crescente em $[a, +\infty[$. Segue que $\lim\limits_{x \to +\infty} \int_a^x f(t)\,dt$ ou será finito ou $+\infty$; será finito se existir $M > 0$ tal que $\int_a^x f(t)\,dt \leq M$ para todo $x \geq a$ (veja Exercício 9).

> *Critério de comparação.* Sejam f e g duas funções integráveis em $[a, t]$, para todo $t > a$, e tais que, para todo $x \geq a$, $0 \leq f(x) \leq g(x)$. Então
>
> a) $\int_a^{+\infty} g(x)\,dx$ convergente $\Rightarrow \int_a^{+\infty} f(x)\,dx$ convergente.
>
> b) $\int_a^{+\infty} f(x)\,dx$ divergente $\Rightarrow \int_a^{+\infty} g(x)\,dx$ divergente.

Capítulo 3

Demonstração

a) $\lim_{t \to +\infty} \int_a^t g(x)\, dx$ é finito, pois, por hipótese, $\int_a^{+\infty} g(x)\, dx$ é convergente. De $0 \leq f(x) \leq g(x)$, para todo $x \geq a$, resulta

$$\int_a^t f(x)\, dx \leq \int_a^t g(x)\, dx \leq \int_a^{+\infty} g(x)\, dx.$$

Sendo $F(t) = \int_a^t f(x)\, dx$ crescente e limitada, resulta que $\lim_{t \to +\infty} \int_a^t f(x)\, dx$ será finito e, portanto, $\int_a^{+\infty} f(x)\, dx$ será convergente.

b) Fica a seu cargo. ∎

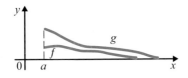

$\int_a^{+\infty} g(x)\, dx$ convergente $\Rightarrow \int_a^{+\infty} f(x)\, dx$ convergente

$\int_a^{+\infty} f(x)\, dx$ divergente $\Rightarrow \int_a^{+\infty} g(x)\, dx$ divergente

Exemplo 1 Verifique que $\int_0^{+\infty} e^{-x} \operatorname{sen}^2 x\, dx$ é convergente.

Solução

$$0 \leq e^{-x} \operatorname{sen}^2 x \leq e^{-x}, \text{ para todo } x \geq 0.$$

$$\int_0^{+\infty} e^{-x}\, dx = \lim_{t \to +\infty} \int_0^t e^{-x}\, dx = \lim_{t \to +\infty} \left[-e^{-t} + 1 \right] = 1, \text{ logo,}$$

$\int_0^{+\infty} e^{-x}\, dx$ é convergente. Segue do critério de comparação que $\int_0^{+\infty} e^{-x} \operatorname{sen}^2 x\, dx$ é convergente e, além disso, $\int_0^{+\infty} e^{-x} \operatorname{sen}^2 x\, dx \leq 1$.

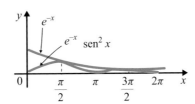

Exemplo 2 Verifique que a integral imprópria $\int_1^{+\infty} \dfrac{x^3}{x^4 + 3}\, dx$ é divergente.

Solução

$$\frac{x^3}{x^4 + 3} = \frac{1}{x} \cdot \frac{1}{1 + \dfrac{3}{x^4}}.$$

Para todo $x \geq 1$, $\dfrac{1}{1+\dfrac{3}{x^4}} \geq \dfrac{1}{4}$, e, portanto,

$$\frac{x^3}{x^4+3} \geq \frac{1}{4} \cdot \frac{1}{x} > 0.$$

De $\int_1^{+\infty} \dfrac{1}{4x} dx = +\infty$, segue, pelo critério de comparação, que $\int_1^{+\infty} \dfrac{x^3}{x^4+3} dx$ é divergente.

O exemplo que daremos a seguir será bastante útil no estudo de convergência de integrais impróprias cujo integrando não seja sempre positivo. Tal exemplo conta-nos que se $\int_a^{+\infty} |f(x)| dx$ for *convergente*, então $\int_a^{+\infty} f(x) \, dx$ também será (não vale a recíproca).

Exemplo 3 Suponha f integrável em $[a, t]$, para todo $t \geq a$. Prove

$$\int_a^{+\infty} |f(x)| \, dx \text{ convergente} \Rightarrow \int_a^{+\infty} f(x) \, dx \text{ convergente}.$$

Solução

Para todo $x \geq a$,

$$0 \leq |f(x)| + f(x) \leq 2|f(x)|.$$

Sendo $\int_0^{+\infty} |f(x)| \, dx$ convergente, resulta, do critério de comparação, que $\int_a^{+\infty} [|f(x)| + f(x)] \, dx$ é, também, convergente. Temos

$$\int_a^t f(x) \, dx = \int_a^t \{[|f(x)| + f(x)] - |f(x)|\} \, dx = \int_a^t [|f(x)| + f(x)] \, dx - \int_a^t |f(x)| \, dx.$$

Como $\int_a^{+\infty} [|f(x)| + f(x)] \, dx$ e $\int_a^{+\infty} |f(x)| \, dx$ são convergentes, resulta que $\int_a^{+\infty} f(x) \, dx$ também é convergente.

Exemplo 4 A integral imprópria $\int_0^{+\infty} e^{-x} \text{sen}^3 x \, dx$ é convergente ou divergente? Justifique.

Solução

$$0 \leq \left| e^{-x} \text{sen}^3 x \right| \leq e^{-x}.$$

Como $\int_0^{+\infty} e^{-x} dx$ é convergente, então $\int_0^{+\infty} \left| e^{-x} \text{sen}^3 x \right| dx$ também será convergente; pelo Exemplo 3, $\int_0^{+\infty} e^{-x} \text{sen}^3 x \, dx$ é convergente.

Exemplo 5 É convergente ou divergente? Justifique.

a) $\int_1^{+\infty} \dfrac{\text{sen } x}{x} dx$

b) $\int_1^{+\infty} \left| \dfrac{\text{sen } x}{x} \right| dx$

Solução

a) $\int_1^t \dfrac{1}{x} \text{sen } x \, dx = \left[\dfrac{1}{x}(-\cos x) \right]_1^t - \int_1^t -\dfrac{1}{x^2}(-\cos x) \, dx =$

$$= -\frac{\cos t}{t} + \cos 1 - \int_1^t \frac{\cos x}{x^2} dx.$$

Capítulo 3

Para todo $x \geq 1, 0 \leq \left|\dfrac{\cos x}{x^2}\right| \leq \dfrac{1}{x^2}$. Como $\int_1^{+\infty} \dfrac{1}{x^2}\,dx$ é convergente, $\int_1^{+\infty} \left|\dfrac{\cos x}{x^2}\right| dx$ também será, e, portanto, $\int_1^{+\infty} \dfrac{\cos x}{x^2}\,dx$ é convergente. Como

$$\lim_{t \to +\infty} \dfrac{\cos t}{t} = \lim_{t \to +\infty} \underbrace{\dfrac{1}{t}}_{\to 0} \underbrace{(\cos t)}_{\text{limitada}} = 0$$

resulta

$$\int_1^{+\infty} \dfrac{\operatorname{sen} x}{x}\,dx = \cos 1 - \int_1^{+\infty} \dfrac{\cos x}{x^2}\,dx$$

ou seja, $\int_1^{+\infty} \dfrac{\operatorname{sen} x}{x}\,dx$ é *convergente*.

b) Para todo x, $|\operatorname{sen} x| \leq 1$ e, portanto,

$$\operatorname{sen}^2 x \leq |\operatorname{sen} x|.$$

Segue que, para todo $x \geq 1$,

① $$\left|\dfrac{\operatorname{sen} x}{x}\right| \geq \dfrac{\operatorname{sen}^2 x}{x}.$$

Temos:

$$\int_1^t \dfrac{1}{x}\operatorname{sen}^2 x\,dx = \left[\dfrac{1}{x}\left(\dfrac{1}{2}x - \dfrac{1}{4}\operatorname{sen} 2x\right)\right]_1^t - \int_1^t -\dfrac{1}{x^2}\left[\dfrac{1}{2}x - \dfrac{1}{4}\operatorname{sen} 2x\right]dx =$$

$$= -\dfrac{\operatorname{sen} 2t}{4t} + \dfrac{\operatorname{sen} 2}{4} + \int_1^t \left[\dfrac{1}{2x} - \dfrac{\operatorname{sen} 2x}{4x^2}\right]dx.$$

Tendo em vista que $\int_1^{+\infty} \dfrac{\operatorname{sen} 2x}{4x^2}\,dx$ é convergente (por quê?), $\int_1^{+\infty} \dfrac{1}{2x}\,dx = +\infty$ e $\lim\limits_{t \to +\infty} \dfrac{\operatorname{sen} 2t}{4t} = 0$, resulta

$$\lim_{t \to +\infty} \int_1^t \dfrac{\operatorname{sen}^2 x}{x}\,dx = +\infty$$

ou seja,

$$\int_1^{+\infty} \dfrac{\operatorname{sen}^2 x}{x}\,dx = +\infty.$$

Pelo critério de comparação (veja ①), $\int_1^{+\infty} \left|\dfrac{\operatorname{sen} x}{x}\right| dx$ é divergente. Tendo em vista o item *a*), conclui-se que a recíproca da afirmação do Exemplo 3 não é verdadeira.

O teorema seguinte, cuja demonstração é deixada para exercício, estabelece a convergência ou divergência de certas integrais impróprias e que serão úteis no estudo de divergência e convergência de integrais impróprias.

Teorema

a) $\int_{1}^{+\infty} \dfrac{1}{x^{\alpha}} dx$ é convergente para $\alpha > 1$ e divergente para $\alpha \leq 1$.

b) $\int_{0}^{+\infty} e^{-\alpha x} dx$ é convergente para todo $\alpha > 0$.

Exercícios 3.4

1. É convergente ou divergente? Justifique.

a) $\int_{1}^{+\infty} \dfrac{1}{x^5 + 3x + 1} dx$

b) $\int_{1}^{+\infty} \dfrac{x^2 + 1}{x^3 + 1} dx$

c) $\int_{2}^{+\infty} \dfrac{1}{\sqrt[3]{x^4 + 2x + 1}} dx$

d) $\int_{1}^{+\infty} \dfrac{e^{\frac{1}{x}}}{x^2} dx$

e) $\int_{1}^{+\infty} \dfrac{\cos 3x}{x^3} dx$

f) $\int_{1}^{+\infty} \dfrac{\cos 3x}{x^3} dx$

g) $\int_{4}^{+\infty} \dfrac{2x - 3}{x^3 - 3x^2 + 1} dx$

h) $\int_{2}^{+\infty} \dfrac{1}{x^2 \ln x} dx$

i) $\int_{0}^{+\infty} e^{-x} \cos \sqrt{x} \, dx$

j) $\int_{0}^{+\infty} \dfrac{xe^{-x}}{\sqrt{x^2 + x + 1}} dx$

l) $\int_{1}^{+\infty} \dfrac{\sqrt{x+1}}{\sqrt[3]{x^6 + x + 1}} dx$

m) $\int_{-\infty}^{+\infty} \dfrac{1}{x^4 + x^2 + 1} dx$

2. Suponha f integrável em $[a, t]$, para todo $t \geq a$, com $f(x) \geq 0$ em $[a, -\infty[$. Suponha que existem um α real e uma função g tais que, para todo $x \geq a$, $f(x) = \dfrac{1}{x^{\alpha}} g(x)$. Suponha, além disso, que $\lim_{x \to +\infty} g(x) = L > 0$ (L real). Prove:

a) $\alpha > 1 \Rightarrow \int_{a}^{+\infty} f(x) dx$ convergente

b) $\alpha \leq 1 \Rightarrow \int_{a}^{+\infty} f(x) dx$ divergente

3. Utilizando o Exercício 2, estude a convergência ou divergência de cada uma das integrais a seguir.

a) $\int_{2}^{+\infty} \dfrac{x^6 - x + 1}{x^7 - 2x^2 + 3} dx$

b) $\int_{10}^{+\infty} \dfrac{x^5 - 3}{\sqrt{x^{20} + x^{10} - 1}} dx$

c) $\int_{1}^{+\infty} \dfrac{2x^3 + x^2 + 1}{x^5 + x + 2} dx$

d) $\int_{1}^{+\infty} \dfrac{\ln x}{x \ln(x+1)} dx$

4. Seja f contínua em $[0, t]$, para todo $t > 0$, e suponha que existem constantes $M > 0$ e $\gamma > 0$ tais que, para todo $t \geq 0$,

① $\qquad |f(t)| \leq Me^{\gamma t}$.

Prove que $\int_{0}^{+\infty} e^{-st} f(t) dt$ é convergente para $s > \gamma$.

Capítulo 3

Observação. Uma função f se diz de *ordem exponencial* γ se existem constantes $M > 0$ e $\gamma > 0$ tais que ① se verifica.

5. Seja f uma função, com derivada contínua, e de ordem exponencial γ. Verifique que, para $s > \gamma$, $\int_0^{+\infty} e^{-st} f'(t)\, dt$ é convergente e que

$$\int_0^{+\infty} e^{-st} f'(t)\, dt = s \int_0^{+\infty} e^{-st} f(t)\, dt - f(0).$$

6. Suponha que f seja de ordem exponencial γ e que, para todo t real,

② $$f'(t) + 3f(t) = t.$$

Mostre que, para todo $s > \gamma$,

③ $$\int_0^{+\infty} e^{-st} f(t)\, dt = \frac{f(0)}{s+3} + \frac{1}{s^2(s+3)}.$$

Conclua que existem constantes A, B, C tais que

$$\int_0^{+\infty} e^{-st} f(t)\, dt = \frac{f(0)}{s+3} + \frac{A}{s} + \frac{B}{s^2} + \frac{C}{s+3}.$$

Agora, utilizando o Exercício 8 da Seção 3.1 e supondo $f(0) = 1$, determine f que verifique ③ e mostre, em seguida, que esta f satisfaz 2.

Observação. A função g dada por

$$g(s) = \int_0^{+\infty} e^{-st} f(t)\, dt$$

denomina-se *transformada de Laplace de f*.

7. Procedendo como no exercício anterior, determine f tal que

   a) $f'(t) - 2f(t) = \cos t$ e $f(0) = 2$.
   b) $f'(t) + f(t) = e^{2t}$ e $f(0) = -1$.

8. Suponha que f e f' sejam de ordens exponencial γ_1 e γ_2, respectivamente. Suponha, ainda, que f'' seja contínua. Verifique que

$$\int_0^{+\infty} e^{-st} f''(t)\, dt = s^2 \int_0^{+\infty} e^{-st} f(t)\, dt - sf(0) - f'(0).$$

9. Suponha $F(x)$ crescente em $[a, +\infty[$. Prove que $\lim_{x \to +\infty} F(x)$ será finito ou $+\infty$. Será finito e igual a $\sup \{F(x) | x \geq a\}$ se existir $M > 0$ tal que, para todo $x \geq a$, $F(x) \leq M$.

4 CAPÍTULO

Aplicações à Estatística

4.1 Função Densidade de Probabilidade. Probabilidade de Variável Aleatória Contínua

Definição. Seja f uma função definida para todo x real e integrável em todo intervalo $[a, b]$, com a e b reais e $a < b$. Dizemos que f é uma *função densidade de probabilidade* se as seguintes condições estiverem satisfeitas:

i) $f(x) \geq 0$ para todo x;

ii) $\int_{-\infty}^{+\infty} f(x)\, dx = 1$.

Exemplo 1 Sejam $a < b$ dois reais quaisquer e f a função dada por

$$f(x) = \begin{cases} \dfrac{1}{b-a} & \text{se } a \leq x \leq b \\ 0 & \text{se } x < a \text{ ou } x > b. \end{cases}$$

Verifique que f é uma função densidade de probabilidade.

Solução

De $b > a$ segue que $f(x) \geq 0$ para todo x. Por outro lado,

$$\int_{-\infty}^{+\infty} f(x)\, dx = \int_{a}^{b} \frac{1}{b-a}\, dx = 1.$$

Logo, a função dada é uma função densidade de probabilidade.

Exemplo 2 Sendo $\beta > 0$, verifique que a função f dada por

$$f(x) = \begin{cases} \dfrac{e^{-x/\beta}}{\beta} & \text{se } x \geq 0 \\ 0 & \text{se } x < 0 \end{cases}$$

é uma função densidade de probabilidade.

Solução

De $\beta > 0$ segue que $f(x) \geq 0$ para todo x real. Por outro lado,

$$\int_{-\infty}^{+\infty} f(x)\,dx = \int_0^{+\infty} \frac{e^{-x/\beta}}{\beta}\,dx = \frac{1}{\beta} \lim_{s \to +\infty} \int_0^s e^{-x/\beta}\,dx = 1$$

pois

$$\int_0^s e^{-x/\beta}\,dx = -\beta\, e^{-s/\beta} + \beta \text{ e } \lim_{s \to +\infty} e^{-s/\beta} = 0.$$

Assim, a função dada é uma função densidade de probabilidade.

Consideremos um experimento qualquer, e seja S o *espaço amostral* associado a tal experimento, ou seja, S é o conjunto de todos os possíveis resultados de tal experimento. Suponhamos, agora, que a cada resultado possível de tal experimento seja associado um número X. Pois bem, a variável X obtida dessa forma denomina-se *variável aleatória*. Se o conjunto de todos os valores de X for finito ou enumerável, dizemos que X é uma *variável aleatória discreta*.

Quando a variável aleatória X é discreta, é possível associar a cada valor de X uma probabilidade. Consideremos, por exemplo, o experimento que consiste em lançar uma moeda. Neste caso, o espaço amostral é o conjunto $\{cara, coroa\}$; se ao resultado *cara* associarmos o número 0 e ao *coroa* o 1, a variável aleatória X poderá assumir qualquer valor do conjunto finito $\{0, 1\}$, e X será então uma variável aleatória discreta. Supondo a moeda honesta, a probabilidade $p(x)$ de cada valor x de X é $\frac{1}{2}$, ou seja, $p(0) = \frac{1}{2}$ e $p(1) = \frac{1}{2}$; é usual a notação $P(X = x)$ para representar a probabilidade de a variável aleatória X ser igual a x: $P(X = x) = p(x)$. Observe que $p(0) + p(1) = 1$.

Consideremos, agora, um experimento em que o espaço amostral consiste em n resultados possíveis, $s_1, s_2, \ldots, s_n$, e a cada resultado s_i associamos um número x_i; então $\{x_i \mid i = 1, 2, \ldots, n\}$ é o conjunto dos valores possíveis da variável aleatória discreta X; a cada valor possível x_i de X podemos atribuir uma probabilidade $p(x_i) = P(X = x_i)$, com $p(x_i) \geq 0$ e $\sum_{i=1}^{n} p(x_i) = 1$. Se o conjunto dos possíveis valores assumidos por X for enumerável, ou seja, da forma $\{x_i \mid i \text{ natural}\}$, as duas condições acima deverão ser substituídas, respectivamente, por $p(x_i) \geq 0$, para todo i natural, e $\sum_{i=1}^{+\infty} p(x_i) = 1$, em que $\sum_{i=1}^{+\infty} p(x_i) = \lim_{n \to +\infty} \sum_{i=1}^{n} p(x_i)$.

A seguir, definimos probabilidade de uma variável aleatória que não é discreta mas que admite uma função densidade de probabilidade.

Definição. Sejam X uma variável aleatória e f uma função densidade de probabilidade. Dizemos que a variável aleatória X tem densidade de probabilidade f se a *probabilidade de X pertencer ao intervalo* $]a, b[$, com $a < b$ quaisquer ($a = -\infty$ ou $b = +\infty$), for dada por

$$P(a < X < b) = \int_a^b f(x)\,dx$$

respectivamente,

$$P(-\infty < X < b) = P(X < b) = \int_{-\infty}^b f(x)\,dx$$

ou

$$P(a < X < +\infty) = P(X > a) = \int_a^{+\infty} f(x)\,dx).$$

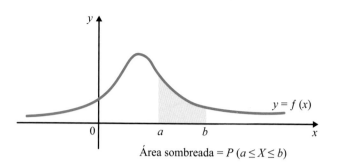

Área sombreada = $P(a \leq X \leq b)$

Desse modo, a probabilidade de X estar entre a e b nada mais é do que a área da região limitada pelo gráfico de $y = f(x)$, pelas retas $x = a$, $x = b$ e pelo eixo x. De $\int_{-\infty}^{+\infty} f(x)\, dx = 1$ e $f(x) \geq 0$ para todo x, resulta que a probabilidade de a variável aleatória X pertencer ao intervalo $]a,\ b[$ é tal que $0 \leq P(a \leq X \leq b) \leq 1$. Observe que $f(x)\, dx$ é um valor aproximado para a probabilidade de a variável aleatória X estar compreendida entre x e $x + dx$.

Pelo que sabemos sobre as funções integráveis, nada muda nas definições acima se um dos sinais $<$ (ou ambos) for trocado por $\leq$; assim, $P(a \leq X < b) = P(a < X < b) = P(a \leq X \leq b)$ etc.

Dizemos que uma variável aleatória X é *contínua* se, para todo a real, a probabilidade de $X = a$ for zero. Pois bem, se X é uma variável aleatória que admite função densidade de probabilidade f, então X será uma variável aleatória contínua, pois para todo a real $P(X = a) = \int_a^a f(x)\, dx = 0$.

Exemplo 3 Suponha que o tempo de duração de um determinado tipo de bateria (digamos, bateria de relógio) seja uma variável aleatória X contínua com função densidade de probabilidade dada por

$$f(x) = \begin{cases} \dfrac{1}{3} e^{-x/3} & \text{se } x \geq 0 \\ 0 & \text{se } x < 0 \end{cases}$$

sendo o tempo medido em anos.
a) É razoável tomar f como função densidade de probabilidade para a variável aleatória X?
b) Qual a probabilidade de a bateria durar no máximo um ano?
c) Qual a probabilidade de o tempo de duração da bateria estar compreendido entre 1 e 3 anos?
d) Qual a probabilidade de a bateria durar mais de 3 anos?

Solução

Pelo Exemplo 2, tal f é uma função densidade de probabilidade ($\beta = 3$).
a) Inicialmente, observamos que teoricamente X poderá assumir qualquer valor real positivo. É razoável supor que a probabilidade de X pertencer ao intervalo $[x, x + \Delta x]$, com $\Delta x > 0$ e constante e $x \geq 0$, decresce à medida que x cresce, e, como a probabilidade de X ser menor que zero é zero, é então razoável esperar que a f seja nula para x menor que zero e decrescente no intervalo $[0, +\infty[$. Como a f dada acima satisfaz tais condições, é então razoável tomar tal função como função densidade de probabilidade da variável aleatória X. É claro que essa f não é a única função que satisfaz tais condições.

Capítulo 4

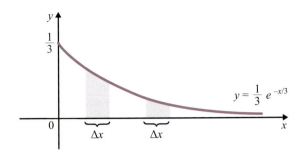

b) A probabilidade de que a bateria dure no máximo um ano é a probabilidade de a variável aleatória X pertencer ao intervalo $[0, 1]$:

$$P(0 \leqslant X \leqslant 1) = \frac{1}{3}\int_0^1 e^{-x/3}dx = \left[-e^{-x/3}\right]_0^1 = 1 - e^{-1/3} \approx 0,28.$$

Em termos percentuais, a probabilidade de a bateria durar menos de um ano é de aproximadamente 28%, ou seja, em cada 100 baterias, espera-se que 28 deixem de funcionar com menos de um ano de uso.

c) $P(1 \leqslant X \leqslant 3) = \frac{1}{3}\int_1^3 e^{-x/3}dx = \left[-e^{-x/3}\right]_1^3 = -e^{-1} + e^{-1/3} \approx 0,35.$ Assim, a probabilidade de que a bateria dure de um a três anos é de 35%.

d) $P(3 < X) = \frac{1}{3}\int_3^{+\infty} e^{-x/3}dx = \left[-e^{-x/3}\right]_3^{-\infty} = e^{-1} \approx 0,37.$ A probabilidade de que a bateria dure mais de 3 anos é de 37%, ou seja, em cada 100 baterias, espera-se que 37 durem mais de 3 anos.

Exemplo 4 Seja f dada por

$$f(x) = \begin{cases} \dfrac{k}{x^3} & \text{se } x \geqslant 1 \\ 0 & \text{se } x < 1. \end{cases}$$

Que valor da constante k torna f uma função densidade de probabilidade?

Solução

Como $\int_{-\infty}^{+\infty} f(x)\,dx = \int_1^{+\infty} f(x)\,dx,$ precisamos determinar k de modo que $\int_1^{+\infty} \dfrac{k}{x^3}dx = 1.$ De $\int_1^{+\infty} \dfrac{k}{x^3}dx = \dfrac{k}{2}$ (verifique), segue $k = 2$. Assim, para $k = 2$ a f é uma função densidade de probabilidade.

Exercícios 4.1

1. Determine k para que a função dada seja uma função densidade de probabilidade.

  a) $f(x) = kxe^{-x^2}$ para $x \geqslant 0$ e $f(x) = 0$ para $x < 0$.
  b) $f(x) = ke^{-|x-1|}$ para todo x.

c) $f(x) = kx(x-5)$, $0 \leq x \leq 5$ e $f(x) = 0$ para $x < 0$ ou $x > 5$.

d) $f(x) = \dfrac{k}{1+4x^2}$ para todo x.

2. Suponha que o salário R\$$X$ de um funcionário de uma fábrica seja uma variável aleatória com função densidade de probabilidade $f(x) = kx^{-2}$ para $x \geq 400$ e $f(x) = 0$ para $x < 400$.

a) Determine k para que f seja uma função densidade de probabilidade.
b) Qual a probabilidade de o salário ser menor que R\$1.000,00?
c) Qual a probabilidade de o salário estar compreendido entre R\$2.000,00 e R\$5.000,00?
d) Se a fábrica tem 3.200 funcionários, qual o número esperado de funcionários com salários entre R\$2.000,00 e R\$5.000,00?

4.2 Função de Distribuição

Seja X uma variável aleatória. A função F dada por

$$F(x) = P(X \leq x), \text{ com } x \text{ real},$$

é denominada *função de distribuição* da variável aleatória X. Se X for uma variável aleatória contínua, com densidade de probabilidade f, teremos

$$F(x) = P(X \leq x) = \int_{-\infty}^{x} f(t)\, dt$$

para todo x real.

Observe que, se X for uma variável aleatória contínua com função densidade de probabilidade f, então a sua função de distribuição F é uma *função contínua* e $F'(x) = f(x)$ em todo x em que f for contínua. Observe, ainda, que a probabilidade de a variável aleatória X pertencer ao intervalo $[a, b]$ é

$$P(a \leq X \leq b) = F(b) - F(a) = \int_a^b f(x)\, dx.$$

Observe que, se F for uma função de distribuição, deveremos ter necessariamente $\lim\limits_{x \to +\infty} F(x) = 1$ e $\lim\limits_{x \to -\infty} F(x) = 0$. Você concorda?

Exemplo 1 Considere a função densidade de probabilidade dada por $f(x) = \dfrac{1}{x^2}$ se $x \geq 1$ e $f(x) = 0$ se $x < 1$. Determine e esboce o gráfico da função de distribuição F.

Solução

De $F(x) = \int_{-\infty}^{x} f(x)\, dx$, segue que $F(x) = 0$ se $x \leq 1$ e $F(x) = \int_{1}^{x} \dfrac{1}{t^2}\, dt$ se $x > 1$, ou seja,

$$F(x) = \begin{cases} 0 & \text{se } x \leq 1 \\ 1 - \dfrac{1}{x} & \text{se } x > 1. \end{cases}$$

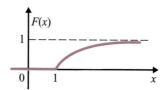

(Observe que $\lim\limits_{x \to +\infty} F(x) = 1$.)

Capítulo 4

Exemplo 2 Seja X uma variável aleatória discreta que pode assumir qualquer valor do conjunto $\{0, 1\}$ e com probabilidades $P(X = 0) = p(0) = \dfrac{1}{2}$ e $P(X = 1) = p(1) = \dfrac{1}{2}$. Esboce o gráfico da função de distribuição da variável aleatória X.

Solução

Temos $P(X < 0) = 0$, pois X não pode assumir valor negativo; para $0 \leqslant x < 1$, $P(X \leqslant x) = P(X = 0) = \dfrac{1}{2}$, pois $X = 0$ é o único valor que X poderá assumir no intervalo $[0, 1[$; para $x \geqslant 1$, $P(X \leqslant x) = P(X = 0 \text{ ou } X = 1) = P(X = 0) + P(X = 1) = 1$. Assim,

$$F(x) = P(X \leqslant x) = \begin{cases} 0 & \text{se } x < 0 \\ \dfrac{1}{2} & \text{se } 0 \leqslant x < 1 \\ 1 & \text{se } x \geqslant 1. \end{cases}$$

Observe que F é *descontínua* nos pontos $x = 0$ e $x = 1$. Observe, ainda, que $\lim\limits_{x \to +\infty} F(x) = 1$.

Exercícios 4.2

1. Determine a função de distribuição da variável aleatória X, sendo sua função densidade de probabilidade dada a seguir.

   a) $f(x) = \dfrac{1}{5}$ para $0 \leqslant x \leqslant 5$ e $f(x) = 0$ para $x < 0$ ou $x > 5$.

   b) $f(x) = \dfrac{1}{2} e^{-x/2}$ para $x \geqslant 0$ e $f(x) = 0$ para $x < 0$.

   c) $f(x) = \dfrac{1}{2} e^{-|x|}$ para todo x real.

2. Sabendo que a função de distribuição da variável aleatória X é dada por $F(x) = \dfrac{1}{\pi} \int_{-\infty}^{2x} \dfrac{1}{1 + t^2} dt$, determine sua função densidade de probabilidade.

3. Seja X uma variável aleatória discreta que pode assumir qualquer valor do conjunto $\{0, 1, 2\}$ e com probabilidades $P(X = 0) = \dfrac{1}{3}$, $P(X = 1) = \dfrac{1}{6}$ e $P(X = 2) = \dfrac{1}{2}$. Esboce o gráfico da função de distribuição da variável aleatória X.

4.3 Valor Esperado e Variância de Variável Aleatória

Consideremos uma coleção de n números reais em que o número x_1 aparece repetido n_1 vezes, x_2 aparece n_2 vezes, ..., x_k aparece n_k vezes, de tal modo que $\sum\limits_{i=1}^{k} n_i = n$; pois bem, a *média aritmética* $\overline{x}$ desses números é dada por

$$\overline{x} = \frac{1}{n} \sum_{i=1}^{k} n_i x_i = \sum_{i=1}^{k} x_i f_i, \text{ em que } f_i = \frac{n_i}{n}.$$

Sabemos que a distância do número x_i a $\bar{x}$ é $|x_i - \bar{x}|$; assim, o quadrado da distância de x_i a $\bar{x}$ é $(x_i - \bar{x})^2$. A média aritmética dos quadrados das distâncias de x_i a $\bar{x}$, i de 1 a k, é, por definição, a *variância* de tais números:

$$\text{variância} = \frac{1}{n}\sum_{i=1}^{k}(x_i - \bar{x})^2 n_i = \sum_{i=1}^{k}(x_i - \bar{x})^2 f_i.$$

A raiz quadrada da variância denomina-se *desvio padrão* de tais números:

$$\text{desvio padrão} = \sqrt{\sum_{i=1}^{k}(x_i - \bar{x})^2 f_i}.$$

Observe que, quanto maior o desvio padrão, mais afastados estarão os números x_i da média $\bar{x}$, e, quanto menor o desvio padrão, mais concentrados em torno da média $\bar{x}$ estarão os números x_i.

Consideremos, agora, uma variável aleatória discreta X com possíveis valores $x_1, x_2, x_3, \ldots, x_k$ e probabilidades $p(x_1), p(x_2), \ldots, p(x_k)$. Por definição, o *valor esperado* ou *média* de X, que se indica por $E(X)$ ou simplesmente por μ, é

$$E(X) = \sum_{i=1}^{k} x_i\, p(x_i).$$

Por outro lado, a *variância* de X, que se indica por $Var(X)$ ou simplesmente por σ^2, $\sigma > 0$, é, por definição, dada por

$$Var(X) = \sum_{i=1}^{k}(x_i - E(X))^2\, p(x_i).$$

Observe que se $p(x_i) = \dfrac{n_i}{n}$, para i de 1 a k, o valor esperado $E(X)$ nada mais é do que a média $\bar{x}$, e $Var(X)$ nada mais é do que a variância dos números $x_1, x_2, x_3, \ldots, x_k$, em que x_i aparece repetido n_i vezes e $\sum_{i=1}^{k} n_i = n$.

A raiz quadrada de $Var(X)$ é o *desvio padrão* σ da variável aleatória X:

$$\sigma = \sqrt{Var(X)}.$$

Observando que, para dx suficientemente pequeno, $f(x)\,dx$ é praticamente a probabilidade de ocorrência de x, nada mais natural do que as seguintes definições de valor esperado e variância para uma variável aleatória contínua.

Definição. Seja X uma variável aleatória contínua X, com função densidade de probabilidade f. Definimos o *valor esperado* $E(X)$ de X por

$$E(X) = \int_{-\infty}^{+\infty} x f(x)\, dx$$

e a *variância* $Var(X)$ de X por

$$Var(X) = \int_{-\infty}^{+\infty}[x - E(X)]^2 f(x)\, dx$$

desde que as integrais impróprias sejam convergentes.

Lembrando que $E(X)$ é um número, temos

$$Var(X) = \int_{-\infty}^{+\infty} x^2 f(x)\, dx - 2E(X) \int_{-\infty}^{+\infty} x f(x)\, dx + [E(X)]^2 \int_{-\infty}^{+\infty} f(x)\, dx.$$

De $E(x) = \int_{-\infty}^{+\infty} x f(x)\, dx$ e $\int_{-\infty}^{+\infty} f(x)\, dx = 1$ resulta

①
$$\boxed{Var(X) = \int_{-\infty}^{+\infty} x^2 f(x)\, dx - [E(X)]^2.}$$

Exemplo Seja X a variável aleatória com função densidade de probabilidade

$$f(x) = \begin{cases} \dfrac{e^{-x/\beta}}{\beta} & \text{se } x \geq 0 \\ 0 & \text{se } x < 0. \end{cases} \quad (\beta > 0)$$

Calcule o valor esperado e a variância de X.

Solução

Cálculo do valor esperado $E(X)$. Como $f(x) = 0$ para $x < 0$, vem

$$E(X) = \frac{1}{\beta} \int_0^{+\infty} x e^{-x/\beta}\, dx.$$

Integrando por partes, temos

$$\int_0^s x e^{-x/\beta}\, dx = \left[-\beta x e^{-x/\beta} \right]_0^s + \beta \int_0^s e^{-x/\beta}\, dx$$

e, portanto,

$$\int_0^s x e^{-x/\beta}\, dx = \left[-\beta s e^{-s/\beta} \right] + \beta^2 \left[1 - e^{-s/\beta} \right].$$

De $\lim\limits_{s \to +\infty} -\beta s e^{-s/\beta} = 0$ e $\lim\limits_{s \to +\infty} e^{-s/\beta} = 0$ (confira) resulta

$$E(X) = \frac{1}{\beta} \int_0^{+\infty} x e^{-x/\beta}\, dx = \frac{1}{\beta} \beta^2 = \beta.$$

Assim, o valor esperado da variável aleatória X é $E(X) = \beta$. Vamos, agora, ao cálculo de $Var(X)$. Tendo em vista ①,

$$Var(X) = \frac{1}{\beta} \int_0^{+\infty} x^2 e^{-x/\beta}\, dx - [E(X)]^2.$$

Integrando duas vezes por partes, obtém-se:

$$\int_0^{+\infty} x^2 e^{-x/\beta}\, dx = 2\beta^3.$$

Lembrando que $E(X) = \beta$, resulta:
$$Var(X) = \beta^2.$$

Conclusão:
$$E(X) = \beta \text{ e } Var(X) = \beta^2.$$

Exercícios 4.3

1. Determine $E(X)$ e $Var(X)$ da variável aleatória X com a função densidade de probabilidade dada a seguir.

   a) $f(x) = \dfrac{1}{b-a}$ para $a \leqslant x \leqslant b$ e $f(x) = 0$ para $x < a$ e $x > b$.

   b) $f(x) = \dfrac{3}{(x+1)^4}$ para $x \geqslant 0$ e $f(x) = 0$ para $x < 0$.

   c) $f(x) = x\, e^{-x}$ para $x \geqslant 0$ e $f(x) = 0$ para $x < 0$.

4.4 Distribuição Normal

Inicialmente, observamos que no Vol. 3 será provado o seguinte importante resultado:

$$\boxed{\int_{-\infty}^{+\infty} e^{-x^2}\, dx = \sqrt{\pi}}$$

Por e^{-x^2} ser uma função par, resulta $\int_{0}^{+\infty} e^{-x^2}\, dx = \dfrac{\sqrt{\pi}}{2}$.

Exemplo 1 Seja $f(x) = k e^{-x^2/2}$, com x real. Determine o valor da constante k de modo que f seja uma função densidade de probabilidade.

Solução

Como f é uma função par, devemos ter $\int_{0}^{+\infty} k e^{-x^2/2}\, dx = \dfrac{1}{2}$. Fazendo a mudança de variável $x = u\sqrt{2}$, resulta

$$\int_{0}^{s} k e^{-x^2/2}\, dx = k\sqrt{2} \int_{0}^{s/\sqrt{2}} e^{-u^2}\, du.$$

Para $s \to +\infty$ resulta

$$\int_{0}^{+\infty} k e^{-x^2/2}\, dx = k\sqrt{2} \int_{0}^{+\infty} e^{-u^2}\, du = \dfrac{k\sqrt{2}\sqrt{\pi}}{2}.$$

Deveremos ter então $\dfrac{k\sqrt{2}\sqrt{\pi}}{2} = \dfrac{1}{2}$, ou seja, $k = \dfrac{1}{\sqrt{2\pi}}$.

Capítulo 4

Exemplo 2 Sendo μ e σ, $\sigma > 0$, duas constantes dadas, mostre que

$$\frac{1}{\sigma\sqrt{2\pi}}\int_{-\infty}^{+\infty} e^{-(x-\mu)^2/2\sigma^2}\,dx = 1.$$

Solução

Como o gráfico de $f(x) = \dfrac{1}{\sigma\sqrt{2\pi}} e^{-(x-\mu)^2/2\sigma^2}$ é simétrico em relação à reta $x = \mu$, basta mostrar que

$$\frac{1}{\sigma\sqrt{2\pi}}\int_{\mu}^{+\infty} e^{-(x-\mu)^2/2\sigma^2}\,dx = \frac{1}{2}.$$

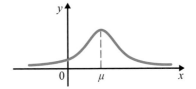

Fazendo a mudança de variável $z = \dfrac{x-\mu}{\sigma}$, teremos $dx = \sigma\,dz$ e $z = 0$ para $x = \mu$. Tendo em vista o exemplo anterior, segue que

$$\frac{1}{\sigma\sqrt{2\pi}}\int_{\mu}^{+\infty} e^{-(x-\mu)^2/2\sigma^2}\,dx = \frac{1}{\sqrt{2\pi}}\int_{0}^{+\infty} e^{-z^2/2}\,dz = \frac{1}{2}.$$

A seguir, vamos destacar a distribuição de probabilidades mais importante da estatística: a *distribuição normal*.

Definição. Dizemos que a variável aleatória contínua X tem *distribuição normal*, com média μ e *variância* σ^2, $\sigma > 0$, se a sua função densidade de probabilidade for dada por

$$f(x) = \frac{1}{\sigma\sqrt{2\pi}} e^{-(x-\mu)^2/2\sigma^2},\ x\text{ real}.$$

A notação $X:N(\mu, \sigma^2)$ é usada para indicar que a variável aleatória X tem distribuição normal, com média μ e variância σ^2 (ou desvio padrão σ).

Exemplo 3 Seja X uma variável aleatória contínua, com distribuição normal, média μ e variância σ^2. Mostre que de fato tem-se:

a) $E(X) = \mu$ \hspace{2cm} b) $Var(X) = \sigma^2$.

Solução

a)
$$E(X) = \frac{1}{\sigma\sqrt{2\pi}}\int_{-\infty}^{+\infty} x e^{-(x-\mu)^2/2\sigma^2}\,dx.$$

Temos

$$\int_{-\infty}^{+\infty} x e^{-(x-\mu)^2/2\sigma^2}\,dx = \int_{-\infty}^{+\infty} (x-\mu) e^{-(x-\mu)^2/2\sigma^2}\,dx + \mu\int_{-\infty}^{+\infty} e^{-(x-\mu)^2/2\sigma^2}\,dx.$$

Com a mudança de variável $s = x - \mu$ teremos

$$\int_{-\infty}^{+\infty} (x-\mu)e^{-(x-\mu)^2/2\sigma^2} dx = \int_{-\infty}^{+\infty} s\, e^{-s^2/2\sigma^2} ds = 0$$

pois o integrando da segunda integral é uma função ímpar. Segue que

$$\int_{-\infty}^{+\infty} xe^{-(x-\mu)^2/2\sigma^2} dx = \mu \int_{-\infty}^{+\infty} e^{-(x-\mu)^2/2\sigma^2} dx.$$

Assim,

$$E(X) = \frac{1}{\sigma\sqrt{2\pi}} \int_{-\infty}^{+\infty} xe^{-(x-\mu)^2/2\sigma^2} dx = \frac{\mu}{\sigma\sqrt{2\pi}} \int_{-\infty}^{+\infty} e^{-(x-\mu)^2/2\sigma^2} dx = \mu$$

pois

$$\frac{1}{\sigma\sqrt{2\pi}} \int_{-\infty}^{+\infty} e^{-(x-\mu)^2/2\sigma^2} dx = 1.$$

Portanto, $E(X) = \mu$.

b) Temos

$$Var(X) = \frac{1}{\sigma\sqrt{2\pi}} \int_{-\infty}^{+\infty} (x-\mu)^2 e^{-(x-\mu)^2/2\sigma^2} dx.$$

Tendo em vista a simetria do gráfico do integrando em relação à reta $x = \mu$, resulta

$$Var(X) = \frac{1}{\sigma\sqrt{2\pi}} \int_{-\mu}^{+\infty} (x-\mu)^2 e^{-(x-\mu)^2/2\sigma^2} dx.$$

Fazendo $f(x) = x - \mu, g'(x) = (x-\mu)\, e^{-(x-\mu)^2/2\sigma^2}$ e integrando por partes, vem

$$\int_{\mu}^{s} f(x)g'(x)dx = -\sigma^2 \left[(x-\mu)e^{-(x-\mu)^2/2\sigma^2} \right]_{\mu}^{s} + \sigma^2 \int_{\mu}^{s} e^{-(x-\mu)^2/2\sigma^2} dx.$$

Com $\lim_{s \to +\infty} (s-\mu)e^{-(s-\mu)^2/2\sigma^2} = 0$, resulta

$$Var(X) = \frac{2\sigma^2}{\sigma\sqrt{2\pi}} \int_{\mu}^{+\infty} e^{-(x-\mu)^2/2\sigma^2} dx = \sigma^2.$$

Assim, $Var(X) = \sigma^2$.

Exemplo 4 Seja $X : N(\mu, \sigma^2)$. Mostre que $P(\mu - \sigma \leq X \leq \mu + \sigma)$ independe de μ e de σ e que seu valor é

$$P(\mu - \sigma \leq X \leq \mu + \sigma) = \frac{2}{\sqrt{2\pi}} \int_{0}^{1} e^{-z^2/2} dz.$$

Solução

$$P(\mu - \sigma \leq X \leq \mu + \sigma) = \frac{2}{\sigma\sqrt{2\pi}} \int_{\mu}^{\mu+\sigma} e^{-(x-\mu)^2/2\sigma^2} dx.$$

Capítulo 4

Fazendo a mudança de variável $z = \dfrac{x-\mu}{\sigma}$, teremos $dx = \sigma\, dz$, $z = 0$ para $x = \mu$, $z = 1$ para $x = \mu + \sigma$ e, portanto,

$$\int_{\mu}^{\mu+\sigma} e^{-(x-\mu)^2/2\sigma^2}\, dx = \sigma \int_0^1 e^{-z^2/2}\, dz.$$

Assim, a probabilidade de X pertencer ao intervalo $[\mu - \sigma, \mu + \sigma]$ independe dos valores de μ e σ, e seu valor é

$$P(\mu - \sigma \leq X \leq \mu + \sigma) = \dfrac{2}{\sqrt{2\pi}} \int_0^1 e^{-z^2/2}\, dz \approx 0{,}68.$$

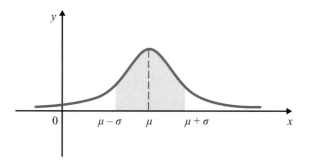

Observação. Para calcular o valor da integral que aparece no 2º membro, é só utilizar a desigualdade ($x < 0$)

$$\left| e^x - \left(1 + x + \dfrac{x^2}{2!} + \dfrac{x^3}{3!} + \ldots + \dfrac{x^n}{n!}\right) \right| \leq \dfrac{|x|^{n+1}}{(n+1)!}$$

(veja Exemplo 7 da Seção 16.3, Vol. 1) e proceder como no Exemplo 9 da Seção 16.3 mencionada. Efetuados os cálculos, chega-se a: $P(\mu - \sigma \leq X \leq \mu + \sigma) \approx 0{,}68$. Isto é, a probabilidade de X pertencer ao intervalo $[\mu - \sigma, \mu + \sigma]$ é de aproximadamente 0,68. No Apêndice B, mostraremos como utilizar a calculadora HP-48G no cálculo de probabilidades de algumas distribuições contínuas. Quando X tem distribuição normal, existem tabelas para o cálculo de $P(a \leq X \leq b)$.

Exemplo 5 Suponha que a distribuição das alturas dos 850 alunos de uma determinada escola seja aproximadamente normal, com média 1,72 m e desvio padrão 0,10 m.

a) Qual o número esperado de alunos com altura entre 1,62 e 1,82 m?
b) Qual o número esperado de alunos com altura superior a 1,90 m?

Solução

Aqui $\mu = 1{,}72$ e $\sigma = 0{,}10$.
a) $P(1{,}62 \leq X \leq 1{,}82) = P(\mu - \sigma \leq X \leq \mu + \sigma) \approx 0{,}68$, como vimos no exemplo anterior. Assim, o número esperado de alunos com altura entre 1,62 e 1,82 m é de aproximadamente 68% do total dos alunos da escola, ou seja, aproximadamente 578 alunos.

b) $P(X \geq 1,90) = \dfrac{1}{0,1\sqrt{2\pi}} \int_{1,9}^{+\infty} e^{-(x-1,72)^2/0,02} dx \approx 0,036$ (o cálculo foi feito na HP-48G).

Assim, o número esperado de alunos com altura superior (ou igual) a 1,92 m é de aproximadamente 3,6% do total dos alunos da escola, ou seja, aproximadamente 31 alunos. (Já dá para montar um belo time de basquete ou de vôlei, não? Bem, depende!)

Exercícios 4.4

1. Seja X uma variável aleatória contínua, com distribuição normal, média μ e variância σ^2, $\sigma > 0$. Sendo $r > 0$ um número real qualquer, mostre que

$$P(\mu - r\sigma \leq X \leq \mu + r\sigma) = \dfrac{1}{\sqrt{2\pi}} \int_{-r}^{r} e^{-z^2/2} dz$$

e conclua que a probabilidade de X estar entre $\mu - r\sigma$ e $\mu + r\sigma$, não depende de μ e σ, só depende de r.

2. Seja $X : N(\mu, \sigma^2)$. Mostre que

$$P(a < X < B) = \dfrac{1}{\sqrt{2\pi}} \int_{(a-\mu)/\sigma}^{(b-\mu)/\sigma} e^{-z^2/2} dz$$

em que $a < b$ são dois reais quaisquer.

3. Sejam $X : N(50, 16)$ e $Y : N(60, 25)$.

   a) Resolva a equação $P(X \leq x) = P(Y \leq x)$.
   b) Resolva a inequação $P(X \leq x) < P(Y \leq x)$.

4. Sejam $X : N(\mu_1, \sigma_1^2)$ e $Y : N(\mu_2, \sigma_2^2)$. Discuta a equação $P(X \leq x) = P(Y \leq x)$.

5. Considere a função φ dada por

$$\varphi(\mu) = \dfrac{1}{\sigma\sqrt{2\pi}} \int_a^b e^{-(x-\mu)^2/2\sigma^2} dx$$

sendo a, b e σ constantes, com $a < b$.

   a) Mostre que

$$\varphi(\mu) = \dfrac{1}{\sqrt{2\pi}} \int_{(a-\mu)/\sigma}^{(b-\mu)/\sigma} e^{-z^2/2} dz.$$

   b) Calcule $\dfrac{d\varphi}{d\mu}$.

4.5 Função de Variável Aleatória

Consideremos a função $Y = h(X)$ definida para todo X real. Se supusermos X uma variável aleatória, a variável Y será também aleatória; desse modo, teremos a variável Y como função da variável aleatória X. Um problema que surge naturalmente é o seguinte: conhecida a função densidade de probabilidade de X, como se determina a de Y? Um caminho para resolver o problema é determinar a função de distribuição de Y. Antes, vamos relembrar como se deriva uma função dada por integral quando um dos extremos de integração é uma função.

Capítulo 4

> Sejam f contínua em um intervalo I e g definida e derivável em um intervalo J e tal que $g(x) \in I$, para todo x em J. Nessas condições, para todo x em J, tem-se
>
> $$F(x) = \int_a^{g(x)} f(t)\, dt \Rightarrow F'(x) = f(g(x))\, g'(x)$$
>
> em que $a \in I$, com a fixo. Se I for da forma $]-\infty, b[$, poderemos tomar $a = -\infty$. (Reveja os Capítulos 2 e 3.)

Uma das funções de variável aleatória que desempenha papel fundamental na inferência estatística é a dada por

$$Z = \frac{X - \mu}{\sigma}$$

em que X é uma variável aleatória com distribuição normal $N(\mu, \sigma^2)$. Vamos mostrar no próximo exemplo que Z é uma variável aleatória com distribuição normal padrão, ou seja, $Z : N(0, 1)$.

Exemplo 1 Seja Z a variável aleatória dada por

$$Z = \frac{X - \mu}{\sigma}$$

em que X é uma variável aleatória com distribuição normal $N(\mu, \sigma^2)$. Mostre que Z tem distribuição normal padrão $Z : N(0, 1)$.

Solução

Precisamos mostrar que a função F de distribuição de Z é dada por

$$F(z) = \frac{1}{\sqrt{2\pi}} \int_{-\infty}^{z} e^{-x^2/2}\, dx.$$

Temos

$$F(z) = P(Z \leq z) = P\left(\frac{X - \mu}{\sigma} \leq z\right) = P(X \leq \sigma z + \mu).$$

De $X : N(\mu, \sigma^2)$, segue que

$$F(z) = P(X \leq \sigma z + \mu) = \frac{1}{\sigma\sqrt{2\pi}} \int_{-\infty}^{\sigma z + \mu} e^{-(x-\mu)^2/2\sigma^2}\, dx.$$

Então,

$$F'(z) = f(\sigma z + \mu)(\sigma z + \mu)'$$

em que $f(x) = \dfrac{1}{\sigma\sqrt{2\pi}} e^{-(x-\mu)^2/2\sigma^2}$. Segue que

$$F'(z) = \frac{1}{\sqrt{2\pi}} e^{-z^2/2} \quad \text{(de acordo?)}$$

e, portanto,

$$F(z) = \frac{1}{\sqrt{2\pi}} \int_{-\infty}^{z} e^{-x^2/2}\, dx.$$

Aplicações à Estatística

(Outro modo de resolver o problema, é mostrando diretamente que

$$P(a < Z < b) = \frac{1}{\sqrt{2\pi}} \int_a^b e^{-z^2/2} dz.$$

Temos

$$P(a < Z < b) = P\left(a < \frac{X-\mu}{\sigma} < b\right) = P(a\sigma + \mu < X < b\sigma + \mu).$$

Segue que

$$P(a < Z < b) = \frac{1}{\sigma\sqrt{2\pi}} \int_{a\sigma+\mu}^{b\sigma+\mu} e^{-(x-\mu)^2/2\sigma^2} dx.$$

Fazendo a mudança de variável $z = \frac{x-\mu}{\sigma}$, teremos $dx = \sigma dz$, $z = a$ para $x = a\sigma + \mu$, $z = b$ para $x = b\sigma + \mu$ e, portanto,

$$P(a < Z < b) = \frac{1}{\sqrt{2\pi}} \int_a^b e^{-z^2/2} dz.)$$

Este resultado é tão importante que merece ser destacado em um quadro.

Se X for uma variável aleatória com distribuição normal, $X : N(\mu, \sigma^2)$, e se Z for dada por

$$Z = \frac{X-\mu}{\sigma}$$

então a variável aleatória Z terá distribuição normal padrão $Z : N(0, 1)$.

Exemplo 2 Seja X uma variável alcatória com função densidade de probabilidade f definida e contínua em todo x real. Seja $Y = cX + d$, em que c e d são constantes, com $c > 0$ ($c < 0$).
a) Qual a função densidade de probabilidade da variável aleatória Y?
b) Mostre que $E(Y) = cE(X) + d$.
c) Mostre que $Var(Y) = c^2 Var(X)$.

Solução

Suporemos $c > 0$ (você se encarrega de $c < 0$).
a) Sendo F a função de distribuição de Y, temos:

$$F(y) = P(Y \leq y) = P\left(X \leq \frac{y-d}{c}\right) = \int_{-\infty}^{(y-d)/c} f(x) \, dx.$$

Como a f é contínua em todo x, F é derivável e

$$F'(y) = f\left(\frac{y-d}{c}\right)\left(\frac{y-d}{c}\right)' = \frac{1}{c} f\left(\frac{y-d}{c}\right).$$

Segue que existe uma constante k tal que

$$F(y) = \frac{1}{c}\int_{-\infty}^{y} f\left(\frac{t-d}{c}\right) dt + k.$$

Como $\dfrac{1}{c}\int_{-\infty}^{+\infty} f\left(\dfrac{t-d}{c}\right) dt = \int_{-\infty}^{+\infty} f(x)\, dx = 1$ (de acordo?) resulta $k = 0$.

Logo, $g(y) = \dfrac{1}{c} f\left(\dfrac{y-d}{c}\right)$ é a função densidade de probabilidade da variável aleatória Y.

(*Sugestão*: Sugerimos ao leitor mostrar diretamente que

$$P(a < Y < b) = \frac{1}{c}\int_{a}^{b} f\left(\frac{y-d}{c}\right) dy.$$

Para isto proceda da seguinte forma:

$$P(a < Y < b) = P(a < cX + d < b) = P\left(\frac{a-d}{c} < X < \frac{b-d}{c}\right) = \ldots)$$

b) $E(Y) = \displaystyle\int_{-\infty}^{+\infty} \frac{y}{c} f\left(\frac{y-d}{c}\right) dy$. Fazendo a mudança de variável $x = \dfrac{y-d}{c}$, $dy = c\, dx$ e daí

$$E(Y) = \int_{-\infty}^{+\infty} \frac{y}{c} f\left(\frac{y-d}{c}\right) dy = \int_{-\infty}^{+\infty} (cx + d) f(x)\, dx = cE(X) + d.$$

(Lembre-se de que $\displaystyle\int_{-\infty}^{+\infty} f(x)\, dx = 1$.)

c) Temos

$$Var(Y) = \int_{-\infty}^{+\infty} \frac{y^2}{c} f\left(\frac{y-d}{c}\right) dy - [E(Y)]^2.$$

Com a mudança de variável acima,

$$Var(Y) = \int_{-\infty}^{+\infty} (cx + d)^2 f(x) dx - [E(Y)]^2.$$

De $E(Y) = cE(X) + d$, resulta

$$Var(Y) = c^2 \left[\int_{-\infty}^{+\infty} x^2 f(x)\, dx - [E(X)]^2 \right] = c^2\, Var(X).$$

Observe que a função de variável aleatória dada por $Z = \dfrac{X - \mu}{\sigma}$ é um caso particular daquela do exemplo anterior: $Z = cX + d$, em que $c = \dfrac{1}{\sigma}$ e $d = \dfrac{-\mu}{\sigma}$. Assim, $E(Z) = \dfrac{E(X)}{\sigma} - \dfrac{\mu}{\sigma}$ e $Var(Z) = \dfrac{Var(X)}{\sigma^2}$. Sendo $X : N(\mu, \sigma^2)$, teremos $E(Z) = 0$ e $Var(Z) = 1$ que concorda com o Exemplo 1.

Aplicações à Estatística

Exemplo 3 Seja $Y = X^2$, em que X é uma variável aleatória com função densidade de probabilidade f, definida e contínua em todo x real. Qual a função densidade de probabilidade de Y?

Solução

Vamos calcular diretamente $P(a < Y < b)$. Como $Y \geq 0$, podemos supor $0 \leq a < b$. Temos
$$P(a < Y < b) = P(a < X^2 < b).$$
De
$$a < X^2 < b \Leftrightarrow -\sqrt{b} < X < -\sqrt{a} \text{ ou } \sqrt{a} < X < \sqrt{b}$$
resulta
$$P(a < Y < b) = P(-\sqrt{b} < X < -\sqrt{a}) + P(\sqrt{a} < X < \sqrt{b}).$$
Segue que
$$P(a < Y < b) = \int_{-\sqrt{b}}^{-\sqrt{a}} f(x)\, dx + \int_{\sqrt{a}}^{\sqrt{b}} f(x)\, dx.$$

Fazendo na primeira integral, a mudança de variável $x = -\sqrt{y}$ e na segunda $x = \sqrt{y}$ e supondo $a > 0$, obtemos
$$P(a < Y < b) = -\int_b^a \frac{f(-\sqrt{y})}{2\sqrt{y}}\, dy + \int_a^b \frac{f(\sqrt{y})}{2\sqrt{y}}\, dy.$$

Como, para $a \to 0$, o segundo membro desta igualdade converge para $P(0 < Y < b)$, em que $P(0 < Y < b)$ é calculado na igualdade anterior, temos
$$P(a < Y < b) = -\int_a^b \frac{f(-\sqrt{y}) + f(\sqrt{y})}{2\sqrt{y}}\, dy$$

para quaisquer a e b reais, com $0 \leq a < b$. Assim, a função densidade de probabilidade g da variável aleatória Y é dada por

$$g(y) = \begin{cases} 0 \text{ se } y \leq 0 \\ \dfrac{f(-\sqrt{y}) + f(\sqrt{y})}{2\sqrt{y}} \text{ se } y > 0. \end{cases}$$

Exercícios 4.5

1. Seja X uma variável aleatória contínua com função densidade de probabilidade f definida e contínua em todo x real. Considere a variável aleatória Y dada por $Y = X^3$. Determine a função densidade de probabilidade g de Y.

2. Seja X uma variável aleatória com distribuição normal, $X : N(\mu, \sigma^2)$. Dizemos que a variável aleatória Y tem *distribuição lognormal com parâmetros μ e σ^2* se $X = \ln Y$. Determine a função densidade de probabilidade de Y.

4.6 A Função Gama

Uma função que desempenha um papel muito importante em estatística é a *função gama*, que é dada por

$$\Gamma(\alpha) = \int_0^{+\infty} e^{-x} x^{\alpha-1} \, dx, \alpha > 0.$$

Observe que a integral acima é imprópria em $+\infty$ e, também, em 0 se $0 < \alpha < 1$. Veremos nos próximos exemplos que a integral é convergente para $\alpha > 0$ e divergente para $\alpha \leq 0$. Primeiro, analisaremos o caso $\alpha \geq 1$; em seguida, o caso $0 < \alpha < 1$ e, por fim, $\alpha \leq 0$.

Exemplo 1 Mostre que, para $\alpha \geq 1$, a integral imprópria $\int_0^{+\infty} e^{-x} x^{\alpha-1} dx$ é convergente.

Solução

Para $\alpha \geq 1$, $f(x) = e^{-x} x^{\alpha-1}$ é contínua em $[0, t]$, para todo $t > 0$. Logo, a integral é imprópria apenas em $+\infty$. Temos:

$$e^{-x} x^{\alpha-1} = e^{-x/2} (e^{-x/2} x^{\alpha-1}).$$

De $\lim_{x \to +\infty} e^{-x/2} x^{\alpha-1} = \lim_{x \to +\infty} \frac{x^{\alpha-1}}{e^{x/2}} = 0$ (verifique), segue que existe $r > 0$, tal que $e^{-x/2} x^{\alpha-1} < 1$ para $x \geq r$. Daí, $e^{-x} x^{\alpha-1} < e^{-x/2}$ para $x \geq r$. De $\int_0^{+\infty} e^{-x/2} dx = 2$, segue, pelo critério de comparação, a convergência da integral imprópria $\int_0^{+\infty} e^{-x} x^{\alpha-1} dx$.

Exemplo 2 Mostre que, para $0 < \alpha < 1$, a integral imprópria $\int_0^{+\infty} e^{-x} x^{\alpha-1} dx$ é convergente.

Solução

$$\int_0^{+\infty} e^{-x} x^{\alpha-1} dx = \int_0^1 e^{-x} x^{\alpha-1} dx + \int_1^{+\infty} e^{-x} x^{\alpha-1} dx.$$

Raciocinando como no exemplo anterior, conclui-se que $\int_1^{+\infty} e^{-x} x^{\alpha-1} dx$ é convergente. Como e^{-x} é limitada em $[0, 1]$, para verificar a convergência de $\int_0^1 e^{-x} x^{\alpha-1} dx$ basta verificar que a integral imprópria $\int_0^1 x^{\alpha-1} dx$ é convergente. Deixamos a seu cargo verificar que $\int_0^1 x^{\alpha-1} dx = \frac{1}{\alpha}$. Logo, a integral $\int_0^{+\infty} e^{-x} x^{\alpha-1} dx$ é convergente se $0 < \alpha < 1$.

Exemplo 3 Mostre que, para $\alpha \leq 0$, a integral imprópria $\int_0^{+\infty} e^{-x} x^{\alpha-1} dx$ é divergente.

Solução

Para $\alpha \leq 0$, $\int_0^1 x^{\alpha-1} dx = +\infty$ (verifique). Para $0 < x \leq 1$,

$$e^{-x} x^{\alpha-1} \geq e^{-1} x^{\alpha-1}.$$

Pelo critério de comparação, $\int_0^{+\infty} e^{-x} x^{\alpha-1} dx = +\infty$.

Exemplo 4

a) Calcule $\Gamma(1)$.
b) Mostre que $\Gamma(\alpha + 1) = \alpha\,\Gamma(\alpha)$, $\alpha > 0$.
c) Calcule $\Gamma(n)$, com n natural e diferente de zero.

Solução

a) $\Gamma(1) = \int_0^{+\infty} e^{-x} dx = \lim_{s \to +\infty} \int_0^s e^{-x} dx = 1$.

b) $\Gamma(\alpha + 1) = \int_0^{+\infty} e^{-x} x^\alpha dx$. Como $\alpha > 0$, tal integral só é imprópria em $+\infty$. De acordo? Integrando por partes, vem

$$\int_0^s e^{-x} x^\alpha dx = \left[-e^{-x} x^\alpha \right]_0^s + \alpha \int_0^s e^{-x} x^{\alpha-1} dx.$$

De $\lim_{s \to +\infty} e^{-s} s^\alpha = 0$, resulta

$$\int_0^{+\infty} e^{-x} x^\alpha dx = \alpha \int_0^{+\infty} e^{-x} x^{\alpha-1} dx$$

e, portanto, $\Gamma(\alpha + 1) = \alpha\,\Gamma(\alpha)$.

c) $\Gamma(2) = 1 \cdot \Gamma(1) = 1$; $\Gamma(3) = 2 \cdot \Gamma(2) = 2 \cdot 1$; $\Gamma(4) = 3 \cdot \Gamma(3) = 3 \cdot 2 \cdot 1$. De modo geral,

$$\Gamma(n) = (n-1) \cdot (n-2) \cdot \ldots \cdot 3 \cdot 2 \cdot 1 = (n-1)!$$

A seguir, vamos destacar o resultado do item *c* do exemplo acima.

Para todo natural n, tem-se
$$n! = \Gamma(n+1).$$

Assim, a função gama nada mais é do que uma extensão do nosso já conhecido *fatorial*.

Definição. Para todo real $\alpha > -1$ definimos *fatorial de α* por
$$\alpha! = \Gamma(\alpha + 1).$$

Observação. A função fatorial da calculadora HP-48G é dada pela definição acima. A tabela a seguir foi construída com o auxílio dessa calculadora. Para acessar a função fatorial na HP-48G, tecle: MTH NXT (para virar a página do menu do aplicativo MTH), em seguida pressione a tecla branca da letra A para ativar PROB no menu do aplicativo. Achou o fatorial?

α	$-0{,}99$	$-0{,}9$	$-0{,}1$	0	0,4	0,45	0,5	0,6	1	2,5	3
$\alpha!$	99,43	9,51	1,07	1	0,887	0,8856	0,886	0,893	1	3,323	6

Sugerimos ao leitor que, olhando a tabela acima, faça um esboço dos gráficos das funções gama e fatorial.

Capítulo 4

Exercícios 4.6

1. Mostre que $\Gamma\left(\dfrac{1}{2}\right) = \sqrt{\pi}$. (*Sugestão*: Lembre-se de que $\int_{-\infty}^{+\infty} e^{-x^2} dx = \sqrt{\pi}$.)

2. Calcule $(-0,5)!$

3. Calcule $\Gamma\left(\dfrac{3}{2}\right), \Gamma\left(\dfrac{5}{2}\right)$ etc.

4. Estabeleça uma fórmula para o cálculo de $\Gamma\left(\dfrac{2n+1}{2}\right)$, com *n* natural.

4.7 Algumas Distribuições Importantes

Dizemos que a variável aleatória contínua *X* tem *distribuição uniforme* se sua função densidade de probabilidade for dada por

$$f(x) = \begin{cases} \dfrac{1}{b-a} & \text{se } a \leq x \leq b \\ 0 & \text{se } x < a \text{ ou } x > b. \end{cases}$$

A variável aleatória contínua *X* tem *distribuição exponencial* se a sua função densidade de probabilidade for $\beta > 0$,

$$f(x) = \begin{cases} \dfrac{e^{-x/\beta}}{\beta} & \text{se } x \geq 0 \\ 0 & \text{se } x < 0. \end{cases}$$

Já vimos que nesse caso $E(X) = \beta$ e $Var(X) = \beta^2$ (veja exemplo da Seção 4.3).

A variável aleatória contínua *X* tem *distribuição gama*, com parâmetros $\alpha > 0$ e $\beta > 0$, se a sua função densidade de probabilidade for

$$f(x) = \begin{cases} \dfrac{1}{\Gamma(\alpha)\beta^\alpha} x^{\alpha-1} e^{-x/\beta} & \text{se } x > 0 \\ 0 & \text{se } x \leq 0. \end{cases}$$

Observe que a distribuição exponencial é uma distribuição gama com $\alpha = 1$.

Exemplo Seja *f* a função densidade de probabilidade da distribuição gama.

a) Verifique que tal *f* é realmente uma função densidade de probabilidade.
b) Calcule $E(X)$.
c) Calcule $Var(X)$.

Solução

a) É claro que vamos ter que fazer uma mudança de variável de modo que apareça a função gama (você concorda?). Eu acho até que você já sabe qual é a mudança! Então, vamos lá.

Fazendo $u = \dfrac{x}{\beta}$, teremos $dx = \beta du$. Assim,

$$\int_0^{+\infty} x^{\alpha-1} e^{-x/\beta} dx = \beta \int_0^{+\infty} (u\beta)^{\alpha-1} e^{-u} du = \beta^\alpha \Gamma(\alpha).$$

Pronto. É realmente uma função densidade de probabilidade.

b) $\int_0^s x \left(x^{\alpha-1} e^{-x/\beta} \right) dx = \int_0^s x^\alpha e^{-x/\beta} dx = -\beta \left[x^\alpha e^{-x/\beta} \right]_0^s + \alpha\beta \int_0^s x^{\alpha-1} e^{-x/\beta} dx$. Para s tendendo a infinito, a primeira parcela do último membro tende a zero e, daí,

$$E(X) = \dfrac{1}{\beta^\alpha \Gamma(\alpha)} \int_0^{+\infty} x(x^{\alpha-1} e^{-x/\beta}) dx = \alpha\beta.$$

Conclusão: $E(X) = \alpha\beta$.

c) Lembrando que $Var(X) = \int_{-\infty}^{+\infty} x^2 f(x) \, dx - [E(X)]^2$, segue que precisamos calcular apenas o valor da integral do 2º membro. Temos

$$\int_0^{+\infty} x^2 (x^{\alpha-1} e^{-x/\beta}) dx = \int_0^{+\infty} x^{\alpha+1} e^{-x/\beta} dx.$$

Integrando por partes, resulta:

$$\int_0^{+\infty} x^{\alpha+1} e^{-x/\beta} dx = -\beta \left[x^{\alpha+1} e^{-x/\beta} \right]_0^{+\infty} + (\alpha+1)\beta \int_0^{+\infty} x^\alpha e^{-x/\beta} dx.$$

Sendo o valor da primeira parcela do segundo membro igual a 0 e tendo em vista o item anterior, tem-se

$$Var(X) = (\alpha\beta)^2 + \alpha\beta^2 - (\alpha\beta)^2 = \alpha\beta^2.$$

Conclusão: $Var(X) = \alpha\beta^2$.

As três distribuições que destacaremos a seguir desempenham papéis fundamentais na inferência estatística. São elas: distribuição *qui-quadrado* (χ^2), distribuição *t de Student* e *distribuição F de Snedecor*.

A variável aleatória contínua X tem distribuição *qui-quadrado* (χ^2), com *n graus de liberdade*, se a sua função densidade de probabilidade é dada por

$$f(x) = \begin{cases} \dfrac{1}{2^{\nu/2} \Gamma(\nu/2)} x^{(\nu/2-1)} e^{-x/2} & \text{se } x > 0 \\ 0 & \text{se } x \leq 0. \end{cases}$$

Uma distribuição qui-quadrado, com ν graus de liberdade, é usualmente representada por $\chi^2(\nu)$. Observe que a distribuição qui-quadrado é uma distribuição gama com $\alpha = \nu/2$ e $\beta = 2$; assim, $E(X) = \nu$ e $Var(X) = 2\nu$. De onde surge essa distribuição? Consideremos uma população com distribuição normal padrão, ou seja, com distribuição $N(0, 1)$. Retire, aleatoriamente, dessa população uma amostra $x_1, x_2, \ldots, x_\nu$ com ν elementos e some os quadrados desses números

$$\chi^2 = x_1^2 + x_2^2 + \ldots + x_\nu^2.$$

Retire outra amostra e calcule χ^2, e assim por diante. Este χ^2 é uma variável aleatória, e, teoricamente, poderá assumir qualquer valor positivo. Pois bem, prova-se que, sob determinadas condições, a função densidade de probabilidade dessa variável aleatória é a função *f* dada acima.

Com essa função densidade de probabilidade, $P(a \leq X \leq b)$ é a probabilidade de o valor χ^2 pertencer ao intervalo de extremos a e b.

Prova-se que, se Z e Y forem variáveis aleatórias *independentes* Z com distribuição normal $N(0, 1)$ e Y com distribuição $\chi^2(v)$, então, a variável aleatória t dada por

$$t = \frac{Z}{\sqrt{Y/v}}$$

tem a seguinte função densidade de probabilidade

$$f(t) = \frac{\Gamma\left(\frac{v+1}{2}\right)}{\Gamma\left(\frac{v}{2}\right)\sqrt{\pi v}} \left(1 + \frac{t^2}{v}\right)^{-(v+1)/2}, \text{ com } t \text{ real qualquer.}$$

Dizemos que uma variável aleatória tem distribuição *t de Student, com n graus de liberdade*, se a sua função densidade de probabilidade é dada pela função acima. Observe que tal f é uma função par. Faça você mesmo um esboço do gráfico dessa função.

Sejam U e V variáveis aleatórias *independentes* com distribuições $\chi^2(v_1)$ e $\chi^2(v_2)$, respectivamente. Prova-se que a variável aleatória $W = \dfrac{v_2 U}{v_1 V}$ tem a seguinte função densidade de probabilidade:

$$f(x) = \begin{cases} \dfrac{\Gamma\left(\dfrac{v_1+v_2}{2}\right)}{\Gamma\left(\dfrac{v_1}{2}\right)\Gamma\left(\dfrac{v_2}{2}\right)} \left(\dfrac{v_1}{v_2}\right)^{v_1/2} \dfrac{x^{(v_1-2)/2}}{\left(1+\dfrac{v_1}{v_2}x\right)^{(v_1+v_2)/2}}, & \text{se } x > 0 \\ 0 & \text{se } x \leq 0. \end{cases}$$

Uma variável aleatória tem *distribuição F de Snedecor, com graus de liberdade* v_1 e v_2, se a sua função densidade de probabilidade é dada pela f acima.

Para encerrar a seção, observamos que existem tabelas para calcular probabilidades que envolvem as distribuições *normal, qui-quadrado, t de Student* e *F de Snedecor*. Entretanto, como no meio estudantil o uso da calculadora HP-48G é muito comum, mostraremos no Apêndice B como utilizá-la em problemas que envolvem tais distribuições, bem como para outros cálculos comuns em estatística.

Exercícios 4.7

1. *a*) Verifique que a função densidade de probabilidade da distribuição *t de Student* é realmente uma função densidade de probabilidade no caso $v = 3$.

   b) Mostre que $E(t) = 0$ e, para $v \geq 3$, $Var(t) = \dfrac{v}{v-2}$. O que acontece com $Var(t)$ para $v \leq 2$?

2. Mesmo exercício para a distribuição *F de Snedecor* no caso $v_1 = v_2 = 2$.

3. Uma variável aleatória X tem *distribuição de Weibull* se sua função densidade de probabilidade é dada por

$$f(x) = \begin{cases} \beta x^{\beta-1} e^{-x^\beta} & \text{se } x > 0 \\ 0 & \text{se } x \leq 0. \end{cases}$$

a) Verifique que tal f é realmente uma função densidade de probabilidade.
b) Determine $E(X)$ e $Var(X)$.

4. Uma variável aleatória X tem *distribuição de Rayleigh* se sua função densidade de probabilidade é dada por

$$f(x) = \begin{cases} xe^{-x^2/2} & \text{se } x > 0 \\ 0 & \text{se } x \leq 0. \end{cases}$$

a) Verifique que tal f é realmente uma função densidade de probabilidade.
b) Determine $E(X)$ e $Var(X)$.

CAPÍTULO 5

Equações Diferenciais Lineares de 1ª e 2ª Ordens, com Coeficientes Constantes

5.1 Equação Diferencial Linear, de 1ª Ordem, com Coeficiente Constante

Sejam dados um número a e uma função f definida e contínua num intervalo I. Uma equação diferencial linear, de 1ª ordem, com coeficiente constante, é uma equação da forma

① $$\frac{dx}{dt} + ax = f(t).$$

Multiplicando ambos os membros de ① pelo fator integrante e^{at} (veja Cap. 14, Seção 14.6, do Vol. 1) obtemos

$$e^{at}\frac{dx}{dt} + axe^{at} = e^{at}f(t)$$

ou

② $$\frac{d}{dt}\left[xe^{at}\right] = e^{at}f(t)$$

pois, $\frac{d}{dt}\left[xe^{at}\right] = \frac{dx}{dt}e^{at} + axe^{at}$.

Como f é contínua em I, $e^{at}f(t)$ admite primitiva em I. De ② segue que xe^{at} é da forma

$$xe^{at} = k + \int e^{at}f(t)\,dt$$

ou

③ $$x = ke^{-at} + e^{-at}\int e^{at}f(t)\,dt$$

com k constante. Por outro lado, é fácil verificar que as funções da forma ③ são soluções de ①. Chegamos, assim, ao importante resultado:

As soluções de
$$\frac{dx}{dt} + ax = f(t)$$
são as funções da forma
$$x = ke^{-at} + e^{-at} \int e^{at} f(t)\, dt$$
com k constante.

Este resultado é um caso particular daquele que obtivemos na Seção 14.6 do Vol. 1. Observamos que no cálculo de $\int e^{at} f(t)dt$ a constante de integração pode ser omitida (por quê?).

Exemplo Considere a equação
$$\frac{dx}{dt} + x = t + 1.$$

a) Ache a solução geral.
b) Ache a solução $x = x(t)$ que satisfaz a *condição inicial* $x(0) = 1$. Esboce o gráfico.

Solução

a) A solução geral é ($a = 1$ e $f(t) = t + 1$)
$$x = ke^{-t} + e^{-t} \int e^{t}(t+1)dt.$$
Como $\int e^{t}(t+1)dt = te^{t}$ (verifique) resulta
$$\boxed{x = ke^{-t} + t.}$$

b) Precisamos determinar k para se ter $x = 1$ para $t = 0$.
$$1 = ke^{-0} + 0 \Leftrightarrow k = 1.$$
A solução que satisfaz a condição inicial dada é
$$\boxed{x = e^{-t} + t.}$$

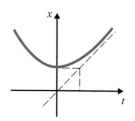

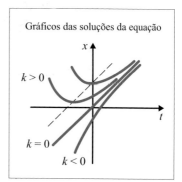

Gráficos das soluções da equação

Exercícios 5.1

1. Ache a solução geral.

   a) $\dfrac{dx}{dt} - 3x = e^t$

   b) $\dfrac{dx}{dt} - x = 2t + 1$

   c) $\dfrac{dx}{dt} - x = \cos t$

   d) $\dfrac{dx}{dt} + 2x = \operatorname{sen} t$

   e) $\dfrac{dx}{dt} - 2x = e^{2t}$

   f) $\dfrac{dx}{dt} - x = 5$

   g) $\dfrac{dx}{dt} + x = \cos 2t$

   h) $\dfrac{dx}{dt} + 2x = \dfrac{1}{2}$

   i) $\dfrac{dy}{dx} + 3y = x$

   j) $\dfrac{ds}{dt} - 2s = e^{2t}$

   l) $\dfrac{dq}{dt} + q = \cos 3t$

   m) $\dfrac{dy}{dx} - y = \operatorname{sen} x$

   n) $3\dfrac{dy}{dx} + 2y = 1$

   o) $2\dfrac{dx}{dt} + x = t$

   p) $5\dfrac{dy}{dx} - 10y = e^{3x}$

   q) $\dfrac{dT}{dt} = 3T + 2$

   r) $\dfrac{dy}{dx} = y + \cos 3x$

   s) $\dfrac{dx}{dt} = 3x - e^{-t}$

2. Numa certa cultura de bactérias, a taxa de aumento é proporcional ao número presente. Verificando-se que o número dobra em 2 horas, quantas pode-se esperar ao final de 6 horas?

3. De acordo com a lei de resfriamento de Newton, a taxa de resfriamento de uma substância, numa corrente de ar, é proporcional à diferença entre a temperatura T da substância e a do ar. Sendo a temperatura do ar 20° e resfriando a substância de 110° para 80° em 20 minutos, determine a temperatura $T = T(t)$ no instante t, (suponha t dado em minutos).

4. Uma das equações básicas dos circuitos elétricos é

   ① $$L\dfrac{di}{dt} + Ri = E(t)$$

   em que L (henry) é a indutância, R (ohms) é a resistência, i (ampère) é a corrente e E (volt) a força eletromotriz.

   a) Resolva ① supondo L e R constantes não nulas, $E(t) = E_0$ para todo t e $i = 0$ para $t = 0$.

   b) Resolva ① supondo $L = 2$, $R = 10$, $E(t) = 110 \operatorname{sen} 120\pi t$ e $i = 0$ para $t = 0$.

5.2 Equações Diferenciais Lineares, Homogêneas, de 2ª Ordem, com Coeficientes Constantes

Uma *equação diferencial linear de 2ª ordem, com coeficientes constantes*, é uma equação da forma

① $$\dfrac{d^2x}{dt^2} + b\dfrac{dx}{dt} + cx = f(t)$$

em que b e c são números reais dados e $f: I \to \mathbb{R}$, I intervalo, é uma função contínua dada.

Se $f(t) = 0$ em I, a equação acima se diz *homogênea*.
Nosso objetivo a seguir é determinar a *solução geral* da equação homogênea

② $$\frac{d^2 x}{dt^2} + b\frac{dx}{dt} + cx = 0.$$

Para isto, vamos precisar da equação algébrica

③ $$\lambda^2 + b\lambda + c = 0$$

denominada *equação característica* de ②.

Observamos que se λ_1 for raiz real de ③, então $x = e^{\lambda_1 t}$ será solução de ②. De fato, para todo t.

$$(e^{\lambda_1 t})'' + b(e^{\lambda_1 t})' + ce^{\lambda_1 t} = \lambda_1^2 e^{\lambda_1 t} + b\lambda_1 e^{\lambda_1 t} + ce^{\lambda_1 t} = e^{\lambda_1 t}(\lambda_1^2 + b\lambda_1 + c) = 0.$$

O teorema que demonstraremos a seguir mostra-nos que, conhecendo as raízes da equação característica, conhecemos, também, a solução geral da equação homogênea ②.

Teorema. Suponhamos que as raízes λ_1 e λ_2 da equação característica ③ sejam reais. Então
(i) se $\lambda_1 \neq \lambda_2$, a solução geral da equação homogênea ② será

$$x = Ae^{\lambda_1 t} + Be^{\lambda_2 t} \quad (A, B \in \mathbb{R}).$$

(ii) se $\lambda_1 = \lambda_2$, a solução geral será

$$x = Ae^{\lambda_1 t} + Bte^{\lambda_1 t} \quad (A, B \in \mathbb{R}).$$

Demonstração

Como λ_1 e λ_2 são raízes de $\lambda^2 + b\lambda + c = 0$ temos

$$\begin{cases} \lambda_1 + \lambda_2 = -b \\ \lambda_1 \lambda_2 = c. \end{cases}$$

Assim,

$$\frac{d^2 x}{dt^2} + b\frac{dx}{dt} + cx = 0 \Leftrightarrow \frac{d^2 x}{dt^2} - (\lambda_1 + \lambda_2)\frac{dx}{dt} + \lambda_1 \lambda_2 x = 0$$

que é equivalente a

$$\frac{d}{dt}\underbrace{\left[\frac{dx}{dt} - \lambda_1 x\right]}_{u} - \lambda_2 \underbrace{\left[\frac{dx}{dt} - \lambda_1 x\right]}_{u} = 0. \text{ (Verifique.)}$$

Segue que $x = x(t)$ será solução de ② se e somente se $\frac{dx}{dt} - \lambda_1 x$ for solução da equação linear de 1ª ordem

$$\frac{du}{dt} - \lambda_2 u = 0.$$

Capítulo 5

Como $u = k_2 e^{\lambda_2 t}$, segue que $x = x(t)$ será solução de ② se e somente se

$$\frac{dx}{dt} - \lambda_1 x = k_2 e^{\lambda_2 t}.$$

Deste modo, $x = x(t)$ será solução de ② se e somente se for da forma

$$x = k_1 e^{\lambda_1 t} + e^{\lambda_1 t} \int k_2 e^{(\lambda_2 - \lambda_1)t} dt$$

com k_1 e k_2 constantes.

Se $\lambda_1 \neq \lambda_2$,

$$x = k_1 e^{\lambda_1 t} + e^{\lambda_1 t} \frac{k_2 e^{(\lambda_2 - \lambda_1)t}}{\lambda_2 - \lambda_1}$$

ou

$$x = A e^{\lambda_1 t} + B e^{\lambda_2 t}$$

em que $A = k_1$ e $B = \dfrac{k_2}{\lambda_2 - \lambda_1}$.

Se $\lambda_1 = \lambda_2$,

$$x = k_1 e^{\lambda_1 t} + e^{\lambda_1 t} \int k_2 dt$$

ou seja,

$$x = A e^{\lambda_1 t} + B t e^{\lambda_1 t}$$

em que $A = k_1$ e $B = k_2$.

Exemplo 1 Resolva a equação

$$\frac{d^2 x}{dt^2} + 3 \frac{dx}{dt} + 2x = 0.$$

Solução

A equação característica é $\lambda^2 + 3\lambda + 2 = 0$, cujas raízes são -1 e -2. A solução geral da equação é

$$x = A e^{-t} + B t e^{-2t}.$$

Exemplo 2 Ache a solução do problema

$$\begin{cases} \dfrac{d^2 x}{dt^2} + 3 \dfrac{dx}{dt} + 2x = 0 \\ x(0) = 0 \text{ e } x'(0) = 1. \end{cases}$$

Solução

O que queremos aqui é a solução da equação

$$\frac{d^2 x}{dt^2} + 3 \frac{dx}{dt} + 2x = 0$$

que satisfaz as condições iniciais $x(0) = 0$ e $x'(0) = 1$. Pelo exemplo anterior, a solução geral é

$$x = Ae^{-t} + Be^{-2t}.$$

Devemos, agora, determinar A e B para que as condições iniciais sejam satisfeitas. Temos

$$x' = -Ae^{-t} - 2Be^{-2t}.$$

Então

$$\begin{cases} Ae^{-0} + Be^{-2\cdot 0} = 0 \\ -Ae^{-0} - 2Be^{-2\cdot 0} = 1 \end{cases}$$

ou

$$\begin{cases} A + B = 0 \\ -A - 2B = 1 \end{cases}$$

e, portanto, $A = 1$ e $B = -1$. A solução do problema é

$$x = e^{-t} - e^{-2t}$$

cujo gráfico é

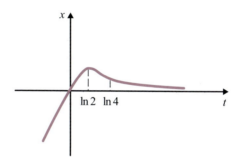

Exemplo 3 Resolva a equação

$$\frac{d^2x}{dt^2} - 8\frac{dx}{dt} + 16x = 0.$$

Solução

$$\lambda^2 - 8\lambda + 16 = 0 \Leftrightarrow \lambda = 4.$$

Como $\lambda = 4$ é a única raiz da equação característica, a solução geral será

$$x = Ae^{4t} + Bte^{4t}.$$

Exemplo 4 Resolva a equação

$$\frac{d^2x}{dt^2} - 9x = 0.$$

Capítulo 5

Solução

$$\lambda^2 - 9 = 0 \Leftrightarrow \lambda = \pm 3.$$

A solução geral da equação é

$$x = Ae^{3t} + Be^{-3t}.$$

Na Seção 5.4, veremos como fica a solução geral da equação homogênea ②, no caso em que as raízes da equação característica forem complexas. Antes, porém, precisamos construir o corpo dos números complexos; é o que faremos na próxima seção.

Exercícios 5.2

1. Resolva a equação

   a) $\dfrac{d^2x}{dt^2} - 2\dfrac{dx}{dt} - 3x = 0$

   b) $\dfrac{d^2x}{dt^2} - 2\dfrac{dx}{dt} + x = 0$

   c) $\dfrac{d^2x}{dt^2} - 4x = 0$

   d) $\dfrac{d^2x}{dt^2} - 4\dfrac{dx}{dt} = 0$

   e) $\dfrac{d^2x}{dt^2} - 3x = 0$

   f) $\dfrac{d^2x}{dt^2} + 2\dfrac{dx}{dt} + x = 0$

   g) $\dfrac{d^2y}{dx^2} - \dfrac{dy}{dx} - 2y = 0$

   h) $\dfrac{d^2y}{dx^2} + 6\dfrac{dy}{dx} + 9y = 0$

   i) $\dfrac{d^2y}{dx^2} + 5\dfrac{dy}{dx} = 0$

   j) $\dfrac{d^2y}{dx^2} - 6y = 0$

   l) $\dfrac{d^2x}{dt^2} + 3\dfrac{dx}{dt} = 0$

   m) $\dfrac{d^2x}{dt^2} = 0$

   n) $2\dfrac{d^2x}{dt^2} + \dfrac{dx}{dt} - x = 0$

   o) $3\dfrac{d^2x}{dt^2} + 5\dfrac{dx}{dt} = 0$

2. Determine a solução do problema.

   a) $\dfrac{d^2x}{dt^2} - 9x = 0$, $x(0) = 1$ e $x'(0) = -1$

   b) $\dfrac{d^2x}{dt^2} - 2\dfrac{dx}{dt} = 0$, $x(0) = 0$ e $x'(0) = 1$

   c) $\dfrac{d^2y}{dt^2} - 2\dfrac{dy}{dt} + y = 0$, $y(0) = 1$ e $y'(0) = 0$

3. Resolva a equação. $\left(\dot{x} = \dfrac{dx}{dt} \text{ e } \ddot{x} = \dfrac{d^2x}{dt^2}\right)$

   a) $\ddot{x} - 2x = 0$

   b) $\ddot{x} + 5\dot{x} + 6x = 0$

   c) $\ddot{y} - 7\dot{y} = 0$

   d) $\ddot{y} - 10\dot{y} + 25y = 0$

4. Uma partícula de massa $m = 1$ desloca-se sobre o eixo x sob a ação da força elástica $-x\,\vec{i}$ e de uma força de amortecimento proporcional à velocidade e dada por $-2\dot{x}\,\vec{i}$. Determine a posição $x = x(t)$, $t \geq 0$, da partícula no instante t e discuta o movimento, supondo

   a) $x(0) = 1$ e $\dot{x}(0) = 0$

   b) $x(0) = 1$ e $\dot{x}(0) = -2$

5. Uma partícula de massa $m = 1$ desloca-se sobre o eixo x sob a ação da força elástica $-2x\,\vec{i}$ e de uma força de amortecimento proporcional à velocidade e dada por $-3\dot{x}\,\vec{i}$. Determine a posição $x = x(t)$, $t \geq 0$, da partícula no instante t e discuta o movimento, supondo $x(0) = e - 1$ e $\dot{x}(0) = -1$.

5.3 Números Complexos

Por um *número complexo* entendemos uma expressão do tipo

$$z = a + bi$$

em que a e b são números reais e i um símbolo cujo significado aparecerá logo a seguir. O conjunto dos números complexos é indicado por $\mathbb{C}: \mathbb{C} = \{a + bi\,|\,a, b \in \mathbb{R}\}$.

Sejam os números complexos $z = a + bi$ e $z_1 = a_1 + b_1 i$. Dizemos que z é *igual a* z_1 se e somente se $a = a_1$ e $b = b_1$, isto é,

$$a + bi = a_1 + b_1 i \Leftrightarrow a = a_1 \text{ e } b = b_1.$$

Definimos a *soma* de z e z_1 por

$$(a + bi) + (a_1 + b_1 i) = (a + a_1) + (b + b_1)i.$$

Definimos o *produto* de z por z_1 por

$$(a + bi)(a_1 + b_1 i) = (aa_1 - bb_1) + (ab_1 + a_1 b)i.$$

Segue da definição de produto de números complexos que

$$i^2 = i \cdot i = (0 + 1i)(0 + 1i) = -1.$$

Deste modo, i é um número complexo cujo quadrado é -1. Veja, agora, como você pode obter o produto de $a + bi$ por $a_1 + b_1 i$:

$$(a + bi)(a_1 + b_1 i) = aa_1 + ab_1 i + ba_1 i + bb_1 i^2 = aa_1 + ab_1 i + ba_1 i - bb_1$$
$$= (aa_1 - bb_1) + (ab_1 + a_1 b)i.$$

Dizemos que $z = a + bi$ é um *número complexo real* se $b = 0$; se $a = 0$ e $b \neq 0$, diremos que z é um *número complexo puro*. Por motivos óbvios identificaremos o complexo real $a + 0i$ com o número real a: $a + 0i = a$. Deste modo, podemos olhar $\mathbb{R}$ como subconjunto de $\mathbb{C}$.

Capítulo 5

Deixamos como exercício verificar que a terna $(\mathbb{C}, +, \cdot)$ é um *corpo*, isto é, qualquer que sejam os complexos z_1, z_2, z_3 tem-se:

ADIÇÃO	MULTIPLICAÇÃO
A1) $(z_1 + z_2) + z_3 = z_1 + (z_2 + z_3)$	M1) $(z_1 z_2) z_3 = z_1 (z_2 z_3)$
A2) $z_1 + z_2 = z_2 + z_1$	M2) $z_1 z_2 = z_2 z_1$
A3) $\forall z \in \mathbb{C}, z + 0 = z$	M3) $\forall z \in \mathbb{C}, 1 \cdot z = z$
A4) Para todo z em $\mathbb{C}$, existe um único w em $\mathbb{C}$ tal $z + w = 0$. Tal w é o *oposto* de z e indica-se por $-z$.	M4) Para todo $z \neq 0, z \in \mathbb{C}$, existe um único w em $\mathbb{C}$ tal que $z \cdot w = 1$. Tal w é o *inverso* de z e indica-se por z^{-1} ou $\dfrac{1}{z}$.
D) $z_1 (z_2 + z_3) = z_1 z_2 + z_1 z_3$	

Os números complexos são representados geometricamente pelos pontos de um plano: o número complexo $z = a + ib$ é representado pelo ponto (a, b).

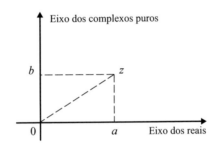

É comum referir-se ao ponto (a, b) como o *afixo* do complexo $z = a + ib$.

Seja $z = a + ib$. O número complexo $\overline{z} = a - ib$ denomina-se *conjugado* de z. O *módulo* de z é definido por

$$|z| = \sqrt{z \cdot \overline{z}} = \sqrt{a^2 + b^2}$$

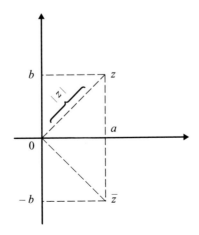

Seja o número complexo $z = a + ib$ e tomemos θ de modo que $a = |z|\cos\theta$ e $b = |z|\sen\theta$. Assim $z = |z|(\cos\theta + i\sen\theta)$, que é a expressão de z na *forma polar*.

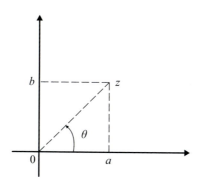

O número θ denomina-se um *argumento de z*. Observe que sendo θ um argumento de z, qualquer outro será da forma $\theta + 2k\pi$, $k \in \mathbb{Z}$.

Exemplo 1 Determine o inverso, o conjugado e o módulo do complexo $z = 5 + 3i$.

Solução

$$\frac{1}{z} = \frac{1}{5+3i} = \frac{5-3i}{(5+3i)(5-3i)} = \frac{5-3i}{25+9} = \frac{5}{34} - \frac{3}{34}i.$$

Assim,

$$\frac{1}{5+3i} = \frac{5}{34} - \frac{3}{34}i.$$

O conjugado de z é:

$$\overline{z} = \overline{(5+3i)} = 5 - 3i.$$

O módulo de z é:

$$|z| = \sqrt{z \cdot \overline{z}} = \sqrt{5^2 + 3^2}$$

ou seja,

$$|z| = \sqrt{34}.$$

Exemplo 2 Seja z um complexo qualquer. Prove

$$\overline{z} = z \Leftrightarrow z \text{ é real.}$$

Solução

Seja $z = a + ib$. Temos

$$\overline{z} = z \Rightarrow a - ib = a + ib \Rightarrow 2bi = 0 \Leftrightarrow b = 0.$$

Assim, se $\overline{z} = z$, então $z = a$ que é real. Reciprocamente,

$$z \text{ real} \Leftrightarrow z = a + 0 \cdot i \Leftrightarrow \overline{z} = z.$$

Capítulo 5

Exemplo 3 Suponha $a > 0$, a real. Prove

$$z^2 + a = 0 \Leftrightarrow z = i\sqrt{a} \text{ ou } z = -i\sqrt{a}.$$

Solução

$$z^2 + a = (z + i\sqrt{a})(z - i\sqrt{a}).$$

Assim,

$$z^2 + a = 0 \Leftrightarrow z + i\sqrt{a} = 0 \text{ ou } z - i\sqrt{a} = 0.$$

ou seja,

$$z^2 + a = 0 \Leftrightarrow z = -i\sqrt{a} \text{ ou } z = i\sqrt{a}.$$

Ou ainda

$$z^2 + a = 0 \Leftrightarrow z^2 = -a \Leftrightarrow z^2 = ai^2 \Leftrightarrow z = \pm i\sqrt{a}.$$

Exemplo 4 Considere a equação $az^2 + bz + c = 0$, em que $a \neq 0$, b e c são reais dados. Suponha $\Delta = b^2 - 4ac < 0$. Prove

$$az^2 + bz + c = 0 \Leftrightarrow z = \frac{-b \pm i\sqrt{|\Delta|}}{2a}.$$

Solução

$$az^2 + bz + c = 0 \Leftrightarrow z^2 + \frac{b}{a}z + \frac{c}{a} = 0.$$

Somando $\dfrac{b^2}{4a^2}$ aos dois membros da última equação vem

$$z^2 + \frac{b}{a}z + \frac{b^2}{4a^2} = \frac{b^2}{4a^2} - \frac{c}{a}$$

ou

$$\left(z + \frac{b}{2a}\right)^2 = \frac{b^2 - 4ac}{4a^2}$$

ou

$$\left(z + \frac{b}{2a}\right)^2 = \frac{|\Delta|i^2}{4a^2};$$

daí

$$z + \frac{b}{2a} = \pm \frac{i\sqrt{|\Delta|}}{2a}$$

ou seja,

$$z = \frac{-b \pm i\sqrt{|\Delta|}}{2a}.$$

Exemplo 5
Resolva $x^2 + 2x + 2 = 0$.

Solução

$$x = \frac{-2 \pm \sqrt{-4}}{2} = \frac{-2 \pm i\sqrt{4}}{2} = \frac{-2 \pm 2i}{2}$$

ou seja,

$$x = -1 \pm i.$$

Exercícios 5.3

1. Calcule a e b.

   a) $(1+i)^3 = a + bi$

   b) $(2+3i)^2 = a + bi$

   c) $\dfrac{2}{3+i} = a + bi$

   d) $\dfrac{i}{2-i} = a + bi$

   e) $(i-1)^4 = a + bi$

   f) $\dfrac{(1+i)^2}{(1-i)^2} = a + bi$

   g) $\dfrac{5}{2-3i} = a + bi$

   h) $\dfrac{2+i}{3-i} = a + bi$

2. Resolva as equações.

   a) $z_2 + 1 = 0$

   b) $\lambda^2 + \lambda + 1 = 0$

   c) $\lambda^2 + 2\lambda + 2 = 0$

   d) $z^2 + 2z + 3 = 0$

   e) $\lambda^2 + w^2 = 0$, em que $w \neq 0$ é um real dado

   f) $\lambda^2 + 4 = 0$

   g) $\lambda^2 + \lambda + 2 = 0$

   h) $\lambda^2 + 5 = 0$

   i) $z^2 + 2 = 0$

   j) $\lambda^2 - 4 = 0$

   l) $\lambda^2 - 4\lambda + 5 = 0$

3. Sejam z e w dois complexos quaisquer. Verifique que

   a) $\overline{\overline{z}} = z$

   b) $\overline{z \cdot w} = \overline{z} \cdot \overline{w}$ (o conjugado de um produto é igual ao produto dos conjugados)

   c) $\overline{z + w} = \overline{z} + \overline{w}$ (o conjugado de uma soma é igual à soma dos conjugados)

5.4 Solução Geral da Equação Homogênea no Caso em que as Raízes da Equação Característica São Números Complexos

Vamos estudar inicialmente a equação

① $$\frac{d^2x}{dt^2} + \omega^2 x = 0$$

em que $\omega \neq 0$ é um real dado. A equação característica de ① é $\gamma^2 + \omega^2 = 0$, cujas raízes são os números complexos ωi e $-\omega i$; deste modo, o que aprendemos na Seção 4.2 não se aplica (no

Capítulo 5

Apêndice A veremos como dar um tratamento único à equação homogênea $\frac{d^2x}{dt^2} + b\frac{dx}{dt} + cx = 0$, quer as raízes da equação característica sejam reais ou complexas).

Observamos que uma função $x = x(t)$, $t \in \mathbb{R}$, será solução de ① se e somente se, para todo t,

② $$x''(t) = -\omega^2 x(t).$$

Como as funções sen ωt e cos ωt satisfazem ②, segue que $x = \text{sen } \omega t$ e $x = \cos \omega t$ são soluções de ①. Deixamos a cargo do leitor verificar que, quaisquer que sejam os reais A e B,

③ $$x = A \cos \omega t + B \text{ sen } \omega t$$

será, também, solução de ①. Nosso objetivo a seguir é provar que $x = x(t)$, $t \in \mathbb{R}$, será solução de ① se e somente se for da forma ③.

Para atingir nosso objetivo, vamos provar primeiro que se $x = x(t)$, $t \in \mathbb{R}$, for solução de ① então existirá uma constante k tal que, para todo t,

$$\left[x'(t)\right]^2 + \omega^2 \left[x(t)\right]^2 = k.$$

(Esta relação nos diz que, se o movimento de uma partícula na reta for regido pela equação ①, então a soma da *energia cinética* $\frac{[\dot{x}(t)]^2}{2}$ com a *energia potencial* $\frac{[\omega x(t)]^2}{2}$ mantém-se *constante* durante o movimento.)

De fato, sendo $x = x(t)$ solução de ①, para todo t, tem-se

$$x''(t) + \omega^2 x(t) = 0.$$

Daí, para todo t,

$$\frac{d}{dt}\left\{[x'(t)]^2 + \omega^2 [x(t)]^2\right\} = 2x'(t)x''(t) + 2\omega^2 x(t)x'(t)$$
$$= 2x'(t)\left[x''(t) + \omega^2 x(t)\right]$$
$$= 0.$$

Logo, $[x'(t)]^2 + \omega^2 [x(t)]^2$ é constante.

Suponhamos, agora, que $x = x(t)$, $t \in \mathbb{R}$, seja uma solução qualquer de ①. Façamos $a_0 = x(0)$ e $b_0 = x'(0)$. A função f dada por $f(t) = a_0 \cos \omega t + \frac{b_0}{\omega} \text{sen } \omega t$ é solução de ① e, além disso, $f(0) = a_0$ e $f'(0) = b_0$. Sendo $f(t)$ e $x(t)$ soluções de ①, $f(t) - x(t)$ também será. Pelo que vimos acima, existirá uma constante k tal que, para todo t,

$$[f'(t) - x'(t)]^2 + \omega^2 [f(t) - x(t)]^2 = k.$$

De $f(0) = x(0)$ e $f'(0) = x'(0)$ resulta $k = 0$. Assim, para todo t,

$$[f'(t) - x'(t)]^2 + \omega^2 [f(t) - x(t)]^2 = 0$$

e, portanto, $x(t) = f(t)$, ou seja,

$$x(t) = A \cos \omega t + B \sen \omega t$$

em que $A = a_0$ e $B = \dfrac{b_0}{\omega}$. *Fica provado assim que* $x = x(t), t \in \mathbb{R}$, *será solução de* ① *se e somente se for da forma* ③.

A solução geral de

$$\frac{d^2 x}{dt^2} + \omega^2 x = 0$$

em que $\omega \neq 0$ é um real dado, é

$$x = A \cos \omega t + B \sen \omega t \qquad (A, B \in \mathbb{R})$$

Exemplo 1 Resolva a equação

$$\frac{d^2 x}{dt^2} + 4x = 0.$$

Solução

As raízes da equação característica

$$\lambda^2 + 4 = 0$$

são $2i$ e $-2i$. A solução geral é

$$x = A \cos 2t + B \sen 2t.$$

As notações $\dot{x}$ e $\ddot{x}$ (devidas a Newton) são frequentemente usadas, em física, para indicar, respectivamente, as derivadas de 1ª e 2ª ordens de x em relação ao tempo t: $\dot{x} = \dfrac{dx}{dt}$ e $\ddot{x} = \dfrac{d^2 x}{dt^2}$. Nos próximos exemplos utilizaremos tais notações.

Exemplo 2 O movimento de uma partícula sobre o eixo x é regido pela equação

$$m\ddot{x} + kx = 0$$

em que $m > 0$ e $k > 0$ são constantes reais dadas. Descreva o movimento.

Solução

A equação é equivalente a

$$\ddot{x} + \omega^2 x = 0$$

em que $\omega^2 = \dfrac{k}{m}$. A solução geral é

$$x = A \cos \omega t + B \sen \omega t.$$

Tomando-se φ tal que

$$A = \sqrt{A^2 + B^2} \cos \varphi \text{ e } B = \sqrt{A^2 + B^2} \sen \varphi$$

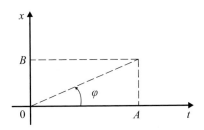

resulta
$$x = \sqrt{A^2 + B^2}\left[\cos\varphi\cos\omega t + \sen\varphi\sen\omega t\right]$$
ou seja,
$$\boxed{x = \sqrt{A^2 + B^2}\,\cos(\omega t - \varphi).}$$
Trata-se, então, de um *movimento harmônico simples* de amplitude $\sqrt{A^2 + B^2}$.

Observação: Dizemos que uma partícula que se desloca sobre o eixo x descreve um *movimento harmônico simples* (MHS) se a equação horária for do tipo $x = a\cos(\omega t + \varphi_0)$. Os números a, ω e φ_0 denominam-se, respectivamente, *amplitude*, *pulsação* e *fase inicial* do movimento.

Vejamos, agora, qual é a solução geral de
$$\ddot{x} + b\dot{x} + cx = 0$$
no caso em que as raízes da equação característica são números complexos. Se as raízes da equação característica fossem reais e distintas, $\lambda = \dfrac{-b \pm \sqrt{\Delta}}{2}$, a solução geral seria, como já vimos,
$$x = Ae^{\frac{(-b+\sqrt{\Delta})}{2}t} + Be^{\frac{(-b-\sqrt{\Delta})}{2}t}$$
ou
$$x = e^{-\frac{b}{2}t}\left[Ae^{\frac{\sqrt{\Delta}}{2}t} + Be^{-\frac{\sqrt{\Delta}}{2}t}\right].$$

Observe que $Ae^{\frac{\sqrt{\Delta}}{2}t} + Be^{-\frac{\sqrt{\Delta}}{2}t}$ ($\Delta > 0$) é a solução geral de
$$\ddot{x} - \frac{\Delta}{4}x = 0.\ \text{(Verifique.)}$$

Provaremos a seguir que se as raízes da equação característica forem números complexos ($\Delta < 0$) a solução geral será
$$x = e^{-\frac{b}{2}t}\left[A\cos\frac{\sqrt{|\Delta|}}{2}t + B\sen\frac{\sqrt{|\Delta|}}{2}t\right].$$

Equações Diferenciais Lineares de 1ª e 2ª Ordens, com Coeficientes Constantes

Teorema. Seja a equação (b e c reais dados)

⑥ $$\ddot{x} + b\dot{x} + cx = 0$$

e suponha que as raízes da equação característica $\lambda^2 + b\lambda + c = 0$ sejam complexas $\left(\lambda = \alpha \pm \beta i \text{ em que } \alpha = -\dfrac{b}{2} \text{ e } \beta = \dfrac{\sqrt{|\Delta|}}{2}\right)$. Então a solução geral de ⑥ será

$$x = e^{\alpha t}\left[A\cos\beta t + B\sin\beta t\right] (A, B \in \mathbb{R}).$$

Demonstração

Sejam f e g definidas em $\mathbb{R}$ e tais que, para todo t,

$$f(t) = e^{-\frac{b}{2}t} g(t).$$

Vamos mostrar que f será solução de ⑥ se e somente se g for solução de

⑦ $$\ddot{x} + \left(\frac{-\Delta}{4}\right)x = 0.$$

De fato, se f for solução de ⑦ teremos, para todo t,

$$\ddot{f}(t) + b\dot{f}(t) + cf(t) = 0$$

ou

⑧ $$\left[e^{-\frac{b}{2}t}g(t)\right]'' + b\left[e^{-\frac{b}{2}t}g(t)\right]' + c\left[e^{-\frac{b}{2}t}g(t)\right] = 0.$$

Como

$$\left[e^{-\frac{b}{2}t}g(t)\right]' = -\frac{b}{2}e^{-\frac{b}{2}t}g(t) + e^{-\frac{b}{2}t}g'(t)$$

e

$$\left[e^{-\frac{b}{2}t}g(t)\right]'' = +\frac{b^2}{4}e^{-\frac{b}{2}t}g(t) - be^{-\frac{b}{2}t}g'(t) + e^{-\frac{b}{2}t}g''(t),$$

substituindo em ⑧ e simplificando resulta

$$e^{-\frac{b}{2}t}\left[g''(t) + \left(c - \frac{b^2}{4}\right)g(t)\right] = 0.$$

Como $\Delta = b^2 - 4ac$, segue que

$$g''(t) + \left(\frac{-\Delta}{4}\right)g(t) = 0$$

e, portanto, g é solução de ⑦. Deixamos a seu cargo verificar se g for solução de ⑦, então f será solução de ⑥. Sendo g solução de ⑦

$$g(t) = A \cos \beta t + B \,\text{sen}\, \beta t$$

em que $\beta = \sqrt{\dfrac{-\Delta}{4}}$. Segue, então, que

$$f(t) = e^{-\frac{b}{2}t}[A \cos \beta t + B \,\text{sen}\, \beta t]$$

e fazendo $\alpha = -\dfrac{b}{2}$, resulta

$$f(t) = e^{\alpha t}[A \cos \beta t + B \,\text{sen}\, \beta t].$$

Exemplo 3 Considere a equação

$$\ddot{x} + 2\dot{x} + 2x = 0.$$

a) Ache a solução geral.
b) Esboce o gráfico da solução que satisfaz as condições iniciais $x(0) = 0$ e $\dot{x}(0) = 1$.

Solução

a) $\lambda^2 + 2\lambda + 2 = 0 \Leftrightarrow \lambda = \dfrac{-2 \pm \sqrt{-4}}{2}$. Assim,

$$\lambda = -1 \pm i \,(\alpha = -1, \beta = 1).$$

A solução geral é

$$x = e^{-t}[A \cos t + B \,\text{sen}\, t].$$

b) $x(0) = 0$ e $x = e^{-t}(A \cos t + B \,\text{sen}\, t) \Leftrightarrow A = 0$.
Assim, $x = Be^{-t}\text{sen}\, t$. Segue

$$\dot{x} = -Be^{-t}\,\text{sen}\, t + Be^{-t} \cos t.$$

Daí $\dot{x}(0) = B$, logo, $B = 1$. A solução que satisfaz as condições iniciais dadas é

$$x = e^{-t}\text{sen}\, t.$$

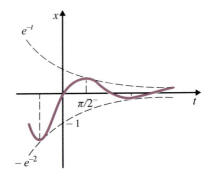

A seguir, vamos destacar, em um quadro, os resultados obtidos nesta seção e na 5.2.

Seja a equação
$$\ddot{x} + b\dot{x} + cx = 0 \qquad (b \text{ e } c \text{ reais dados})$$
e sejam λ_1, λ_2 as raízes da equação característica.

(I) Se $\lambda_1 \neq \lambda_2$, λ_1 e λ_2 reais, a solução geral será
$$x = Ae^{\lambda_1 t} + Be^{\lambda_2 t}.$$

(II) Se $\lambda_1 = \lambda_2$ a solução geral será
$$x = e^{\lambda_1 t}[A + Bt].$$

(III) Se as raízes da equação característica forem complexas, $\lambda = \alpha \pm \beta i$, a solução geral será
$$x = e^{\alpha t}[A \cos \beta t + B \operatorname{sen} \beta t].$$

Exemplo 4 Uma partícula de massa m desloca-se sobre o eixo x sob a ação de uma *força elástica* $-kx\vec{i}$ ($k > 0$) e de uma *força de amortecimento* proporcional à velocidade e dada por $-c\dot{x}\vec{i}$ ($c > 0$). Determine a equação que rege o movimento e discuta as soluções.

Solução

Pela lei de Newton
$$m\ddot{x} = -kx - c\dot{x}$$
ou seja,
$$m\ddot{x} + c\dot{x} + kx = 0$$
que é a equação que rege o movimento. Esta equação é equivalente a

⑩
$$\ddot{x} + 2\gamma\dot{x} + \omega^2 x = 0$$

em que $\gamma = \dfrac{c}{2m}$ e $\omega^2 = \dfrac{k}{m}$. As raízes da equação característica são: $\lambda = -\gamma \pm \sqrt{\gamma^2 - \omega^2}$.

1º caso. Movimento oscilatório amortecido ou subcrítico ($\gamma^2 < \omega^2$).

Sendo $\gamma^2 < \omega^2$, as raízes da equação característica serão complexas, $\lambda = -\gamma \pm \bar{\omega}i$, em que $\bar{\omega} = \sqrt{\omega^2 - \gamma^2}$. A solução geral de ⑩ será
$$x = e^{-\gamma t}[A \cos \bar{\omega}t + B \operatorname{sen} \bar{\omega}t]$$

e, portanto,
$$\boxed{x = Ke^{-\gamma t} \cos(\bar{\omega}t - \varphi)}$$

em que $K = \sqrt{A^2 + B^2}$ e φ é tal que $A = K \cos \varphi$ e $B = K \operatorname{sen} \varphi$.

2º caso. Amortecimento crítico ($\gamma^2 = \omega^2$)

Neste caso, a equação característica admitirá uma única raiz real $\lambda = -\gamma$. A solução geral será

$$x = Ae^{-\gamma t} + Bte^{-\gamma t}$$

ou seja,

$$\boxed{x = e^{-\gamma t}\left[A + Bt\right].}$$

3º caso. Amortecimento forte ou supercrítico ($\gamma^2 > \omega^2$)

Sendo $\gamma^2 > \omega^2$ as raízes da equação característica serão reais e distintas, $\lambda = -\gamma \pm \Omega$ em que $\Omega = \sqrt{\gamma^2 - \omega^2}$. A solução geral será

$$\boxed{x = e^{-\gamma t}\left[Ae^{\Omega t} + Be^{-\Omega t}\right].}$$

A figura a seguir mostra o gráfico da solução que satisfaz as condições iniciais $x(0) = x_0 (x_0 > 0)$ e $\dot{x}(0) = 0$.

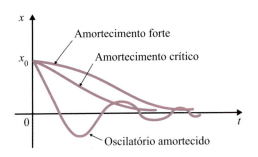

Note que, nos casos 2 e 3, o amortecimento é suficientemente grande de modo a não permitir oscilação da partícula em torno da posição de equilíbrio ($x = 0$).

Exercícios 5.4

1. Resolva a equação.

a) $\dfrac{d^2x}{dt^2} + 2\dfrac{dx}{dt} + 5x = 0$

b) $\ddot{x} + 5x = 0$

c) $\ddot{x} + \dot{x} + x = 0$

d) $\dfrac{d^2x}{dt^2} - 5x = 0$

e) $\ddot{x} + 9x = 0$

f) $\ddot{y} - 2\dot{y} + 2y = 0$

g) $\ddot{y} - 4\dot{y} + 4y = 0$

h) $\dfrac{d^2y}{dt^2} + 5\dfrac{dy}{dt} = 0$

i) $\ddot{y} + 6\dot{y} + 10y = 0$

j) $\dfrac{d^2y}{dt^2} + \dfrac{dy}{dt} + 3y = 0$

l) $\ddot{y} - 6\dot{y} + 5y = 0$

m) $\ddot{x} - 6\dot{x} + 9x = 0$

n) $\ddot{y}+4y=0$

o) $\ddot{y}+3\dot{y}+3y=0$

p) $\ddot{y}+ay=0$, em que $a>0$ é uma constante.

q) $\ddot{y}+ay=0$, em que $a<0$ é uma constante.

r) $\ddot{y}-2\dot{y}+6y=0$

s) $\ddot{x}+8\dot{x}+20x=0$

2. Determine a solução do problema.

   a) $\ddot{x}+4x=0$, $x(0)=0$ e $\dot{x}(0)=1$.
   b) $\ddot{x}+2\dot{x}+2x=0$, $x(0)=-1$ e $\dot{x}(0)=0$.
   c) $\ddot{x}+\dot{x}+2x=0$, $x(0)=1$ e $\dot{x}(0)=1$
   d) $\ddot{x}+x=0$, $x(0)=-1$ e $\dot{x}(0)=2$

3. Uma partícula de massa $m=1$ desloca-se sobre o eixo x sob a ação da força elástica $-4x\,\vec{i}$. Supondo $x(0)=1$ e $\dot{x}(0)=-1$, determine a velocidade no instante t.

4. Uma partícula de massa $m=1$ desloca-se sobre o eixo x sob a ação de uma força elástica $-2x\,\vec{i}$ e de uma força de amortecimento proporcional à velocidade dada por $-2\dot{x}\,\vec{i}$. Determine a equação horária do movimento supondo $x(0)=0$ e $\dot{x}(0)=1$.

5. f é uma função definida em $\mathbb{R}$ tal que sua derivada segunda é igual à diferença entre sua derivada primeira e ela própria. Determine f sabendo, ainda, que $f(0)=0$ e $f'(0)=1$.

6. Um móvel desloca-se sobre o eixo x com aceleração proporcional à diferença entre a velocidade e a posição. Determine a posição $x=x(t)$ do móvel, supondo $\ddot{x}(0)=2$, $\dot{x}(0)=1$ e $x(0)=0$.

7. Uma partícula de massa $m=1$ desloca-se sobre o eixo x sob a ação de uma força elástica $-x\,\vec{i}$ e de uma força de amortecimento proporcional à velocidade e dada por $-c\dot{x}\,\vec{i}\,(c>0)$. Determine c para que o movimento seja

   a) fortemente amortecido.
   b) criticamente amortecido.
   c) oscilatório amortecido.

5.5 Equações Diferenciais Lineares, Não Homogêneas, de 2ª Ordem, com Coeficientes Constantes

Consideremos a equação linear, de 2ª ordem, com coeficientes constantes

① $$\frac{d^2x}{dt^2}+b\frac{dx}{dt}+cx=f(t)$$

em que f é suposta definida e contínua num intervalo I. Se f não for identicamente nula em I, diremos que ① é *não homogênea*. Diremos, ainda, que

(H) $$\frac{d^2x}{dt^2}+b\frac{dx}{dt}+cx=0$$

é a *equação homogênea associada* a ①.

Capítulo 5

Mostraremos, a seguir, que, se $x_p = x_p(t)$, $t \in I$, for uma *solução particular* de ①, então a *solução geral* de ① será

$$x = x_h + x_p$$

em que x_h é a solução geral da homogênea associada a ①. De fato, sendo $x_p = x_p(t)$, $t \in I$, solução de ①, para todo $t \in I$,

$$\ddot{x}_p(t) + b\dot{x}_p(t) + cx_p(t) = f(t).$$

Supondo que $x = x(t)$, $t \in I$, seja outra solução qualquer de ①, resulta que $x(t) - x_p(t)$ é solução da homogênea Ⓗ, pois, para todo $t \in I$,

$$\frac{d^2}{dt^2}\left[x(t) - x_p(t)\right] + b\frac{d}{dt}\left[x(t) - x_p(t)\right] + c\left[x(t) - x_p(t)\right] =$$

$$\left[\ddot{x}(t) + b\dot{x}(t) + cx(t)\right] - \left[\ddot{x}_p(t) + b\dot{x}_p(t) + cx_p(t)\right] = f(t) - f(t) = 0.$$

Por outro lado, se $x = x(t)$, $t \in I$, for tal que $x(t) - x_p(t)$ é solução da homogênea, então $x = x(t)$ será solução de ① (verifique). Segue que a solução geral de ① é

$$x = x_h + x_p$$

em que x_h é a solução geral da homogênea Ⓗ e x_p uma solução particular de ①.

Conclusão

A solução geral de

$$\ddot{x} + b\dot{x} + cx = f(t)$$

é

$$x = x_h + x_p$$

em que x_p é uma solução particular da equação dada e x_h a solução geral da homogênea associada.

Determinar a solução geral da homogênea associada já sabemos. O problema, agora, é como determinar uma solução particular. Os exemplos que apresentaremos a seguir mostram como determinar, em alguns casos, uma solução particular através de uma "escolha criteriosa". No final desta seção você encontrará uma tabela que o ajudará nesta "escolha criteriosa".

Exemplo 1 Determine a solução geral de

$$\frac{d^2x}{dt^2} + 3\frac{dx}{dt} + 2x = t.$$

Solução

A homogênea associada é

$$\frac{d^2x}{dt^2} + 3\frac{dx}{dt} + 2x = 0$$

e a solução geral $x_h = Ae^{-2t} + Be^{-t}$ (verifique). Vamos, agora, procurar uma solução particular da equação dada. Tentaremos uma solução do tipo

$$x_p = m + nt$$

em que m e n são coeficientes a determinar. Você acha natural tal escolha? Por quê? O que precisamos fazer, agora, é substituir esta função na equação e determinar m e n para que se tenha uma identidade.

$$(m + nt)'' + 3(m + nt)' + 2(m + nt) = t$$

ou

$$3n + 2m + 2nt = t.$$

Devemos ter então

$$\begin{cases} 3n + 2m = 0 \\ 2n = 1 \end{cases}$$

ou seja, $n = \dfrac{1}{2}$ e $m = -\dfrac{3}{4}$. Deste modo,

$$x_p = -\frac{3}{4} + \frac{1}{2}t$$

é uma solução particular da equação. A solução geral será

$$x = Ae^{-2t} + Be^{-t} - \frac{3}{4} + \frac{1}{2}t.$$

Exemplo 2 Considere a equação

$$\ddot{x} + 3\dot{x} + 2x = 1.$$

a) Olhando para a equação, "chute" uma solução particular.
b) Ache a solução geral.

Solução

a) A função constante $x(t) = \dfrac{1}{2}$ é uma solução particular (verifique).
b) A solução geral da homogênea associada é

$$x_h = Ae^{-2t} + Be^{-t}.$$

Segue que a solução geral da equação dada é

$$x = Ae^{-2t} + Be^{-t} + \frac{1}{2}.$$

Exemplo 3 Considere a equação

$$\frac{d^2x}{dt^2} + 4\frac{dx}{dt} + 4x = e^{3t}.$$

a) Determine uma solução particular.
b) Ache a solução geral.

Capítulo 5

Solução

a) Nada mais natural do que tentar uma solução particular do tipo
$$x_p = me^{3t}$$
em que *m* é um coeficiente a determinar. Você acha que é realmente natural esta escolha? Por quê? Devemos determinar *m* de modo que, para todo *t*,
$$(me^{3t})'' + 4(me^{3t})' + 4(me^{3t}) = e^{3t}$$
ou
$$(9m + 12m + 4m)e^{3t} = e^{3t}$$
ou
$$25me^{3t} = e^{3t}.$$
Devemos ter, então, $25m = 1$ ou $m = \frac{1}{25}$. Assim,
$$x_p = \frac{1}{25}e^{3t}$$
é uma solução particular.

b) A solução geral da homogênea associada é
$$x_h = Ae^{-2t} + Bte^{-2t}.$$
Segue que a solução geral da equação dada é
$$x = Ae^{-2t} + Bte^{-2t} + \frac{1}{25}e^{3t}.$$

Exemplo 4 Ache a solução geral de
$$\ddot{x} + 4\dot{x} + 4x = \operatorname{sen} 2t.$$

Solução

Vamos tentar uma solução particular do tipo
$$x_p = m \cos 2t + n \operatorname{sen} 2t.$$
Devemos determinar *m* e *n* de modo que, para todo *t*.
$$[m \cos 2t + n \operatorname{sen} 2t]'' + 4[m \cos 2t + n \operatorname{sen} 2t]' + 4[m \cos 2t + n \operatorname{sen} 2t] = \operatorname{sen} 2t$$
ou
$$-8m \operatorname{sen} 2t + 8n \cos 2t = \operatorname{sen} 2t.$$
Devemos ter, então, $-8m = 1$ e $8n = 0$, ou seja, $m = -\frac{1}{8}$ e $n = 0$.
$$x_p = -\frac{1}{8} \cos 2t$$
é uma solução particular. Como
$$x_h = Ae^{-2t} + Bte^{-2t}$$

é a solução geral da homogênea associada, segue que

$$x = Ae^{-2t} + Bte^{-2t} - \frac{1}{8}\cos 2t$$

é a solução geral da equação dada.

O quadro que apresentamos a seguir mostra como escolher a solução particular nos casos: $f(t) = P(t)$, P polinômio, $f(t) = a_0 e^{\alpha t}$ ou $f(t) = a_0 \cos \alpha t$

$\ddot{x} + b\dot{x} + cx = f(t)$	
$f(t)$	Solução particular
$a_0 e^{\alpha t}$	1. Se α não é raiz da equação característica, $x_p = me^{\alpha t}$. 2. Se α é raiz simples, $x_p = mte^{\alpha t}$. 3. Se α é raiz dupla, $x_p = mt^2 e^{\alpha t}$.
$P(t)$	1. Se $c \neq 0$, $x_p = P_1(t)$ em que P_1 é um polinômio de mesmo grau que P. 2. Se $c = 0$ e $b \neq 0$, $x_p = tP_1(t)$.
$a_0 \cos \alpha t$	1. Se $b \neq 0$, $x_p = m \cos \alpha t + n \sen \alpha t$. 2. Se $b = 0$ e se $\cos \alpha t$ não for solução da homogênea, $x_p = m \cos \alpha t$. 3. Se $b = 0$ e se $\cos \alpha t$ for solução da homogênea, $x_p = mt \cos \alpha t + nt \sen \alpha t$. (Ressonância.)

Observação: Se $f(t) = a_0 \sen \alpha t$, procede-se como no caso, $f(t) = a_0 \cos \alpha t$.

Exemplo 5 Resolva a equação

$$\ddot{x} + 3\dot{x} + 2x = e^{-t}.$$

Solução

A solução geral da homogênea associada é

$$x_h = Ae^{-t} + Be^{-2t}.$$

Como e^{-t} é solução da homogênea, a escolha $xp = me^{-t}$ não resolve o problema, pois, qualquer que seja m,

$$(me^{-t})'' + 3(me^{-t})' + 2(me^{-t}) = 0.$$

Como -1 raiz simples da equação característica da homogênea, a equação admitirá uma solução particular do tipo

$$x_p = mte^{-t} \text{ (veja quadro anterior).}$$

Devemos determinar m de modo que, para todo t,

$$(mte^{-t})'' + 3(mte^{-t})' + 2(mte^{-t}) = e^{-t}$$

ou (após derivar e simplificar)
$$me^{-t} = e^{-t}$$
logo, $m = 1$. Segue que
$$x_p = te^{-t}$$
é uma solução particular. A solução geral da equação dada é
$$x = Ae^{-t} + Be^{-2t} + te^{-t}.$$

Exemplo 6 Determine a solução geral de
$$\ddot{x} + 4x = \cos t.$$

Solução

Vamos tentar uma solução particular do tipo
$$x_p = m \cos t$$
Esta escolha é motivada pelo fato de que, derivando-se duas vezes o cosseno, volta-se ao cosseno.
$$(m \cos t)'' + 4 m \cos t = \cos t$$
ou
$$3 m \cos t = \cos t$$
logo, $m = \dfrac{1}{3}$. Assim, $x_p = \dfrac{1}{3} \cos t$ é uma solução particular. A solução geral da equação dada é
$$x = A \cos 2t + B \operatorname{sen} 2t + \dfrac{1}{3} \cos t.$$

Exemplo 7 Resolva a equação
$$\ddot{x} + 4x = \operatorname{sen} 2t.$$

Solução

A solução geral da homogênea $\ddot{x} + 4x = 0$ é
$$x_h = A \cos 2t + B \operatorname{sen} 2t.$$

Como sen $2t$ é uma solução da homogênea associada, não adianta tentar solução particular do tipo $x_p = m$ sen $2t$, pois, substituindo tal função na equação dada, o 1º membro se anula e o 2º não. Tenta-se, então, neste caso, solução particular do tipo

② $$x_p = mt \operatorname{sen} 2t + nt \cos 2t.$$

Temos:

$$\left(mt \operatorname{sen} 2t + nt \cos 2t\right)' = m \operatorname{sen} 2t + 2mt \cos 2t + n \cos 2t - 2nt \operatorname{sen} 2t$$

③ $$\left(mt \operatorname{sen} 2t + nt \cos 2t\right)'' = 4m \cos 2t - 4n \operatorname{sen} 2t - 4mt \operatorname{sen} 2t - 4nt \cos 2t.$$

Substituindo ② e ③ na equação dada e simplificando, vem:

$$4m \cos 2t - 4n \,\text{sen}\, 2t = \text{sen}\, 2t$$

e, portanto, $m = 0$ e $n = -\dfrac{1}{4}$. Assim, $x_p = -\dfrac{1}{4} t \cos 2t$ é uma solução particular. A solução geral é, então, $x = A \cos 2t + B \,\text{sen}\, 2t - \dfrac{1}{4} t \cos 2t$. (Suponha que o movimento de uma partícula que se desloca sobre o eixo x é regido pela equação deste exemplo; descreva o movimento.)

Observação: Na determinação de uma solução particular, em geral, estão envolvidos muitos cálculos; por esse motivo é sempre bom verificar se a solução particular encontrada é realmente solução particular. Por exemplo, $x_p = -\dfrac{1}{4} t \cos 2t$ é realmente uma solução particular de $\ddot{x} + 4x = \text{sen}\, 2t$, pois,

$$\left(-\frac{1}{4} t \cos 2t\right)'' + 4\left(-\frac{1}{4} t \cos 2t\right) = \left(-\frac{1}{4} \cos 2t + \frac{1}{2} t \,\text{sen}\, 2t\right)' - t \cos 2t =$$

$$= \left(\frac{1}{2} \,\text{sen}\, 2t + \frac{1}{2} \,\text{sen}\, 2t + t \cos 2t\right) - t \cos 2t = \text{sen}\, 2t.$$

Exemplo 8 (*Princípio de superposição.*) Considere a equação

④ $$\ddot{x} + b\dot{x} + cx = f_1(t) + f_2(t)$$

em que $f_1(t)$ e $f_2(t)$ são funções dadas, definidas e contínuas num mesmo intervalo I. Mostre que se $x_1 = x_1(t)$, $t \in I$, for uma solução particular de

⑤ $$\ddot{x} + b\dot{x} + cx = f_1(t)$$

e se $x_2 = x_2(t)$, $t \in I$, uma solução particular de

⑥ $$\ddot{x} + b\dot{x} + cx = f_2(t)$$

então $x_p = x_1(t) + x_2(t)$ será uma solução particular de ④.

Solução

Sendo $x_1 = x_1(t)$ e $x_2 = x_2(t)$ soluções particulares de ⑤ e ⑥, respectivamente, teremos, para todo $t \in I$,

$$\ddot{x}_1(t) + b\dot{x}_1(t) + cx_1(t) = f_1(t)$$

e

$$\ddot{x}_2(t) + b\dot{x}_2(t) + cx_2(t) = f_2(t)$$

Capítulo 5

e daí, somando membro a membro, resulta

$$[x_1(t) + x_2(t)]'' + b[x_1(t) + x_2(t)]' + c[x_1(t) + x_2(t)] = f_1(t) + f_2(t).$$

Logo, $x_p = x_1(t) + x_2(t)$ é uma solução particular da Equação ④.

Exemplo 9 Resolva a equação

$$\ddot{x} + 4x = e^t + \text{sen } 2t.$$

Solução

$x_1 = \dfrac{1}{5} e^t$ é uma solução particular de

$$\ddot{x} + 4x = e^t. \text{ (Verifique.)}$$

Pelo Exemplo 7, $x_2 = -\dfrac{1}{4} t \cos 2t$ é uma solução particular de

$$\ddot{x} + 4x = \text{sen } 2t.$$

Pelo *princípio de superposição*

$$x_p = \frac{1}{5} e^t - \frac{1}{4} t \cos 2t$$

é uma solução particular da equação dada. Então, a solução geral da equação dada é

$$x = A \cos 2t + B \text{ sen } 2t + \frac{1}{5} e^t - \frac{1}{4} t \cos 2t.$$

Exercícios 5.5

1. Determine a solução geral.

   a) $\dfrac{d^2 x}{dt^2} - 3x = \cos 3t$

   b) $\ddot{x} + 4\dot{x} + 4x = 2t + 1$

   c) $\dfrac{d^2 x}{dt^2} - 2 \dfrac{dx}{dt} + x = 5 e^t$

   d) $\ddot{x} + 4\dot{x} + 3x = 8 e^{2t}$

   e) $\dfrac{d^2 x}{dt^2} + 2 \dfrac{dx}{dt} + 2x = 4$

   f) $\ddot{y} + 2\dot{y} = 4$

   g) $\ddot{x} + x = 2 \text{ sen } t$

   h) $\dfrac{d^2 y}{dt^2} - 3 \dfrac{dy}{dt} + 2y = t^2$

   i) $\dfrac{d^2 y}{dt^2} - 3 \dfrac{dy}{dt} = 3t^2$

   j) $\ddot{x} + 9x = \text{sen } t + 2 \cos t$

   l) $\ddot{x} + 2\dot{x} + x = \cos 2t$

   m) $\ddot{x} + 9x = \text{sen } 3t$

   n) $\ddot{x} - 4x = e^{2t}$

   o) $\ddot{x} - 4x = 8 \cos t$

   p) $\ddot{x} - 2\dot{x} = \text{sen } 3t$

   q) $\ddot{x} - 2\dot{x} = e^t$

   r) $\ddot{x} - 2\dot{x} = e^{2t}$

   s) $\ddot{x} - 2\dot{x} = 5$

2. Resolva a equação $\ddot{x} + \omega^2 x = \operatorname{sen} \omega t$, em que $\omega \neq 0$ é um real dado. (*Ressonância*.)

3. Determine a solução do problema
   a) $\ddot{x} + 4x = \cos t, x(0) = 1$ e $\dot{x}(0) = -1$.
   b) $\ddot{x} + 6\dot{x} + 9x = e^{-3t}$, $x(0) = 0$ e $\dot{x}(0) = 1$.
   c) $\ddot{x} + 4x = \cos 2t$, $x(0) = 0$ e $\dot{x}(0) = 0$.
   d) $\ddot{x} + 4x = 5e^{3t}$, $x(0) = 0$ e $\dot{x}(0) = 0$.

4. Determine uma solução particular de
$$\ddot{x} + 2\gamma\dot{x} + \omega_0^2 x = b \operatorname{sen} \omega t$$
em que γ, ω_0, b e ω são constantes não nulas dadas.

5. Resolva a equação
$$\ddot{x} + \omega_0^2 x = b \operatorname{sen} \omega t$$
em que ω_0, b e ω são constantes não nulas dadas.

6

Os Espaços $\mathbb{R}^n$

6.1 Introdução

Nosso objetivo, neste capítulo, é introduzir no $\mathbb{R}^2$ os conceitos de *norma* e de *conjunto aberto*, que generalizam os conceitos de módulo e de intervalo aberto, e que serão fundamentais em tudo o que veremos a seguir. O símbolo $\mathbb{R}^2$ está sendo usado aqui para indicar o conjunto de todos os pares ordenados de números reais:

$$\mathbb{R}^2 = \{(x, y) \mid x, y \text{ reais}\}.$$

Para as interpretações geométricas e físicas será muito útil pensar em um par ordenado (x, y) como um vetor do plano. Para isto, fixaremos no plano um sistema ortogonal de coordenadas cartesianas (o habitual) e identificaremos, então, o par (x, y) com o vetor $\overrightarrow{OP}$, em que O é a origem do sistema e P o ponto de coordenadas (x, y). Esta identificação nos sugerirá como *somar* pares ordenados e como *multiplicar um par ordenado por um escalar* a partir das operações sobre vetores, que suporemos conhecidas.

O leitor não terá dificuldade alguma em generalizar os conceitos deste capítulo para o $\mathbb{R}^n$, $n \geqslant 3$, em que $\mathbb{R}^n$ indica o conjunto de todas as n-uplas ordenadas $(x_1, x_2, ..., x_n)$ de números reais.

6.2 O Espaço Vetorial $\mathbb{R}^2$

Identificando (x, y) com o vetor $\overrightarrow{OP}$ e indicando por $\vec{i}$ e $\vec{j}$ os vetores associados, respectivamente, a $(1, 0)$ e $(0, 1)$ resulta da teoria dos vetores que $\overrightarrow{OP} = x\vec{i} + y\vec{j}$

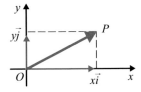

É imediato que se λ é um escalar, isto é, um número real, então, $\lambda \overrightarrow{OP} = \overrightarrow{OP}_1$, em que P_1 é o ponto de coordenadas $(\lambda x, \lambda y)$. Por outro lado, se $\overrightarrow{OQ}$ é o vetor associado a (s, t) e se $\overrightarrow{OR} = \overrightarrow{OP} + \overrightarrow{OQ}$, então $\overrightarrow{OR}$ é o vetor associado a $(x + s, y + t)$ (verifique). Tudo isto sugere-nos a seguinte definição.

Definição. Sejam (x, y) e (s, t) dois elementos quaisquer do $\mathbb{R}^2$ e λ um real qualquer. Definimos:

a) $(x + s, y + t)$ é a *soma* de (x, y) com (s, t): $(x, y) + (s, t) = (x + s, y + t)$.
b) $(\lambda x, \lambda y)$ é o *produto de* (x, y) *pelo escalar* λ: $\lambda(x, y) = (\lambda x, \lambda y)$.
c) $(x, y) + (-1)(s, t)$ é a *diferença* entre (x, y) e (s, t):
   $(x, y) - (s, t) = (x, y) + (-1)(s, t)$.
d) $(x, y) = (s, t) \Leftrightarrow x = s$ e $y = t$.

As seguintes propriedades são de imediata verificação: quaisquer que sejam (x, y), (s, t) e (u, v) em $\mathbb{R}^2$ e quaisquer que sejam as escalares α e β tem-se:

A1) $\left[(x, y)+(s, t)\right]+(u, v)=(x, y)+\left[(s, t)+(u, v)\right]$
A2) $(x, y)+(s, t)=(s, t)+(x, y)$
A3) $(x, y)+(0, 0)=(x, y)$
A4) $(x, y)+(-1)(x, y)=(0, 0)$
M1) $\alpha\left[\beta(x, y)\right]=\alpha\beta(x, y)$
M2) $\alpha\left[(x, y)+(s, t)\right]=\alpha(x, y)+\alpha(s, t)$
M3) $[\alpha+\beta](x, y)=\alpha(x, y)+\beta(x, y)$
M4) $1\cdot(x, y)=(x, y)$.

Observação. Uma estrutura de *espaço vetorial* sobre um conjunto não vazio V fica determinada quando se definem em V duas operações, uma de *adição* e outra de *multiplicação de um elemento de V por um escalar*, satisfazendo as oito propriedades acima listadas. As operações anteriormente definidas determinam, então, sobre o $\mathbb{R}^2$ uma estrutura de espaço vetorial real; seus elementos podem, então, ser chamados de *vetores*.

6.3 Produto Escalar. Perpendicularismo

Definição 1. O número

$$a_1 a_2 + b_1 b_2$$

denomina-se *produto escalar* dos vetores (a_1, b_1) e (a_2, b_2) e indica-se por $(a_1, b_1) \cdot (a_2, b_2)$. Assim,

$$(a_1, b_1)\cdot(a_2, b_2) = a_1 a_2 + b_1 b_2.$$

Exemplo 1 O produto escalar dos vetores $(2, 3)$ e $(1, 5)$ é

$$(2, 3)\cdot(1, 5) = 2\cdot 1 + 3\cdot 5 = 17.$$

Observe que o produto escalar de dois vetores é um número.

Capítulo 6

Sejam os vetores $\vec{u}=(a_1,b_1)$, $\vec{v}=(a_2,b_2)$ e $\vec{w}=(a_3,b_3)$ e seja λ um escalar; são de verificação imediata as seguintes propriedades do produto escalar:

(i) $\vec{u}\cdot\vec{v}=\vec{v}\cdot\vec{u}$ (*comutativa*)
(ii) $[\vec{u}+\vec{v}]\cdot\vec{w}=\vec{u}\cdot\vec{w}+\vec{v}\cdot\vec{w}$ (*distributiva*)
(iii) $(\lambda\vec{u})\cdot\vec{v}=\lambda(\vec{u}\cdot\vec{v})=\vec{u}\cdot(\lambda\vec{v})$.
(iv) $\vec{u}\cdot\vec{u}\geqslant 0$; $\vec{u}\cdot\vec{u}=0 \Leftrightarrow \vec{u}=(0,0)$.

Estamos interessados, a seguir, em definir *perpendicularismo* ou *ortogonalismo* entre vetores do $\mathbb{R}^2$. Consideremos os vetores $\vec{u}=(a_1,b_1)$ e $\vec{v}=(a_2,b_2)$. Vamos olhar estes dois vetores aplicados no ponto $P=(x,y)$ do plano.

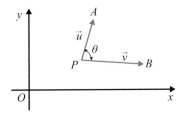

A e B são extremidades de $\vec{u}$ e $\vec{v}$, respectivamente. Temos

$$\overrightarrow{OA}=\overrightarrow{OP}+\vec{u}=(x,y)+(a_1,b_1)=(x+a_1,y+b_1)$$

e

$$\overrightarrow{OB}=\overrightarrow{OP}+\vec{v}=(x,y)+(a_2,b_2)=(x+a_2,y+b_2).$$

Assim,

$$A=(x+a_1,y+b_1) \text{ e } B=(x+a_2,y+b_2).$$

Vamos, agora, aplicar a lei dos cossenos ao triângulo APB para determinar $\cos\theta$. Temos

$$\overline{AB}^2=\overline{AP}^2+\overline{PB}^2-2\ \overline{AP}\cdot\overline{PB}\ \cos\theta$$

em que $\overline{AB}$ é a distância de A a B, $\overline{AP}$ de A a P e $\overline{PB}$ de P a B. Como

$$\overline{AB}=\sqrt{(a_2-a_1)^2+(b_2-b_1)^2},$$

$$\overline{AP}=\sqrt{a_1^2+b_1^2}$$

e

$$\overline{PB}=\sqrt{a_2^2+b_2^2}$$

segue que

$$(a_2-a_1)^2+(b_2-b_1)^2=a_1^2+b_1^2+a_2^2+b_2^2-2\sqrt{a_1^2+b_1^2}\sqrt{a_2^2+b_2^2}\cos\theta \text{ e, portanto,}$$

$$a_1a_2+b_1b_2=\sqrt{a_1^2+b_1^2}\sqrt{a_2^2+b_2^2}\cos\theta$$

ou seja,

$$\cos\theta = \frac{a_1 a_2 + b_1 b_2}{\sqrt{a_1^2 + b_1^2}\sqrt{a_2^2 + b_2^2}}.$$

Daí, os vetores $\vec{u} = (a_1, b_1)$ e $\vec{v} = (a_2, b_2)$ serão *perpendiculares* se e somente se o *produto escalar* de (a_1, b_1) com (a_2, b_2) for nulo. Nada mais natural, então, do que a seguinte definição.

Definição 2. Dizemos que os vetores (a_1, b_1) e (a_2, b_2) são *perpendiculares* ou *ortogonais* se

$$(a_1, b_1) \cdot (a_2, b_2) = 0.$$

Vejamos como fica, em notação de produto escalar, a equação da reta r que passa pelo ponto $P_0 = (x_0, y_0)$ e que é perpendicular à direção do vetor $\vec{n} = (a, b) \neq (0, 0)$. Vamos olhar $\vec{n}$ como um vetor aplicado no ponto $P_0 = (x_0, y_0)$.

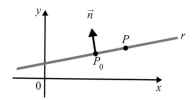

O ponto $P = (x, y)$ pertence à reta r se e somente se o vetor $P - P_0$ for perpendicular a $\vec{n} = (a, b)$. Assim, a equação da reta que passa pelo ponto $P_0 = (x_0, y_0)$ e é perpendicular à direção do vetor $\vec{n} = (a, b)$ é

$$\vec{n} \cdot (P - P_0) = 0$$

ou seja,

$$(a, b) \cdot \left[(x, y) - (x_0, y_0)\right] = 0.$$

De $(x, y) - (x_0, y_0) = (x - x_0, y - y_0)$, segue que a equação acima é equivalente a

$$ax + by = c$$

com $c = ax_0 + by_0$. E $\vec{n} = (a, b)$ é um *vetor perpendicular* à tal reta.

Exemplo 2 Determine a equação da reta que passa pelo ponto $(1, 2)$ e que é perpendicular à direção do vetor $\vec{n} = (-1, 3)$.

Solução

A equação da reta é

$$\vec{n} \cdot [P - P_0] = 0$$

em que $\vec{n} = (-1, 3)$, $P = (x, y)$ e $P_0 = (1, 2)$. Assim, a equação da reta é

$$(-1, 3) \cdot \left[(x, y) - (1, 2)\right] = 0$$

ou

$$-(x-1)+3(y-2)=0$$

ou ainda

$$-x+3y-5=0.$$

Consideremos, agora, o vetor $\vec{v} = (m, n)$, com $(m, n) \neq (0, 0)$, aplicado no ponto $P_0 = (x_0, y_0)$. Na figura seguinte, representamos a reta r que passa pelo ponto $P_0 = (x_0, y_0)$ e que tem a direção do vetor $\vec{v} = (m, n)$.

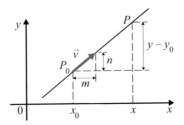

Por semelhança de triângulos, para todo $P = (x, y)$ na reta r, existe t tal que

$$\begin{cases} x - x_0 = tm \\ y - y_0 = tn. \end{cases}$$

Pois bem,

$$\begin{cases} x = x_0 + tm \\ y = y_0 + tn \end{cases} t \in \mathbb{R}$$

são as *equações paramétricas* da reta que passa pelo ponto $P_0 = (x_0, y_0)$ e é *paralela à direção do vetor* $\vec{v} = (m, n)$. Em notação vetorial, esta reta pode ser expressa na forma

$$(x, y) = (3, -1) + t(2, -3), t \in \mathbb{R}.$$

Exemplo 3 Determine a equação, na forma vetorial, da reta que passa pelo ponto $(3, -1)$ e que é perpendicular à reta $2x - 3y = 7$.

Solução

$\vec{n} = (2, -3)$ é perpendicular à reta $2x - 3y = 7$.

O que queremos, então, é a reta que passa pelo ponto $(3, -1)$ e que seja paralela ao vetor $(2, -3)$. Assim, a equação da reta pedida é

$$(x, y) = (3, -1) + t(2, -3), t \in \mathbb{R}.$$

No $\mathbb{R}^3$, os conceitos de produto escalar e de ortogonalismo são análogos aos do $\mathbb{R}^2$:

$$(a_1, b_1, c_1) \cdot (a_2, b_2, c_2) = a_1 a_2 + b_1 b_2 + c_1 c_2.$$

$$(a_1, b_1, c_1) \perp (a_2, b_2, c_2) \Leftrightarrow (a_1, b_1, c_1) \cdot (a_2, b_2, c_2) = 0.$$

No espaço, a equação vetorial da reta que passa pelo ponto (x_0, y_0, z_0) e que é paralela à direção do vetor $\vec{v} = (a, b, c) \neq (0, 0, 0)$ é

$$(x, y, z) = (x_0, y_0, z_0) + t(a, b, c), t \in \mathbb{R}.$$

A *equação do plano* que passa pelo ponto $P_0 = (x_0, y_0, z_0)$ e que é *perpendicular* à direção do vetor $\vec{n} = (a, b, c) \neq (0, 0, 0)$ é

$$(a, b, c) \cdot [(x, y, z) - (x_0, y_0, z_0)] = 0$$

ou

$$\vec{n} \cdot (P - P_0) = 0.$$

Observe que o plano de equação

$$ax + by + cz = d$$

é perpendicular à direção do vetor $\vec{n} = (a, b, c)$.

Exercícios 6.3

1. Determine a equação da reta que passa pelo ponto (1, 2) e que seja paralela à direção do vetor $\vec{v} = (-1, 1)$.

2. Determine a equação vetorial da reta que passa pelo ponto (1, −1) e que é perpendicular à reta $2x + y = 1$.

3. Determine um vetor cuja direção seja paralela à reta $3x + 2y = 2$.

4. Determine a equação vetorial da reta que passa pelo ponto $\left(\dfrac{1}{2}, 1\right)$ e que seja paralela à reta $3x + 2y = 2$.

5. Determine um vetor cuja direção seja paralela à reta dada.

   a) $x - 2y = 3$
   c) $2x - 5y = 4$
   b) $x + y = 1$
   d) $x + 2y = 3$

6. Determine um vetor cuja direção seja perpendicular à reta dada.

   a) $2x + y = 1$
   c) $x + 3y = 2$
   b) $3x - y = 3$
   d) $2x - 3y = 1$.

7. Determine a equação vetorial da reta que passa pelo ponto dado e que seja paralela à reta dada.

   a) $(2, -5)$ e $x - y = 1$
   b) $(1, -2)$ e $2x + y = 3$.

8. Determine a equação vetorial da reta que passa pelo ponto dado e que seja perpendicular à reta dada.

   a) $(1, 2)$ e $2x + y = 3$
   b) $(2, -2)$ e $x + 3y = 1$.

Capítulo 6

9. Determine a equação do plano que passa pelo ponto dado e que seja perpendicular à direção do vetor $\vec{n}$ dado.

   a) $(1, 1, 1)$ e $\vec{n} = (2, 1, 3)$
   b) $(2, 1, -1)$ e $\vec{n} = (-2, 1, 2)$

10. Determine a equação vetorial da reta que passa pelo ponto dado e que seja perpendicular ao plano dado.

    a) $(0, 1, -1)$ e $x + 2y - z = 3$
    b) $(2, 1, -1)$ e $2x + y + 3z = 1$

11. Sejam $\vec{u} = (a_1, b_1, c_1)$ e $\vec{v} = (a_2, b_2, c_2)$ dois vetores do $\mathbb{R}^3$. Definimos o *produto vetorial de* $\vec{u}$ *por* $\vec{v}$, que se indica $\vec{u} \wedge \vec{v}$, por

$$\vec{u} \wedge \vec{v} = \begin{vmatrix} \vec{i} & \vec{j} & \vec{k} \\ a_1 & b_1 & c_1 \\ a_2 & b_2 & c_2 \end{vmatrix} = (b_1 c_2 - c_1 b_2)\vec{i} + (a_2 c_1 - a_1 c_2)\vec{j} + (a_1 b_2 - a_2 b_1)\vec{k}$$

em que $\vec{i} = (1, 0, 0)$, $\vec{j} = (0, 1, 0)$ e $\vec{k} = (0, 0, 1)$. Verifique que

   a) $\vec{u} \wedge \vec{v} = -\vec{v} \wedge \vec{u}$.
   b) $\vec{u} \wedge \vec{v}$ é ortogonal a $\vec{u}$ e a $\vec{v}$.
   c) $\vec{u} \wedge (\vec{v} + \vec{w}) = \vec{u} \wedge \vec{v} + \vec{u} \wedge \vec{w}$, em que $\vec{w} = (a_3, b_3, c_3)$
   d) $(\vec{u} + \vec{v}) \wedge \vec{w} = \vec{u} \wedge \vec{w} + \vec{v} \wedge \vec{w}$

12. Determine a equação vetorial da reta que passa pelo ponto $(1, 2, -1)$ e que seja perpendicular às direções dos vetores $\vec{u} = (1, 1, 1)$ e $\vec{v} = (1, -2, 1)$.

13. Determine um vetor não nulo que seja ortogonal aos vetores $\vec{u}$ e $\vec{v}$ dados.

    a) $\vec{u} = (1, 2, -1)$ e $\vec{v} = (2, 1, 2)$
    b) $\vec{u} = (3, 2, -1)$ e $\vec{v} = (-1, 2, 1)$

14. Determine a equação do plano que passa pelo ponto dado e que seja paralelo aos vetores $\vec{u}$ e $\vec{v}$ dados.

    a) $(1, 2, 1)$, $\vec{u} = (-1, 1, 2)$ e $\vec{v} = (2, 1, -1)$
    b) $(0, 1, 2)$, $\vec{u} = (2, -1, 3)$ e $\vec{v} = (1, 1, 1)$

15. Sejam dados $\vec{u} = (u_1, u_2, u_3)$ e $\vec{v} = (v_1, v_2, v_3)$, com $\vec{u} \wedge \vec{v} \neq \vec{0}$. Verifique que

$$(x, y, z) = (x_0, y_0, z_0) + s\,\vec{u} + t\,\vec{v} \quad (s, t \in \mathbb{R})$$

é a equação vetorial do plano que passa por (x_0, y_0, z_0) e que é perpendicular a $\vec{n} = \vec{u} \wedge \vec{v}$.

6.4 Norma de um Vetor. Propriedades

Definição. O número

$$\|(x, y)\| = \sqrt{x^2 + y^2}$$

denomina-se *norma* do vetor (x, y).

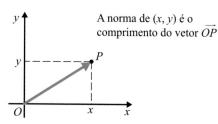

De $(x, y) \cdot (x, y) = x^2 + y^2$, segue $\|(x, y)\| = \sqrt{(x, y) \cdot (x, y)}$.

Teorema 1. (Desigualdade de Schwarz) Quaisquer que sejam os vetores $\vec{u}, \vec{v}$ de $\mathbb{R}^2$, tem-se

$$|\vec{u} \cdot \vec{v}| \leq \|\vec{u}\| \cdot \|\vec{v}\|.$$

Demonstração

Para todo t real, e para quaisquer vetores $\vec{u}, \vec{v}$ de $\mathbb{R}^2$, temos

$$(\vec{u} + t\vec{v}) \cdot (\vec{u} + t\vec{v}) \geq 0.$$

Pela distributividade do produto escalar,

$$\vec{u} \cdot \vec{u} + 2t\,\vec{u} \cdot \vec{v} + t^2 \vec{v} \cdot \vec{v} \geq 0$$

e como $\vec{u} \cdot \vec{u} = \|\vec{u}\|^2$ resulta, para todo t,

$$\|\vec{u}\|^2 + 2t\,\vec{u} \cdot \vec{v} + t^2 \|\vec{v}\|^2 \geq 0;$$

logo,

$$\Delta = (2\,\vec{u} \cdot \vec{v})^2 - 4\|\vec{u}\|^2 \|\vec{v}\|^2 \leq 0$$

e, portanto,

$$|\vec{u} \cdot \vec{v}| \leq \|\vec{u}\|\|\vec{v}\|.$$

Segue do teorema acima que quaisquer que sejam os vetores não nulos $\vec{u}$ e $\vec{v}$ de $\mathbb{R}^2$ tem-se

$$-1 \leq \frac{\vec{u} \cdot \vec{v}}{\|\vec{u}\|\|\vec{v}\|} \leq 1.$$

Portanto, existe um único número real θ, $0 \leq \theta \leq \pi$, tal que

$$\cos\theta = \frac{\vec{u} \cdot \vec{v}}{\|\vec{u}\|\|\vec{v}\|} \text{ ou } \vec{u} \cdot \vec{v} = \|\vec{u}\|\|\vec{v}\|\cos\theta.$$

Este número real θ denomina-se *ângulo* entre os vetores $\vec{u}$ e $\vec{v}$.

Capítulo 6

Teorema 2. Quaisquer que sejam os vetores $\vec{u}$ e $\vec{v}$ de $\mathbb{R}^2$ e qualquer que seja o escalar λ tem-se:

N1) $\|\vec{u}\| \geq 0$; $\|\vec{u}\| = 0 \Leftrightarrow \vec{u} = (0,0)$.
N2) $\|\lambda\vec{u}\| = |\lambda|\|\vec{u}\|$.
N3) (*Desigualdade triangular*)

$$\|\vec{u}+\vec{v}\| \leq \|\vec{u}\| + \|\vec{v}\|.$$

Demonstração

N1) Imediata.
N2) Pondo $\vec{u} = (x,y)$ tem-se

$$\|\lambda\vec{u}\| = \|\lambda(x,y)\| = \|(\lambda x, \lambda y)\| = \sqrt{(\lambda x)^2 + (\lambda y)^2}.$$

Logo,

$$\|\lambda\vec{u}\| = |\lambda|\sqrt{x^2+y^2}$$

ou seja,

$$\|\lambda\vec{u}\| = |\lambda|\|\vec{u}\|.$$

N3) $\|\vec{u}+\vec{v}\|^2 = (\vec{u}+\vec{v})\cdot(\vec{u}+\vec{v}) = \|\vec{u}\|^2 + 2\,\vec{u}\cdot\vec{v} + \|\vec{v}\|^2$.

Pela desigualdade de Schwarz

$$\vec{u}\cdot\vec{v} \leq \|\vec{u}\|\|\vec{v}\|.$$

Então,

$$\|\vec{u}+\vec{v}\|^2 \leq \|\vec{u}\|^2 + 2\|\vec{u}\|\|\vec{v}\| + \|\vec{v}\|^2 = (\|\vec{u}\|+\|\vec{v}\|)^2$$

logo,

$$\|\vec{u}+\vec{v}\| \leq \|\vec{u}\| + \|\vec{v}\|.$$

Exercícios 6.4

1. Generalize para o $\mathbb{R}^n$ ($n \geq 3$) os conceitos e resultados desta seção.

2. Calcule a norma do vetor dado.

   a) $\vec{u} = (1,2)$
   b) $\vec{v} = (2,1,3)$
   c) $\vec{u} = (0,1,2)$
   d) $\vec{v} = \left(\dfrac{1}{2}, \dfrac{1}{3}\right)$

3. Seja $\vec{u} = (u_1, u_2, u_3)$ um vetor qualquer de $\mathbb{R}^3$. Mostre que $\|\vec{u}\| \geq |u_i|$, $i = 1, 2, 3$.

4. Seja $\vec{u} = (u_1, u_2, \ldots, u_n)$ um vetor do $\mathbb{R}^n$ ($n \geq 2$). Mostre que $\|\vec{u}\| \geq |u_i|$, $i = 1, 2, \ldots, n$.

5. Sejam $\vec{u}, \vec{v}$ dois vetores quaisquer do $\mathbb{R}^n$. Verifique que

   a) $\|\vec{u}-\vec{v}\| \geq \|\vec{u}\| - \|\vec{v}\|$.
   b) $\|\vec{u}-\vec{v}\| \geq \|\vec{v}\| - \|\vec{u}\|$.
   c) $\|\vec{u}-\vec{v}\| \geq |\|\vec{u}\| - \|\vec{v}\||$.

6. Sejam $\vec{u} = (u_1, u_2, \ldots, u_n)$ e $\vec{v} = (v_1, v_2, \ldots, v_n)$ vetores quaisquer do $\mathbb{R}^n$. Mostre que

$$\|\vec{u} - \vec{v}\| \geq |u_i - v_i|, \; i = 1, 2, \ldots, n.$$

7. Sejam $\vec{u}$ e $\vec{v}$ vetores quaisquer do $\mathbb{R}^n$. Prove:

$$\vec{u} \perp \vec{v} \Leftrightarrow \|\vec{u} + \vec{v}\|^2 = \|\vec{u}\|^2 + \|\vec{v}\|^2.$$

8. Seja $\vec{u}$ um vetor qualquer do $\mathbb{R}^n$. Prove que se $\vec{u} \cdot \vec{v} = 0$, para todo $\vec{v} \in \mathbb{R}^n$, então $\vec{u} = \vec{0}$.

9. Sejam $\vec{u}, \vec{v}, \vec{w}$ vetores do $\mathbb{R}^n$ tais que $\vec{w} = \alpha \vec{u} + \beta \vec{v}$, com α e β reais. Suponha $\vec{u}$ e $\vec{v}$ unitários $(\|\vec{u}\| = 1$ e $\|\vec{v}\| = 1)$ e ortogonais. Prove que $\alpha = \vec{u} \cdot \vec{w}$ e $\beta = \vec{v} \cdot \vec{w}$.

10. Sejam $\vec{u}$ e $\vec{v}$ vetores do $\mathbb{R}^2$. Dizemos que $\vec{u}$ e $\vec{v}$ são *linearmente independentes* se, quaisquer que sejam os reais α e β, se $\alpha \vec{u} + \beta \vec{v} = \vec{0}$, então $\alpha = \beta = 0$. Prove que $\vec{u} = (u_1, u_2)$ e $\vec{v} = (v_1, v_2)$ são linearmente independentes se e somente se $\begin{vmatrix} u_1 & u_2 \\ v_1 & v_2 \end{vmatrix} \neq 0$.

11. Sejam $\vec{u}, \vec{v}, \vec{w}$ vetores quaisquer do $\mathbb{R}^2$. Prove que se $\vec{u}$ e $\vec{v}$ forem linearmente independentes, então existirão (e serão únicos) reais α e β tais que $\vec{w} = \alpha \vec{u} + \beta \vec{v}$.

12. Sejam $\vec{u}$ e $\vec{v}$ dois vetores unitários e ortogonais do $\mathbb{R}^2$. Prove que $\vec{u}$ e $\vec{v}$ são linearmente independentes.

13. Sejam $\vec{u}$ e $\vec{v}$ dois vetores unitários e ortogonais do $\mathbb{R}^2$. Prove que para todo $\vec{w}$ de $\mathbb{R}^2$ tem-se: $\vec{w} = (\vec{w} \cdot \vec{u})\vec{u} + (\vec{w} \cdot \vec{v})\vec{v}$.

14. Sejam $\vec{u}, \vec{v}$ e $\vec{w}$ vetores do $\mathbb{R}^3$. Dizemos que $\vec{u}, \vec{v}$ e $\vec{w}$ são *linearmente independentes* se, quaisquer que sejam os reais α, β e γ, se $\alpha \vec{u} + \beta \vec{v} + \gamma \vec{w} = \vec{0}$, então $\alpha = \beta = \gamma = 0$. Prove que $\vec{u} = (u_1, u_2, u_3)$, $\vec{v} = (v_1, v_2, v_3)$ e $\vec{w} = (w_1, w_2, w_3)$ são linearmente independentes se e somente se $\begin{vmatrix} u_1 & u_2 & u_3 \\ v_1 & v_2 & v_3 \\ w_1 & w_2 & w_3 \end{vmatrix} \neq 0$.

15. Sejam $\vec{u}, \vec{v}, \vec{w}$ e $\vec{r}$ vetores quaisquer do $\mathbb{R}^3$, com $\vec{u}, \vec{v}$ e $\vec{w}$ linearmente independentes. Prove que $\vec{r}$ é *combinação linear* de $\vec{u}, \vec{v}$ e $\vec{w}$, isto é, que existem reais α, β e γ tais que $\vec{r} = \alpha \vec{u} + \beta \vec{v} + \gamma \vec{w}$.

16. Sejam $\vec{u}, \vec{v}$ e $\vec{w}$ três vetores unitários quaisquer de $\mathbb{R}^3$, sendo dois a dois ortogonais. Prove que para todo $\vec{r}$ do $\mathbb{R}^3$ tem-se:

$$\vec{r} = (\vec{r} \cdot \vec{u})\vec{u} + (\vec{r} \cdot \vec{v})\vec{v} + (\vec{r} \cdot \vec{w})\vec{w}.$$

17. Sejam $\vec{u}$ e $\vec{v}$ vetores não nulos do $\mathbb{R}^3$. Mostre que $\|\vec{u} \wedge \vec{v}\| = \|\vec{u}\| \|\vec{v}\| \operatorname{sen} \theta$, em que θ é o ângulo entre $\vec{u}$ e $\vec{v}$.

18. Prove que quaisquer que sejam $\vec{u}$ e $\vec{v}$ em $\mathbb{R}^3$

$$\|\vec{u} \wedge \vec{v}\| \leq \|\vec{u}\| \|\vec{v}\|.$$

6.5 Conjunto Aberto. Ponto de Acumulação

Sejam (x_0, y_0) um ponto do $\mathbb{R}^2$ e $r > 0$ um real. O conjunto

$$\{(x, y) \in \mathbb{R}^2 \mid \|(x, y) - (x_0, y_0)\| < r\}$$

denomina-se *bola aberta* de centro (x_0, y_0) e raio r.

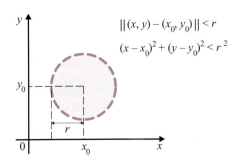

No plano, a bola aberta de centro (x_0, y_0) e raio r é o conjunto de todos os pontos "internos" ao círculo de centro (x_0, y_0) e raio r.

Seja A um subconjunto não vazio de $\mathbb{R}^2$. Dizemos que $(x_0, y_0) \in A$ é um *ponto interior* de A se existir uma bola aberta de centro (x_0, y_0) contida em A.

Exemplo 1 Seja $A = \{(x, y) \in \mathbb{R}^2 \mid x \geq 0 \text{ e } y \geq 0\}$.

a) Todo (x, y), com $x > 0$ e $y > 0$, é *ponto interior* de A.
b) Todo (x, y), com $x = 0$ ou $y = 0$, *não é ponto interior* de A.

De fato,
a) se $(x, y) \in A$, com $x > 0$ e $y > 0$, então a bola aberta de centro (x, y) e raio $r = \min \{x, y\}$ está contida em A; logo, (x, y) é ponto interior de A.
b) se $(x, y) \in A$, com $x = 0$ ou $y = 0$, então (x, y) não é ponto interior de A, pois A não contém nenhuma bola aberta de centro (x, y).

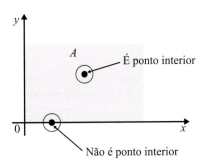

Definição. Seja A um subconjunto não vazio de $\mathbb{R}^2$. Dizemos que A é um *conjunto aberto* se todo ponto de A for ponto interior.

Observação. Por definição, o conjunto vazio é um conjunto aberto.

Exemplo 2
Toda bola aberta é um conjunto aberto.

Solução

Seja B uma bola aberta de centro (x_0, y_0) e raio r. Precisamos mostrar que todo ponto (x_1, y_1) de B é ponto interior. Seja, então, α a distância de (x_1, y_1) a (x_0, y_0), isto é,

$$\alpha = \|(x_1, y_1) - (x_0, y_0)\|.$$

Vamos mostrar que a bola aberta $\overline{B}$ de centro (x_1, y_1) e raio r_1, com $0 < r_1 < r - \alpha$, está contida em B.

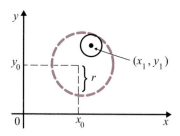

$$(x, y) \in \overline{B} \Leftrightarrow \|(x, y) - (x_1, y_1)\| < r_1.$$

Seja, então, $(x, y) \in \overline{B}$; temos

$$\|(x, y) - (x_0, y_0)\| = \|(x, y) - (x_1, y_1) + (x_1, y_1) - (x_0, y_0)\|$$
$$\leq \|(x, y) - (x_1, y_1)\| + \|(x_1, y_1) - (x_0, y_0)\| < r_1 + \alpha < r.$$

Logo, $(x, y) \in B$. Portanto, $\overline{B}$ está contido em B.

Exemplo 3

a) $\mathbb{R}^2$ é um conjunto aberto.
b) $A = \{(x, y) \in \mathbb{R}^2 \mid x \geq 0 \text{ e } y \geq 0\}$ não é aberto.
c) $A = \{(x, y) \in \mathbb{R}^2 \mid x > 0 \text{ e } y > 0\}$ é aberto.

Solução

a) Imediato.
b) Os pontos $(x, y) \in A$, com $x = 0$ ou $y = 0$, não são pontos interiores; logo, A não é aberto.
c) Se $(x, y) \in A$, a bola aberta de centro (x, y) e raio $r = \min\{x, y\}$ está contida em A; logo, A é aberto.

Definição. Seja A um subconjunto do $\mathbb{R}^2$ e seja $(a, b) \in \mathbb{R}^2$ ((a, b) pode pertencer ou não a A). Dizemos que (a, b) é *ponto de acumulação de A se toda* bola aberta de centro (a, b) contiver pelo menos um ponto $(x, y) \in A$, com $(x, y) \neq (a, b)$.

Grosso modo, dizer que (a, b) é ponto de acumulação de A significa dizer que existem pontos de A, distintos de (a, b), tão próximos de (a, b) quanto se queira.

Capítulo 6

Exemplo 4 Todo (x, y), com $x \geq 0$ e $y \geq 0$, é ponto de acumulação do conjunto A sendo $A = \{(x, y) \in \mathbb{R}^2 \mid x > 0 \text{ e } y > 0\}$, o ponto $\left(-\frac{1}{2}, 1\right)$ não é ponto de acumulação de A, pois existe uma bola aberta de centro $\left(-\frac{1}{2}, 1\right)$ que não contém ponto de A.

Exemplo 5 O conjunto $A = \{(1, 2), (-1, 0), (1, 3)\}$ não admite ponto de acumulação, pois qualquer que seja o ponto (a, b) de $\mathbb{R}^2$, existe uma bola aberta de centro (a, b) e raio r que não contém ponto de A *distinto* de (a, b). $\Big($Se (a, b) não pertence a A, basta tomar r como a menor das distâncias de (a, b) aos pontos $(1, 2)$, $(-1, 0)$ e $(1, 3)$; se $(a, b) \in A$, basta tomar $r = \frac{1}{2}.\Big)$

Exercícios 6.5

1. Verifique quais dos conjuntos a seguir são abertos em $\mathbb{R}^2$.

   a) $\{(x, y) \in \mathbb{R}^2 \mid x^2 + y^2 < 1\}$

   b) $\{(x, y) \in \mathbb{R}^2 \mid x + y \geq 1\}$

   c) $\{(x, y) \in \mathbb{R}^2 \mid x^2 + y^2 \leq 1 \text{ e } x + y > 3\}$

   d) $\{(x, y) \in \mathbb{R}^2 \mid x = 1 \text{ e } 1 < y < 3\}$

   e) $\{(x, y) \in \mathbb{R}^2 \mid x^2 + xy + y^2 < 0\}$

   f) $\{(x, y) \in \mathbb{R}^2 \mid x + y > 3 \text{ e } x^2 + y^2 < 16\}$

   g) $\{(x, y) \in \mathbb{R}^2 \mid xy > 0\}$

   h) $\left\{(x, y) \in \mathbb{R}^2 \mid x \geq 0 \text{ e } y > \frac{1}{2}\right\}$

2. Determine o conjunto dos pontos de acumulação do conjunto dado.

   a) $\{(x, y) \in \mathbb{R}^2 \mid x^2 + y^2 < 1\}$

   b) $\{(x, y) \in \mathbb{R}^2 \mid x \text{ e } y \text{ inteiros}\}$

   c) $\left\{\left(\frac{1}{n}, 1\right) \mid n \neq 0 \text{ natural}\right\}$

   d) $\{(x, y) \in \mathbb{R}^2 \mid x + y \geq 1\}$

   e) $\{(x, y) \in \mathbb{R}^2 \mid x = 1, 1 < y < 2\}$

   f) $\{(x, y) \in \mathbb{R}^2 \mid x \text{ e } y \text{ racionais}\}$

3. Defina bola aberta de centro (x_0, y_0, z_0) e raio $r > 0$ no $\mathbb{R}^3$. Interprete geometricamente.

Os Espaços $\mathbb{R}^n$

4. Defina bola aberta, conjunto aberto e ponto de acumulação no $\mathbb{R}^n$.

5. Sejam A e B dois subconjuntos do $\mathbb{R}^2$. Prove que se A e B forem abertos, então $A \cup B$ e $A \cap B$ também serão.

6. Suponha que, para cada natural n, A_n é um subconjunto aberto do $\mathbb{R}^2$. Seja B a reunião de todos os A_n e C a interseção de todos os A_n. Pergunta-se: B é aberto? C é aberto? Justifique.

7. Seja F um subconjunto do $\mathbb{R}^2$. Dizemos que F é um *conjunto fechado* se o conjunto de todos os (x, y) não pertencentes a F for aberto. Verifique quais dos conjuntos a seguir são fechados.

   a) $\{(x, y) \in \mathbb{R}^2 \mid x^2 + y^2 \leq 1\}$.

   b) $\{(x, y) \in \mathbb{R}^2 \mid x \geq 0 \text{ e } y > 0\}$.

   c) $\{(x, y) \in \mathbb{R}^2 \mid x \text{ e } y \text{ inteiros}\}$.

   d) $\{(x, y) \in \mathbb{R}^2 \mid x \text{ e } y \text{ racionais}\}$.

   e) ϕ

   f) $\mathbb{R}^2$

   g) $\{(x, y) \in \mathbb{R}^2 \mid x = 1, 1 \leq y \leq 3\}$

   h) $\{(x, y) \in \mathbb{R}^2 \mid x = 1, 1 \leq y < 3\}$

8. Suponha que o conjunto B, $B \subset \mathbb{R}^2$, não seja aberto. Pode-se concluir que B é fechado? Sim ou não? Justifique.

9. Dizemos que $A \subset \mathbb{R}^2$ é um conjunto *limitado* se existir um $m > 0$ tal que $\|(x, y)\| < m$ para todo $(x, y) \in A$. Prove que se A for limitado e se A contiver um número infinito de pontos, então A admitirá pelo menos um ponto de acumulação. A afirmação continua verdadeira se uma das hipóteses for omitida?

7

CAPÍTULO

Função de uma Variável Real a Valores em $\mathbb{R}^n$. Curvas

7.1 Função de uma Variável Real a Valores em $\mathbb{R}^2$

Uma função de uma variável real a valores em $\mathbb{R}^2$ é uma função $F:A \to \mathbb{R}^2$, em que A é um subconjunto de $\mathbb{R}$. Uma tal função associa a cada real $t \in A$, um único vetor $F(t) \in \mathbb{R}^2$. O conjunto A é o domínio de F e será indicada por D_F. Suporemos sempre que A ou é um intervalo ou uma reunião de intervalos. O conjunto

$$\text{Im } F = \left\{ F(t) \in \mathbb{R}^2 \mid t \in D_F \right\}$$

é a *imagem* ou *trajetória* de F. A imagem de F é o lugar geométrico, em $\mathbb{R}^2$, descrito por $F(t)$ quando t varia em D_F.

Exemplo 1 Seja F a função dada por $F(t) = (t, 2t)$.
a) Calcule $F(0)$ e $F(1)$.
b) Desenhe a imagem de F.

Solução
a) $F(0) = (0, 0)$ e $F(1) = (1, 2)$.

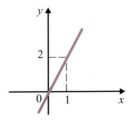

b) A imagem de F é a reta de equações paramétricas $\begin{cases} x = t \\ y = 2t. \end{cases}$

Exemplo 2 Desenhe a imagem da função F dada por $F(t) = (t, t^2)$.

Solução

A imagem de F é a curva de equações paramétricas $\begin{cases} x = t \\ y = t^2 \end{cases}$

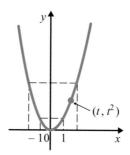

A imagem de F coincide com o gráfico da parábola $y = x^2$.

Exemplo 3 Seja $F(t) = (\cos t, \operatorname{sen} t)$, $t \in [0, 2\pi]$. Desenhe a imagem de F.

Solução

A imagem de F é a circunferência de centro na origem e raio 1.

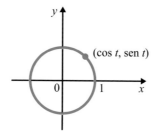

Exemplo 4 Seja $F(t) = (e^{-t} \cos t, e^{-t} \operatorname{sen} t)$, $t \geq 0$. Desenhe a imagem de F.

Solução

$$F(t) = e^{-t}(\cos t, \operatorname{sen} t)$$

$$\|F(t)\| = \sqrt{(e^{-t} \cos t)^2 + (e^{-t} \operatorname{sen} t)^2}$$

ou seja,

$$\|F(t)\| = e^{-t}.$$

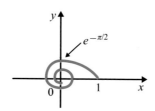

Capítulo 7

Quando t varia em $[0, +\infty[$, o ponto $F(t)$ gira em torno da origem e a distância à origem tende a zero para t tendendo a $+\infty$. Observe que a imagem de F coincide com o gráfico da espiral $\rho = e^{-\theta}$, $\theta \geq 0$ (coordenadas polares).

Exemplo 5 Desenhe a imagem da função F dada por $F(t) = (2\cos t, \operatorname{sen} t)$, $t \in [0, 2\pi]$.

Solução

$$\begin{cases} x = 2\cos t \\ y = \operatorname{sen} t \end{cases} \Leftrightarrow \begin{cases} \dfrac{x}{2} = \cos t \\ y = \operatorname{sen} t \end{cases} \Rightarrow \dfrac{x^2}{4} + y^2 = 1$$

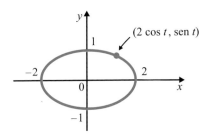

Assim, para cada $t \in [0, 2\pi]$ o ponto $(2\cos t, \operatorname{sen} t)$ pertence à elipse $\dfrac{x^2}{4} + y^2 = 1$. Por outro lado, para cada (x, y) na elipse, existe $t \in [0, 2\pi]$ tal que

$$\begin{cases} x = 2\cos t \\ y = \operatorname{sen} t \end{cases} \text{(por quê?)}$$

Exercícios 7.1

Desenhe a imagem:

1. $F(t) = (1, t)$
2. $F(t) = (t, t+1)$
3. $F(t) = (2t - 1, t + 2)$
4. $F(t) = (t, t^3)$
5. $F(t) = (t^2, t)$
6. $F(t) = (t^2, t^4)$
7. $F(t) = (\cos t, 2\operatorname{sen} t)$
8. $F(t) = (\operatorname{sen} t, \operatorname{sen} t)$
9. $F(t) = (\operatorname{sen} t, \operatorname{sen}^2 t)$
10. $F(t) = (\sqrt{2}\cos t, 2\operatorname{sen} t)$
11. $F(t) = (e^t \cos t, e^t \operatorname{sen} t)$, $t \geq 0$
12. $F(t) = (\operatorname{sen} t, t)$

7.2 Função de uma Variável Real a Valores em $\mathbb{R}^3$

Uma função de uma variável real a valores em $\mathbb{R}^3$ é uma função $F: A \to \mathbb{R}^3$, em que A é um subconjunto de $\mathbb{R}$. Uma tal função associa, a cada $t \in A$, um único vetor $F(t) \in \mathbb{R}^3$. A imagem ou trajetória de F é o lugar geométrico, em $\mathbb{R}^3$, descrito por $F(t)$, quando t varia em D_F.

Exemplo 1 Desenhe a imagem de $F(t) = (t, t, t), t \geq 0$.

Solução

A imagem de F é a semirreta de equações paramétricas

$$\begin{cases} x = t \\ y = t \quad t \geq 0 \\ z = t \end{cases}$$

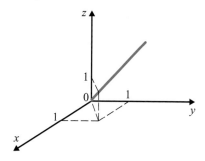

Exemplo 2 Desenhe a imagem de $F(t) = (\cos t, \operatorname{sen} t, 1)$.

Solução

A imagem de F é uma circunferência situada no plano $z = 1$, com centro no eixo z e raio 1.

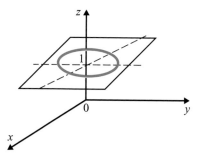

Exemplo 3 Desenhe a imagem de $F(t) = (\cos t, \operatorname{sen} t, bt), t \geq 0$, em que $b > 0$ é um real fixo.

Solução

A imagem de F é uma hélice circular reta. Quando t varia em $[0, +\infty[$, a projeção de $F(t)$ sobre o plano xy, descreve a circunferência $x = \cos t, y = \operatorname{sen} t$, ao passo que a projeção sobre o eixo z descreve um movimento uniforme, com equação $z = bt$.

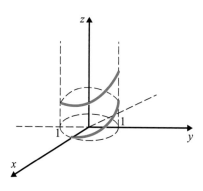

Capítulo 7

Muitas vezes será necessário considerar funções de uma variável real a valores em $\mathbb{R}^n$, $n > 3$. Os próximos exemplos exibem funções de uma variável real a valores em $\mathbb{R}^4$ e em $\mathbb{R}^5$, respectivamente.

Exemplo 4 $F(t) = (t, t^2, 1, t^2), t \in \mathbb{R}$, é uma função de uma variável real a valores em $\mathbb{R}^4$.

Exemplo 5 $F(t) = (\cos t, \text{sen } t, t^2, t, t^3), t \in \mathbb{R}$, é uma função de uma variável real a valores em $\mathbb{R}^5$.

Exercícios 7.2

1. Desenhe a imagem:

   a) $F(t) = (1, t, 1), t \in \mathbb{R}$
   b) $F(t) = (1, 1, t), t \geq 0$
   c) $F(t) = (t, t, 1), t \geq 0$
   d) $F(t) = (1, 0, t), t \in \mathbb{R}$
   e) $F(t) = (t, t, 1 + \text{sen } t), t \geq 0$
   f) $F(t) = (t, \cos t, \text{sen } t), t \geq 0$
   g) $F(t) = (\cos t, \text{sen } t, 2)$
   h) $F(t) = (\cos t, \text{sen } t, e^{-t}), t \geq 0$
   i) $F(t) = \left(t, t, \dfrac{1}{t} \right), t > 0$
   j) $F(t) = (t, t, t^2), t \geq 0$
   l) $F(t) = (e^{-t} \cos t, e^{-t} \text{sen } t, e^{-t}), t \geq 0$
   m) $F(t) = (\text{sen } t, \text{sen } t, \sqrt{2} \cos t), 0 \leq t \leq 2\pi$
   n) $F(t) = (\text{sen } t, \text{sen } t, t), t \geq 0$
   o) $F(t) = (1 + \text{sen } t, 1 + \text{sen } t, \cos t), -\dfrac{\pi}{2} \leq t \leq \dfrac{\pi}{2}$.

2. Seja F dada por $F(t) = (\ln t, t, \sqrt{1-t^2}, t^2)$.

   a) Determine o domínio de F.
   b) Calcule $F\left(\dfrac{3}{5}\right)$.

3. Determine o domínio.

   a) $F(t) = \left(t, \sqrt{\dfrac{t-2}{t+1}}, \ln(5-t^2), e^{-t} \right)$.

   b) $F(t) = \left(2, \dfrac{1}{t}, \sqrt[4]{2-t^2}, \text{arctg } t \right)$.

7.3 Operações com Funções de uma Variável Real a Valores em $\mathbb{R}^n$

Seja $F: A \to \mathbb{R}^n$ uma função de uma variável real a valores em $\mathbb{R}^n$; então existem, e são únicas, n funções a valores reais $F_i: A \to \mathbb{R}, i = 1, 2, 3, ..., n$, tais que, qualquer que seja $t \in A$,

$$F(t) = \left(F_1(t), F_2(t), ..., F_n(t) \right).$$

Tais funções são denominadas *funções componentes* de F. Escreveremos $F = (F_1, F_2, ..., F_n)$ para indicar a função cujas componentes são $F_1, F_2, ..., F_n$.

Exemplo 1 Seja $F(t) = (\cos t, \operatorname{sen} t, t), t \in \mathbb{R}$. As componentes de F são as funções F_1, F_2, F_3 definidas em $\mathbb{R}$ e dadas, respectivamente, por $x = \cos t$, $y = \operatorname{sen} t$ e $z = t$.

Exemplo 2 Seja $F(t) = (t, \sqrt{t}, \operatorname{sen} 3t, \operatorname{arctg} t), t \geq 0$. As componentes de F são as funções F_1, F_2, F_3, F_4 dadas por $F_1(t) = t$, $F_2(t) = \sqrt{t}$, $F_3(t) = \operatorname{sen} 3t$ e $F_4(t) = \operatorname{arctg} t$, com $t \geq 0$.

Sejam $F, G : A \to \mathbb{R}^n$ duas funções de uma variável real a valores em $\mathbb{R}^n$, $f : A \to \mathbb{R}$ uma função a valores reais e k uma constante. Definimos:

a) a função $F + G : A \to \mathbb{R}^n$ dada por

$$(F + G)(t) = F(t) + G(t)$$

denomina-se *soma* de F e G.

b) a função $kF : A \to \mathbb{R}^n$ dada por

$$(kF)(t) = kF(t)$$

é o *produto de F pela constante k*.

c) a função $f \cdot F : A \to \mathbb{R}^n$ dada por

$$(f \cdot F)(t) = f(t) F(t)$$

é o *produto de F pela função escalar f*.

d) a função $F \cdot G : A \to \mathbb{R}$ dada por

$$(F \cdot G)(t) = F(t) \cdot G(t)$$

em que $F(t) \cdot G(t) = F_1(t) \cdot G_1(t) + F_2(t) \cdot G_2(t) + \ldots + F_n(t) \cdot G_n(t)$, é o *produto escalar* de F e G. Estamos supondo aqui $F = (F_1, F_2, \ldots, F_n)$ e $G = (G_1, G_2, \ldots, G_n)$.

e) Seja $n = 3$. A função $F \wedge G : A \to \mathbb{R}^3$ dada por

$$(F \wedge G)(t) = F(t) \wedge G(t) = \begin{vmatrix} \vec{i} & \vec{j} & \vec{k} \\ F_1(t) & F_2(t) & F_3(t) \\ G_1(t) & G_2(t) & G_3(t) \end{vmatrix}$$

denomina-se *produto vetorial* de F e G, em que

$$\begin{vmatrix} \vec{i} & \vec{j} & \vec{k} \\ F_1(t) & F_2(t) & F_3(t) \\ G_1(t) & G_2(t) & G_3(t) \end{vmatrix} = [F_2(t) G_3(t) - F_3(t) G_2(t)] \vec{i} +$$

$$+ [F_3(t) G_1(t) - F_1(t) G_3(t)] \vec{j} + [F_1(t) G_2(t) - F_2(t) G_1(t)] \vec{k}.$$

(Veja o Exercício 11 da Seção 6.3.)

Capítulo 7

Exemplo 3 Sejam as funções F, G e f, definidas em $\mathbb{R}$, e dadas por $F(t) = (\cos 3t, \operatorname{sen} 2t, t^2)$, $G(t) = (3, t^3, \operatorname{arctg} t)$ e $f(t) = e^{-2t}$. Temos

a) o produto escalar de F e G é a função H dada por

$$H(t) = F(t) \cdot G(t) = 3 \cos 3t + t^3 \operatorname{sen} 2t + t^2 \operatorname{arctg} t.$$

b) o produto de F pela função escalar f é a função com valores em $\mathbb{R}^3$ dada por

$$f(t)F(t) = e^{-2t}(\cos 3t, \operatorname{sen} 2t, t^2) = (e^{-2t} \cos 3t, e^{-2t} \operatorname{sen} 2t, e^{-2t}t^2).$$

c) o produto vetorial de F e G é a função a valores em $\mathbb{R}^3$ dada por

$$(F \wedge G)(t) = \begin{vmatrix} \vec{i} & \vec{j} & \vec{k} \\ \cos 3t & \operatorname{sen} 2t & t^2 \\ 3 & t^3 & \operatorname{arctg} t \end{vmatrix} =$$

$$= (\operatorname{sen} 2t \operatorname{arctg} t - t^5)\vec{i} + (3t^2 - \cos 3t \operatorname{arctg} t)\vec{j} + (t^3 \cos 3t - 3 \operatorname{sen} 2t)\vec{k}.$$

Uma função de uma variável real a valores em $\mathbb{R}^n$ será frequentemente indicada com a notação vetorial $\vec{F}$.

Exemplo 4 Sejam as funções $\vec{F}$ e $\vec{G}$ dadas por $\vec{F}(t) = (t, t^2, 2)$ e $\vec{G}(t) = (3, t, t)$. Calcule

a) $\vec{F}(t) \cdot \vec{G}(t)$
b) $t\vec{F}(t)$
c) $\vec{F}(t) \wedge \vec{G}(t)$
d) $2\vec{F}(t) + 3\vec{G}(t)$.

Solução

a) $\vec{F}(t) \cdot \vec{G}(t) = 3t + t^3 + 2t = 5t + t^3$.

b) $t\vec{F}(t) = t(t, t^2, 2) = (t^2, t^3, 2t)$.

c) $\vec{F}(t) \wedge \vec{G}(t) = \begin{vmatrix} \vec{i} & \vec{j} & \vec{k} \\ t & t^2 & 2 \\ 3 & t & t \end{vmatrix} = (t^3 - 2t)\vec{i} + (6 - t^2)\vec{j} + (t^2 - 3t^2)\vec{k}$

ou seja,

$$\vec{F}(t) \wedge \vec{G}(t) = (t^3 - 2t)\vec{i} + (6 - t^2)\vec{j} - 2t^2\vec{k}.$$

d) $2\vec{F}(t) + 3\vec{G}(t) = 2(t, t^2, 2) + 3(3, t, t) = (2t + 9, 2t^2 + 3t, 4 + 3t)$.

Exercícios 7.3

1. Sejam $\vec{F}(t) = (t, \operatorname{sen} t, 2)$ e $\vec{G}(t) = (3, t, t^2)$. Calcule

a) $\vec{F}(t) \cdot \vec{G}(t)$
b) $e^{-t}\vec{F}(t)$
c) $\vec{F}(t) - 2\vec{G}(t)$
d) $\vec{F}(t) \wedge \vec{G}(t)$

2. Calcule $\vec{r}(t) \wedge \vec{x}(t)$, em que $\vec{r}(t) = t\vec{i} + 2\vec{j} + t^2\vec{k}$ e $\vec{x}(t) = t\vec{i} - \vec{j} + \vec{k}$.

3. Calcule $\vec{u}(t) \cdot \vec{v}(t)$, em que $\vec{u}(t) = \operatorname{sen} t\,\vec{i} + \cos t\,\vec{j} + t\,\vec{k}$ e $\vec{v}(t) = \operatorname{sen} t\,\vec{i} + \cos t\,\vec{j} + \vec{k}$.

4. Sejam $\vec{F}, \vec{G}, \vec{H}$ três funções definidas em $A \subset \mathbb{R}$ e a valores em $\mathbb{R}^3$. Verifique que

   a) $\vec{F} \wedge \vec{G} = -\vec{G} \wedge \vec{F}$

   b) $\vec{F} \cdot (\vec{G} + \vec{H}) = \vec{F} \cdot \vec{G} + \vec{F} \cdot \vec{H}$

   c) $\vec{F} \wedge (\vec{G} + \vec{H}) = \vec{F} \wedge \vec{G} + \vec{F} \wedge \vec{H}$

7.4 Limite e Continuidade

Antes de definirmos limites faremos a seguinte observação: sempre que estivermos lidando com função de *uma variável real* ficará subentendido que o domínio ou é um *intervalo* ou *uma reunião de intervalos*.

Definição 1. Seja F uma função de uma variável real a valores em $\mathbb{R}^n$ e seja t_0 um ponto do domínio de F ou extremidade de um dos intervalos que compõem o domínio de F. Dizemos que $F(t)$ *tende a* L, $L \in \mathbb{R}^n$, *quando* t *tende a* t_0, e escrevemos $\lim_{t \to t_0} F(t) = L$, se para todo $\varepsilon > 0$ dado, existir $\delta > 0$ tal que, para todo $t \in D_F$,

$$0 < |t - t_0| < \delta \Rightarrow \|F(t) - L\| < \varepsilon.$$

Observação

$$\|F(t) - L\| < \varepsilon \Leftrightarrow F(t) \in B_\varepsilon(L)$$

em que $B_\varepsilon(L)$ é a bola aberta de centro L e raio ε: $B_\varepsilon(L) = \{Y \in \mathbb{R}^n \mid \|Y - L\| < \varepsilon\}$.

A figura seguinte nos dá uma visão geométrica do significado de $\lim_{t \to t_0} F(t) = L$, no caso $n = 2$:

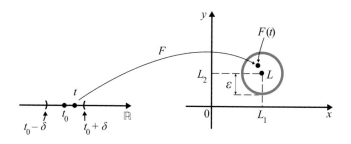

dado $\varepsilon > 0$, existe $\delta > 0$, tal que $F(t)$ permanece na bola aberta $B_\varepsilon(L)$ quando t percorre o intervalo $]t_0 - \delta, t_0 + \delta[$, $t \neq t_0$ e $t \in D_F$.

Exemplo 1 Seja F uma função de uma variável com valores em $\mathbb{R}^n$ e seja $L \in \mathbb{R}^n$. Mostre que

$$\lim_{t \to t_0} F(t) = L \Leftrightarrow \lim_{t \to t_0} \|F(t) - L\| = 0.$$

Capítulo 7

Solução

$$\lim_{t \to t_0} F(t) = L \Leftrightarrow \begin{cases} \forall \varepsilon > 0, \exists \delta > 0 \text{ tal que } \forall t \in D_F \\ 0 < |t - t_0| < \delta \Rightarrow \|F(t) - L\| < \varepsilon \end{cases}$$

$$\Leftrightarrow \begin{cases} \forall \varepsilon > 0, \exists \delta > 0 \text{ tal que } \forall t \in D_F \\ 0 < |t - t_0| < \delta \Rightarrow |\|F(t) - L\| - 0| < \varepsilon \end{cases}$$

$$\Leftrightarrow \begin{cases} \lim_{t \to t_0} \|F(t) - L\| = 0. \end{cases}$$

O exemplo acima nos diz que se $F(t)$ tende a L, para $t \to t_0$, então a distância de $F(t)$ a L ($\|F(t) - L\|$) *tende a zero, para* $t \to t_0$, *e reciprocamente*.

Antes de demonstrar o próximo teorema, lembramos que se $\vec{X} = (x_1, x_2, \ldots, x_n) \in \mathbb{R}^n$, então, para $i = 1, 2, \ldots, n, \|\vec{X}\| \geq |x_i|$, ou seja, o *comprimento de* $\vec{X}$ *é maior ou igual ao módulo de qualquer uma de suas componentes* (veja Exercício 4, Seção 6.4).

Seja, agora, $F = (F_1, F_2, \ldots, F_n)$ uma função de uma variável com valores em $\mathbb{R}^n$ e seja $L = (L_1, L_2, \ldots, L_n) \in \mathbb{R}^n$; temos

$$F(t) - L = (F_1(t) - L_1, F_2(t) - L_2, \ldots, F_n(t) - L_n).$$

Do que vimos acima, resulta:

$$\|F(t) - L\| \geq |F_i(t) - L_i| \, (i = 1, 2, \ldots, n).$$

O próximo teorema nos diz que $\lim_{t \to t_0} F(t)$ existirá se e somente se existirem e forem finitos os limites das componentes F_i de F. Além disso, se, para $i = 1, 2, \ldots, n$, acontecer $\lim_{t \to t_0} F_i(t) = L_i$, então $\lim_{t \to t_0} F(t) = L = (L_1, L_2, \ldots, L_n)$.

Teorema. Sejam $F = (F_1, F_2, \ldots, F_n)$ uma função de uma variável com valores em $\mathbb{R}^n$ e $L = (L_1, L_2, \ldots, L_n) \in \mathbb{R}^n$. Então

$$\lim_{t \to t_0} F(t) = L \Leftrightarrow \lim_{t \to t_0} F_i(t) = L_i, i = 1, 2, \ldots, n.$$

Demonstração

Vamos provar primeiro a implicação

$$\lim_{t \to t_0} F(t) = L \Rightarrow \lim_{t \to t_0} F_i(t) = L_i.$$

De $\lim_{t \to t_0} F(t) = L$ segue que $\lim_{t \to t_0} \|F(t) - L\| = 0$. Por outro lado, para todo $i = 1, 2, \ldots, n$,

$$|F_i(t) - L_i| \leq \|F(t) - L\|.$$

Pelo teorema do confronto,

$$\lim_{t \to t_0} (F_i(t) - L_i) = 0 \text{ ou } \lim_{t \to t_0} F_i(t) = L_i.$$

Reciprocamente, de $\lim_{t \to t_0} F_i(t) = L_i$ para $i = 1, 2, \ldots, n$, segue que

$$\lim_{t \to t_0} \sqrt{(F_1(t) - L_1)^2 + (F_2(t) - L_2)^2 + \ldots + (F_n(t) - L_n)^2} = 0$$

e, portanto, $\lim_{t \to t_0} \|F(t) - L\| = 0$; logo,

$$\lim_{t \to t_0} F(t) = L.$$

∎

Exemplo 1 Seja $\vec{F}(t) = \dfrac{\operatorname{sen} t}{t}\vec{i} + (t^2 + 3)\vec{j}$. Calcule $\lim_{t \to 0} \vec{F}(t)$.

Solução

$$\lim_{t \to 0} \vec{F}(t) = \left(\lim_{t \to 0} \frac{\operatorname{sen} t}{t}\right)\vec{i} + \left(\lim_{t \to 0} (t^2 + 3)\right)\vec{j} = \vec{i} + 3\vec{j}.$$

Exemplo 2 Seja $\vec{F}(t) = (\cos t, \operatorname{sen} t, t)$. Calcule $\lim_{h \to 0} \dfrac{\vec{F}(t+h) - \vec{F}(t)}{h}$.

Solução

$$\frac{\vec{F}(t+h) - \vec{F}(t)}{h} = \left(\frac{\cos(t+h) - \cos t}{h}, \frac{\operatorname{sen}(t+h) - \operatorname{sen} t}{h}, 1\right).$$

De

$$\lim_{h \to 0} \frac{\cos(t+h) - \cos t}{h} = -\operatorname{sen} t \text{ e } \lim_{h \to 0} \frac{\operatorname{sen}(t+h) - \operatorname{sen} t}{h} = \cos t$$

segue

$$\lim_{h \to 0} \frac{\vec{F}(t+h) - \vec{F}(t)}{h} = (-\operatorname{sen} t, \cos t, 1).$$

O próximo exemplo nos diz que o limite de um produto escalar é igual ao produto escalar dos limites, desde que tais limites existam.

Exemplo 3 Sejam $\vec{F} = (F_1, F_2, \ldots, F_n)$ e $\vec{G} = (G_1, G_2, \ldots, G_n)$ duas funções de uma variável com valores em $\mathbb{R}^n$. Suponha que

$$\lim_{t \to t_0} \vec{F}(t) = \vec{a} \text{ e } \lim_{t \to t_0} \vec{G}(t) = \vec{b}$$

em que $\vec{a} = (a_1, a_2, \ldots, a_n)$ e $\vec{b} = (b_1, b_2, \ldots, b_n)$. Mostre que

$$\lim_{t \to t_0} \vec{F}(t) \cdot \vec{G}(t) = \vec{a} \cdot \vec{b}.$$

Capítulo 7

Solução

$$\vec{F}(t) \cdot \vec{G}(t) = F_1(t)G_1(t) + F_2(t)G_2(t) + \ldots + F_n(t)G_n(t).$$

$$\lim_{t \to t_0} \vec{F}(t) = \vec{a} \Rightarrow \lim_{t \to t_0} F_i(t) = a_i, i = 1, 2, \ldots, n.$$

$$\lim_{t \to t_0} \vec{G}(t) = \vec{b} \Rightarrow \lim_{t \to t_0} G_i(t) = b_i, i = 1, 2, \ldots, n.$$

Então

$$\lim_{t \to t_0} \vec{F}(t) \cdot \vec{G}(t) = \lim_{t \to t_0} F_1(t)G_1(t) + \ldots + \lim_{t \to t_0} F_n(t)G_n(t)$$

$$= a_1 b_1 + a_2 b_2 + \ldots + a_n b_n = \vec{a} \cdot \vec{b}.$$

Definição 2. Sejam $F : A \to \mathbb{R}^n$ e $t_0 \in A$. Definimos:

$$F \text{ é contínua em } t_0 \Leftrightarrow \lim_{t \to t_0} F(t) = F(t_0).$$

Dizemos que F é *contínua em* $B \subset A$ se F for contínua em todo $t \in B$; dizemos, simplesmente, que F é *contínua* se for contínua em cada t de seu domínio.

Do teorema anterior, resulta que F será contínua em t_0 se e somente se cada componente de F o for.

Exercícios 7.4

1. Calcule

a) $\lim_{t \to 1} \vec{F}(t)$, em que $F(t) = \left(\dfrac{\sqrt{t}-1}{t-1}, t^2, \dfrac{t-1}{t} \right)$

▶ b) $\lim_{t \to 0} \vec{F}(t)$, em que $\vec{F}(t) = \left(\dfrac{\text{tg } 3t}{t}, \dfrac{e^{2t}-1}{t}, t^3 \right)$

c) $\lim_{t \to 2} \vec{r}(t)$, em que $\vec{r}(t) = \dfrac{t^3 - 8}{t^2 - 4} \vec{i} + \dfrac{\cos \dfrac{\pi}{t}}{t-2} \vec{j} + 2t\vec{k}.$

2. Sejam $\vec{F} = (F_1, F_2, \ldots, F_n)$, $\vec{G} = (G_1, G_2, \ldots, G_n)$ duas funções de uma variável real a valores em $\mathbb{R}^n$ e f uma função de uma variável real a valores reais. Suponha que $\lim_{t \to t_0} \vec{F}(t) = \vec{a}$, $\lim_{t \to t_0} \vec{G}(t) = \vec{b}$ e $\lim_{t \to t_0} f(t) = L$, em que $\vec{a} = (a_1, a_2, \ldots, a_n)$, $\vec{b} = (b_1, b_2, \ldots, b_n)$, e L real.
Prove:

a) $\lim_{t \to t_0} \left[\vec{F}(t) + \vec{G}(t) \right] = \vec{a} + \vec{b}.$

b) $\lim_{t \to t_0} f(t) \vec{F}(t) = L \vec{a}.$

c) $\lim_{t \to t_0} \vec{F}(t) \wedge \vec{G}(t) = \vec{a} \wedge \vec{b}$ ($n = 3$).

3. Determine o conjunto dos pontos de continuidade. Justifique a resposta.

   a) $\vec{F}(t) = t\,\vec{i} + \sqrt{t}\,\vec{j} + 3\,\vec{k}$.

   b) $\vec{F}(t) = \sqrt{t-1}\,\vec{i} + \sqrt{t+1}\,\vec{j} + e^{-t}\,\vec{k}$.

4. Sejam $\vec{F}, \vec{G} : A \to \mathbb{R}^n$ e $f : A \to \mathbb{R}$ contínuas em $t_0 \in A$. Prove que $\vec{F} + \vec{G}$, $f\vec{F}$, $\vec{F} \cdot \vec{G}$ são contínuas em t_0. Se $n = 3$, $\vec{F} \wedge \vec{G}$ também é contínua em t_0.

5. Sejam $\vec{F} : A \to \mathbb{R}^3$ e $\vec{G} : A \to \mathbb{R}^3$. Suponha $\lim_{t \to t_0} \vec{F}(t) = \vec{0}$ e que $\|\vec{G}(t)\| \le M$ para todo $t \in A$ em que $M > 0$ é um real fixo. Prove.

   a) $\lim_{t \to t_0} \vec{F}(t) \cdot \vec{G}(t) = 0$

   b) $\lim_{t \to t_0} \vec{F}(t) \wedge \vec{G}(t) = \vec{0}$

6. Seja $F : [a, b] \to \mathbb{R}^n$ contínua. Prove que existe $M > 0$ tal que $\|\vec{F}(t)\| \le M$ em $[a, b]$.

7.5 Derivada

Definição 1. Sejam $F : A \to \mathbb{R}^n$ e $t_0 \in A$. Definimos a *derivada de F em t_0* por

$$\frac{dF}{dt}(t_0) = \lim_{t \to t_0} \frac{F(t) - F(t_0)}{t - t_0}$$

desde que o limite exista.

Se F admite derivada em t_0, então diremos que F é *derivável* ou *diferenciável* em t_0. Dizemos que F é *derivável* em $B \subset D_F$ se o for em cada $t \in B$. Dizemos, simplesmente, que F é *derivável* ou *diferenciável* se o for em cada ponto de seu domínio.

Teorema 1. Sejam $F = (F_1, F_2, \ldots, F_n)$ e t_0 pertencente ao domínio de F. Então, F será derivável em t_0 se e somente se cada componente de F o for; além disso, se F for derivável em t_0

$$F'(t_0) = \big(F_1'(t_0), F_2'(t_0), \ldots, F_n'(t_0)\big).$$

Demonstração

$$\frac{F(t) - F(t_0)}{t - t_0} = \left(\frac{F_1(t) - F_1(t_0)}{t - t_0}, \frac{F_2(t) - F_2(t_0)}{t - t_0}, \ldots, \frac{F_n(t) - F_n(t_0)}{t - t_0} \right), t \ne t_0.$$

Pelo teorema da seção anterior, $\lim_{t \to t_0} \dfrac{F(t) - F(t_0)}{t - t_0}$ existirá se e somente se existirem e forem finitos os limites $\lim_{t \to t_0} \dfrac{F_i(t) - F_i(t_0)}{t - t_0}$, $i = 1, 2, \ldots, n$. Logo, F será derivável em t_0 se e somente se cada componente o for. Teremos então:

$$\lim_{t \to t_0} \frac{F(t) - F(t_0)}{t - t_0} = \left(\lim_{t \to t_0} \frac{F_1(t) - F_1(t_0)}{t - t_0}, \ldots, \lim_{t \to t_0} \frac{F_n(t) - F_n(t_0)}{t - t_0} \right)$$

Capítulo 7

ou seja,
$$F'(t_0) = \left(F_1'(t_0), F_2'(t_0), \ldots, F_n'(t_0)\right).$$

Exemplo 1 Seja $\vec{F}(t) = \left(\operatorname{sen} 3t, e^{t^2}, t\right)$. Calcule

a) $\dfrac{d\vec{F}}{dt}(t)$
b) $\dfrac{d\vec{F}}{dt}(0)$

Solução

a) $\dfrac{d\vec{F}}{dt}(t) = \left((\operatorname{sen} 3t)', \left(e^{t^2}\right)', (t)'\right) = \left(3\cos 3t, 2t\, e^{t^2}, 1\right)$

ou seja,
$$\dfrac{d\vec{F}}{dt}(t) = (3\cos 3t,\ 2t\, e^{t^2},\ 1).$$

b) $\dfrac{d\vec{F}}{dt}(0) = (3, 0, 1).$

Exemplo 2 Seja $\vec{r}(t) = t^2\vec{i} + \operatorname{arctg} 2t\, \vec{j} + e^{-t}\vec{k}$. Calcule.

a) $\dfrac{d\vec{r}}{dt}$
b) $\dfrac{d^2\vec{r}}{dt^2}$

Solução

a) $\dfrac{d\vec{r}}{dt} = \dfrac{d}{dt}(t^2)\vec{i} + \dfrac{d}{dt}(\operatorname{arctg} 2t)\vec{j} + \dfrac{d}{dt}(e^{-t})\vec{k}$

$\dfrac{d\vec{r}}{dt} = 2t\,\vec{i} + \dfrac{2}{1+4t^2}\vec{j} - e^{-t}\vec{k}.$

b) $\dfrac{d^2\vec{r}}{dt^2} = 2\vec{i} - \dfrac{16t}{\left(1+4t^2\right)^2}\vec{j} + e^{-t}\vec{k}.$

Seja, agora, $F: A \to \mathbb{R}^2$ e seja $t_0 \in A$. Geometricamente, vemos $\dfrac{dF}{dt}(t_0)$ como um *"vetor tangente"* à trajetória de F, no ponto $F(t_0)$.

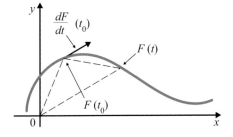

$\dfrac{F(t) - F(t_0)}{t - t_0}$ é paralelo ao vetor $F(t) - F(t_0)$

Quando $t \to t_0$, $\dfrac{F(t) - F(t_0)}{t - t_0}$ tende ao "vetor tangente" $\dfrac{dF}{dt}(t_0)$ à trajetória de F em $F(t_0)$.

Definição 2. Seja $F : A \to \mathbb{R}^n$ derivável em t_0, com $\dfrac{dF}{dt}(t_0) \neq \vec{0}$. Dizemos que $\dfrac{dF}{dt}(t_0)$ é um *vetor tangente* à trajetória de F, em $F(t_0)$. A reta

$$X = F(t_0) + \lambda \dfrac{dF}{dt}(t_0), \lambda \in \mathbb{R}$$

denomina-se *reta tangente* à trajetória de F no ponto $F(t_0)$.

A reta tangente à trajetória de F no ponto $F(t_0)$ é, então, por definição, a *reta passando pelo ponto* $F(t_0)$ e paralela ao vetor tangente $\dfrac{dF}{dt}(t_0)$.

Exemplo 3 Seja $F(t) = (\cos t, \operatorname{sen} t), t \in \mathbb{R}$. Determine a equação da reta tangente à trajetória de F no ponto $F\left(\dfrac{\pi}{4}\right)$.

Solução

$$F\left(\dfrac{\pi}{4}\right) = \left(\dfrac{\sqrt{2}}{2}, \dfrac{\sqrt{2}}{2}\right); \dfrac{dF}{dt} = (-\operatorname{sen} t, \cos t); \text{ assim, } \dfrac{dF}{dt}\left(\dfrac{\pi}{4}\right) = \left(-\dfrac{\sqrt{2}}{2}, \dfrac{\sqrt{2}}{2}\right).$$

A equação da reta tangente em $F\left(\dfrac{\pi}{4}\right)$ é:

$$X = F\left(\dfrac{\pi}{4}\right) + \lambda \dfrac{dF}{dt}\left(\dfrac{\pi}{4}\right), \lambda \in \mathbb{R},$$

ou seja,

$$(x, y) = \left(\dfrac{\sqrt{2}}{2}, \dfrac{\sqrt{2}}{2}\right) + \lambda \left(-\dfrac{\sqrt{2}}{2}, \dfrac{\sqrt{2}}{2}\right), \lambda \in \mathbb{R}.$$

Faça você o desenho da trajetória de F e da reta tangente.

Exemplo 4 Seja $F(t) = (t, t, t^2)$. Determine a equação da reta tangente no ponto $F(1)$.

Solução

$F(1) = (1, 1, 1)$; $\dfrac{dF}{dt} = (1, 1, 2t)$; assim, $\dfrac{dF}{dt}(1) = (1, 1, 2)$. A equação da reta tangente em $F(1)$ é:

$$X = F(1) + \lambda \dfrac{dF}{dt}(1), \lambda \in \mathbb{R},$$

ou seja,

$$(x, y, z) = (1, 1, 1) + \lambda(1, 1, 2), \lambda \in \mathbb{R}.$$

Teorema 2. Sejam $\vec{F}, \vec{G}: A \to \mathbb{R}^n$, $f: A \to \mathbb{R}$ deriváveis em A. Então, $f \cdot \vec{F}$ e $\vec{F} \cdot \vec{G}$ serão, também, deriváveis em A e

a) $\dfrac{d}{dt}(f \cdot \vec{F}) = \dfrac{df}{dt} \cdot \vec{F} + f \cdot \dfrac{d\vec{F}}{dt}$.

b) $\dfrac{d}{dt}(\vec{F} \cdot \vec{G}) = \dfrac{d\vec{F}}{dt} \cdot \vec{G} + \vec{F} \cdot \dfrac{d\vec{G}}{dt}$.

Além disso, se $n = 3$, então $\vec{F} \wedge \vec{G}$ será, também, derivável em A e

c) $\dfrac{d}{dt}(\vec{F} \wedge \vec{G}) = \dfrac{d\vec{F}}{dt} \wedge \vec{G} + \vec{F} \wedge \dfrac{d\vec{G}}{dt}$.

Demonstração

Faremos a demonstração no caso $n = 3$.

a) $\vec{F} = (F_1, F_2, F_3)$; como f é uma função a valores reais

$$f(t)\vec{F}(t) = \big(f(t)F_1(t),\ f(t)F_2(t),\ f(t)F_3(t)\big)$$

para todo $t \in A$.

$$\dfrac{d}{dt}\big[f(t)\vec{F}(t)\big] = \left(\dfrac{d}{dt}[f(t)F_1(t)],\ \dfrac{d}{dt}[f(t)F_2(t)],\ \dfrac{d}{dt}[f(t)F_3(t)]\right).$$

De

$$\dfrac{d}{dt}[f(t)F_1(t)] = f'(t)F_1(t) + f(t)F_1'(t)$$

$$\dfrac{d}{dt}[f(t)F_2(t)] = f'(t)F_2(t) + f(t)F_2'(t)$$

$$\dfrac{d}{dt}[f(t)F_3(t)] = f'(t)F_3(t) + f(t)F_3'(t)$$

resulta:

$$\dfrac{d}{dt}\big[f(t)\vec{F}(t)\big] = f'(t)\big(F_1(t),\ F_2(t),\ F_3(t)\big) + f(t)\big(F_1'(t),\ F_2'(t),\ F_3'(t)\big)$$

ou seja,

$$\dfrac{d}{dt}(f\vec{F}) = \dfrac{df}{dt}\vec{F} + f\dfrac{d\vec{F}}{dt}.$$

b) $\vec{F} = (F_1, F_2, F_3)$ e $\vec{G} = (G_1, G_2, G_3)$.

$$\vec{F} \cdot \vec{G} = F_1 G_1 + F_2 G_2 + F_3 G_3.$$

$$\dfrac{d}{dt}\big[\vec{F} \cdot \vec{G}\big] = \dfrac{d}{dt}[F_1 G_1] + \dfrac{d}{dt}[F_2 G_2] + \dfrac{d}{dt}[F_3 G_3]$$

$$= \dfrac{dF_1}{dt}G_1 + F_1\dfrac{dG_1}{dt} + \dfrac{dF_2}{dt}G_2 + F_2\dfrac{dG_2}{dt} + \dfrac{dF_3}{dt}G_3 + F_3\dfrac{dG_3}{dt}.$$

Como

$$\frac{d\vec{F}}{dt} \cdot \vec{G} = \frac{dF_1}{dt} G_1 + \frac{dF_2}{dt} G_2 + \frac{dF_3}{dt} G_3$$

e

$$\vec{F} \cdot \frac{d\vec{G}}{dt} = F_1 \frac{dG_1}{dt} + F_2 \frac{dG_2}{dt} + F_3 \frac{dG_3}{dt}$$

resulta

$$\frac{d}{dt}\left[\vec{F} \cdot \vec{G}\right] = \frac{d\vec{F}}{dt} \cdot \vec{G} + \vec{F} \cdot \frac{d\vec{G}}{dt}.$$

c) $\dfrac{d(\vec{F} \wedge \vec{G})}{dt}(t) = \lim_{h \to 0} \dfrac{\vec{F}(t+h) \wedge \vec{G}(t+h) - \vec{F}(t) \wedge \vec{G}(t)}{h} =$

$$= \lim_{h \to 0} \frac{\vec{F}(t+h) \wedge \vec{G}(t+h) - \vec{F}(t) \wedge \vec{G}(t+h) + \vec{F}(t) \wedge \vec{G}(t+h) - \vec{F}(t) \wedge \vec{G}(t)}{h}$$

$$= \lim_{h \to 0} \left[\frac{\vec{F}(t+h) - \vec{F}(t)}{h} \wedge \vec{G}(t+h) + \vec{F}(t) \wedge \frac{\vec{G}(t+h) - \vec{G}(t)}{h} \right]$$

$$= \frac{d\vec{F}}{dt}(t) \wedge \vec{G}(t) + \vec{F}(t) \wedge \frac{d\vec{G}}{dt}(t)$$

ou seja,

$$\frac{d}{dt}\left[\vec{F} \wedge \vec{G}\right] = \frac{d\vec{F}}{dt} \wedge \vec{G} + \vec{F} \wedge \frac{d\vec{G}}{dt}.$$

∎

Exemplo 5 Seja $\vec{F}: A \to \mathbb{R}^n$ derivável e tal que $\|\vec{F}(t)\| = k, \forall t \in A$, k constante. Prove que

$$\vec{F}(t) \cdot \frac{d\vec{F}}{dt}(t) = 0$$

para todo $t \in A$. Interprete geometricamente no caso $n = 2$.

Solução

$$\|\vec{F}(t)\| = \sqrt{\vec{F}(t) \cdot \vec{F}(t)}$$

daí

$$\|\vec{F}(t)\|^2 = \vec{F}(t) \cdot \vec{F}(t);$$

logo, para todo $t \in A$,

$$\vec{F}(t) \cdot \vec{F}(t) = k^2.$$

Segue que, para todo t em A,

$$\frac{d}{dt}\left[\vec{F}(t) \cdot \vec{F}(t)\right] = 0,$$

ou seja,

$$\frac{d\vec{F}}{dt}(t) \cdot \vec{F}(t) + \vec{F}(t) \cdot \frac{d\vec{F}}{dt}(t) = 0$$

e como o produto escalar é comutativo

$$2\vec{F}(t) \cdot \frac{d\vec{F}}{dt}(t) = 0.$$

Portanto, para todo $t \in A$,

$$\vec{F}(t) \cdot \frac{d\vec{F}}{dt}(t) = 0.$$

Assim, *sendo $\|\vec{F}(t)\|$ constante, os vetores* $\vec{F}(t)$ e $\frac{d\vec{F}}{dt}(t)$ *serão ortogonais.*

Interpretação geométrica no caso $n = 2$. Seja $\vec{F}(t) = (F_1(t), F_2(t))$; sendo $\|\vec{F}(t)\|$ constante e igual a k ($k > 0$), a trajetória descrita por $(F_1(t), F_2(t))$ está contida na circunferência de centro na origem e raio k; como $\frac{d\vec{F}}{dt}(t)$ é tangente à trajetória, $\frac{d\vec{F}}{dt}(t)$ deve ser tangente à circunferência e deve, portanto, ser ortogonal ao vetor de posição $\vec{F}(t)$.

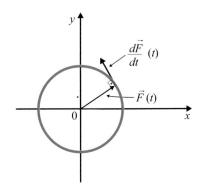

Exercícios 7.5

1. Calcule $\frac{d\vec{F}}{dt}$ e $\frac{d_2\vec{F}}{dt^2}$

    a) $\vec{F}(t) = (3t^2, e^{-t}, \ln(t^2+1))$.

    b) $\vec{F}(t) = \sqrt[3]{t^2}\ \vec{i} + \cos t^2\ \vec{j} + 3t\ \vec{k}$.

    c) $\vec{F}(t) = \text{sen } 5t\ \vec{i} + \cos 4t\ \vec{j} - e^{-2t}\ \vec{k}$.

2. Determine a equação da reta tangente à trajetória da função dada, no ponto dado.

   a) $F(t) = (\cos t, \operatorname{sen} t, t)$ e $F\left(\dfrac{\pi}{3}\right)$

   b) $G(t) = (t^2, t)$ e $G(1)$

   c) $F(t) = \left(\dfrac{1}{t}, \dfrac{1}{t}, t^2\right)$ e $F(2)$

   d) $F(t) = (t, t^2, t, t^2)$ e $F(1)$

3. Seja F definida no intervalo I e com valores em $\mathbb{R}^n$. Suponha que $F'(t) = \vec{0}$ para todo t em I. Prove que existe uma constante $k = (k_1, k_2, ..., k_n) \in \mathbb{R}^n$ tal que $F(t) = k$ para todo t em I.

4. Seja $F: I \to \mathbb{R}^3$, I intervalo, derivável até a 2ª ordem em I. Suponha que exista um real λ tal que, para todo t em I, $\dfrac{d^2\vec{F}}{dt^2}(t) = \lambda \vec{F}(t)$. Prove que $F(t) \wedge \dfrac{d\vec{F}}{dt}(t)$ é constante em I.

5. Suponha que $\vec{r}: \mathbb{R} \to \mathbb{R}^3$ seja derivável até a 2ª ordem e que, para todo $t \geq 0$,

$$\|\vec{r}(t)\| = \sqrt{t}.$$

   a) Prove que $\dfrac{d\vec{r}}{dt} \cdot \dfrac{d\vec{r}}{dt} = -\vec{r} \cdot \dfrac{d^2\vec{r}}{dt^2}$ em $[0, +\infty[$.

   b) Seja θ o ângulo entre $\vec{r}$ e $\dfrac{d^2\vec{r}}{dt^2}$. Conclua que $\dfrac{\pi}{2} \leq \theta \leq \pi$.

6. Seja $\vec{r}$ definida em $\mathbb{R}$, com valores em $\mathbb{R}^3$, e derivável até a 2ª ordem. Prove que se $\vec{r}(t) \wedge \dfrac{d\vec{r}}{dt}(t)$ for constante em $\mathbb{R}$, então $\vec{r}(t) \wedge \dfrac{d^2\vec{r}}{dt^2}(t) = \vec{0}$ em $\mathbb{R}$.

7. Seja $\vec{r}: I \to \mathbb{R}^3$, I intervalo, derivável até a 2ª ordem. Suponha que $\vec{r}(t)$ forneça a posição, no instante t, de um ponto P que se move no espaço. Definimos a velocidade $\vec{v}(t)$ e a aceleração $\vec{a}(t)$ de P, no instante t, por: $\vec{v}(t) = \dfrac{d\vec{r}}{dt}(t)$ e $\vec{a}(t) = \dfrac{d\vec{v}}{dt}(t) = \dfrac{d^2\vec{r}}{dt^2}(t)$. Determine $\vec{v}(t)$ e $\vec{a}(t)$ sendo:

   a) $\vec{r}(t) = t\vec{i} + t^2\vec{j} + 4\vec{k}$

   b) $\vec{r}(t) = \cos t \vec{i} + \operatorname{sen} t \vec{j} + t\vec{k}$

   c) $\vec{r}(t) = \vec{r}_0 + \vec{v}_0 t$, em que $\vec{r}_0$ e $\vec{v}_0$ serão dois vetores fixos em $\mathbb{R}^3$.

   d) $\vec{r}(t) = \vec{r}_0 + \vec{v}_0 t + \dfrac{1}{2}\vec{a}_0 t^2$, em que $\vec{r}_0, \vec{v}_0$ e $\vec{a}_0$ são constantes.

8. Um ponto se move no espaço de modo que $\|\vec{v}(t)\| = k$ para todo t, em que $k > 0$ é uma constante. Prove que $\vec{v}(t) \cdot \vec{a}(t) = 0$ para todo t. Interprete.

9. Suponha $\|\vec{v}(t)\| \neq 0$ para todo t. Faça $\vec{T}(t) = \dfrac{\vec{v}(t)}{v(t)}$, em que $v(t) = \|\vec{v}(t)\|$. Prove que

   a) $\vec{T}$ e $\dfrac{d\vec{T}}{dt}$ são ortogonais.

   b) $\vec{a} = v\dfrac{d\vec{T}}{dt} + \dfrac{dv}{dt}\vec{T}$.

Capítulo 7

10. Seja $\vec{r}(t) = a\cos wt\,\vec{i} + b\sin wt\,\vec{j}$, em que a, b e w são constantes não nulas. Mostre que
$$\frac{d^2\vec{r}}{dt^2} = -w^2\,\vec{r}.$$

11. Sejam $\vec{F}$ e $\vec{G}$ definidas e deriváveis no intervalo I e com valores em $\mathbb{R}^n$. Suponha que para todo $t \in I$, $\dfrac{d\vec{F}}{dt}(t) = \dfrac{d\vec{G}}{dt}(t)$. Prove que existe um vetor $\vec{c} = (c_1, c_2, \ldots, c_n) \in \mathbb{R}^n$ tal que $\vec{G}(t) = \vec{F}(t) + \vec{c}$ para todo $t \in I$.

12. Determine $\vec{r} = \vec{r}(t)$ sabendo que

a) $\dfrac{d\vec{r}}{dt} = t\,\vec{i} + 2\,\vec{k}$ e $\vec{r}(0) = \vec{i} + \vec{j}$.

▶ b) $\dfrac{d\vec{r}}{dt} = \operatorname{sen} t\,\vec{i} + \cos 2t\,\vec{j} + \dfrac{1}{t+1}\vec{k}$, $t \geq 0$ e $\vec{r}(0) = \vec{i} - \vec{j} + 2\,\vec{k}$.

c) $\dfrac{d\vec{r}}{dt} = \dfrac{1}{1+4t^2}\vec{i} + e^{-t}\vec{j} + \vec{k}$ e $\vec{r}(0) = \vec{k}$.

13. (Regra da cadeia.) Sejam $t \to u(t), t \in I$, $u \to \vec{F}(u) \in \mathbb{R}^n$, $u \in J$, funções deriváveis, em que I e J são intervalos em $\mathbb{R}$. Suponha que, para todo $t \in I$, $u(t) \in J$. Prove que a função $\vec{H}$ dada por $\vec{H}(t) = \vec{F}(u(t))$, $t \in I$, é derivável e que
$$\frac{d\vec{H}}{dt} = \frac{d\vec{F}}{du}\frac{du}{dt}$$
em que $\dfrac{d\vec{F}}{du}$ deve ser calculado em $u = u(t)$.

14. Suponha $\vec{u}_\rho(\theta) = \cos\theta\,\vec{i} + \operatorname{sen}\theta\,\vec{j}$, $\vec{u}_\theta(\theta) = -\operatorname{sen}\theta\,\vec{i} + \cos\theta\,\vec{j}$ e $\vec{r}(t) = \rho(t)\,\vec{u}_\rho(\theta(t))$, com $\theta = \theta(t)$ e $\rho = \rho(t)$ deriváveis até a 2ª ordem em um intervalo I.

$\left(\text{Notação: } \dot\rho = \dfrac{d\rho}{dt},\ \dot\theta = \dfrac{d\theta}{dt},\ \ddot\rho = \dfrac{d^2\rho}{dt^2}.\right)$ Verifique que

a) $\dfrac{d}{dt}\left[\vec{u}_\rho(\theta)\right] = \dot\theta\,\vec{u}_\theta(\theta)$.

b) $\dfrac{d}{dt}\left[\vec{u}_\theta(\theta)\right] = -\dot\theta\,\vec{u}_\rho(\theta)$.

c) $\vec{v} = \dot\rho\vec{u}_\rho + \rho\dot\theta\vec{u}_\theta$.

d) $\vec{a} = \left[\ddot\rho - \rho(\dot\theta)^2\right]\vec{u}_\rho + \left[2\dot\rho\dot\theta + \rho\ddot\theta\right]\vec{u}_\theta$.

15. Seja $F: I \to \mathbb{R}^n$ derivável em $t_0 \in I$ e seja $E(\Delta t)$ o erro que se comete na aproximação do acréscimo "$F(t_0 + \Delta t) - F(t_0)$" por "$F'(t_0)\Delta t$". Prove que $E(\Delta t)$ tende a $\vec{0}$ mais rapidamente que Δt, quando Δt tende a zero, isto é, que $\lim\limits_{\Delta t \to 0} \dfrac{E(\Delta t)}{\Delta t} = \vec{0}$. Prove, ainda, que para todo $\vec{a} \in \mathbb{R}^n$, com $\vec{a} \neq F'(t_0)$, $\lim\limits_{\Delta t \to 0} \dfrac{\left[F(t_0 + \Delta t) - F(t_0)\right] - \vec{a}\,\Delta t}{\Delta t} \neq \vec{0}$.

Observação. A função linear de $\mathbb{R}$ em $\mathbb{R}^n$ dada por $\Delta t \to F'(t_0)\Delta t$ denomina-se *diferencial* de F em t_0; $F(t_0 + \Delta t) - F(t_0) = F'(t_0)\Delta t + E(\Delta t)$, em que $\lim_{\Delta t \to 0} \dfrac{E(\Delta t)}{\Delta t} = \vec{0}$.

7.6 Integral

Sejam $\vec{F}:[a,b] \to \mathbb{R}^n$ uma função, $P: a = t_0 < t_1 < t_2 < \ldots < t_m = b$ e, para cada i, $i = 1, 2, \ldots, m$, seja c_i um ponto de $[t_{i-1}, t_i]$. O vetor

$$\sum_{i=1}^{m} \vec{F}(c_i)\Delta t_i$$

denomina-se *soma de Riemann* de $\vec{F}$ relativa à partição P e aos pontos c_i.

Dizemos que $\sum_{i=1}^{m} \vec{F}(c_i)\Delta t_i$ tende ao vetor $\vec{L} \in \mathbb{R}^n$, quando máx $\Delta t_i \to 0$, e escrevemos

$$\lim_{\text{máx } \Delta t_i \to 0} \sum_{i=1}^{m} \vec{F}(c_i)\Delta t_i = \vec{L}$$

se, para todo $\varepsilon > 0$ dado, existir $\delta > 0$ que só depende de ε, mas não da particular escolha dos c_i, tal que

$$\left\| \sum_{i=1}^{m} \vec{F}(c_i)\Delta t_i = \vec{L} \right\| < \varepsilon,$$

para toda partição P de $[a, b]$ com máx $\Delta t_i < \delta$.

O vetor $\vec{L}$ que quando existe é único (verifique), denomina-se *integral* (de Riemann) de $\vec{F}$ em $[a, b]$ e indica-se por $\int_a^b \vec{F}(t)dt$. Assim, por definição,

$$\boxed{\int_a^b \vec{F}(t)dt = \lim_{\text{máx } \Delta t_i \to 0} \sum_{i=1}^{m} \vec{F}(c_i)\Delta t_i}$$

Seja $\vec{F} = (F_1, F_2, \ldots, F_n)$ definida em $[a, b]$. Deixamos a cargo do leitor verificar que $\vec{F}$ será integrável em $[a, b]$ se e somente se cada componente de $\vec{F}$ o for; além disso, se $\vec{F}$ for integrável em $[a, b]$, então

$$\int_a^b \vec{F}(t)dt = \left(\int_a^b F_1(t)dt, \int_a^b F_2(t)dt, \ldots, \int_a^b F_n(t)dt \right).$$

Se $\vec{F}$ for integrável em $[a, b]$ e $\vec{G}$ uma primitiva de $\vec{F}$ em $[a, b]$ teremos

$$\int_a^b \vec{F}(t)dt = \vec{G}(b) - \vec{G}(a).$$

De fato:

$$\frac{d\vec{G}}{dt} = \vec{F} \Leftrightarrow \frac{dG_i}{dt} = F_i, i = 1, 2, \ldots, n$$

então

$$\int_a^b \vec{F}(t)dt = \left(\int_a^b F_1(t)dt, \int_a^b F_2(t)dt, \ldots, \int_a^b F_n(t)dt\right)$$
$$= (G_1(b) - G_1(a), G_2(b) - G_2(a), \ldots, G_n(b) - G_n(a))$$
$$= \vec{G}(b) - \vec{G}(a).$$

Exemplo 1 Calcule $\int_0^1 \left[t\,\vec{i} + 4\,\vec{j} + t^2\,\vec{k} \right] dt$.

Solução

$$\int_0^1 \left[t\,\vec{i} + 4\,\vec{j} + t^2\,\vec{k} \right] dt = \left(\int_0^1 t\,dt\right)\vec{i} + \left(\int_0^1 4\,dt\right)\vec{j} + \left(\int_0^1 t^2\,dt\right)\vec{k}$$
$$= \frac{1}{2}\vec{i} + 4\vec{j} + \frac{1}{3}\vec{k}.$$

Exemplo 2 Suponha $\vec{F}$ contínua em $[a, b]$. Prove que

$$\left\| \int_a^b \vec{F}(t)dt \right\| \leq \int_a^b \left\| \vec{F}(t) \right\| dt$$

Solução

Sendo $\vec{F}$ contínua em $[a, b]$, $\|\vec{F}\|$ também será; logo, $\int_a^b \|\vec{F}(t)\| dt$ existe.

$$\left\| \sum_{i=1}^m \vec{F}(c_i)\Delta t_i - \int_a^b \vec{F}(t)dt \right\| \geq \left\| \sum_{i=1}^m \vec{F}(c_i)\Delta t_i \right\| - \left\| \int_a^b \vec{F}(t)dt \right\|$$

assim, de

$$\lim_{\text{máx } \Delta t_i \to 0} \sum_{i=1}^m \vec{F}(c_i)\Delta t_i = \int_a^b \vec{F}(t)dt$$

segue

$$\lim_{\text{máx } \Delta t_i \to 0} \left\| \sum_{i=1}^m \vec{F}(c_i)\Delta t_i \right\| = \left\| \int_a^b \vec{F}(t)dt \right\|.$$

Temos

$$\left\| \sum_{i=1}^m \vec{F}(c_i)\Delta t_i \right\| \leq \sum_{i=1}^m \left\| \vec{F}(c_i) \right\| \Delta t_i.$$

Então

$$\left\| \int_a^b \vec{F}(t)dt \right\| = \lim_{\text{máx } \Delta t_i \to 0} \left\| \sum_{i=1}^m \vec{F}(c_i)\Delta t_i \right\|$$
$$\leq \lim_{\text{máx } \Delta t_i \to 0} \sum_{i=1}^m \left\| \vec{F}(c_i) \right\| \Delta t_i$$
$$= \int_a^b \left\| \vec{F}(t) \right\| dt$$

ou seja,

$$\left\| \int_a^b \vec{F}(t)dt \right\| \leq \int_a^b \|\vec{F}(t)\| dt.$$

Exercícios 7.6

1. Calcule

   a) $\int_0^1 \left[t\,\vec{i} + e^t\,\vec{j} \right] dt$

   b) $\int_{-1}^1 \left[\operatorname{sen} 3t\,\vec{i} + \dfrac{1}{1+t^2}\,\vec{j} + \vec{k} \right] dt$

   c) $\int_1^2 (3\,\vec{i} + 2\,\vec{j} + \vec{k})\,dt$

2. Sejam $\vec{F}(t) = t\,\vec{i} + \vec{j} + e^t\,\vec{k}$ e $\vec{G}(t) = \vec{i} + \vec{j} + \vec{k}$. Calcule

   a) $\int_0^1 (\vec{F}(t) \wedge \vec{G}(t))\,dt$

   b) $\int_0^1 (\vec{F}(t) \cdot \vec{G}(t))\,dt$.

3. Seja $\vec{F}:[a,b] \to \mathbb{R}^n$ contínua e seja $\vec{G}(t) = \int_0^t \vec{F}(s)\,ds$, $t \in [a,b]$. Prove que, para todo $t \in [a,b]$.

   $$\dfrac{d\vec{G}}{dt}(t) = \vec{F}(t).$$

4. Seja $\vec{F}(t)$ uma força, dependendo do tempo t, que atua sobre uma partícula entre os instantes t_1 e t_2. Supondo $\vec{F}$ integrável em $[t_1, t_2]$, o vetor

   $$\vec{I} = \int_{t_1}^{t_2} \vec{F}(t)\,dt$$

   denomina-se *impulso* de $\vec{F}$ no intervalo de tempo $[t_1, t_2]$. Calcule o impulso de $\vec{F}$ no intervalo de tempo dado.

   a) $\vec{F}(t) = t\,\vec{i} + \vec{j} + t^2\,\vec{k}$, $t_1 = 0$ e $t_2 = 2$.

   b) $\vec{F}(t) = \dfrac{1}{t+1}\vec{i} + t^2\,\vec{j} + \vec{k}$, $t_1 = 0$ e $t_2 = 1$.

5. Suponha que $\vec{F}(t)$ é a força resultante que atua, no instante t, sobre uma partícula de massa m que se move no espaço. Mostre que o impulso de $\vec{F}$ no intervalo de tempo $[t_1, t_2]$ é igual à *variação da quantidade de movimento*, isto é,

   $$\int_{t_1}^{t_2} \vec{F}(t)\,dt = m\vec{v_2} - m\vec{v_1}$$

   em que $\vec{v_2}$ e $\vec{v_1}$ são, respectivamente, as velocidades nos instantes t_1 e t_2. (*Sugestão*: pela lei de Newton $\vec{F}(t) = m\,\vec{a}(t)$.)

7.7 Comprimento de Curva

Seja I um intervalo em $\mathbb{R}$. Uma *curva* γ em $\mathbb{R}^n$, definida em I, é uma função $\gamma: I \to \mathbb{R}^n$.

Uma curva em $\mathbb{R}^n$, definida em I, nada mais é, então, do que uma função de uma variável real a valores em $\mathbb{R}^n$. Segue que tudo o que dissemos anteriormente aplica-se às curvas.

Capítulo 7

Exemplo 1 Seja $\gamma(t) = (t, \text{arctg } t)$, $t \in \mathbb{R}$, uma curva em $\mathbb{R}^2$.

a) Desenhe a imagem de γ.
b) Determine uma curva $\delta : \mathbb{R} \to \mathbb{R}^2$ tal que $\gamma \neq \delta$ e Im γ = Im δ.

Solução

a) $\begin{cases} x = t \\ y = \text{arctg } t \end{cases}$ $t \in \mathbb{R}$.

A imagem de γ coincide com a do gráfico de $y = \text{arctg } x$.

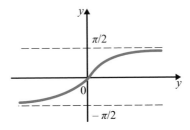

b) $\delta(t) = (t^3, \text{arctg } t^3)$, $t \in \mathbb{R}$.

Observação. Sejam $A \subset \mathbb{R}^n$ e $\gamma : I \to \mathbb{R}^n$ tais que Im $\gamma = A$; é comum referir-se a γ como uma *parametrização* do conjunto A. Assim, toda curva γ pode ser olhada como uma parametrização de sua imagem. O exemplo anterior mostra-nos que um mesmo conjunto pode admitir parametrizações diferentes.

Nosso objetivo, a seguir, é definir comprimento de curva em $\mathbb{R}^n$. Para motivar tal definição, trabalharemos com uma curva em $\mathbb{R}^2$. Seja, então, $\gamma : [a,b] \to \mathbb{R}^2$ uma curva em $\mathbb{R}^2$. Sendo $P: a = t_0 < t_1 < t_2 < ... < t_n = b$ uma partição qualquer de $[a, b]$, indicaremos por $L(\gamma, P)$ o comprimento da poligonal de vértices $P_0 = \gamma(t_0)$, $P_1 = \gamma(t_1)$, ..., $P_n = \gamma(t_n)$:

$$L(\gamma, P) = \sum_{i=1}^{n} \| \gamma(t_i) - \gamma(t_{i-1}) \|.$$

Tomando-se, por exemplo, $P: a = t_0 < t_1 < t_2 < t_3 < t_4 < t_5 = b$, $L(\gamma, P)$ será o comprimento da poligonal de vértices $P_0 = \gamma(t_0)$, $P_1 = \gamma(t_1)$, ..., $P_5 = \gamma(t_5)$.

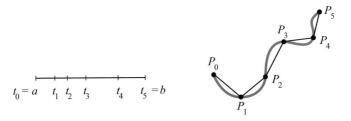

$$L(\gamma, P) = \| \gamma(t_1) - \gamma(t_0) \| + \| \gamma(t_2) - \gamma(t_1) \| + ... + \| \gamma(t_5) - \gamma(t_4) \|.$$

Suponhamos $\gamma = (\gamma_1, \gamma_2)$ derivável em $[a, b]$ e seja $P : a = t_0 < t_1 < \ldots < t_n = b$ uma partição qualquer de $[a, b]$. Temos

① $$\|\gamma(t_i) - \gamma(t_{i-1})\| = \sqrt{[\gamma_1(t_i) - \gamma_1(t_{i-1})]^2 + [\gamma_2(t_i) - \gamma_2(t_{i-1})]^2}.$$

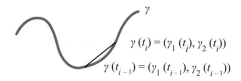

Pelo teorema do valor médio, existem $\bar{t}_i$ e $\bar{\bar{t}}_i$ em $]t_{i-1}, t_i[$ tais que

$$\gamma_1(t_i) - \gamma_1(t_{i-1}) = \gamma_1'(\bar{t}_i)(t_i - t_{i-1})$$

$$\gamma_2(t_i) - \gamma_2(t_{i-1}) = \gamma_2'(\bar{\bar{t}}_i)(t_i - t_{i-1})$$

ou seja,

$$\gamma_1(t_i) - \gamma_1(t_{i-1}) = \gamma_1'(\bar{t}_i)\Delta t_i \text{ e } \gamma_2(t_i) - \gamma_2(t_{i-1}) = \gamma_2'(\bar{\bar{t}}_i)\Delta t_i.$$

Substituindo em ① vem:

$$\|\gamma(t_i) - \gamma(t_{i-1})\| = \sqrt{\left[\gamma_1'(\bar{t}_i)\right]^2 + \left[\gamma_2'(\bar{\bar{t}}_i)\right]^2}\,\Delta t_i.$$

Daí

② $$L(\gamma, P) = \sum_{i=1}^{n} \sqrt{\left[\gamma_1'(\bar{t}_i)\right]^2 + \left[\gamma_2'(\bar{\bar{t}}_i)\right]^2}\,\Delta t_i.$$

Supondo γ' contínua em $[a, b]$, $\|\gamma'(t)\| = \sqrt{(\gamma_1'(t))^2 + (\gamma_2'(t))^2}$ será, também, contínua em $[a, b]$ e, portanto, integrável neste intervalo:

$$\int_a^b \|\gamma'(t)\|\, dt = \lim_{\text{máx } \Delta t_i \to 0} \sum_{i=1}^{n} \sqrt{(\gamma_1'(c_i))^2 + (\gamma_2'(c_i))^2}\,\Delta t_i.$$

Embora ② não seja soma de Riemann da função $g(t) = \|\gamma'(t)\|$, $t \in [a, b]$, (por quê?) é razoável esperar que, para máx $\Delta t_i \to 0$, $L(\gamma, P)$ tenda a $\int_a^b \|\gamma'(t)\|\, dt$ (veja o Exercício 12). Nada mais natural, então, do que a seguinte definição.

Definição. Seja $\gamma : [a, b] \to \mathbb{R}^n$ uma curva com derivada contínua em $[a, b]$. Definimos o *comprimento* $L(\gamma)$ da curva γ por

$$L(\gamma) = \int_a^b \|\gamma'(t)\|\, dt.$$

Capítulo 7

Observação. A definição acima estende-se para uma curva $\gamma : [a, b] \to \mathbb{R}^n$ qualquer, com $\|\gamma'(t)\|$ integrável em $[a, b]$.

Exemplo 2 Calcule o comprimento da curva $\gamma(t) = (\cos t, \operatorname{sen} t, t), t \in [0, 2\pi]$.

Solução

$$\gamma'(t) = (-\operatorname{sen} t, \cos t, 1); \|\gamma'(t)\| = \sqrt{(-\operatorname{sen} t)^2 + (\cos t)^2 + 1^2}.$$

O comprimento da curva γ é

$$\int_0^{2\pi} \|\gamma'(t)\| \, dt = \int_0^{2\pi} \sqrt{2} \, dt = 2\pi\sqrt{2}.$$

Seja γ uma curva em $\mathbb{R}^2$ dada por

$$\begin{cases} x = \gamma_1(t) \\ y = \gamma_2(t) \end{cases} t \in [a, b].$$

De $\dfrac{dx}{dt} = \gamma_1'(t)$ e $\dfrac{dy}{dt} = \gamma_2'(t)$ segue $\|\gamma'(t)\| = \sqrt{\left(\dfrac{dx}{dt}\right)^2 + \left(\dfrac{dy}{dt}\right)^2}$ e, então, o comprimento de γ é:

$$\int_a^b \sqrt{\left(\dfrac{dx}{dt}\right)^2 + \left(\dfrac{dy}{dt}\right)^2} \, dt.$$

Se γ for uma curva em $\mathbb{R}^3$ dada por

$$\begin{cases} x = \gamma_1(t) \\ y = \gamma_2(t) \quad t \in [a, b] \\ z = \gamma_3(t) \end{cases}$$

seu comprimento será:

$$\int_a^b \sqrt{\left(\dfrac{dx}{dt}\right)^2 + \left(\dfrac{dy}{dt}\right)^2 + \left(\dfrac{dz}{dt}\right)^2} \, dt.$$

Suponhamos que uma partícula se desloca no espaço de modo que no instante t, $t \in [0, b[$, a sua posição seja dada, em forma paramétrica, por $x = x(t)$, $y = y(t)$ e $z = z(t)$, com $\dfrac{dx}{dt}, \dfrac{dy}{dt}$ e $\dfrac{dz}{dt}$ contínuas. Então, o *espaço* $s = s(t)$ percorrido pela partícula entre os instantes 0 e t nada mais é do que o comprimento da curva descrita pela partícula entre esses instantes, ou seja,

$$s = \int_0^t \sqrt{\left(\dfrac{dx}{dt}\right)^2 + \left(\dfrac{dy}{dt}\right)^2 + \left(\dfrac{dz}{dt}\right)^2} \, dt.$$

Exemplo 3 Uma partícula desloca-se no espaço com equações paramétricas $x = x(t)$, $y = y(t)$ e $z = z(t)$. Sabe-se que, para todo t,

$$\dfrac{dx}{dt} = \sqrt{2}, \dfrac{dy}{dt} = \sqrt{2} \text{ e } \dfrac{d^2z}{dt^2} = -2.$$

Sabe-se, ainda, que $\left.\dfrac{dz}{dt}\right|_{t=0} = 2$ e que no instante $t = 0$ a partícula encontra-se na origem.

a) Qual a posição da partícula no instante t?
b) Qual a velocidade escalar da partícula?
c) Determine o instante T em que a partícula volta a tocar o plano xy.
d) Qual o espaço percorrido pela partícula entre os instantes 0 e T?

Solução

a) $\dfrac{dx}{dt} = \sqrt{2} \Rightarrow x = \sqrt{2}\,t + k_1$; de $x = 0$ para $t = 0$, $k_1 = 0$ e, então, $x = \sqrt{2}\,t$.

De forma análoga, $y = \sqrt{2}\,t$.

$\dfrac{d^2 z}{dt^2} = -2 \Rightarrow \dfrac{dz}{dt} = -2t + k_3 \Rightarrow z = -t^2 + k_3 t + k_4$; das condições $z = 0$

para $t = 0$ e $\left.\dfrac{dz}{dt}\right|_{t=0} = 2$, resulta $z = -t^2 + 2t$. Assim, no instante t a posição da partícula é

$$\begin{cases} x = t\sqrt{2} \\ y = t\sqrt{2} \\ z = -t^2 + 2t. \end{cases}$$

b) $\dfrac{ds}{dt} = \sqrt{4 + (-2t+2)^2}$, ou seja, $\dfrac{ds}{dt} = 2\sqrt{1 + (1-t)^2}$.

c) $z = 0 \Leftrightarrow -t^2 + 2t = 0 \Leftrightarrow t = 0$ ou $t = 2$. Portanto, $T = 2$.

d) $s(2) = 2 \int_0^2 \sqrt{1 + (2-t)^2}\,dt$; fazendo $2 - t = \operatorname{tg} u$, $dt = -\sec^2 u\,du$, $u = \operatorname{arctg} 2$ para $t = 0$ e $u = 0$ para $t = 2$. Fazendo $\theta = \operatorname{arctg} 2$

$$s(2) = -2 \int_\theta^0 \sec^3 u\,du = 2 \int_0^\theta \sec^3 u\,du.$$

Integrando por partes, e levando em conta que $\operatorname{tg}\theta = 2$ e $\sec\theta = \sqrt{5}$, vem

$$s(2) = \operatorname{tg}\theta \sec\theta + \ln|\sec\theta + \operatorname{tg}\theta| = 2\sqrt{5} + \ln(2 + \sqrt{5}).$$

Exercícios 7.7

1. Calcule o comprimento da curva dada.

   a) $\gamma(t) = (t\cos t, t\operatorname{sen} t), t \in [0, 2\pi]$.
   b) $\gamma(t) = (2t-1, t+1), t \in [1, 2]$.
   c) $\gamma(t) = (\cos t, \operatorname{sen} t, e^{-t}), t \in [0, \pi]$.
   d) $\gamma(t) = (e^{-t}\cos t, e^{-t}\operatorname{sen} t, e^{-t}), t \in [0, 1]$.
   e) $\gamma(t) = (t, \ln t), t \in [1, e]$.

Capítulo 7

f) $\gamma : [0, \pi] \to \mathbb{R}^2$ dada por $x = 1 - \cos t$, $y = t - \sen t$.

g) $y = \frac{1}{2}(e^x + e^{-x})$, $x \in [-1, 0]$. (*Observação*: trata-se da curva γ dada por $x = t$, $y = \frac{1}{2}(e^t + e^{-t})$, com $t \in [-1, 0]$.)

2. Dê exemplos de curvas γ e δ tais que Im γ = Im δ, mas que seus comprimentos sejam diferentes.

3. Sejam $\gamma : [a, b] \to \mathbb{R}^n$ e $\delta : [c, d] \to \mathbb{R}^n$ duas curvas com derivadas contínuas. Suponha que exista $g : [c, d] \to [a, b]$, com derivada contínua e tal que $g'(u) > 0$ em $[c, d]$. Suponha, ainda, $g(c) = a$, $g(d) = b$ e, para todo $u \in [c, d]$, $\delta(u) = \gamma(g(u))$. Prove:

a) Im γ = Im δ
b) $L(\gamma) = L(\delta)$

Observação. Se as curvas δ e γ estiverem relacionadas do modo acima descrito, então dizemos que a curva δ é obtida de γ pela *mudança de parâmetro* $t = g(u)$ *que conserva a orientação*.

4. Dizemos que uma curva $\delta : [\alpha, \beta] \to \mathbb{R}^n$, com derivada contínua, está *parametrizada pelo comprimento de arco* se $\|\delta'(s)\| = 1$, para todo $s \in [\alpha, \beta]$. Verifique que cada uma das curvas abaixo está parametrizada pelo comprimento de arco. Interprete o parâmetro s.

a) $\delta(s) = (\cos s, \sen s)$, $s \geq 0$

b) $\delta(s) = \left(R \cos \frac{s}{R}, R \sen \frac{s}{R} \right)$, $s \geq 0$, em que $R > 0$ é um real fixo.

c) $\delta(s) = \left(\frac{s}{\sqrt{5}}, \frac{2s}{\sqrt{5}} \right)$, $s \geq 0$.

5. Seja $\gamma : [a, b] \to \mathbb{R}^n$, com derivada contínua, e tal que $\|\gamma'(t)\| \neq 0$ em $[a, b]$. Seja $s : [a, b] \to L$ dada por $L = \int_a^b \|\gamma'(u)\| \, du$.

a) Verifique que a função $s = s(t)$ é inversível e seja $t = t(s)$ sua inversa.

b) Verifique que a curva $\delta : [0, L] \to \mathbb{R}^n$ (L é o comprimento de γ) dada por

$$\delta(s) = \gamma(t(s))$$

está parametrizada pelo comprimento de arco. Dizemos que δ é a *reparametrização de γ pelo comprimento de arco*.

6. Reparametrize pelo comprimento de arco a curva γ dada.

a) $\gamma(t) = (2t + 1, 3t - 1)$, $t \geq 0$.
b) $\gamma(t) = (2 \cos t, 2 \sen t)$, $t \geq 0$.
c) $\gamma(t) = (\cos t, \sen t, t)$, $t \geq 0$.
d) $\gamma(t) = (e^t \cos t, e^t \sen t)$, $t \geq 0$.

7. Seja $\gamma : I \to \mathbb{R}^2$ uma curva derivável até a 2ª ordem, com $\|\gamma'(t)\| \neq 0$ no intervalo I. Seja $s = \int_{t_0}^{t} \|\gamma'(u)\|\, du$, $t \in I$, com t_0 fixo em I. Sejam, ainda, $\vec{T}(t) = \dfrac{\gamma'(t)}{\|\gamma'(t)\|}$ o versor de $\gamma'(t)$ e $\vec{t}(s)$ dada por $\vec{t}(s) = \vec{T}(t)$, em que $t = t(s)$. Mostre que

a) $\dfrac{d\vec{T}}{dt}(t) = \dfrac{\gamma''(t)\|\gamma'(t)\|^2 - \gamma'(t)(\gamma''(t)\cdot\gamma'(t))}{\|\gamma'(t)\|^3}$.

b) $\dfrac{d\vec{t}}{ds}(s) = \dfrac{\gamma''(t)\|\gamma'(t)\|^2 - \gamma'(t)(\gamma''(t)\cdot\gamma'(t))}{\|\gamma'(t)\|^4}$, $t = t(s)$.

c) $\left\|\dfrac{d\vec{t}}{ds}(s)\right\| = \sqrt{\dfrac{d\vec{t}}{ds}(s)\cdot\dfrac{d\vec{t}}{ds}(s)} = \dfrac{\sqrt{(\|\gamma''(t)\|\|\gamma'(t)\|)^2 - (\gamma''(t)\cdot\gamma'(t))^2}}{\|\gamma'(t)\|^3}$,

em que $t = t(s)$.

Observação. O número $k(s) = \left\|\dfrac{d\vec{t}}{ds}(s)\right\|$ denomina-se *curvatura* da curva γ no ponto $\gamma(t)$, $t = t(s)$. Se $k(s) \neq 0$, o número $\rho(s) = \dfrac{1}{k(s)}$ é o *raio de curvatura* de γ em $\gamma(t)$, $t = t(s)$. A motivação geométrica para tal definição é a seguinte: para Δs suficientemente pequeno o trecho PQ (de comprimento Δs) da curva γ pode ser olhado como um arco de circunferência de centro 0 e raio $\rho(s)$ (aproximadamente). Sendo $\Delta\theta$ (radianos) o ângulo entre os vetores $\vec{t}(s)$ e $\vec{t}(s+\Delta s)$, segue que $\Delta\theta$ será, então, a medida do ângulo POQ.

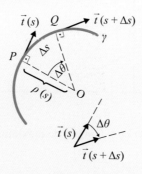

$$\Delta\theta \cong \|\vec{t}(s+\Delta s) - \vec{t}(s)\|.$$

Temos:

$$\Delta s \cong \rho(s)\Delta\theta \text{ ou } \dfrac{1}{\rho(s)} \cong \left\|\dfrac{\vec{t}(s+\Delta s) - \vec{t}(s)}{\Delta s}\right\|.$$

8. Calcule a curvatura e o raio de curvatura da curva $\gamma(t) = (R\cos t, R\,\text{sen}\, t)$ ($R > 0$ fixo).

Capítulo 7

9. Seja $\gamma : I \to \mathbb{R}^2$ parametrizada pelo comprimento de arco (isto é: $\|\gamma'(s)\| = 1$ para todo $s \in I$).

   a) Verifique que, para todo $s \in I$, $k(s) = \|\gamma''(s)\|$, em que $k(s)$ é a curvatura em $\gamma(s)$.
   b) Prove que se $k(s) = 0$, para todo s, então γ é uma reta.

10. Uma partícula move-se no plano de modo que no instante t sua posição seja $\gamma(t)$. Suponha que, para todo t, $\|\vec{v}(t)\| \neq 0 (\vec{v}(t) = \gamma'(t))$ e seja $\vec{T}(t) = \dfrac{\vec{v}(t)}{v(t)}$, em que $v(t) = \|\vec{v}(t)\|$. Prove que

    a) $\vec{T}$ e $\dfrac{d\vec{T}}{dt}$ são ortogonais.

    b) $\vec{a} = \dfrac{dv}{dt}\vec{T} + \dfrac{v^2}{\rho}\vec{n}$, em que $\vec{n}$ é o versor de $\dfrac{d\vec{T}}{dt}$ e $\rho = \rho(t)$ o raio de curvatura de γ em $\gamma(t)$.

11. Seja $\gamma : [a, b] \to \mathbb{R}^2$ uma curva com derivada contínua e com componentes γ_1 e γ_2 ($\gamma = (\gamma_1, \gamma_2)$). Seja $P : a = t_0 < t_1 < t_2 < \ldots < t_n = b$ uma partição qualquer de $[a, b]$.

    a) Prove que quaisquer que sejam $\bar{t}_i, \bar{\bar{t}}_i \in [t_{i-1}, t_i]$ ($i = 1, 2, \ldots, n$) tem-se:

    $$\left| \sum_{i=1}^{n} \sqrt{\left[\gamma_1'(\bar{t}_i)\right]^2 + \left[\gamma_2'(\bar{\bar{t}}_i)\right]^2} \Delta t_i - \sum_{i=1}^{n} \sqrt{\left[\gamma_1'(\bar{t}_i)\right]^2 + \left[\gamma_2'(\bar{t}_i)\right]^2} \Delta t_i \right| \leqslant$$

    $$\leqslant \sum_{i=1}^{n} \left| \gamma_2'(\bar{\bar{t}}_i) - \gamma_2'(\bar{t}_i) \right| \Delta t_i.$$

    Sugestão: Utilize a desigualdade

    $$\left| \sqrt{a^2 + b^2} - \sqrt{a^2 + c^2} \right| \leqslant |b - c|.$$

    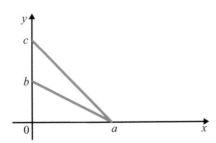

    b) Sejam $\bar{c}_i$ e $\bar{\bar{c}}_i$ os pontos de mínimo e de máximo, respectivamente, de γ_2' em $[t_{i-1}, t_i]$. Prove que

    $$\sum_{i=1}^{n} \left| \gamma_2'(\bar{\bar{t}}_i) - \gamma_2'(\bar{t}_i) \right| \Delta t_i \leqslant \sum_{i=1}^{n} \gamma_2'(\bar{\bar{c}}_i) \Delta t_i - \sum_{i=1}^{n} \gamma_2'(\bar{c}_i) \Delta t_i.$$

    c) Prove que

    $$\lim_{\text{máx } \Delta t_i \to 0} \sum_{i=1}^{n} \sqrt{\left[\gamma_1'(\bar{t}_i)\right]^2 + \left[\gamma_2'(\bar{\bar{t}}_i)\right]^2} \Delta t_i = \int_a^b \|\gamma'(t)\| \, dt.$$

    $$\left(\textit{Sugestão}: \lim_{\text{máx } \Delta t_i \to 0} \sum_{i=1}^{n} \gamma_2'(\bar{\bar{c}}_i) \Delta t_i = \lim_{\text{máx } \Delta t_i \to 0} \sum_{i=1}^{n} \gamma_2'(\bar{c}_i) \Delta t_i = \int_a^b \gamma_2'(t) \, dt. \right)$$

CAPÍTULO 8

Funções de Várias Variáveis Reais a Valores Reais

A maioria das relações que ocorrem na física, economia e, de modo geral, na natureza é traduzida por funções de duas, três e mais variáveis reais; daí a conveniência de um estudo detalhado de tais funções.

Neste capítulo e nos seguintes daremos ênfase ao estudo das funções reais de duas variáveis reais, e o leitor não terá dificuldade em generalizar os resultados para funções de mais de duas variáveis, já que não há diferenças importantes.

8.1 Funções de Duas Variáveis Reais a Valores Reais

Uma função de duas variáveis reais a valores reais é uma função $f: A \to \mathbb{R}$, em que A é um subconjunto de $\mathbb{R}^2$. Uma tal função associa, a cada par $(x, y) \in A$, um único número $f(x, y) \in \mathbb{R}$. O conjunto A é o domínio de f e será indicado por D_f. O conjunto

$$\operatorname{Im} f = \left\{ f(x, y) \subset \mathbb{R} \,\middle|\, (x, y) \in D_f \right\}$$

é a imagem de f. As palavras *aplicação* e *transformação* são sinônimas de função.

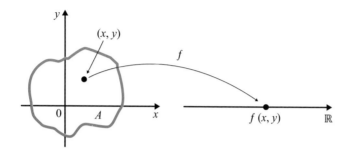

f transforma o par (x, y) no número $f(x, y)$.

Por simplificação, deixaremos, muitas vezes, de especificar o domínio, ficando implícito, então, que se trata do "maior" subconjunto do $\mathbb{R}^2$ para o qual faz sentido a regra em questão.

Capítulo 8

Exemplo 1 Seja f a função de duas variáveis reais a valores reais dada por $f(x, y) = \dfrac{x+y}{x-y}$.

O domínio de f é o conjunto de todos os pares (x, y) de números reais, com $x \neq y$, isto é: $D_f = \{(x, y) \in \mathbb{R}^2 \,|\, x \neq y\}$. Esta função transforma o par (x, y) no número real $\dfrac{x+y}{x-y}$.

Exemplo 2 Seja f a função do exemplo anterior. Calcule

a) $f(2, 3)$
b) $f(a+b, a-b)$

Solução

a) $f(2, 3) = \dfrac{2+3}{2-3} = -5$.

b) $f(a+b, a-b) = \dfrac{a+b+a-b}{a+b-(a-b)} = \dfrac{a}{b}$.

Exemplo 3 Represente graficamente o domínio da função f dada por

$$f(x, y) = \sqrt{y-x} + \sqrt{1-y}.$$

Solução

O domínio de f é o conjunto de todos os pares (x, y), com $y - x \geqslant 0$ e $1 - y \geqslant 0$: $D_f = \{(x, y) \in \mathbb{R}^2 \,|\, y \geqslant x \text{ e } y \leqslant 1\}$.

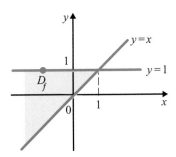

Exemplo 4 Seja f a função dada por

$$(x, y) \to z, \text{ em que } z = 5x^2y - 3x.$$

O valor de f em (x, y) é $z = f(x, y) = 5x^2y - 3x$. Na equação acima, x e y estão sendo vistas como *variáveis independentes* e z como *variável dependente*. Observe que o domínio de f é o $\mathbb{R}^2$.

Exemplo 5 Represente graficamente o domínio da função $w = f(u, v)$ dada por

$$u^2 + v^2 + w^2 = 1, w \geqslant 0.$$

Solução

$$u^2 + v^2 + w^2 = 1, w \geqslant 0 \Rightarrow w = \sqrt{1 - u^2 - v^2}.$$

Assim, f é a função dada por $f(u,v) = \sqrt{1-u^2-v^2}$. Seu domínio é o conjunto de todos (u, v), com $1-u^2-v^2 \geq 0$.

$$1-u^2-v^2 \geq 0 \Leftrightarrow u^2+v^2 \leq 1.$$

O domínio de f é o círculo de raio 1 e centro na origem.

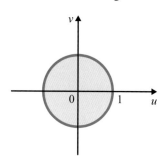

Exemplo 6 Represente graficamente o domínio da função $z = f(x, y)$ dada por $z = \sqrt{y-x^2}$.

Solução

$$D_f = \left\{(x,y) \in \mathbb{R}^2 \,\middle|\, y-x^2 \geq 0\right\}; y-x^2 \geq 0 \Leftrightarrow y \geq x^2.$$

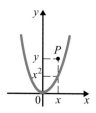
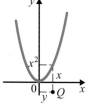
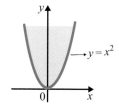

$P = (x, y)$ pertence a D_f, pois $y > x^2$.

$Q = (x, y)$ não pertence a D_f, pois $y < x^2$.

A região hachurada representa o domínio de f.

Exemplo 7 (*Função polinomial.*) Uma *função polinomial* de duas variáveis reais a valores reais é uma função $f : \mathbb{R}^2 \to \mathbb{R}$ dada por

$$f(x,y) = \sum_{m+n \leq p} a_{mn} x^m y^n$$

em que p é um natural fixo e os a_{mn} são números reais dados; a soma é estendida a todas as soluções (m, n), m e n naturais, da inequação $m + n \leq p$.

a) $f(x,y) = 3x^3 y^2 - \frac{1}{3}xy + \sqrt{2}$ é uma função polinomial.

b) $f(x, y) = ax + by + c$, em que a, b, c são reais dados, é uma função polinomial; tal função denomina-se *função afim*.

Exemplo 8 (*Função linear.*) Toda função $f : \mathbb{R}^2 \to \mathbb{R}$ dada por

$$f(x, y) = ax + by$$

em que a, b são reais dados, denomina-se *função linear*. Toda função linear é uma função afim.

Capítulo 8

Exemplo 9 (*Função racional.*) Toda função f dada por

$$f(x,y) = \frac{p(x,y)}{q(x,y)}$$

em que p e q são funções polinomiais, denomina-se *função racional*. O domínio de f é o conjunto $D_f = \{(x,y) \in \mathbb{R}^2 \mid q(x,y) \neq 0\}$.

a) $f(x,y) = \dfrac{x+y}{x-y}$ é uma função racional. Seu domínio é: $D_f = \{(x,y) \in \mathbb{R}^2 \mid x \neq y\}$.

b) $g(x,y) = \dfrac{x^2 - 3xy + 1}{x^2 y^2 + 1}$ é uma função racional; $D_g = \mathbb{R}^2$.

Exemplo 10 (*Função homogênea.*) Uma função $f: A \to \mathbb{R}, A \subset \mathbb{R}^2$, denomina-se *função homogênea de grau λ* se

$$f(tx, ty) = t^\lambda f(x,y)$$

para todo $t > 0$ e para todo $(x,y) \in A$ tais que $(tx, ty) \in A$.

a) $f(x,y) = 3x^2 + 5xy + y^2$ é homogênea de grau 2. De fato,

$$f(tx,ty) = 3(tx)^2 + 5(tx)(ty) + (ty)^2 = t^2(3x^2 + 5xy + y^2)$$

ou seja,

$$f(tx,ty) = t^2 f(x,y).$$

b) $f(x,y) = \dfrac{xe^{\frac{x}{y}}}{x^2 + y^2}$ é homogênea de grau -1.

De fato,

$$f(tx, ty) = \frac{txe^{\frac{x}{y}}}{t^2(x^2 + y^2)} = t^{-1} f(x,y).$$

c) $f(x,y) = 2x + y + 5$ não é homogênea. (Por quê?)

Exercícios 8.1

1. Seja $f(x,y) = 3x + 2y$. Calcule

    a) $f(1,-1)$

    b) $f(a,x)$

    c) $\dfrac{f(x+h, y) - f(x,y)}{h}$

    d) $\dfrac{f(x, y+k) - f(x,y)}{k}$

2. Seja $f(x,y) = \dfrac{x-y}{x+2y}$.

    a) Determine o domínio.
    b) Calcule $f(2u + v, v - u)$.

3. Represente graficamente o domínio da função $z = f(x,y)$ dada por

    a) $x + y - 1 + z^2 = 0, z \geq 0$

    b) $f(x,y) = \dfrac{x-y}{\sqrt{1 - x^2 - y^2}}$

c) $z = \sqrt{y-x^2} + \sqrt{2x-y}$
d) $z = \ln(2x^2 + y^2 - 1)$
e) $z^2 + 4 = x^2 + y^2, z \geq 0$
f) $z = \sqrt{|x|-|y|}$
g) $4x^2 + y^2 + z^2 = 1, z \leq 0$
h) $z = \dfrac{x-y}{\operatorname{sen} x - \operatorname{sen} y}$

4. Seja $f : \mathbb{R}^2 \to \mathbb{R}$ uma função linear. Sabendo que $f(1, 0) = 2$ e $f(0, 1) = 3$, calcule $f(x, y)$.

5. Verifique se a função é homogênea. Em caso afirmativo, determine o grau de homogeneidade.

a) $f(x,y) = \dfrac{x^3 + 2xy^2}{x^3 - y^3}$
b) $f(x,y) = \sqrt{x^4 + y^4}$
c) $f(x,y) = 5x^3y + x^4 + 3$
d) $f(x,y) = \dfrac{2}{x^2 + y^2}$

6. Suponha que $f : \mathbb{R}^2 \to \mathbb{R}$ seja homogênea de grau 2 e $f(a, b) = a$ para todo (a, b), com $a^2 + b^2 = 1$. Calcule

a) $f(4\sqrt{3}, 4)$
b) $f(0, 3)$
c) $f(x, y), (x, y) \neq (0, 0)$

7. Seja $f : \mathbb{R}^2 \to \mathbb{R}$ homogênea e suponha que $f(a, b) = 0$ para todo (a, b), com $a^2 + b^2 = 1$. Mostre que $f(x, y) = 0$ para todo $(x, y) \neq (0, 0)$.

8. Seja $g : [0, 2\pi[\to \mathbb{R}$ uma função dada. Prove que existe uma única função $f : \mathbb{R}^2 \to \mathbb{R}$, homogênea de grau $\lambda \neq 0$, tal que, para todo $\alpha \in [0, 2\pi[$, $f(\cos \alpha, \operatorname{sen} \alpha) = g(\alpha)$. (**Observação:** o Exercício 8 nos diz que uma função homogênea fica completamente determinada quando se conhecem os valores que ela assume sobre os pontos de uma circunferência de centro na origem.)

8.2 Gráfico e Curvas de Nível

Seja $z = f(x, y), (x, y) \in A$, uma função real de duas variáveis reais. O conjunto

$$G_f = \left\{ (x, y, z) \in \mathbb{R}^3 \mid z = f(x, y), (x, y) \in A \right\}$$

denomina-se *gráfico* de f.

Munindo-se o espaço de um sistema ortogonal de coordenadas cartesianas, o gráfico de f pode então ser pensado como o lugar geométrico descrito pelo ponto $(x, y, f(x, y))$, quando (x, y) percorre o domínio de f.

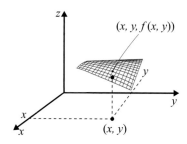

A representação geométrica do gráfico de uma função de duas variáveis não é tarefa fácil. Em vista disso, quando se pretende ter uma visão geométrica da função, lança-se mão de suas *curvas de nível*, cuja representação geométrica é sempre mais fácil de ser obtida do que o gráfico da função.

Sejam $z = f(x, y)$ uma função e $c \in \text{Im} f$. O conjunto de todos os pontos (x, y) de D_f tais que $f(x, y) = c$ denomina-se *curva de nível de f* correspondente *ao nível $z = c$*. Assim, f é *constante* sobre cada curva de nível.

O gráfico de f é um subconjunto do $\mathbb{R}^3$. *Uma curva de nível é um subconjunto do domínio de f, portanto, do* $\mathbb{R}^2$.

Exemplo 1 O gráfico da função constante $f(x, y) = k$ é um plano paralelo ao plano xy.

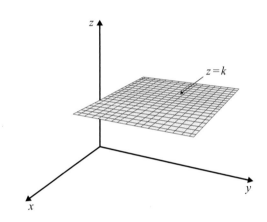

Exemplo 2 O gráfico da função linear dada por $z = 2x + y$ é um plano passando pela origem e normal ao vetor $\vec{n} = (2, 1, -1)$:

$$z = 2x + y \Leftrightarrow 2x + y - z = 0 \Leftrightarrow (2, 1, -1) \cdot [(x, y, z) - (0, 0, 0)] = 0.$$

Tal plano é determinado pelas retas

$$\begin{cases} x = 0 \\ z = y \end{cases} \text{e} \begin{cases} y = 0 \\ z = 2x. \end{cases}$$

Observe que $\begin{cases} x = 0 \\ z = y \end{cases}$

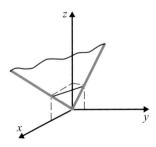

é uma reta situada no plano yz, enquanto $\begin{cases} y = 0 \\ z = 2x \end{cases}$ está situada no plano xz.

Exemplo 3 O gráfico da função afim f dada por $z = ax + by + c$ é um plano normal ao vetor $\vec{n} = (a, b, -1)$. Tal plano é determinado pelas retas

$$\begin{cases} x = 0 \\ z = by + c \end{cases} \text{e} \begin{cases} y = 0 \\ z = ax + c. \end{cases}$$

Exemplo 4 Desenhe as curvas de nível de $f(x, y) = x^2 + y^2$.

Solução

Observamos, inicialmente, que a imagem de f é o conjunto de todos os reais $z \geq 0$. Seja, então, $c \geq 0$. A curva de nível correspondente a $z = c$ é

$$f(x, y) = c \text{ ou } x^2 + y^2 = c.$$

Assim, as curvas de nível ($c > 0$) são circunferências concêntricas de centro na origem. Sobre cada curva de nível $x^2 + y^2 = c$, a função assume sempre o mesmo valor c. A curva de nível correspondente a $c = 0$ é o ponto $(0, 0)$.

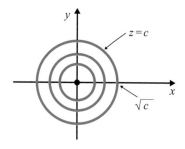

Exemplo 5 Esboce o gráfico de $f(x, y) = x^2 + y^2$.

Solução

A interseção do gráfico de f com o plano $x = 0$ é a parábola $\begin{cases} x = 0 \\ z = y^2 \end{cases}$ localizada no plano yz. Por outro lado, a interseção do gráfico de f com o plano $z = c (c > 0)$ é a circunferência $\begin{cases} z = c \\ x^2 + y^2 = c \end{cases}$ de centro no eixo z e localizada no plano $z = c$. Assim, o gráfico de f é obtido girando, em torno do eixo z, a parábola $\begin{cases} x = 0 \\ z = y^2 \end{cases}$. (Por quê?)

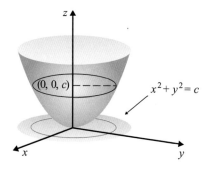

O gráfico de f é um *paraboloide de rotação*. Observe que a curva de nível $f(x, y) = c$ nada mais é que a projeção no plano xy da interseção do gráfico de f com o plano $z = c$.

Capítulo 8

Observação. O gráfico da função dada por $z = \dfrac{x^2}{a^2} + \dfrac{y^2}{b^2}$ ($a > 0$ e $b > 0$) é uma superfície denominada *paraboloide elíptico*. Se $a = b$, temos o *paraboloide de rotação*.

Exemplo 6 Seja f a função dada por $z = \dfrac{1}{x^2 + y^2}$.

a) Determine o domínio e a imagem.
b) Desenhe as curvas de nível.
c) Esboce o gráfico.

Solução

a) $D_f = \{(x, y) \in \mathbb{R}^2 \mid (x, y) \neq (0, 0)\}$ e $\text{Im} f = \{z \in \mathbb{R} \mid z > 0\}$.

b) A curva de nível correspondente a $z = c (c > 0)$ é

$$\dfrac{1}{x^2 + y^2} = c \text{ ou } x^2 + y^2 = \dfrac{1}{c}.$$

As curvas de nível são então circunferências concêntricas de centro na origem. Quando c tende a $+\infty$, o raio tende a zero. Por outro lado, quando c tende a zero, o raio tende a $+\infty$.

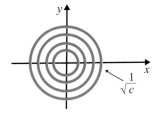

c) O plano $x = 0$ intercepta o gráfico de f segundo a curva $\begin{cases} x = 0 \\ z = \dfrac{1}{y^2} \end{cases}$. Para cada $c > 0$, o plano $z = c$ intercepta o gráfico de f segundo a circunferência $\begin{cases} z = c \\ x^2 + y^2 = \dfrac{1}{c} \end{cases}$. O gráfico de f é obtido, então, girando em torno do eixo z, a curva $\begin{cases} x = 0 \\ z = \dfrac{1}{y^2} \end{cases}$.

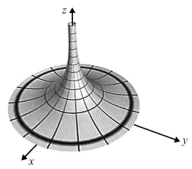

Exemplo 7 Considere a função f dada por $z = \dfrac{y}{x-1}$.

a) Determine o domínio e a imagem.
b) Desenhe as curvas de nível.

Solução

a) O domínio é o conjunto de todos (x, y), com $x \neq 1$. De $f(2, y) = y$, para todo y, segue que a imagem de f é $\mathbb{R}$. Assim

$$D_f = \{(x, y) \in \mathbb{R}^2 \mid x \neq 1\} \text{ e } \operatorname{Im} f = \mathbb{R}.$$

b) Para cada c real, a curva de nível correspondente a $z = c$ é

$$c = \frac{y}{x-1} \text{ ou } y = c(x-1)(x \neq 1).$$

Cada curva de nível de f é então uma reta que passa pelo ponto $(1, 0)$ e "furada" neste ponto. Como é o gráfico de f? (*Sugestão*: pegue cada curva de nível de f e coloque-a na altura $z = c$ respectiva.)

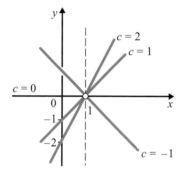

Sejam $z = f(x, y)$ uma função e A um subconjunto de D_f. Seja $(x_0, y_0) \in A$. Dizemos que $f(x_0, y_0)$ é o *valor máximo* (resp. *valor mínimo*) de f em A se para todo $(x, y) \in A$

$$f(x, y) \leq f(x_0, y_0) (\text{resp.} f(x, y) \geq f(x_0, y_0)).$$

Diremos, então, que (x_0, y_0) é um *ponto de máximo* de f em A (resp. *ponto de mínimo*).

Exemplo 8 Sejam $f(x, y) = 2x + y$ e A o conjunto de todos (x, y) tais que $x^2 + y^2 = 1$. Raciocinando geometricamente, determine, caso existam, os valores máximo e mínimo de f em A.

Solução

Para cada c real, a curva de nível de f correspondente a $z = c$ é a reta

① $\qquad\qquad\qquad c = 2x + y.$

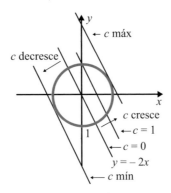

Indicando por $c_{máx}$ o valor máximo de f em A, a reta ① para $z = c_{máx}$ deve ser tangente à circunferência. (Por quê?) Da mesma forma, para $z = c_{mín}$ a reta ① deve ser tangente à circunferência. Vamos então determinar c para que a reta ① seja tangente à circunferência. Devemos determinar c de modo que o sistema

$$\begin{cases} x^2 + y^2 = 1 \\ 2x + y = c \end{cases}$$

tenha solução única. Substituindo $y = c - 2x$ em $x^2 + y^2 = 1$ obtemos

$$x^2 + (c - 2x)^2 = 1 \text{ ou } 5x^2 - 4cx + c^2 - 1 = 0.$$

Para que o sistema tenha solução única, o discriminante deve ser igual a zero:

$$16c^2 - 20(c^2 - 1) = 0$$

ou seja,

$$c = \pm\sqrt{5}.$$

Assim, $\sqrt{5}$ é o valor máximo de f em A e $-\sqrt{5}$ o valor mínimo. Vamos, agora, determinar os pontos de máximo e de mínimo. O ponto de máximo é o ponto em que a reta $2x + y = \sqrt{5}$ tangencia a circunferência. Tal ponto é a solução do sistema

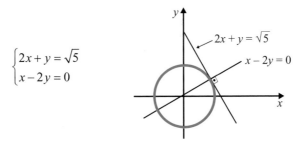

em que $x - 2y = 0$ é a reta que passa pela origem e é perpendicular a $2x + y = \sqrt{5}$. O ponto de máximo é: $\left(\dfrac{2\sqrt{5}}{5}, \dfrac{\sqrt{5}}{5}\right)$. Deixamos a seu cargo verificar que $\left(-\dfrac{2\sqrt{5}}{5}, -\dfrac{\sqrt{5}}{5}\right)$ é o ponto de mínimo.

O próximo exemplo será utilizado posteriormente.

Exemplo 9 Seja $f(x,y) = \dfrac{2xy^2}{x^2+y^4}, (x,y) \neq (0,0)$.

a) Desenhe as curvas de nível de f.
b) Determine a imagem de f.

Solução

a) Se $c = 0, \dfrac{2xy^2}{x^2+y^4} = 0 \Leftrightarrow x = 0$ ou $y = 0$.

Para $c \neq 0$,

$$\dfrac{2xy^2}{x^2+y^4} = c \Leftrightarrow 2xy^2 = cx^2 + cy^4 \Leftrightarrow cx^2 - 2xy^2 + cy^4 = 0.$$

Resolvendo em x, obtemos

$$x = \dfrac{2y^2 \pm \sqrt{4y^4 - 4c^2y^4}}{2c} = \dfrac{1 \pm \sqrt{1-c^2}}{c} y^2 \cdot (-1 \leq c \leq 1, c \neq 0).$$

De passagem, observamos que a imagem de f é o intervalo $[-1, 1]$. (Por quê?) O valor máximo de f é 1 e é atingido em todos os pontos, diferentes de $(0, 0)$, da parábola $x = y^2$ ($c = 1$). A curva de nível correspondente a $c \neq 0$, $-1 < c < 1$, é constituída de todos os pontos $(x, y) \neq (0, 0)$ que pertencem ou a

$$x = \dfrac{1 + \sqrt{1-c^2}}{c} y^2$$

ou a

$$x = \dfrac{1 - \sqrt{1-c^2}}{c} y^2.$$

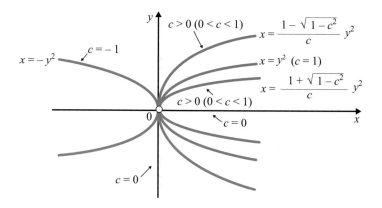

Observe que, à medida que c vai se aproximando de zero, a parábola de "fora", $x = \dfrac{1-\sqrt{1-c^2}}{c} y^2$, vai "abrindo" cada vez mais, enquanto $x = \dfrac{1+\sqrt{1-c^2}}{c} y^2$ vai "fechando" cada vez mais. O valor mínimo de f é -1 e é atingido em todos os pontos, diferentes de (0, 0), da parábola $x = -y^2$. Para ajudá-lo a visualizar o gráfico, vamos estudar, com auxílio das curvas de nível, a variação de f sobre a reta $x = 1$; o que vamos fazer, então, é estudar a variação de $f(1, y)$ quando y varia em $\mathbb{R}$: quando y varia de -1 a 0, $f(1, y)$ decresce, passando do valor 1 em $(1, -1)$ para o valor 0 em $(1, 0)$; quando y varia de 0 a 1, $f(1, y)$ cresce, passando do valor 0 em $(1, 0)$ para o valor 1 em $(1, 1)$; $f(1, y)$ é crescente em $]-\infty, -1]$ e decrescente em $[1, +\infty[$. Observe que $f(1, y)$ tende a zero para $y \to +\infty$ ou $y \to -\infty$.

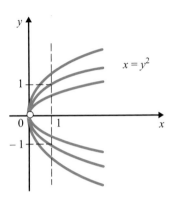

A próxima figura mostra a interseção do gráfico de f com o plano $x = 1$. Sugerimos ao leitor desenhar a interseção do gráfico de f com o plano $x = x_0$, em que $x_0 \neq 0$ é um real qualquer.

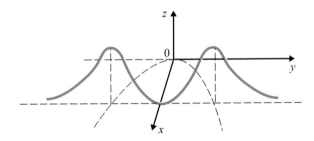

Deu para ter uma ideia do gráfico de f? Desafio: tente desenhar ou fazer uma maquete do gráfico.

b) $\operatorname{Im} f = [-1, 1]$.

Para finalizar, observamos que a denominação curva de nível varia de acordo com o que a função f representa. Por exemplo: se f é uma distribuição de temperatura plana, ($f(x, y)$ é a temperatura no ponto (x, y)) as curvas de nível denominam-se *isotermas* (pontos de mesma temperatura); se f é a energia potencial de um certo campo de forças bidimensional, as curvas de nível denominam-se *curvas equipotenciais* etc.

Exercícios 8.2

1. Desenhe as curvas de nível e esboce o gráfico.

   a) $f(x, y) = 1 - x^2 - y^2$
   b) $f(x, y) = x + 3y$
   c) $z = 4x^2 + y^2$
   d) $f(x, y) = 1 + x^2 + y^2$

e) $z = x + y + 1$
f) $g(x,y) = \sqrt{1-x^2-y^2}$
g) $f(x,y) = x^2, -1 \leq x \leq 0$ e $y \geq 0$
h) $f(x,y) = 1-x^2, x \geq 0, y \geq 0$ e $x+y \leq 1$
i) $z = \sqrt{x^2 + y^2}$
j) $z = (x-y)^2, x \geq 0$ e $y \geq 0$
l) $z = f(x,y)$ dada por $x^2 + 4y^2 + z^2 = 1, z \geq 0$
m) $f(x,y) = \dfrac{1}{\sqrt{1-x^2-y^2}}, x^2 + y^2 < 1$
n) $z = \text{arctg}\,(x^2 + y^2)$
o) $f(x,y) = x, x \geq 0$
p) $z = 1 - \sqrt{x^2 + y^2}, x^2 + y^2 \leq 1$
q) $f(x,y) = \text{sen}\,x, 0 \leq x \leq \pi, y \geq 0$
r) $f(x,y) = xy, 0 \leq x \leq 1, 0 \leq y \leq 1$

2. Desenhe as curvas de nível e determine a imagem:

   a) $f(x,y) = x - 2y$
   b) $z = \dfrac{y}{x-2}$
   c) $f(x,y) = \dfrac{x-y}{x+y}$
   d) $z = \dfrac{x}{y-1}$
   e) $z = xy$
   f) $f(x,y) = x^2 - y^2$
   g) $z = 4x^2 + y^2$
   h) $z = 3x^2 - 4xy + y^2$
   i) $z = \dfrac{x^2}{x^2 + y^2}$
   j) $z = \dfrac{xy}{x^2 + y^2}$

3. Desenhe as curvas de nível e esboce o gráfico da função

$$f(x,y) = \sqrt{(x+1)^2 + y^2} + \sqrt{(x-1)^2 + y^2}.$$

4. Determine, caso existam, os valores máximo e mínimo de f em A; determine, também, os pontos em que estes valores são atingidos.

   a) $f(x,y) = (x-1)^2 + (y-1)^2 + 3$ e $A = \mathbb{R}^2$.
   b) $f(x,y) = xy$ e $A = \mathbb{R}^2$.
   c) $f(x,y) = xy$ e $A = \{(x,y) \in \mathbb{R}^2 \mid x \geq 0$ e $y \geq 0\}$.
   d) $f(x,y) = \dfrac{x^2}{x^2 + y^2}$ e $A = \{(x,y) \in \mathbb{R}^2 \mid (x,y) \neq (0,0)\}$.
   e) $f(x,y) = x^2 + y^2$ e $A = \{(x,y) \in \mathbb{R}^2 \mid x + 2y = 1\}$.
   (Sugestão: observe que $g(y) = f(1-2y, y), y \in \mathbb{R}$, fornece os valores de f sobre a reta $x + 2y = 1$.)
   f) $f(x,y) = 2 - \sqrt{x^2 + y^2}$ e $A = \mathbb{R}^2$.
   g) $f(x,y) = xy$ e $A = \{(x,y) \in \mathbb{R}^2 \mid 4x^2 + y^2 = 1, y \geq 0\}$.

5. Raciocinando geometricamente, determine, caso existam, os valores máximo e mínimo de f em A, bem como os pontos em que estes valores são atingidos.

   a) $f(x,y) = 2x + y + 3$ e A o conjunto de todo (x,y) tais que $x \geq 0, y \geq 0$ e $x + y \leq 2$.

b) $f(x, y) = x + y$ e A o conjunto de todos (x, y) tais que $x \geq 0, y \geq 0, x + 2y \leq 7, 2x + y \leq 5$ e $y \geq x - 1$.

c) $f(x, y) = \dfrac{y}{x-1}$ e A o conjunto de todos (x, y) tais que $-1 \leq x \leq 0$ e $1 \leq y \leq 2$.

d) $f(x, y) = \dfrac{y}{x-1}$ e A o círculo $(x-3)^2 + (y-1)^2 \leq 1$.

6. Um ponto P descreve uma curva sobre a superfície $z = xy$ de modo que a sua projeção Q sobre o plano xy descreve a curva $x = 5 - t, y = t^2 + 3$ e $z = 0$. Determine as alturas máxima e mínima (em relação ao plano xy) quando t percorre o intervalo $[0, 4]$.

7. Um ponto P descreve uma curva sobre o gráfico da função $f(x, y) = x^2 + y^2$ de modo que a sua projeção Q sobre o plano xy descreve a reta $x + y = 1$. Determine o ponto da curva que se encontra mais próximo do plano xy. (Desenhe a trajetória descrita por P.)

8. Seja $f(x, y) = \dfrac{x^2}{x^2 + y^2}$. Desenhe a imagem da curva $\gamma(t) = (x(t), y(t), z(t))$ em que $x = R \cos t$, $y = R \operatorname{sen} t$ e $z = f(x(t), y(t)) (R > 0)$. Como é o gráfico de f?

9. Mesmo exercício que o anterior para a função $f(x, y) = \dfrac{x}{x^2 + y^2}$.

10. Sejam $f(x, y) = xy$ e $\gamma(t) = (at, bt, f(at, bt))$. Desenhe a imagem de γ sendo

    a) $a = 0$ e $b = 1$.
    b) $a = 1$ e $b = 1$.
    c) $a = 1$ e $b = 0$.
    d) $a = -1$ e $b = 1$.

11. Como é o gráfico de $f(x, y) = xy$?

12. Suponha que $T(x, y) = 4x^2 + 9y^2$ represente uma distribuição de temperatura no plano xy: $T(x, y)$ é a temperatura, que podemos supor em °C, no ponto (x, y).

    a) Desenhe a isoterma correspondente à temperatura de 36 °C.
    b) Determine o ponto de mais baixa temperatura da reta $x + y = 1$.

13. Suponha que $T(x, y) = 2x + y$ (°C) represente uma distribuição de temperatura no plano xy.

    a) Desenhe as isotermas correspondentes às temperaturas: 0 °C, 3 °C e -1 °C.
    b) Raciocinando geometricamente, determine os pontos de mais alta e mais baixa temperatura do círculo $x^2 + y^2 \leq 4$.

14. Duas curvas de nível podem interceptar-se? Justifique.

8.3 Funções de Três Variáveis Reais a Valores Reais. Superfícies de Nível

Uma função de três variáveis reais a valores reais, definida em $A \subset \mathbb{R}^3$, é uma função que associa, a cada terna ordenada $(x, y, z) \in A$, um único número real $w = f(x, y, z)$. O gráfico de tal função é o conjunto

$$G_f = \{(x, y, z, w) \in \mathbb{R}^4 \mid w = f(x, y, z), (x, y, z) \in A\}.$$

O gráfico de f é então um subconjunto do $\mathbb{R}^4$, não nos sendo possível, portanto, representá-lo geometricamente. Para se ter uma visão geométrica de tal função, podemos nos valer de suas *superfícies de nível*. Seja $c \in \text{Im} f$ o conjunto de todos os pontos $(x, y, z) \in A$ tais que $f(x, y, z) = c$ denomina-se *superfície de nível* correspondente *ao nível* $w = c$.

Exemplo 1 Seja $f(x, y, z) = y$. Para cada real c, a superfície de nível correspondente a $w = c$ é o plano $y = c$.

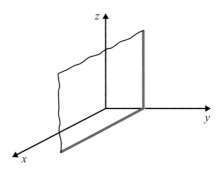

Exemplo 2 As superfícies de nível de $f(x, y, z) = x^2 + y^2 + z^2$ são superfícies esféricas de centro na origem

$$x^2 + y^2 + z^2 = c.$$

A superfície de nível correspondente a $c = 0$ é o ponto $(0, 0, 0)$.

Exercícios 8.3

1. Represente geometricamente o domínio da função dada.

   a) $f(x, y, z) = \sqrt{1 - x^2 - y^2 - z^2}$　　b) $f(x, y, z) = \sqrt{1 - z}$

   c) $f(x, y, z) = \sqrt{1 - x - y - z}$, $x \geq 0$, $y \geq 0$ e $z \geq 0$

   d) $w = \sqrt{1 - |x| - |y| - |z|}$　　e) $f(x, y, z) = \ln(x^2 + y^2 + z^2)$

2. Desenhe a superfície de nível correspondente a $c = 1$.

   a) $f(x, y, z) = x$　　b) $f(x, y, z) = z$
   c) $f(x, y, z) = x^2 + y^2$　　d) $f(x, y, z) = x^2 + 4y^2 + z^2$

3. Duas superfícies de nível de uma função f podem interceptar-se? Justifique.

9
CAPÍTULO

Limite e Continuidade

9.1 Limite

Esta seção é quase que uma reprodução dos tópicos abordados no Cap. 3 sobre limite de funções de uma variável real, razão pela qual a maioria dos resultados será enunciada em forma de exercícios.

Definição. Sejam $f : A \subset \mathbb{R}^2 \to \mathbb{R}$ uma função, (x_0, y_0) um ponto de acumulação de A e L um número real. Definimos

$$\lim_{(x,y)\to(x_0,y_0)} f(x,y) = L \Leftrightarrow \begin{cases} \text{Para todo } \varepsilon > 0, \text{ existe } \delta > 0 \text{ tal que, para todo } (x,y) \in D_f, \\ 0 < \|(x,y)-(x_0,y_0)\| < \delta \Rightarrow |f(x,y)-L| < \varepsilon \end{cases}$$

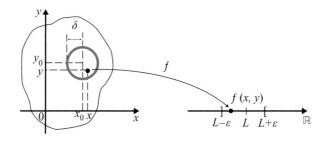

$\lim_{(x,y)\to(x_0,y_0)} f(x,y) = L$ significa: dado $\varepsilon > 0$, existe $\delta > 0$ tal que $f(x, y)$ permanece em $]L - \varepsilon, L + \varepsilon[$ quando (x, y), $(x, y) \neq (x_0, y_0)$, varia na bola aberta de centro (x_0, y_0) e raio δ.

Observação. De agora em diante, sempre que falarmos que f tem limite em (x_0, y_0), fica implícito que (x_0, y_0) é ponto de acumulação de D_f.

Exemplo 1 Se $f(x, y) = k$ é uma função constante, então, para todo (x_0, y_0) em $\mathbb{R}^2$,

$$\lim_{(x,y)\to(x_0,y_0)} k = k.$$

Solução

$|f(x,y)-k| = |k-k| = 0$; assim, dado $\varepsilon > 0$ e tomando-se um $\delta > 0$ qualquer,

$$0 < \|(x,y)-(x_0,y_0)\| < \delta \Rightarrow |f(x,y)-k| < \varepsilon.$$

Logo,

$$\lim_{(x,y)\to(x_0,y_0)} f(x,y) = \lim_{(x,y)\to(x_0,y_0)} k = k.$$

Exemplo 2 Se $f(x,y) = x$, para todo $(x_0, y_0) \in \mathbb{R}^2$,

$$\lim_{(x,y)\to(x_0,y_0)} f(x,y) = \lim_{(x,y)\to(x_0,y_0)} x = x_0.$$

Solução

Para todo (x,y) em $\mathbb{R}^2$, $|x-x_0| \leq \|(x,y)-(x_0,y_0)\|$. (Verifique.)
Então, dado $\varepsilon > 0$ e tomando-se $\delta = \varepsilon$ vem:

$$0 < \|(x,y)-(x_0,y_0)\| < \delta \Rightarrow |x-x_0| < \varepsilon$$

ou seja,

$$0 < \|(x,y)-(x_0,y_0)\| < \delta \Rightarrow |f(x,y)-x_0| < \varepsilon.$$

Logo,

$$\lim_{(x,y)\to(x_0,y_0)} x = x_0.$$

Exemplo 3 $f(x,y) = \dfrac{x^2-y^2}{x^2+y^2}$ tem limite em $(0, 0)$? Justifique.

Solução

Inicialmente, vejamos como se comportam os valores $f(x,y)$ para (x,y) próximo de $(0, 0)$. Sobre o eixo x temos: $f(x, 0) = 1, x \neq 0$. Sobre o eixo y, $f(0, y) = -1, y \neq 0$.

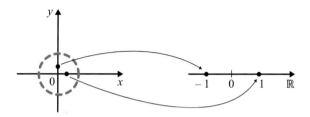

O estudo anterior nos mostra que não existe número L tal que $f(x,y)$ permaneça próximo de L para (x,y) próximo de $(0, 0)$; este fato indica-nos que f não deve ter limite em $(0, 0)$ e não tem mesmo, pois, qualquer que seja L, tomando-se $\varepsilon = \dfrac{1}{2}$, tem-se:

se $L \leq 0, |f(x,0)-L| \geq \dfrac{1}{2}$ para todo $x \neq 0$;

se $L > 0$, $|f(0,y) - L| \geq \dfrac{1}{2}$ para todo $y \neq 0$.

Assim, para todo real L, a afirmação

"$\forall \varepsilon > 0, \exists \delta > 0, (x,y) \in D_f, 0 < \|(x,y) - (0,0)\| < \delta \Rightarrow |f(x,y) - L| < \varepsilon$"

é falsa.

Quando tivermos que provar que determinados limites não existem, o próximo exemplo poderá nos ajudar.

Exemplo 4 Suponha que $\lim_{(x,y) \to (x_0, y_0)} f(x,y) = L$. Seja γ uma curva em $\mathbb{R}^2$, contínua em t_0, com $\gamma(t_0) = (x_0, y_0)$ e, para $t \neq t_0, \gamma(t) \neq (x_0, y_0)$ com $\gamma(t) \in D_f$. Prove que

$$\lim_{t \to t_0} f(\gamma(t)) = L.$$

Solução

De $\lim_{(x,y) \to (x_0, y_0)} f(x,y) = L$ segue que dado $\varepsilon > 0$, existe $\delta_1 > 0$ tal que

① $\qquad 0 < \|(x,y) - (x_0, y_0)\| < \delta_1 \Rightarrow |f(x,y) - L| < \varepsilon.$

Sendo γ contínua em t_0, para todo $\delta_1 > 0$ acima, existe $\delta > 0$ tal que

$$|t - t_0| < \delta \Rightarrow \|\gamma(t) - \gamma(t_0)\| < \delta_1$$

e, portanto, tendo em vista $\gamma(t) \neq (x_0, y_0)$ para $t \neq t_0$,

② $\qquad 0 < |t - t_0| < \delta \Rightarrow 0 < \|\gamma(t) - (x_0, y_0)\| < \delta_1.$

De ① e ② segue

$$0 < |t - t_0| < \delta \Rightarrow |f(\gamma(t)) - L| < \varepsilon$$

ou seja,

$$\lim_{t \to t_0} f(\gamma(t)) = L.$$

Observação. Sejam γ_1 e γ_2 duas curvas nas condições do Exemplo 4. Segue do exemplo anterior que se ocorrer

③ $\qquad \lim_{t \to t_0} f(\gamma_1(t)) = L_1$ e $\lim_{t \to t_0} f(\gamma_1(t)) = L_2$

com $L_1 \neq L_2$, então, $\lim_{(x,y) \to (x_0, y_0)} f(x,y)$ não existirá. Da mesma forma, tal limite não existirá se um dos limites em ③ não existir.

Vejamos como provar que $\lim_{(x,y) \to (0,0)} \dfrac{x^2 - y^2}{x^2 + y^2}$ não existe (Exemplo 3) utilizando a observação acima. Sejam $\gamma_1(t) = (t, 0)$ e $\gamma_2(t) = (0, t)$. Seja $f(x,y) = \dfrac{x^2 - y^2}{x^2 + y^2}$. Temos

$$\lim_{t \to 0} f(\gamma_1(t)) = \lim_{t \to 0} \dfrac{t^2}{t^2} = 1$$

e
$$\lim_{t \to 0} f(\gamma_2(t)) = \lim_{t \to 0} \frac{-t^2}{t^2} = -1 \text{ ou } \lim_{t \to 0} -\frac{t^2}{t^2} = -1.$$

Logo, $\lim_{(x,y) \to (0,0)} \dfrac{x^2 - y^2}{x^2 + y^2}$ não existe.

Observamos que continuam válidas para funções de duas variáveis reais a valores reais as seguintes propriedades dos limites cujas demonstrações são exatamente iguais às que fizemos para funções de uma variável real (reveja o Cap. 3 do Vol. 1).

1. (**Teorema do confronto.**) Se $f(x,y) \leqslant g(x,y) \leqslant h(x,y)$ para $0 < \|(x,y) - (x_0, y_0)\| < r$ e se
$$\lim_{(x,y) \to (x_0, y_0)} f(x,y) = L = \lim_{(x,y) \to (x_0, y_0)} h(x,y)$$
então
$$\lim_{(x,y) \to (x_0, y_0)} g(x,y) = L.$$

2. Se $\lim_{(x,y) \to (x_0, y_0)} f(x,y) = 0$ e se $|g(x,y)| \leqslant M$ para $0 < \|(x,y) - (x_0, y_0)\| < r$, em que $r > 0$ e $M > 0$ são reais fixos, então
$$\lim_{(x,y) \to (x_0, y_0)} \underset{\underset{0}{\downarrow}}{f(x,y)} \underset{\underset{\text{limitada}}{\downarrow}}{g(x,y)} = 0$$

3. $\lim_{(x,y) \to (x_0, y_0)} f(x,y) = 0 \Leftrightarrow \lim_{(x,y) \to (x_0, y_0)} |f(x,y)| = 0.$

4. $\lim_{(x,y) \to (x_0, y_0)} f(x,y) = L \Leftrightarrow \lim_{(x,y) \to (x_0, y_0)} [f(x,y) - L] = 0.$

5. $\lim_{(x,y) \to (x_0, y_0)} f(x,y) = L \Leftrightarrow \lim_{(h,k) \to (0,0)} f(x_0 + h, y_0 + k) = L.$

6. Se $\lim_{(x,y) \to (x_0, y_0)} f(x,y) = L_1$ e $\lim_{(x,y) \to (x_0, y_0)} g(x,y) = L_2$, então,

   a) $\lim_{(x,y) \to (x_0, y_0)} [f(x,y) + g(x,y)] = L_1 + L_2.$

   b) $\lim_{(x,y) \to (x_0, y_0)} kf(x,y) = kL_1.$ (k constante)

   c) $\lim_{(x,y) \to (x_0, y_0)} f(x,y)g(x,y) = L_1 L_2.$

   d) $\lim_{(x,y) \to (x_0, y_0)} \dfrac{f(x,y)}{g(x,y)} = \dfrac{L_1}{L_2}$, desde que $L_2 \neq 0.$

7. (**Conservação do sinal.**) Se $\lim_{(x,y) \to (x_0, y_0)} f(x,y) = L, L > 0$, então existirá $\delta > 0$, tal que, para todo $(x,y) \in D_f$,
$$0 < \|(x,y) - (x_0, y_0)\| < \delta \Rightarrow f(x,y) > 0.$$

Capítulo 9

Exemplo 5 Calcule, caso exista, $\lim_{(x,y)\to(0,0)} \dfrac{x^3}{x^2+y^2}$.

Solução

$$\frac{x^3}{x^2+y^2} = x \cdot \frac{x^2}{x^2+y^2}.$$

$\lim_{(x,y)\to(0,0)} x = 0$ e $\left|\dfrac{x^2}{x^2+y^2}\right| \leq 1$, e para todo $(x,y) \neq (0,0)$. Assim,

$$\lim_{(x,y)\to(0,0)} \frac{x^3}{x^2+y^2} = \lim_{(x,y)\to(0,0)} x \cdot \underbrace{\frac{x^2}{x^2+y^2}}_{\text{limitada}} = 0.$$

Exemplo 6 Calcule, caso exista, $\lim_{(x,y)\to(0,0)} \dfrac{x^2}{x^2+y^2}$.

Solução

Seja $f(x,y) = \dfrac{x^2}{x^2+y^2}$ e tomemos $\gamma_1(t) = (0,t)$ e $\gamma_2(t) = (t,t)$.

$$\lim_{t\to 0} f(\gamma_1(t)) = \lim_{t\to 0} \frac{0^2}{0^2+t^2} = 0$$

e

$$\lim_{t\to 0} f(\gamma_2(t)) = \lim_{t\to 0} \frac{t^2}{t^2+t^2} = \frac{1}{2}.$$

Logo, $\lim_{(x,y)\to(0,0)} \dfrac{x^2}{x^2+y^2}$ não existe.

CUIDADO: $\dfrac{x^2}{x^2+y^2}$ não é limitada!

Exercícios 9.1

1. Calcule, caso exista.

   a) $\lim_{(x,y)\to(0,0)} x \operatorname{sen} \dfrac{1}{x^2+y^2}$

   b) $\lim_{(x,y)\to(0,0)} \dfrac{x}{\sqrt{x^2+y^2}}$

   c) $\lim_{(x,y)\to(0,0)} \dfrac{x^2}{\sqrt{x^2+y^2}}$

   d) $\lim_{(x,y)\to(0,0)} \dfrac{xy}{x^2+y^2}$

   e) $\lim_{(x,y)\to(0,0)} \dfrac{xy(x-y)}{x^4+y^4}$

   f) $\lim_{(x,y)\to(0,0)} \dfrac{x+y}{x-y}$

   g) $\lim_{(x,y)\to(0,0)} \dfrac{xy}{y-x^3}$

   h) $\lim_{(x,y)\to(0,0)} \dfrac{xy^2}{x^2-y^2}$

2. Seja $f(x,y) = \dfrac{2xy^2}{x^2+y^4}$ (veja Exemplo 9 — Seção 8.2).

   a) Considere a reta $\gamma(t) = (at, bt)$, com $a^2 + b^2 > 0$; mostre que, quaisquer que sejam a e b,
   $$\lim_{t \to 0} f(\gamma(t)) = 0.$$
   Tente visualizar este resultado através das curvas de nível de f.

   b) Calcule $\lim\limits_{t \to 0} f(\delta(t))$, em que $\delta(t) = (t^2, t)$.

   (Antes de calcular o limite, tente prever o resultado olhando para as curvas de nível de f.)

   c) $\lim\limits_{(x,y) \to (0,0)} \dfrac{2xy^2}{x^2+y^4}$ existe? Por quê?

3. Sejam γ_1 e γ_2 curvas satisfazendo as condições do Exemplo 4. A afirmação:
   $$\text{"} \lim_{t \to t_0} f(\gamma_1(t)) = \lim_{t \to t_0} f(\gamma_2(t)) = L \Rightarrow \lim_{(x,y) \to (x_0, y_0)} f(x,y) = L \text{"}$$
   é falsa ou verdadeira? Justifique.

4. Calcule $\lim\limits_{(h,k) \to (0,0)} \dfrac{f(x+h, y+k) - f(x,y) - 2xh - k}{\|(h,k)\|}$, em que $f(x,y) = x^2 + y$.

5. Calcule, caso exista, $\lim\limits_{(h,k) \to (0,0)} \dfrac{f(h,k)}{\|(h,k)\|}$, em que f é dada por $f(x,y) = \dfrac{x^3}{x^2+y^2}$.

6. Suponha que $\lim\limits_{(x,y) \to (x_0, y_0)} f(x,y) = a$ e $\lim\limits_{u \to a} g(u) = L$, com g não definida em a e $\text{Im} f \subset D_g$. Prove que
   $$\lim_{(x,y) \to (x_0, y_0)} g(f(x,y)) = \lim_{u \to a} g(u).$$
   Prove, ainda, que o resultado acima continua válido se supusermos g definida em a, com g contínua em a.

7. Calcule $\lim\limits_{(x,y) \to (0,0)} \dfrac{\text{sen}(x^2+y^2)}{x^2+y^2}$.

8. Seja $f(x,y) = \begin{cases} e^{\left(\frac{1}{x^2+y^2-1}\right)} & \text{se } x^2+y^2 < 1 \\ 0 & \text{se } x^2+y^2 \geq 1 \end{cases}$

   Calcule $\lim\limits_{(x,y) \to \left(\frac{\sqrt{2}}{2}, \frac{\sqrt{2}}{2}\right)} \dfrac{f(x+y)}{x^2+y^2-1}$.

9.2 Continuidade

Definição. Seja f uma função de duas variáveis reais a valores reais e seja $(x_0, y_0) \in D_f$, com (x_0, y_0) ponto de acumulação de D_f. Definimos:
$$f \text{ contínua em } (x_0, y_0) \Leftrightarrow \lim_{(x,y) \to (x_0, y_0)} f(x,y) = f(x_0, y_0)$$

Se f for contínua em todos os pontos de um subconjunto A de D_f, diremos que f é *contínua em* A. Diremos, simplesmente, que f é *contínua* se o for em todos os pontos de seu domínio.

Exemplo 1 A função constante $f(x, y) = k$ é contínua, pois,

$$\lim_{(x, y) \to (x_0, y_0)} f(x, y) = k = f(x_0, y_0)$$

para todo (x_0, y_0) em $\mathbb{R}^2$. (Veja Exemplo 1, Seção 9.1.)

Exemplo 2 A função $f(x, y) = x$ é contínua, pois,

$$\lim_{(x, y) \to (x_0, y_0)} f(x, y) = \lim_{(x, y) \to (x_0, y_0)} x = x_0 = f(x_0, y_0)$$

para todo (x_0, y_0) em $\mathbb{R}^2$. (Veja Exemplo 2, Seção 9.1.)

Exemplo 3 A função $f(x, y) = \begin{cases} \dfrac{x^2 - y^2}{x^2 + y^2} & \text{se } (x, y) \neq (0, 0) \\ 0 & \text{se } (x, y) = (0, 0) \end{cases}$ é contínua em $(0, 0)$? Justifique.

Solução

Tomando-se $\gamma_1(t) = (t, 0)$ e $\gamma_2(t) = (0, t)$ vem,

$$\lim_{t \to 0} f(\gamma_1(t)) = \lim_{t \to 0} \frac{t^2}{t^2} = 1.$$

e

$$\lim_{t \to 0} f(\gamma_2(t)) = \lim_{t \to 0} \frac{-t^2}{t^2} = -1.$$

Logo, $\lim_{(x, y) \to (0, 0)} f(x, y)$ não existe e, portanto, f não é contínua em $(0, 0)$.

O próximo teorema nos diz que se $g(u)$ e $f(x, y)$ forem contínuas e se $\text{Im } f \subset D_g$, então a função composta $h(x, y) = g(f(x, y))$ também o será.

Teorema 1. Sejam $f : A \subset \mathbb{R}^2 \to \mathbb{R}$ e $g : B \subset \mathbb{R} \to \mathbb{R}$ duas funções tais que $\text{Im } f \subset D_g$. Se f for contínua em (x_0, y_0) e g contínua em $f(x_0, y_0)$, então a composta $h(x, y) = g(f(x, y))$ será contínua em (x_0, y_0).

Demonstração

Como $g(u)$ é contínua em $f(x_0, y_0)$ dado $\varepsilon > 0$, existe $\delta_1 > 0$ tal que

① $$|u - f(x_0, y_0)| < \delta_1 \Rightarrow |g(u) - g(f(x_0, y_0))| < \varepsilon.$$

Sendo f contínua em (x_0, y_0), para o $\delta_1 > 0$ acima, existe $\delta > 0$ tal que

② $$\|(x, y) - (x_0, y_0)\| < \delta \Rightarrow |f(x, y) - f(x_0, y_0)| < \delta_1.$$

De ① e ② resulta,

$$\|(x,y)-(x_0,y_0)\| \leqslant \delta \Rightarrow |g(f(x,y))-g(f(x_0,y_0))| < \varepsilon;$$

logo, $h(x,y) = g(f(x,y))$ é contínua em (x_0, y_0).

Como consequência deste teorema, segue que se $g(x)$ for contínua, então a função h dada por $h(x,y) = g(x)$ também será contínua. De fato, sendo $f(x,y) = x$, teremos $h(x,y) = g(f(x,y))$, com g e f contínuas.

Exemplo 4 $h(x,y) = x^2$ é contínua em $\mathbb{R}^2$, pois $g(x) = x^2$ é contínua em $\mathbb{R}$.

Exemplo 5 Sendo $f(x,y)$ contínua, as compostas sen $f(x,y)$, cos $f(x,y)$, $[f(x,y)]^2$ também serão.

Teorema 2. Sejam $f: A \subset \mathbb{R}^2 \to \mathbb{R}$ uma função e $\gamma: I \to \mathbb{R}^2$ uma curva tais que $\gamma(t) \in A$ para todo $t \in I$. Se γ for contínua em $t_0 \in I$ e f contínua em $\gamma(t_0)$, então a composta $g(t) = f(\gamma(t))$ será contínua em t_0.

Demonstração

Fica a cargo do leitor.

Sejam $f(x,y)$ e $g(x,y)$ contínuas em (x_0, y_0) e seja k uma constante. Segue das propriedades dos limites que $f + g$, kf e $f \cdot g$ são, também, contínuas em (x_0, y_0). Além disso, se $g(x_0, y_0) \neq 0$, então $\dfrac{f}{g}$ será, também, contínua em (x_0, y_0).

Exemplo 6 Seja

$$f(x,y) = \begin{cases} \dfrac{x^3}{x^2+y^2} & \text{se } (x,y) \neq (0,0) \\ 0 & \text{se } (x,y) = (0,0). \end{cases}$$

Determine o conjunto dos pontos de continuidade de f.

Solução

Nos pontos $(x, y) \neq (0, 0)$ podemos aplicar a propriedade relativa a quociente de funções contínuas, pois, x^3 e $x^2 + y^2$ são contínuas e $x^2 + y^2$ não se anula nestes pontos. Para estudar f com relação à continuidade no ponto $(0, 0)$ precisamos primeiro ver o que acontece com o limite de f neste ponto.

$$\lim_{(x,y)\to(0,0)} f(x,y) = \lim_{(x,y)\to(0,0)} \frac{x^3}{x^2+y^2} = \lim_{(x,y)\to(0,0)} x \cdot \frac{x^2}{x^2+y^2} = 0.$$

$\left(\text{Observe que } \lim_{(x,y)\to(0,0)} x = 0 \text{ e } \left|\dfrac{x^2}{x^2+y^2}\right| \leqslant 1 \text{ para todo } (x,y) \neq (0,0).\right)$ Assim

$$\lim_{(x,y)\to(0,0)} f(x,y) = 0 = f(0,0).$$

Conclusão: f é contínua em $\mathbb{R}^2$.

Capítulo 9

Sejam agora, $f: A \subset \mathbb{R}^2 \to \mathbb{R}$, $g, h: B \subset \mathbb{R}^2 \to \mathbb{R}$ três funções tais que $(g(x, y), h(x, y)) \in A$, para todo $(x, y) \in B$. Sem nenhuma dificuldade, demonstra-se que se g e h forem contínuas em (x_0, y_0) e f contínua em $(g(x_0, y_0), h(x_0, y_0))$, então a composta $f(g(x, y), h(x, y))$ será, também, contínua em (x_0, y_0). Este resultado, bem como os teoremas 1 e 2, são casos particulares de um teorema mais geral sobre continuidade de funções compostas, que não enunciaremos aqui.

Exercícios 9.2

1. Determine o conjunto dos pontos de continuidade. Justifique a resposta.

    a) $f(x, y) = 3x^2 y^2 - 5xy + 6$

    b) $f(x, y) = \sqrt{6 - 2x^2 - 3y^2}$

    c) $f(x, y) = \ln \dfrac{x - y}{x^2 + y^2}$

    d) $f(x, y) = \dfrac{x - y}{\sqrt{1 - x^2 - y^2}}$

    e) $f(x, y) = \begin{cases} \dfrac{x - 3y}{x^2 + y^2} & \text{se } (x, y) \neq (0, 0) \\ 0 & \text{se } (x, y) = (0, 0) \end{cases}$

    f) $f(x, y) = \begin{cases} \dfrac{\operatorname{sen}(x^2 + y^2)}{x^2 + y^2} & \text{se } (x, y) \neq (0, 0) \\ 1 & \text{se } (x, y) \neq (0, 0) \end{cases}$

    g) $f(x, y) = \begin{cases} e^{\left(\frac{1}{r^2 - 1}\right)} & \text{se } r < 1 \text{ em que } r = \|(x, y)\| \\ 0 & \text{se } r \geq 1 \end{cases}$

2. $f(x, y) = \begin{cases} \dfrac{xy^2}{x^2 + y^2} & \text{se } (x, y) \neq (0, 0) \\ 0 & \text{se } (x, y) = (0, 0) \end{cases}$ é contínua em $(0, 0)$? Justifique.

3. Prove que se f for contínua em (x_0, y_0) e se $f(x_0, y_0) > 0$, então existirá $r > 0$ tal que $f(x, y) > 0$ para $\|(x, y) - (x_0, y_0)\| < r$.

4. Seja A um subconjunto do $\mathbb{R}^2$ que goza da propriedade: quaisquer que sejam (x_0, y_0) e (x_1, y_1) em A, existe uma curva contínua $\gamma: [a, b] \to A$ tal que $\gamma(a) = (x_0, y_0)$ e $\gamma(b) = (x_1, y_1)$. Prove que se f for contínua em A e se $f(x_0, y_0) < m < f(x_1, y_1)$, então existirá $(\bar{x}, \bar{y}) \in A$ tal que $f(\bar{x}, \bar{y}) = m$.
   (*Sugestão*: aplique o teorema do valor intermediário à função contínua $g(t) = f(\gamma(t))$, $t \in [a, b]$.)

5. Seja $f: A \subset \mathbb{R}^2 \to \mathbb{R}$, A aberto, uma função contínua e seja c um número real dado. Prove que o conjunto $\{(x, y) \in A \mid f(x, y) < c\}$ é aberto.

6. Dizemos que a sequência de pontos $((x_n, y_n))_{n \geq 0}$ *converge* a $(\bar{x}, \bar{y})$ se, dado $\varepsilon > 0$, existe um natural n_0 tal que

$$n > n_0 \Rightarrow \|(x_n, y_n) - (\bar{x}, \bar{y})\| < \varepsilon.$$

Suponha que $f(x, y)$ seja contínua em $(\overline{x}, \overline{y})$, que $((x_n, y_n))_{n \geq 0}$ convirja para $(\overline{x}, \overline{y})$ e que $(x_n, y_n) \in D_f$ para todo $n \geq 0$. Prove que a sequência dada por $a_n = f(x_n, y_n)$ converge para $f(\overline{x}, \overline{y})$.

7. Suponha f contínua no retângulo $A = \{(x, y) \in \mathbb{R}^2 \mid \alpha \leq x \leq \beta, \overline{\alpha} \leq y \leq \overline{\beta}\}$. Prove que f é limitada neste retângulo. (*f limitada* em A significa que existe $M > 0$ tal que $|f(x, y)| \leq M$ em A.)
   (*Sugestão*: suponha, por absurdo, que f não seja limitada em A. Então, existirá (x_1, y_1) em A tal que $|f(x_1, y_1)| > 1$. Tomando-se o ponto médio de cada lado, divida o retângulo A em 4 retângulos iguais; em um deles, batizado A_2, f não será limitada, logo existirá $(x_2, y_2) \in A_2$ tal que $|f(x_2, y_2)| > 2$ etc.)

8. (**Teorema de Weierstrass.**) Seja f como no Exercício 7. Prove que f assume em A valor máximo e valor mínimo.
   (*Sugestão*: veja Apêndice B.4 — Volume 1.)

10 CAPÍTULO

Derivadas Parciais

10.1 Derivadas Parciais

Seja $z = f(x, y)$ uma função real de duas variáveis reais e seja $(x_0, y_0) \in D_f$. Fixado y_0, podemos considerar a função g de uma variável dada por

$$g(x) = f(x, y_0).$$

A derivada desta função no ponto $x = x_0$ (caso exista) denomina-se *derivada parcial de f, em relação a x, no ponto* (x_0, y_0) e indica-se com uma das notações:

$$\frac{\partial f}{\partial x}(x_0, y_0) \text{ ou } \frac{\partial z}{\partial x}\bigg|_{\substack{x = x_0 \\ y = y_0}}.$$

Assim, $\frac{\partial f}{\partial x}(x_0, y_0) = g'(x_0)$. De acordo com a definição de derivada temos:

$$\frac{\partial f}{\partial x}(x_0, y_0) = g'(x_0) = \lim_{x \to x_0} \frac{g(x) - g(x_0)}{x - x_0}$$

ou seja,

$$\boxed{\frac{\partial f}{\partial x}(x_0, y_0) = \lim_{x \to x_0} \frac{f(x, y_0) - f(x_0, y_0)}{x - x_0}}$$

ou, ainda,

$$\boxed{\frac{\partial f}{\partial x}(x_0, y_0) = \lim_{\Delta x \to 0} \frac{f(x_0 + \Delta x, y_0) - f(x_0, y_0)}{\Delta x}}$$

Seja A o subconjunto de D_f formado por todos os pontos (x, y) tais que $\frac{\partial f}{\partial x}(x, y)$ existe; fica assim definida uma nova função, indicada por $\frac{\partial f}{\partial x}$ e definida em A, que a cada $(x, y) \in A$ associa o número $\frac{\partial f}{\partial x}(x, y)$, em que

$$\frac{\partial f}{\partial x}(x, y) = \lim_{\Delta x \to 0} \frac{f(x + \Delta x, y) - f(x, y)}{\Delta x}.$$

Derivadas Parciais

Tal função denomina-se *função derivada parcial de 1ª ordem de f, em relação a x*, ou, simplesmente, *derivada parcial de f em relação a x*.

De modo análogo, define-se *derivada parcial de f, em relação a y, no ponto* (x_0, y_0) que se indica por $\dfrac{\partial f}{\partial y}(x_0, y_0)$ ou $\dfrac{\partial z}{\partial y}\bigg|_{\substack{x=x_0 \\ y=y_0}}$:

$$\dfrac{\partial f}{\partial y}(x_0, y_0) = \lim_{y \to y_0} \dfrac{f(x_0, y) - f(x_0, y_0)}{y - y_0}$$

ou

$$\dfrac{\partial f}{\partial y}(x_0, y_0) = \lim_{\Delta y \to 0} \dfrac{f(x_0, y_0 + \Delta y) - f(x_0, y_0)}{\Delta y}.$$

Para se calcular $\dfrac{\partial f}{\partial x}(x_0, y_0)$ fixa-se $y = y_0$ em $z = f(x, y)$ e calcula-se a derivada de $g(x) = f(x, y_0)$ em $x = x_0$: $\dfrac{\partial f}{\partial x}(x_0, y_0) = g'(x_0)$. Da mesma forma, $\dfrac{\partial f}{\partial x}(x, y)$ é a derivada, em relação a x, de $f(x, y)$, mantendo-se y *constante*. Por outro lado, $\dfrac{\partial f}{\partial y}(x, y)$ é a derivada, em relação a y, de $f(x, y)$, mantendo-se x *constante*.

Exemplo 1 Seja $f(x, y) = 2xy - 4y$. Calcule:

a) $\dfrac{\partial f}{\partial x}(x, y)$

b) $\dfrac{\partial f}{\partial y}(x, y)$

c) $\dfrac{\partial f}{\partial x}(1, 1)$

d) $\dfrac{\partial f}{\partial y}(-1, 1)$

Solução

a) Devemos olhar y como constante e derivar em relação a x:

$$\dfrac{\partial f}{\partial x}(x, y) = \dfrac{\partial}{\partial x}(2xy - 4y) = 2y$$

pois

$$\dfrac{\partial}{\partial x}(2xy) = 2y \text{ e } \dfrac{\partial}{\partial x}(-4y) = 0.$$

Por limite:

$$\dfrac{\partial f}{\partial x}(x, y) = \lim_{\Delta x \to 0} \dfrac{f(x + \Delta x, y) - f(x, y)}{\Delta x}$$

$$= \lim_{\Delta x \to 0} \dfrac{2(x + \Delta x)y - 4y - 2xy + 4y}{\Delta x}$$

$$= 2y.$$

b) Devemos olhar x como constante e derivar em relação a y:

$$\dfrac{\partial f}{\partial y}(x, y) = \dfrac{\partial}{\partial y}(2xy - 4y) = 2x - 4.$$

c) Conforme a, para todo (x, y) em $\mathbb{R}^2$, $\frac{\partial f}{\partial x}(x, y) = 2y$. Daí

$$\frac{\partial f}{\partial x}(1, 1) = 2.$$

Assim, $\frac{\partial f}{\partial x}(1, 1) = 2$.

d) Conforme b, para todo (x, y) em $\mathbb{R}^2$, $\frac{\partial f}{\partial y}(x, y) = 2x - 4$. Logo

$$\frac{\partial f}{\partial y}(-1, 1) = -6.$$

Exemplo 2 Considere a função $z = f(x, y)$ dada por $z = \text{arctg}(x^2 + y^2)$. Calcule:

a) $\dfrac{\partial z}{\partial x}$

b) $\dfrac{\partial z}{\partial y}$

c) $\dfrac{\partial z}{\partial x}\bigg|_{\substack{x=1 \\ y=1}}$

d) $\dfrac{\partial z}{\partial y}\bigg|_{\substack{x=0 \\ y=0}}$

Solução

a) $\dfrac{\partial z}{\partial x} = \dfrac{\partial}{\partial x}(\text{arctg}(x^2 + y^2)) = \dfrac{\frac{\partial}{\partial x}(x^2 + y^2)}{1 + (x^2 + y^2)^2},$

ou seja,

$$\frac{\partial z}{\partial x} = \frac{2x}{1 + (x^2 + y^2)^2}.$$

b) $\dfrac{\partial z}{\partial y} = \dfrac{\partial}{\partial y}(\text{arctg}(x^2 + y^2)) = \dfrac{1}{1 + (x^2 + y^2)^2} \cdot \dfrac{\partial}{\partial y}(x^2 + y^2),$

ou seja,

$$\frac{\partial z}{\partial y} = \frac{2y}{1 + (x^2 + y^2)^2}.$$

c) $\dfrac{\partial z}{\partial x}\bigg|_{\substack{x=1 \\ y=1}} = \dfrac{2}{1+4} = \dfrac{2}{5}.$

d) $\dfrac{\partial z}{\partial y}\bigg|_{\substack{x=0 \\ y=0}} = 0.$

Antes de passarmos ao próximo exemplo, observamos que uma função $z = f(x, y)$ se diz **definida ou dada implicitamente** pela equação $g(x, y, z) = 0$ se, para todo $(x, y) \in D_f$, $g(x, y, f(x, y)) = 0$. Por exemplo, a função $z = \sqrt{1 - x^2 - y^2}$, $x^2 + y^2 < 1$, é dada implicitamente pela equação $x^2 + y^2 + z^2 = 1$, pois, para todo (x, y) no seu domínio, $x^2 + y^2 + (\sqrt{1 - x^2 - y^2})^2 = 1$.

Derivadas Parciais

As funções $z = \sqrt{1-x^2-y^2}$, $x^2+y^2 \leq 1$, e $z = -\sqrt{1-x^2-y^2}$, $x^2+y^2 \leq 1$, são também, dadas implicitamente pela equação $x^2+y^2+z^2 = 1$ (verifique).

Exemplo 3 Sendo $z = f(x, y)$ dada implicitamente por $x^2+y^2+z^2 = 1$, $z > 0$, calcule:

a) $\dfrac{\partial z}{\partial x}$

b) $\dfrac{\partial z}{\partial y}$

Solução

a) $z = \sqrt{1-x^2-y^2}$, $x^2+y^2 < 1$. Assim,

$$\frac{\partial z}{\partial x} = \frac{1}{2}(1-x^2-y^2)^{-\frac{1}{2}}(-2x)$$

ou seja,

$$\frac{\partial z}{\partial x} = \frac{-x}{\sqrt{1-x^2-y^2}}, \; x^2+y^2 < 1.$$

Poderíamos, também, ter chegado ao resultado acima trabalhando diretamente com a equação $x^2+y^2+z^2 = 1$:

$$\frac{\partial}{\partial x}(x^2+y^2+z^2) = \frac{\partial}{\partial x}(1);$$

como $\dfrac{\partial}{\partial x}(x^2+y^2) = 2x$, $\dfrac{\partial}{\partial x}[z^2] = \dfrac{d}{dz}[z^2] \cdot \dfrac{\partial z}{\partial x} = 2z\dfrac{\partial z}{\partial x}$ e $\dfrac{\partial}{\partial x}(1) = 0$, resulta:

$$2x + 2z\frac{\partial z}{\partial x} = 0$$

ou seja,

$$\frac{\partial z}{\partial x} = -\frac{x}{z} = -\frac{x}{\sqrt{1-x^2-y^2}}, \; x^2+y^2 < 1.$$

b) $\dfrac{\partial}{\partial y}(x^2+y^2+z^2) = \dfrac{\partial}{\partial y}(1)$, ou seja,

$$2y + 2z\frac{\partial z}{\partial y} = 0$$

e, portanto, $\dfrac{\partial z}{\partial y} = -\dfrac{y}{z} = -\dfrac{y}{\sqrt{1-x^2-y^2}}, \; x^2+y^2 < 1.$

CUIDADOS COM NOTAÇÕES. A notação $\dfrac{\partial f}{\partial x}(x,y)$, como vimos, indica a derivada de $f(x, y)$ em relação a x, em que y é olhado como *constante*, ou seja, como *independente* de x. Por outro lado, a notação $\dfrac{d}{dx}[f(x, y)]$ indica a derivada de $f(x, y)$, em que y *deve ser olhado* (quando nada

Capítulo 10

for dito em contrário) *como função de x*. As notações foram criadas para serem usadas corretamente. Portanto, não confunda $\frac{\partial}{\partial x}$ com $\frac{d}{dx}$.

Exemplo 4 $\frac{\partial}{\partial x}(x^2 + y^2) = 2x$, enquanto

$$\frac{d}{dx}(x^2 + y^2) = 2x + \frac{d}{dx}(y^2) = 2x + 2y\frac{dy}{dx}$$

pois,

$$\frac{d}{dx}(y^2) = \frac{d}{dy}(y^2)\frac{dy}{dx} = 2y\frac{dy}{dx}.$$

Exemplo 5 Suponha que $z = f(x, y)$ seja dada implicitamente pela equação

$$e^{xyz} = x^2 + y^2 + z^2.$$

Suponha que f admita derivada parcial em relação a x, expresse $\frac{\partial z}{\partial x}$ em termos de x, y e z.

Solução

Para todo $(x, y) \in D_f$,

$$\frac{\partial}{\partial x}(e^{xyz}) = \frac{\partial}{\partial x}(x^2 + y^2 + z^2).$$

Temos:

$$\frac{\partial}{\partial x}(e^{xyz}) = e^{xyz}\frac{\partial}{\partial x}(xyz) = e^{xyz}\left(yz + xy\frac{\partial z}{\partial x}\right)$$

e

$$\frac{\partial}{\partial x}(x^2 + y^2 + z^2) = 2x + 2z\frac{\partial z}{\partial x}.$$

Assim,

$$e^{xyz}\left(yz + xy\frac{\partial z}{\partial x}\right) = 2x + 2z\frac{\partial z}{\partial x},$$

ou seja,

$$\frac{\partial z}{\partial x} = \frac{2x - yz\,e^{xyz}}{xy\,e^{xyz} - 2z}$$

em todo $(x, y) \in D_f$ com $xy\,e^{xyz} - 2z \neq 0$.

Exemplo 6 Seja $\phi : \mathbb{R} \to \mathbb{R}$ uma função de uma variável e derivável. Considere a função g dada por $g(x, y) = \phi(x^2 + y^2)$. Verifique que

$$\frac{\partial g}{\partial x}(1, 1) = \frac{\partial g}{\partial y}(1, 1).$$

Solução

$$g(x, y) = \phi(u) \text{ em que } u = x^2 + y^2.$$

Então, $\dfrac{\partial g}{\partial x}(x, y) = \phi'(u)\dfrac{\partial u}{\partial x}$, ou seja,

$$\dfrac{\partial g}{\partial x}(x, y) = \phi'(x^2 + y^2)2x.$$

Da mesma forma, $\dfrac{\partial g}{\partial y}(x, y) = \phi'(x^2 + y^2)\dfrac{\partial}{\partial y}(x^2 + y^2)$, ou seja,

$$\dfrac{\partial g}{\partial y}(x, y) = \phi'(x^2 + y^2)2y.$$

Assim,

$$\dfrac{\partial g}{\partial x}(1, 1) = 2\phi'(2) = \dfrac{\partial g}{\partial y}(1, 1).$$

Observação. Se no exemplo anterior a função ϕ fosse, por exemplo, a função seno, teríamos $g(x, y) = \text{sen}(x^2 + y^2)$ e, assim, $\dfrac{\partial g}{\partial x}(x, y) = \text{sen}'(x^2 + y^2)\dfrac{\partial}{\partial x}(x^2 + y^2) = 2x\cos(x^2 + y^2)$ e $\dfrac{\partial g}{\partial y}(x, y) = \text{sen}'(x^2 + y^2)\dfrac{\partial}{\partial y}(x^2 + y^2) = 2y\cos(x^2 + y^2).$

Exemplo 7 Seja $f(x, y) = \begin{cases} \dfrac{x^3 - y^2}{x^2 + y^2} & \text{se } (x, y) \neq (0, 0) \\ 0 & \text{se } (x, y) = (0, 0) \end{cases}$. Determine

a) $\dfrac{\partial f}{\partial x}$ \qquad b) $\dfrac{\partial f}{\partial y}$

Solução

a) Nos pontos $(x, y) \neq (0, 0)$ podemos aplicar a regra do quociente

$$\dfrac{\partial f}{\partial x}(x, y) = \dfrac{3x^2(x^2 + y^2) - (x^3 - y^2)2x}{(x^2 + y^2)^2}$$

ou seja,

$$\dfrac{\partial f}{\partial x}(x, y) = \dfrac{x^4 + 3x^2y^2 + 2xy^2}{(x^2 + y^2)^2}.$$

Em (0, 0)

$\dfrac{\partial f}{\partial x}(0, 0)$ é a derivada, em $x = 0$, de $g(x) = f(x, 0)$.

$$f(x, 0) = \begin{cases} x & \text{se } x \neq 0 \\ 0 & \text{se } x = 0 \end{cases}$$

assim, $g(x) = f(x, 0) = x$, para todo x; segue que

$$\frac{\partial f}{\partial x}(0,0) = g'(0) = 1.$$

Poderíamos, também, ter calculado $\frac{\partial f}{\partial x}(0,0)$ por limite:

$$\frac{\partial f}{\partial x}(0,0) = \lim_{x \to 0} \frac{f(x,0) - f(0,0)}{x - 0} = \lim_{x \to 0} \frac{x}{x} = 1.$$

Assim, $\frac{\partial f}{\partial x}$ é a função de $\mathbb{R}^2$ em $\mathbb{R}$ dada por

$$\frac{\partial f}{\partial x}(x,y) = \begin{cases} \dfrac{x^4 + 3x^2y^2 + 2xy^2}{(x^2+y^2)^2} & \text{se } (x,y) \neq (0,0) \\ 1 & \text{se } (x,y) = (0,0) \end{cases}.$$

b) Para $(x, y) \neq (0, 0)$

$$\frac{\partial f}{\partial y}(x,y) = -\frac{2x^2y(1+x)}{(x^2+y^2)^2}.$$

Em (0, 0)

$\frac{\partial f}{\partial y}(0,0)$ é (caso exista) a derivada, em $y = 0$, de $h(y) = f(0, y)$;

$$f(0,y) = \begin{cases} -1 & \text{se } y \neq 0 \\ 0 & \text{se } y = 0 \end{cases}$$

assim, $h(y)$ não é contínua em $y = 0$, logo, $h'(0)$ não existe, ou seja, $\frac{\partial f}{\partial y}(0,0)$ não existe. Segue que $\frac{\partial f}{\partial y}$ está definida em todo $(x, y) \neq (0, 0)$ (mas não em (0, 0)) e é dada por

$$\frac{\partial f}{\partial y}(x,y) = -\frac{2x^2y(1+x)}{(x^2+y^2)^2}.$$

Exemplo 8 Seja $f : \mathbb{R}^2 \to \mathbb{R}$ tal que $\frac{\partial f}{\partial x}(x, y) = 0$ para todo (x, y) em $\mathbb{R}^2$. Prove que f não depende de x, isto é, que existe $\phi : \mathbb{R} \to \mathbb{R}$ tal que $f(x, y) = \phi(y)$, para todo $(x, y) \in \mathbb{R}^2$.

Solução

Fixado um y qualquer, a função $h(x) = f(x, y)$ é constante em $\mathbb{R}$, pois, para todo x, $h'(x) = \frac{\partial f}{\partial x}(x, y) = 0$. Segue que, para todo x,

$$h(x) = h(0)$$

ou seja,

$$f(x, y) = f(0, y).$$

Como y foi fixado de modo arbitrário, resulta que $f(x,y) = f(0,y)$ se verifica para todo (x,y) em $\mathbb{R}^2$. Tomando-se $\phi(y) = f(0,y)$, teremos

$$f(x,y) = \phi(y)$$

para todo $(x,y) \in \mathbb{R}^2$.

Exemplo 9 (*Interpretação geométrica.*) Suponhamos que $z = f(x,y)$ admite derivadas parciais em $(x_0, y_0) \in D_f$. O gráfico da função $g(x) = f(x, y_0)$, no plano $x'y_0 z'$ (veja figura adiante), é a interseção do plano $y = y_0$ com o gráfico de f; $\dfrac{\partial f}{\partial x}(x_0, y_0)$ é, então, o *coeficiente angular da reta tangente T* a esta interseção no ponto $(x_0, y_0, f(x_0, y_0))$:

$$\frac{\partial f}{\partial x}(x_0, y_0) = \text{tg } \alpha. \text{ Interprete você } \frac{\partial f}{\partial y}(x_0, y_0).$$

O exemplo seguinte mostra-nos que a *existência de derivada parcial em um ponto não implica a continuidade da função neste ponto*.

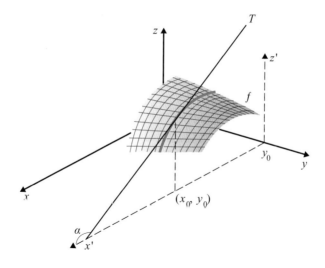

Exemplo 10 Mostre que a função

$$f(x,y) = \begin{cases} \dfrac{xy}{x^2 + y^2} & \text{se } (x,y) \neq (0,0) \\ 0 & \text{se } (x,y) = (0,0) \end{cases}$$

admite derivadas parciais em $(0,0)$, mas não é contínua neste ponto.

Solução

$$\frac{\partial f}{\partial x}(0,0) = \lim_{x \to 0} \frac{f(x,0) - f(0,0)}{x} = 0$$

$$\frac{\partial f}{\partial y}(0,0) = \lim_{y \to 0} \frac{f(0,y) - f(0,0)}{y} = 0.$$

Capítulo 10

Assim, f admite derivadas parciais em $(0, 0)$. Vamos mostrar, a seguir, que f não é contínua em $(0, 0)$. A composta de f com a reta γ dada por $\gamma(t) = (t, t)$ é

$$g(t) = f(t, t) = \begin{cases} \dfrac{1}{2} & \text{se } t \neq 0 \\ 0 & \text{se } t = 0 \end{cases}.$$

Como γ é contínua em $t = 0$ e a composta $g(t) = f(t, t)$ não é contínua em $t = 0$, resulta que f não é contínua em $(0, 0)$. (Por quê?)

O exemplo anterior mostra-nos ainda que a mera existência das derivadas parciais de f em um ponto (x_0, y_0) não implica a derivabilidade em t_0 da composta $g(t) = f(\gamma(t))$, em que γ é uma curva suposta diferenciável em t_0 e $\gamma(t_0) = (x_0, y_0)$. No exemplo anterior, f admite derivadas parciais em $(0, 0)$, $\gamma(t) = (t, t)$ é diferenciável em $t = 0$, mas a composta $g(t) = f(\gamma(t))$ não é diferenciável em $t = 0$.

Do que vimos acima, resulta que a existência de derivadas parciais em um ponto (x_0, y_0) não é uma boa generalização do conceito de diferenciabilidade dado para funções de uma variável real. Uma boa generalização deverá implicar a continuidade da função e a diferenciabilidade da composta $g(t) = f(\gamma(t))$ quando f e γ o forem, porque é isso que acontece no caso de funções de uma variável. Veremos no próximo capítulo qual é a boa generalização do conceito de diferenciabilidade para funções de várias variáveis reais.

Exercícios 10.1

1. Determine as derivadas parciais

    a) $f(x, y) = 5x^4 y^2 + xy^3 + 4$

    b) $z = \cos xy$

    c) $z = \dfrac{x^3 + y^2}{x^2 + y^2}$

    d) $f(x, y) = e^{-x^2 - y^2}$

    e) $z = x^2 \ln(1 + x^2 + y^2)$

    f) $z = xy\, e^{xy}$

    g) $f(x, y) = (4xy - 3y^3)^3 + 5x^2 y$

    h) $z = \operatorname{arctg} \dfrac{x}{y}$

    i) $g(x, y) = x^y$

    j) $z = (x^2 + y^2) \ln(x^2 + y^2)$

    l) $f(x, y) = \sqrt[3]{x^3 + y^2 + 3}$

    m) $z = \dfrac{x \operatorname{sen} y}{\cos(x^2 + y^2)}$

2. Considere a função $z = \dfrac{xy^2}{x^2 + y^2}$. Verifique que $x \dfrac{\partial z}{\partial x} + y \dfrac{\partial z}{\partial y} = z$.

3. Seja $\phi: \mathbb{R} \to \mathbb{R}$ uma função de uma variável real, diferenciável e tal que $\phi'(1) = 4$. Seja $g(x, y) = \phi\left(\dfrac{x}{y}\right)$. Calcule

    a) $\dfrac{\partial g}{\partial x}(1, 1)$

    b) $\dfrac{\partial g}{\partial y}(1, 1)$

4. Seja $g(x, y) = \phi\left(\dfrac{x}{y}\right)$ a função do exercício anterior. Verifique que

$$x \dfrac{\partial g}{\partial x}(x, y) + y \dfrac{\partial g}{\partial y}(x, y) = 0$$

para todo $(x, y) \in \mathbb{R}^2$, com $y \neq 0$.

Derivadas Parciais

5. Considere a função dada por $z = x \operatorname{sen} \dfrac{x}{y}$. Verifique que

$$x\frac{\partial z}{\partial x} + y\frac{\partial z}{\partial y} = z.$$

6. A função $p = p(V, T)$ é dada implicitamente pela equação $pV = nRT$, em que n e R são constantes não nulas. Calcule $\dfrac{\partial p}{\partial V}$ e $\dfrac{\partial p}{\partial T}$.

7. Seja $z = e^y \phi(x - y)$, em que ϕ é uma função diferenciável de uma variável real. Mostre que

$$\frac{\partial z}{\partial x} + \frac{\partial z}{\partial y} = z.$$

8. Seja $\phi : \mathbb{R} \to \mathbb{R}$ uma função diferenciável de uma variável real e seja $f(x, y) = (x^2 + y^2)\phi\left(\dfrac{x}{y}\right)$. Mostre que

$$x\frac{\partial f}{\partial x} + y\frac{\partial f}{\partial y} = 2f.$$

9. Sejam $z = e^{x^2+y^2}$, $x = \rho \cos \theta$ e $x = \rho \operatorname{sen} \theta$. Verifique que

$$\frac{\partial z}{\partial \rho} = e^{x^2+y^2}(2x \cos \theta + 2y \operatorname{sen} \theta).$$

Conclua que

$$\frac{\partial z}{\partial \rho} = \frac{\partial z}{\partial x}\cos \theta + \frac{\partial z}{\partial y}\operatorname{sen} \theta.$$

10. Suponha que a função $z = z(x, y)$ admita derivadas parciais em todos os pontos de seu domínio e que seja dada implicitamente pela equação $xyz + z^3 = x$. Expresse $\dfrac{\partial z}{\partial x}$ e $\dfrac{\partial z}{\partial y}$ em termos de x, y, z.

11. Seja $z = f(x + at)$ em que f é uma função diferenciável de uma variável real e a uma constante. Verifique que

$$\frac{\partial z}{\partial t} = a\frac{\partial z}{\partial x}.$$

12. Seja $z = f(x^2 - y^2)$, em que $f(u)$ é uma função diferenciável de uma variável real. Verifique que

$$y\frac{\partial z}{\partial x} + x\frac{\partial z}{\partial y} = 0.$$

13. Considere a função dada por $w = xy + z^4$, em que $z = z(x, y)$. Admita que $\dfrac{\partial z}{\partial x}\bigg|_{\substack{x=1\\y=1}} = 4$ e que $z = 1$ para $x = 1$ e $y = 1$. Calcule $\dfrac{\partial w}{\partial x}\bigg|_{\substack{x=1\\y=1}}$.

14. Seja $f(x, y) = e^{-\frac{x}{2}}\phi(2y - x)$, em que ϕ é uma função diferenciável de uma variável real. Mostre que

$$2\frac{\partial f}{\partial x} + \frac{\partial f}{\partial y} = -f.$$

Capítulo 10

15. Seja $f(x,y) = \int_0^{x^2+y^2} e^{-t^2} dt$. Calcule $\dfrac{\partial f}{\partial x}(x,y)$ e $\dfrac{\partial f}{\partial y}(x,y)$.

16. Seja $f(x,y) = \int_{x^2}^{y^2} e^{-t^2} dt$. Calcule $\dfrac{\partial f}{\partial x}(x,y)$ e $\dfrac{\partial f}{\partial y}(x,y)$.

17. Seja $f: \mathbb{R} \to \mathbb{R}$ uma função diferenciável e seja $g(x,y) = f(y) + f\left(\dfrac{x}{y}\right)$. Verifique que
$$x\dfrac{\partial g}{\partial x} + y\dfrac{\partial g}{\partial y} = yf'(y).$$

18. Seja $f(x,y) = x^3y^2 - 6xy + \phi(y)$. Determine uma função ϕ de modo que
$$\dfrac{\partial f}{\partial y} = 2x^3y - 6x + \dfrac{y}{y^2+1}.$$

19. Determine uma função $f(x,y)$ tal que
$$\begin{cases} \dfrac{\partial f}{\partial x} = 3x^2y^2 - 6y \\ \dfrac{\partial f}{\partial y} = 2x^3y - 6x + \dfrac{y}{y^2+1} \end{cases}.$$

20. Determine $\dfrac{\partial f}{\partial x}$ e $\dfrac{\partial f}{\partial y}$ sendo $f(x,y) = \begin{cases} \dfrac{x+y^4}{x^2+y^2} & \text{se } (x,y) \neq (0,0) \\ 0 & \text{se } (x,y) = (0,0) \end{cases}$.

21. Seja $f(x,y) = \begin{cases} e^{\left(\dfrac{1}{x^2+y^2-1}\right)} & \text{se } x^2+y^2 < 1 \\ 0 & \text{se } x^2+y^2 \geq 1 \end{cases}$

   a) Esboce o gráfico de f.

   b) Determine $\dfrac{\partial f}{\partial x}$ e $\dfrac{\partial f}{\partial y}$.

22. Seja $f: \mathbb{R}^2 \to \mathbb{R}$ dada por: $f(x,0) = 1+x^2$, $f(0,y) = 1+y^2$ e $f(x,y) = 0$ se $x \neq 0$ e $y \neq 0$.

   a) Esboce o gráfico de f.

   b) Calcule $\dfrac{\partial f}{\partial x}(0,0)$ e $\dfrac{\partial f}{\partial y}(0,0)$.

   c) f é contínua em $(0,0)$? Justifique.

   d) $\dfrac{\partial f}{\partial x}(0,1)$ existe? $\dfrac{\partial f}{\partial x}(1,0)$?

   e) Qual o domínio de $\dfrac{\partial f}{\partial x}$?

23. Seja $f(x,y) = x^2 + y^2$ e seja $\gamma(t) = (t, t, z(t))$, $t \in \mathbb{R}$, uma curva cuja imagem está contida no gráfico de f.

   a) Determine $z(t)$.

   b) Esboce os gráficos de f e γ.

c) Determine a reta tangente a γ no ponto $(1, 1, 2)$.

d) Seja T a reta do item c; mostre que T está contida no plano de equação

$$z - f(1,1) = \frac{\partial f}{\partial x}(1,1)(x-1) + \frac{\partial f}{\partial y}(1,1)(y-1).$$

24. Seja $f(x,y) = x^2 + y^2$ e seja $\gamma(t) = (x(t), y(t), z(t))$ uma curva diferenciável cuja imagem está contida no gráfico de f. Suponha, ainda, $\gamma(0) = (1, 1, 2)$. Seja T a reta tangente a γ em $\gamma(0)$. Mostre que T está contida no plano

$$z - f(1,1) = \frac{\partial f}{\partial x}(1,1)(x-1) + \frac{\partial f}{\partial y}(1,1)(y-1).$$

Interprete geometricamente.

25. Suponha que $z = f(x, y)$ admite derivadas parciais em (x_0, y_0). Considere as curvas cujas imagens estão contidas no gráfico de f:

$$\gamma_1 : \begin{cases} x = x_0 \\ y = t \\ z = f(x_0, t) \end{cases} \quad \text{e} \quad \gamma_2 : \begin{cases} x = t \\ y = y_0 \\ z = f(t, y_0) \end{cases}$$

Sejam T_1 e T_2 as retas tangentes a γ_1 e γ_2, nos pontos $\gamma_1(y_0)$ e $\gamma_2(x_0)$, respectivamente. Mostre que a equação do plano determinado pelas retas T_1 e T_2 é

$$z - f(x_0, y_0) = \frac{\partial f}{\partial x}(x_0, y_0)(x - x_0) + \frac{\partial f}{\partial y}(x_0, y_0)(y - y_0).$$

26. Seja $f(x,y) = \begin{cases} \dfrac{2xy^2}{x^2 + y^4} & \text{se } (x, y) \neq (0, 0) \\ 0 & \text{se } (x, y) = (0, 0) \end{cases}$ e seja $\gamma(t) = (t, t, z(t))$, $t \in \mathbb{R}$, uma curva cuja

imagem está no gráfico de f. Seja T a reta tangente a γ no ponto $\gamma(0)$. Mostre que T não está contida no plano de equação

$$z - f(0,0) = \frac{\partial f}{\partial x}(0,0)(x-0) + \frac{\partial f}{\partial y}(0,0)(y-0).$$

27. Considere a função $z = f(x, y)$ e seja $(x_0, y_0) \in D_f$. Como você definiria *plano tangente* ao gráfico de f no ponto (x_0, y_0)? Admitindo que f admite derivadas parciais em (x_0, y_0), escreva a equação de um plano que você acha que seja um "forte" candidato a plano tangente ao gráfico de f no ponto $((x_0, y_0), f(x_0, y_0))$.

28. Dê exemplo de uma função $f : \mathbb{R}^2 \to \mathbb{R}$ tal que $\dfrac{\partial f}{\partial y}$ seja contínua em $\mathbb{R}^2$, mas que f não seja contínua em nenhum ponto de $\mathbb{R}^2$.

29. Dizemos que (x_0, y_0) é um *ponto crítico* ou *estacionário* de $z = f(x, y)$ se $\dfrac{\partial f}{\partial x}(x_0, y_0) = 0$ e $\dfrac{\partial f}{\partial y}(x_0, y_0) = 0$. Determine (caso existam) os pontos críticos da função dada.

a) $f(x,y) = x^2 + y^2$
b) $f(x,y) = 2x + y^3$
c) $f(x,y) = x^2 - 2xy + 3y^2 + x - y$
d) $f(x,y) = x^3 + y^3 - 3x - 3y$
e) $f(x,y) = 3x^2 + 8xy^2 - 14x - 16y$
f) $f(x,y) = x^4 + 4xy + y^4$

Capítulo 10

30. Seja (x_0, y_0) um ponto de D_f. Dizemos que (x_0, y_0) é um *ponto de máximo local* de f (respectivamente, *ponto de mínimo local*) se existe uma bola aberta B de centro (x_0, y_0) tal que, para todo $(x, y) \in B \cap D_f$, $f(x, y) \leq f(x_0, y_0)$ (respectivamente, $f(x, y) \geq f(x_0, y_0)$). Prove que se (x_0, y_0) é um *ponto interior* de D_f e se f admite derivadas parciais em (x_0, y_0), então uma *condição necessária* para que (x_0, y_0) seja um ponto de máximo local ou de mínimo local é que (x_0, y_0) seja ponto crítico de f, isto é, que

$$\frac{\partial f}{\partial x}(x_0, y_0) = 0 \text{ e } \frac{\partial f}{\partial y}(x_0, y_0) = 0.$$

31. Seja $f: \mathbb{R}^2 \to \mathbb{R}$ e suponha que $\frac{\partial f}{\partial x}(x, y) = 0$ e $\frac{\partial f}{\partial y}(x, y) = 0$, para todo $(x, y) \in \mathbb{R}^2$. Prove que f é constante.

32. Dê exemplo de uma função $f: A \subset \mathbb{R}^2 \to \mathbb{R}$ tal que $\frac{\partial f}{\partial x}(x, y) = 0$ e $\frac{\partial f}{\partial y}(x, y) = 0$, para todo $(x, y) \in A$, mas que f não seja constante em A.

33. Suponha que, quaisquer que sejam (x, y) e (s, t) em $\mathbb{R}^2$, $|f(x, y) - f(s, t)| \leq \|(x, y) - (s, t)\|^2$. Prove que f é constante.

34. Seja $f: A \subset \mathbb{R}^2 \to \mathbb{R}$, A aberto, e suponha que $\frac{\partial f}{\partial x}(x, y)$ existe para todo $(x, y) \in A$. Sejam (x_0, y_0) e $(x_0 + h, y_0)$ dois pontos de A. Prove que se o segmento de extremidades (x_0, y_0) e $(x_0 + h, y_0)$ estiver contido em A, então existirá $\bar{x}$ entre x_0 e $x_0 + h$ tal que

$$f(x_0 + h, y_0) - f(x_0, y_0) = \frac{\partial f}{\partial x}(\bar{x}, y_0)h.$$

35. Seja $f: A \subset \mathbb{R}^2 \to \mathbb{R}$, A aberto, e suponha que f admite derivadas parciais em A. Seja $(x_0, y_0) \in A$. Prove que se $\frac{\partial f}{\partial x}$ e $\frac{\partial f}{\partial y}$ forem contínuas em (x_0, y_0), então f também será.

(*Sugestão.* $f(x, y) - f(x_0, y_0) = \underbrace{f(x, y) - f(x_0, y)}_{\text{(I)}} + \underbrace{f(x_0, y) - f(x_0, y_0)}_{\text{(II)}}$; aplique o TVM a (I) e (II).)

10.2 Derivadas Parciais de Funções de Três ou Mais Variáveis Reais

Sejam $w = f(x, y, z)$ e $(x_0, y_0, z_0) \in D_f$. Mantendo-se y_0 e z_0 constantes, podemos considerar para função $g(x) = f(x, y_0, z_0)$. A derivada desta função, em $x = x_0$ (caso exista), denomina-se *derivada parcial de f em relação a x no ponto* (x_0, y_0, z_0) e indica-se por $\frac{\partial f}{\partial x}(x_0, y_0, z_0)$ ou $\frac{\partial w}{\partial x}\Big|_{\substack{x=x_0 \\ y=y_0 \\ z=z_0}}$.

De modo análogo, definem-se as derivadas parciais $\frac{\partial f}{\partial y}(x_0, y_0, z_0)$ e $\frac{\partial f}{\partial z}(x_0, y_0, z_0)$. Tem-se:

$$\frac{\partial f}{\partial x}(x_0, y_0, z_0) = \lim_{\Delta x \to 0} \frac{f(x_0 + \Delta x, y_0, z_0) - f(x_0, y_0, z_0)}{\Delta x}$$

$$\frac{\partial f}{\partial y}(x_0, y_0, z_0) = \lim_{\Delta y \to 0} \frac{f(x_0, y_0 + \Delta y, z_0) - f(x_0, y_0, z_0)}{\Delta y}$$

$$\frac{\partial f}{\partial z}(x_0, y_0, z_0) = \lim_{\Delta z \to 0} \frac{f(x_0, y_0, z_0 + \Delta z) - f(x_0, y_0, z_0)}{\Delta z}.$$

Derivadas Parciais

Da mesma forma, definem-se as derivadas parciais de uma função de mais de três variáveis reais.

Exemplo Calcule as derivadas parciais da função $s = f(x, y, z, w)$ dada por

$$s = e^{xyzw}.$$

Solução

$\dfrac{\partial s}{\partial x} = e^{xyzw} \dfrac{\partial}{\partial x}(xyzw) = yzw e^{xyzw}$ (y, z e w são olhadas como constantes).

$\dfrac{\partial s}{\partial y} = e^{xyzw} \dfrac{\partial}{\partial y}(xyzw) = xzw e^{xyzw}$

$\dfrac{\partial s}{\partial z} = e^{xyzw} \dfrac{\partial}{\partial z}(xyzw) = xyw e^{xyzw}$

$\dfrac{\partial s}{\partial w} = e^{xyzw} \dfrac{\partial}{\partial w}(xyzw) = xyz e^{xyzw}$

Exercícios 10.2

1. Calcule as derivadas parciais.

a) $f(x, y, z) = x\, e^{x-y-z}$

b) $w = x^2 \arcsen \dfrac{y}{z}$

c) $w = \dfrac{xyz}{x+y+z}$

d) $f(x, y, z) = \sen(x^2 + y^2 + z^2)$

e) $s = f(x, y, z, w)$ dada por $s = xw \ln (x^2 + y^2 + z^2 + w^2)$

2. Seja $f(x, y, z) = \dfrac{x}{x^2 + y^2 + z^2}$. Verifique que

$$x \dfrac{\partial f}{\partial x} + y \dfrac{\partial f}{\partial y} + z \dfrac{\partial f}{\partial z} = -f.$$

3. Seja $s = f(x, y, z, w)$ dada por $s = e^{\frac{x}{y} - \frac{z}{w}}$. Verifique que

$$x \dfrac{\partial s}{\partial x} + y \dfrac{\partial s}{\partial y} + z \dfrac{\partial s}{\partial z} + w \dfrac{\partial s}{\partial w} = 0.$$

4. Seja $f : \mathbb{R} \to \mathbb{R}$ contínua com $f(3) = 4$. Seja

$$g(x, y, z) = \int_0^{x+y^2+z^4} f(t)\,dt.$$

Calcule:

a) $\dfrac{\partial g}{\partial x}(1, 1, 1)$

b) $\dfrac{\partial g}{\partial y}(1, 1, 1)$

c) $\dfrac{\partial g}{\partial z}(1, 1, 1)$

Capítulo 10

5. Seja $f: \mathbb{R} \to \mathbb{R}$ diferenciável e seja g dada por $g(x, y, z) = f(r)$ em que $r = \|(x, y, z)\|$. Verifique que

$$x\frac{\partial g}{\partial x} + y\frac{\partial g}{\partial y} + z\frac{\partial g}{\partial z} = rf'(r).$$

6. Seja $\phi: \mathbb{R} \to \mathbb{R}$ uma função diferenciável tal que $\phi'(3) = 4$. Seja $g(x, y, z) = \phi(x^2 + y^2 + z^2)$. Calcule:

a) $\dfrac{\partial g}{\partial x}(1, 1, 1)$ 	 b) $\dfrac{\partial g}{\partial y}(1, 1, 1)$ 	 c) $\dfrac{\partial g}{\partial z}(1, 1, 1)$

11 Funções Diferenciáveis

11.1 Função Diferenciável: Definição

O objetivo desta seção é estender para funções de duas variáveis reais o conceito de diferenciabilidade dado para funções de uma variável real.

Vimos que, por definição, uma função $f(x)$ é *diferenciável* ou *derivável* em x_0 se e somente se o limite, quando h tende a zero, da razão incremental $\dfrac{f(x_0+h)-f(x_0)}{h}$ existir e for finito. Esta forma não é adequada para generalização, pois se f for uma função de duas variáveis reais h será um par ordenado e, então, a razão incremental não terá sentido. Nossa tarefa a seguir é a de tentar obter uma forma equivalente à definição de diferenciabilidade e que seja passível de generalização.

Supondo $f(x)$ diferenciável em x_0, existe um real a, $a = f'(x_0)$, tal que

$$\lim_{h\to 0}\frac{f(x_0+h)-f(x_0)}{h}=a.$$

Temos:

$$\lim_{h\to 0}\frac{f(x_0+h)-f(x_0)}{h}=a \Leftrightarrow \lim_{h\to 0}\frac{f(x_0+h)-f(x_0)-ah}{h}=0.$$

Como

$$\lim_{h\to 0}\frac{G(h)}{h}=0 \Leftrightarrow \lim_{h\to 0}\frac{G(h)}{|h|}=0 \text{ (verifique)}$$

resulta

$$\lim_{h\to 0}\frac{f(x_0+h)-f(x_0)}{h}=a \Leftrightarrow \lim_{h\to 0}\frac{f(x_0+h)-f(x_0)-ah}{|h|}=0.$$

Portanto, f é *diferenciável* em x_0 se e somente se existir um real a tal que

$$\lim_{h\to 0}\frac{f(x_0+h)-f(x_0)-ah}{|h|}=0.$$

Estamos, agora, em condições de definir diferenciabilidades para funções de duas variáveis reais.

Capítulo 11

Definição. Sejam $f: A \to \mathbb{R}$, A aberto de $\mathbb{R}^2$ e $(x_0, y_0) \in A$. Dizemos que f é *diferenciável* em (x_0, y_0) se e somente se existirem reais a e b tais que

$$\lim_{(h,k)\to(0,0)} \frac{f(x_0+h, y_0+h) - f(x_0, y_0) - ah - bk}{\|(h,k)\|} = 0.$$

O próximo teorema nos diz que *diferenciabilidade* implica *continuidade*.

Teorema 1. Se f for diferenciável em (x_0, y_0), então f será contínua em (x_0, y_0).

Demonstração

Sendo $f(x, y)$ diferenciável em (x_0, y_0), existem reais a e b tais que

$$\lim_{(h,k)\to(0,0)} \frac{E(h,k)}{\|(h,k)\|} = 0$$

em que $E(h, k)$ é a função dada por

$$f(x_0+h, y_0+h) = f(x_0, y_0) + ah + bk + E(h,k).$$

Como

$$\lim_{(h,k)\to(0,0)} (ah + bk) = 0$$

e

$$\lim_{(h,k)\to(0,0)} E(h,k) = \lim_{(h,k)\to(0,0)} \|(h,k)\| \cdot \frac{E(h,k)}{\|(h,k)\|} = 0$$

resulta

$$\lim_{(h,k)\to(0,0)} f(x_0+h, y_0+h) = f(x_0, y_0).$$

Logo, f é contínua em (x_0, y_0). ∎

Vamos mostrar, agora, que se f for diferenciável em (x_0, y_0), então f admitirá derivadas parciais em (x_0, y_0) e

$$L(h,k) = \frac{\partial f}{\partial x}(x_0, y_0)h + \frac{\partial f}{\partial y}(x_0, y_0)k$$

será a *única* transformação linear que goza da propriedade

$$\lim_{(h,k)\to(0,0)} \frac{f(x_0+h, y_0+h) - f(x_0, y_0) - \frac{\partial f}{\partial x}(x_0, y_0)h - \frac{\partial f}{\partial y}(x_0, y_0)k}{\|(h,k)\|} = 0.$$

Teorema 2. Seja $f: A \subset \mathbb{R}^2 \to \mathbb{R}$, A aberto, e seja $(x_0, y_0) \in A$. Se f for diferenciável em (x_0, y_0), então f admitirá derivadas parciais neste ponto.

Funções Diferenciáveis

Demonstração

Sendo $f(x, y)$ diferenciável em (x_0, y_0), existem reais a e b tais que

① $$\lim_{(h,k)\to(0,0)} \frac{E(h,k)}{\|(h,k)\|} = 0$$

em que $E(h, k) = f(x_0 + h, y_0 + h) - f(x_0, y_0) - ah - bk$. Segue de ① que

$$\lim_{(h,k)\to(0,0)} \frac{E(h,0)}{\|(h,0)\|} = \lim_{h\to 0} \frac{f(x_0 + h, y_0) - f(x_0, y_0) - ah}{|h|} = 0.$$

Daí

$$\lim_{h\to 0} \frac{f(x_0 + h, y_0) - f(x_0, y_0) - ah}{h} = 0$$

e, portanto,

$$\lim_{h\to 0} \frac{f(x_0 + h, y_0) - f(x_0, y_0)}{h} = a = \frac{\partial f}{\partial x}(x_0, y_0).$$

De modo análogo, obtém-se $b = \frac{\partial f}{\partial y}(x_0, y_0)$. ∎

Observação. Provamos acima que se

$$\lim_{(h,k)\to(0,0)} \frac{f(x_0 + h, y_0 + k) - f(x_0, y_0) - ah - bk}{\|(h,k)\|} = 0$$

então teremos necessariamente $a = \frac{\partial f}{\partial x}(x_0, y_0)$ e $b = \frac{\partial f}{\partial y}(x_0, y_0)$. Deste modo, se $f(x, y)$ for diferenciável em (x_0, y_0), então $a = \frac{\partial f}{\partial x}(x_0, y_0)$ e $b = \frac{\partial f}{\partial y}(x_0, y_0)$ serão os *únicos* reais para os quais o limite acima é zero.

Segue do teorema 2 o seguinte *importante*

Corolário. Seja $f(x, y)$ definida no aberto $A \subset \mathbb{R}^2$ e seja $(x_0, y_0) \in A$. Tem-se:

f diferenciável em $(x_0, y_0) \Leftrightarrow \begin{cases} a) \ f \text{ admite derivadas parciais em } (x_0, y_0); \\ b) \lim_{(h,k)\to(0,0)} \frac{E(h,k)}{\|(h,k)\|} = 0. \end{cases}$

$$\left(E(h,k) = f(x_0 + h, y_0 + k) - f(x_0, y_0) - \frac{\partial f}{\partial x}(x_0, y_0)h - \frac{\partial f}{\partial y}(x_0, y_0)k \right)$$

Observações

1. Segue do corolário acima que para provar que uma função f é diferenciável em (x_0, y_0) é suficiente provar que f admite derivadas parciais em (x_0, y_0) e que

$$\lim_{(h,k)\to(0,0)} \frac{f(x_0 + h, y_0 + k) - f(x_0, y_0) - \frac{\partial f}{\partial x}(x_0, y_0)h - \frac{\partial f}{\partial y}(x_0, y_0)k}{\|(h,k)\|} = 0.$$

Capítulo 11

2. Se uma das derivadas parciais não existir em (x_0, y_0), então f não será diferenciável neste ponto.
3. Se ambas as derivadas parciais existirem em (x_0, y_0), mas se o limite acima não for zero, então f não será diferenciável em (x_0, y_0).
4. Se f não for contínua em (x_0, y_0), então f não será diferenciável em (x_0, y_0).

Dizemos que f é *diferenciável* em $B \subset D_f$ se f for diferenciável em todo $(x, y) \in B$. Diremos, simplesmente, que f é uma *função diferenciável* se f for diferenciável em todo ponto de seu domínio.

Exemplo 1 Prove que $f(x, y) = x^2 y$ é uma função diferenciável.

Solução

Precisamos provar que f é diferenciável em todo $(x, y) \in \mathbb{R}^2$ ($D_f = \mathbb{R}^2$). f admite derivadas parciais em todo $(x, y) \in \mathbb{R}^2$ e

$$\frac{\partial f}{\partial x}(x, y) = 2xy \text{ e } \frac{\partial f}{\partial y}(x, y) = x^2.$$

Por outro lado, para todo (x, y) em $\mathbb{R}^2$.

$$E(h, k) = f(x+h, y+k) - f(x, y) - \frac{\partial f}{\partial x}(x, y)h - \frac{\partial f}{\partial y}(x, y)k$$
$$= (x+h)^2(y+k) - x^2 y - 2xyh - x^2 k =$$
$$= 2xhk + h^2 y + h^2 k.$$

Como, para $(h, k) \neq (0, 0)$, $\dfrac{|h|}{\sqrt{h^2 + k^2}} \leq 1$, resulta

$$\lim_{(h,k) \to (0,0)} \frac{E(h,k)}{\|(h,k)\|} = \lim_{(h,k) \to (0,0)} \frac{2xhk + h^2 y + h^2 k}{\sqrt{h^2 + k^2}} =$$
$$= \lim_{(h,k) \to (0,0)} \left[2xh \underbrace{\frac{k}{\sqrt{h^2 + k^2}}}_{\text{limitada}} + hy \frac{h}{\sqrt{h^2 + k^2}} + hk \frac{h}{\sqrt{h^2 + k^2}} \right] = 0.$$

Portanto, f é diferenciável em todo (x, y) de $\mathbb{R}^2$, ou seja, f é uma função diferenciável.

Exemplo 2

$$f(x, y) = \begin{cases} \dfrac{2xy^2}{x^2 + y^4} & \text{se } (x, y) \neq (0, 0) \\ 0 & \text{se } (x, y) = (0, 0) \end{cases}$$

é diferenciável em $(0, 0)$? Justifique.

Solução

f não é contínua em $(0, 0)$; logo, f não é diferenciável em $(0, 0)$. Para a não continuidade de f em $(0, 0)$, veja Exercício 2, Seção 9.1. Observe que f admite derivadas parciais em $(0, 0)$.

Exemplo 3

$$f(x, y) = \begin{cases} \dfrac{x^3}{x^2 + y^2} & \text{se } (x, y) \neq (0, 0) \\ 0 & \text{se } (x, y) = (0, 0) \end{cases}$$

é diferenciável em $(0, 0)$? Justifique.

Solução

$$\frac{\partial f}{\partial x}(0,0) = \lim_{x \to 0} \frac{f(x,0) - f(0,0)}{x - 0} = \lim_{x \to 0} \frac{x}{x} = 1.$$

$$\frac{\partial f}{\partial y}(0,0) = \lim_{y \to 0} \frac{f(0,y) - f(0,0)}{y - 0} = 0.$$

Temos

$$E(h, k) = f(0+h, 0+k) - f(0,0) - \frac{\partial f}{\partial x}(0,0)h - \frac{\partial f}{\partial y}(0,0)k$$

ou seja, $E(h, k) = \dfrac{h^3}{h^2 + k^2} - h$. Segue que

$$\frac{E(h,k)}{\|(h,k)\|} = \frac{\dfrac{hk^2}{h^2+k^2}}{\sqrt{h^2+k^2}} = \frac{-hk^2}{(h^2+k^2)\sqrt{h^2+k^2}} = G(h, k).$$

Como $\lim\limits_{t \to 0} G(t, t) = \lim\limits_{t \to 0} \dfrac{-t}{2\sqrt{2}\,|t|}$ não existe, resulta que

$$\lim_{(h,k) \to (0,0)} \frac{E(h,k)}{\|(h,k)\|} \text{ não existe;}$$

logo, f não é diferenciável em $(0, 0)$.

Observação. Como

$$\lim_{(x,y) \to (0,0)} f(x,y) = \lim_{(x,y) \to (0,0)} \underbrace{x}_{0} \underbrace{\left(\frac{x^2}{x^2+y^2}\right)}_{\text{limitada}} = 0 = f(0,0)$$

resulta que f é contínua em $(0, 0)$. Assim, f é contínua em $(0, 0)$, admite derivadas parciais em $(0, 0)$, mas não é diferenciável em $(0, 0)$.

Exercícios 11.1

1. Prove que as funções dadas são diferenciáveis.

   a) $f(x, y) = xy$
   b) $f(x, y) = x + y$
   c) $f(x, y) = x^2 y^2$
   d) $f(x, y) = \dfrac{1}{xy}$
   e) $f(x, y) = \dfrac{1}{x+y}$
   f) $f(x, y) = x^2 + y^2$

2. f é diferenciável em $(0, 0)$? Justifique.

   a) $f(x, y) = \dfrac{x^2 - y^2}{x^2 + y^2}$ se $(x, y) \neq (0, 0)$ e $f(0, 0) = 0$.

   b) $f(x, y) = \dfrac{x^2 y}{x^2 + y^2}$ se $(x, y) \neq (0, 0)$ e $f(0, 0) = 0$.

   c) $f(x, y) = \dfrac{x^4}{x^2 + y^2}$ se $(x, y) \neq (0, 0)$ e $f(0, 0) = 0$.

11.2 Uma Condição Suficiente para Diferenciabilidade

Nosso objetivo, nesta seção, é demonstrar que a *continuidade em A, A aberto, das derivadas parciais de uma função f garante a diferenciabilidade desta função em todos os pontos de A*. Este resultado é bastante importante, pois, em muitas ocasiões, é mais fácil verificar a continuidade das derivadas parciais do que a diferenciabilidade diretamente pela definição.

Teorema. Sejam $f: A \subset \mathbb{R}^2 \to \mathbb{R}$, A aberto, e $(x_0, y_0) \in A$. Se as derivadas parciais $\dfrac{\partial f}{\partial x}$ e $\dfrac{\partial f}{\partial y}$ existirem em A e forem contínuas no ponto (x_0, y_0), então f será diferenciável neste ponto.

Demonstração

Como A é aberto, existe uma bola aberta B de centro (x_0, y_0), contida em A. Sejam h e k tais que $(x_0 + h, y_0 + k) \in B$. Temos

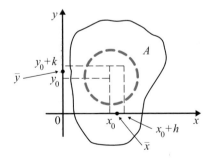

$$f(x_0 + h, y_0 + k) - f(x_0, y_0) = \underbrace{f(x_0 + h, y_0 + k) - f(x_0, y_0 + k)}_{(I)}$$
$$+ \underbrace{f(x_0, y_0 + k) - f(x_0, y_0)}_{(II)}.$$

Fazendo $G(x) = f(x, y_0 + k)$, pelo TVM existe $\bar{x}$, entre x_0 e $x_0 + h$ tal que

$$(I) = G(x_0 + h) - G(x_0) = G'(\bar{x})h = \frac{\partial f}{\partial x}(\bar{x}, y_0 + k)h.$$

Do mesmo modo, existe $\bar{y}$ entre y_0 e $y_0 + k$ tal que

$$(II) = \frac{\partial f}{\partial y}(x_0, \bar{y})k.$$

Assim,

$$f(x_0 + h, y_0 + k) - f(x_0, y_0) = \frac{\partial f}{\partial x}(\bar{x}, y_0 + k)h + \frac{\partial f}{\partial y}(x_0, \bar{y})k.$$

Subtraindo a ambos os membros da igualdade acima $\frac{\partial f}{\partial x}(x_0, y_0)h + \frac{\partial f}{\partial y}(x_0, y_0)k$ obtemos:

$$f(x_0 + h, y_0 + k) - f(x_0, y_0) - \frac{\partial f}{\partial x}(x_0, y_0)h - \frac{\partial f}{\partial y}(x_0, y_0)k$$
$$= \left[\frac{\partial f}{\partial x}(\bar{x}, y_0 + k) - \frac{\partial f}{\partial x}(x_0, y_0)\right]h + \left[\frac{\partial f}{\partial y}(x_0, \bar{y}) - \frac{\partial f}{\partial y}(x_0, y_0)\right]k.$$

Segue que

$$\left|\frac{f(x_0 + h, y_0 + k) - f(x_0, y_0) - \frac{\partial f}{\partial x}(x_0, y_0)h - \frac{\partial f}{\partial y}(x_0, y_0)k}{\|(h,k)\|}\right| \leq$$

$$\leq \underbrace{\left|\frac{\partial f}{\partial y}(\bar{x}, y_0 + k) - \frac{\partial f}{\partial x}(x_0, y_0)\right|}_{(III)} \underbrace{\frac{|h|}{\sqrt{h^2 + k^2}}}_{\text{limitada}} +$$

$$+ \underbrace{\left|\frac{\partial f}{\partial y}(x_0, \bar{y}) - \frac{\partial f}{\partial y}(x_0, y_0)\right|}_{(IV)} \frac{|k|}{\sqrt{h^2 + k^2}}.$$

Pela continuidade de $\frac{\partial f}{\partial x}$ e $\frac{\partial f}{\partial y}$ em (x_0, y_0), as expressões (III) e (IV) tendem a zero, quando $(h, k) \to (0, 0)$, e, portanto,

$$\lim_{(h,k)\to(0,0)} \frac{f(x_0 + h, y_0 + k) - f(x_0, y_0) - \frac{\partial f}{\partial x}(x_0, y_0)h - \frac{\partial f}{\partial y}(x_0, y_0)k}{\|(h,k)\|} = 0;$$

logo, f é diferenciável em (x_0, y_0). ∎

Seja $f(x, y)$ uma função. Dizemos que f é de classe C^1 no aberto A se $\frac{\partial f}{\partial x}$ e $\frac{\partial f}{\partial y}$ forem contínuas em A.

Capítulo 11

Segue do teorema anterior o seguinte

Corolário. Seja $f: A \subset \mathbb{R}^2 \to \mathbb{R}$, A aberto. Se f for de classe C^1 em A, então f será diferenciável em A.

Exemplo 1 $f(x, y) = \text{sen}(x^2 + y^2)$ é diferenciável em $\mathbb{R}^2$, pois,

$$\frac{\partial f}{\partial x} = 2x \cos(x^2 + y^2) \text{ e } \frac{\partial f}{\partial y} = 2y \cos(x^2 + y^2)$$

são contínuas em $\mathbb{R}^2$.

Observação. O teorema anterior conta-nos que se f admite derivadas parciais em A e se estas são *contínuas* no ponto (x_0, y_0), então f será diferenciável em (x_0, y_0). A recíproca, entretanto, não é verdadeira: existem funções que são diferenciáveis em um ponto sem que as derivadas parciais sejam contínuas neste ponto. O exemplo seguinte exibe-nos uma tal função.

Exemplo 2 Seja $f(x, y) = \begin{cases} (x^2 + y^2) \text{sen} \dfrac{1}{x^2 + y^2} & \text{se } (x, y) \neq (0, 0) \\ 0 & \text{se } (x, y) = (0, 0) \end{cases}$

a) Determine $\dfrac{\partial f}{\partial x}$ e $\dfrac{\partial f}{\partial y}$.

b) Mostre que $\dfrac{\partial f}{\partial x}$ e $\dfrac{\partial f}{\partial y}$ *não* são contínuas em $(0, 0)$.

c) Prove que f é diferenciável em $(0, 0)$.

d) Prove que f é uma função diferenciável.

Solução

a) $\dfrac{\partial f}{\partial x}(0, 0) = \lim_{x \to 0} \dfrac{f(x, 0) - f(0, 0)}{x - 0} = \lim_{x \to 0} \dfrac{x^2 \text{sen} \dfrac{1}{x^2}}{x}$, ou seja,

$$\frac{\partial f}{\partial x}(0, 0) = \lim_{x \to 0} \overset{0}{x} \underbrace{\text{sen} \frac{1}{x^2}}_{\text{limitada}} = 0.$$

De modo análogo, $\dfrac{\partial f}{\partial y}(0, 0) = 0$. Assim,

$$\frac{\partial f}{\partial x}(x, y) = \begin{cases} 2x \, \text{sen} \dfrac{1}{x^2 + y^2} - \dfrac{2x}{x^2 + y^2} \cos \dfrac{1}{x^2 + y^2} & \text{se } (x, y) \neq (0, 0) \\ 0 & \text{se } (x, y) = (0, 0) \end{cases}$$

e

$$\frac{\partial f}{\partial y}(x,y) = \begin{cases} 2y\operatorname{sen}\dfrac{1}{x^2+y^2} - \dfrac{2y}{x^2+y^2}\cos\dfrac{1}{x^2+y^2} & \text{se } (x,y) \neq (0,0) \\ 0 & \text{se } (x,y) = (0,0) \end{cases}$$

b) $\lim\limits_{t \to 0} \dfrac{\partial f}{\partial x}(t,t)$ não existe. (Verifique.) Logo, $\dfrac{\partial f}{\partial x}$ não é contínua em $(0,0)$.

De modo análogo, verifica-se que $\dfrac{\partial f}{\partial y}$ não é contínua em $(0,0)$.

c)
$$\frac{f(0+h, 0+k) - f(0,0) - \dfrac{\partial f}{\partial x}(0,0)h - \dfrac{\partial f}{\partial y}(0,0)k}{\|(h,k)\|} = \frac{(h^2+k^2)\operatorname{sen}\dfrac{1}{h^2+k^2}}{\sqrt{h^2+k^2}}$$

$$= \sqrt{h^2+k^2}\,\operatorname{sen}\dfrac{1}{h^2+k^2}.$$

Como $\lim\limits_{(h,k)\to(0,0)} \underbrace{\sqrt{h^2+k^2}}_{0}\underbrace{\operatorname{sen}\dfrac{1}{h^2+k^2}}_{\text{limitada}} = 0$ resulta que f é diferenciável em $(0,0)$.

d) f é diferenciável em todo $(x,y) \neq (0,0)$, pois, $\dfrac{\partial f}{\partial x}$ e $\dfrac{\partial f}{\partial y}$ são contínuas em todo $(x,y) \neq (0,0)$.

Conclusão. f é uma função diferenciável em todo $(x,y) \in D_f$ ($D_f = \mathbb{R}^2$).

Exemplo 3 Verifique que $f(x,y) = \begin{cases} \dfrac{x^4}{x^2+y^2} & \text{se } (x,y) \neq (0,0) \\ 0 & \text{se } (x,y) = (0,0) \end{cases}$ é uma função diferenciável.

Solução

$$\frac{\partial f}{\partial x}(x,y) = \begin{cases} \dfrac{2x^5 + 4x^3y^2}{(x^2+y^2)^2} & \text{se } (x,y) \neq (0,0) \\ 0 & \text{se } (x,y) = (0,0) \end{cases}$$

e

$$\frac{\partial f}{\partial y}(x,y) = \begin{cases} \dfrac{-2x^4 y}{(x^2+y^2)^2} & \text{se } (x,y) \neq (0,0) \\ 0 & \text{se } (x,y) = (0,0). \end{cases}$$

Vamos mostrar que $\dfrac{\partial f}{\partial x}$ e $\dfrac{\partial f}{\partial y}$ são contínuas em $\mathbb{R}^2$; $\dfrac{\partial f}{\partial x}$ e $\dfrac{\partial f}{\partial y}$ são contínuas em todo $(x,y) \neq (0,0)$, pois são quocientes de contínuas.

Em (0, 0),

$$\lim_{(x, y) \to (0, 0)} \frac{\partial f}{\partial x}(x, y) = \lim_{(x, y) \to (0, 0)} \frac{2x^5 + 4x^3 y^2}{(x^2 + y^2)^2} =$$

$$= \lim_{(x, y) \to (0, 0)} \left[2x \cdot \underbrace{\frac{x^4}{(x^2 + y^2)^2}}_{\text{limitada}} + 4x \cdot \underbrace{\frac{x^2 \cdot y^2}{(x^2 + y^2)^2}}_{\text{limitada}} \right] = 0$$

ou seja,

$$\lim_{(x, y) \to (0, 0)} \frac{\partial f}{\partial x}(x, y) = 0 = \frac{\partial f}{\partial x}(0,0);$$

logo, $\frac{\partial f}{\partial x}$ é contínua em (0, 0). De modo análogo, prova-se que $\frac{\partial f}{\partial y}$ é contínua em (0, 0).

Da continuidade de $\frac{\partial f}{\partial x}$ e $\frac{\partial f}{\partial y}$ em $\mathbb{R}^2$, segue que f é diferenciável em $\mathbb{R}^2$.

Observação. Para todo $(x, y) \neq (0, 0)$, temos:

$$0 \leq x^2 \leq x^2 + y^2 \Rightarrow x^4 \leq (x^2 + y^2)^2 \Rightarrow 0 \leq \frac{x^4}{(x^2 + y^2)^2} \leq 1;$$

e $\begin{cases} 0 \leq x^2 \leq x^2 + y^2 \\ 0 \leq y^2 \leq x^2 + y^2 \end{cases} \Rightarrow x^2 y^2 \leq (x^2 + y^2)^2 \Rightarrow 0 \leq \frac{x^2 y^2}{(x^2 + y^2)^2} \leq 1.$

Exercícios 11.2

1. Verifique que a função dada é diferenciável.
   a) $f(x, y) = e^{x - y^2}$
   b) $f(x, y) = x^4 + y^3$
   c) $f(x, y) = x^2 y$
   d) $f(x, y) = \ln(1 + x^2 + y^2)$
   e) $f(x, y) = x \cos(x^2 + y^2)$
   f) $f(x, y) = \text{arctg } xy$

2. Determine o conjunto dos pontos em que a função dada é diferenciável. Justifique.

   a) $f(x, y) = \begin{cases} \dfrac{xy}{x^2 + y^2} & \text{se } (x, y) \neq (0, 0) \\ 0 & \text{se } (x, y) = (0, 0) \end{cases}$

   b) $f(x, y) = \begin{cases} \dfrac{x^3}{x^2 + y^2} & \text{se } (x, y) \neq (0, 0) \\ 0 & \text{se } (x, y) = (0, 0) \end{cases}$

c) $f(x,y) = \begin{cases} \dfrac{xy^3}{x^2+y^2} & \text{se } (x,y) \neq (0,0) \\ 0 & \text{se } (x,y) = (0,0) \end{cases}$

d) $f(x,y) = \begin{cases} e^{\left(\frac{1}{x^2+y^2-1}\right)} & \text{se } x^2+y^2 < 1 \\ 0 & \text{se } x^2+y^2 \geq 1 \end{cases}$

11.3 Plano Tangente e Reta Normal

Sendo $f(x, y)$ diferenciável em (x_0, y_0), temos:

$$\lim_{(h,k)\to(0,0)} \frac{f(x_0+h, y_0+k) - f(x_0,y_0) - \frac{\partial f}{\partial x}(x_0,y_0)h - \frac{\partial f}{\partial y}(x_0,y_0)k}{\|(h,k)\|} = 0.$$

Fazendo $x = x_0 + h$ e $y = y_0 + k$, resulta

$$\lim_{(x,y)\to(x_0,y_0)} \frac{f(x,y) - f(x_0,y_0) - \frac{\partial f}{\partial x}(x_0,y_0)(x-x_0) - \frac{\partial f}{\partial y}(x_0,y_0)(y-y_0)}{\|(x,y)-(x_0,y_0)\|} = 0.$$

Seja $E(x, y)$ o erro que se comete na aproximação de $f(x, y)$ por

$$T(x,y) = f(x_0,y_0) + \frac{\partial f}{\partial x}(x_0,y_0)(x-x_0) + \frac{\partial f}{\partial y}(x_0,y_0)(y-y_0).$$

Assim,
$$f(x,y) = T(x,y) + E(x,y)$$

em que

$$\lim_{(x,y)\to(x_0,y_0)} \frac{E(x,y)}{\|(x,y)-(x_0,y_0)\|} = 0.$$

Do que vimos na Seção 11.1 (veja também o Exercício 15 desta seção), resulta que $T(x, y)$ é a única função afim que aproxima $f(x, y)$ com erro $E(x, y)$ *que tende a zero mais rapidamente* que $\|(x,y)-(x_0,y_0)\|$, quando (x, y) tende a (x_0, y_0). (Dizer que $E(x, y)$ *tende a zero mais rapidamente* que $\|(x,y)-(x_0,y_0)\|$, quando (x, y) tende a (x_0, y_0), significa que $\lim_{(x,y)\to(x_0,y_0)} \dfrac{E(x,y)}{\|(x,y)-(x_0,y_0)\|} = 0$.)

Definição. Seja f diferenciável no ponto (x_0, y_0). O plano

① $$z - f(x_0,y_0) = \frac{\partial f}{\partial x}f(x_0,y_0)(x-x_0) + \frac{\partial f}{\partial y}(x_0,y_0)(y-y_0)$$

denomina-se *plano tangente* ao gráfico de f no ponto $(x_0, y_0, f(x_0, y_0))$.

Capítulo 11

Observe que só definimos plano tangente em $(x_0, y_0, f(x_0, y_0))$ se f for diferenciável em (x_0, y_0). Se f não for diferenciável em (x_0, y_0), mas admitir derivadas parciais neste ponto, então o plano ① existirá, mas *não será plano tangente*. Veremos mais adiante que se $f(x, y)$ for *diferenciável* em (x_0, y_0), o plano ① conterá todas as retas tangentes ao gráfico de f no ponto $(x_0, y_0, f(x_0, y_0))$.

Em notação de produto escalar, o plano ① se escreve:

$$\left(\frac{\partial f}{\partial x}(x_0, y_0), \frac{\partial f}{\partial y}(x_0, y_0), -1\right) \cdot [(x, y, z) - (x_0, y_0, f(x_0, y_0))] = 0.$$

Segue que o plano tangente em $(x_0, y_0, f(x_0, y_0))$ é perpendicular à direção do vetor

②
$$\left(\frac{\partial f}{\partial x}(x_0, y_0), \frac{\partial f}{\partial y}(x_0, y_0), -1\right).$$

A reta que passa pelo ponto $(x_0, y_0, f(x_0, y_0))$ e é paralela ao vetor ② denomina-se *reta normal* ao gráfico de f no ponto $(x_0, y_0, f(x_0, y_0))$. A equação de tal reta é:

$$(x, y, z) = (x_0, y_0, f(x_0, y_0)) + \lambda \left(\frac{\partial f}{\partial x}(x_0, y_0), \frac{\partial f}{\partial y}(x_0, y_0), -1\right), \lambda \in \mathbb{R}.$$

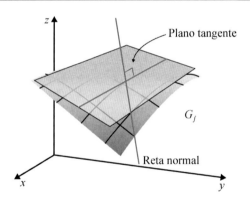

Exemplo 1 Seja $f(x, y) = 3x^2 y - x$. Determine as equações do plano tangente e da reta normal do ponto $(1, 2, f(1, 2))$.

Solução

Plano tangente

$$z - f(1, 2) = \frac{\partial f}{\partial x}(1, 2)(x - 1) + \frac{\partial f}{\partial y}(1, 2)(y - 2)$$

$$\begin{cases} f(1, 2) = 5 \\ \frac{\partial f}{\partial x}(x, y) = 6xy - 1 \Rightarrow \frac{\partial f}{\partial x}(1, 2) = 11 \\ \frac{\partial f}{\partial y}(x, y) = 3x^2 \Rightarrow \frac{\partial f}{\partial y}(1, 2) = 3. \end{cases}$$

Funções Diferenciáveis

A equação do plano tangente é

$$z - 5 = 11(x-1) + 3(y-2).$$

Reta normal

$$(x, y, z) = (1, 2, f(1, 2)) + \lambda \left(\frac{\partial f}{\partial x}(1, 2), \frac{\partial f}{\partial y}(1, 2), -1 \right), \lambda \in \mathbb{R}.$$

ou seja,

$$(x, y, z) = (1, 2, 5) + \lambda (11, 3, -1), \lambda \in \mathbb{R}.$$

Exemplo 2 Seja $f(x, y) = \begin{cases} \dfrac{xy^2}{x^2 + y^2} & \text{se } (x, y) \neq (0, 0) \\ 0 & \text{se } (x, y) = (0, 0). \end{cases}$

Mostre que o gráfico de f não admite plano tangente em $(0, 0, f(0, 0))$.

Solução

De acordo com a definição, para que f admita plano tangente no ponto $(0, 0, f(0, 0))$, f deve ser diferenciável em $(0, 0)$. Se provarmos que f é não diferenciável em $(0, 0)$, seguirá que f não admite plano tangente no ponto dado. Temos:

$$\frac{\partial f}{\partial x}(0,0) = 0 \text{ e } \frac{\partial f}{\partial y}(0,0) = 0. \text{ (Verifique.)}$$

$$\frac{f(0+h, 0+k) - f(0,0) - \frac{\partial f}{\partial x}(0,0)h \frac{\partial f}{\partial y}(0,0)k}{\|(h,k)\|} = \frac{hk^2}{(h^2 + k^2)\sqrt{h^2 + k^2}}.$$

Seja $G(h, k) = \dfrac{hk^2}{(h^2 + k^2)\sqrt{h^2 + k^2}}$. Temos:

$$\lim_{t \to 0} G(0, t) = 0$$

e

$$\lim_{t \to 0^+} G(t, t) = \frac{1}{2\sqrt{2}}.$$

Assim,

$$\lim_{(h,k) \to (0,0)} \frac{f(0+h, 0+k) - f(0,0) - \frac{\partial f}{\partial x}(0,0)h - \frac{\partial f}{\partial x}(0,0)k}{\|(h,k)\|}$$

não existe, logo, *f* não é diferenciável em (0, 0); portanto, *f* não admite plano tangente no ponto (0, 0, *f*(0, 0)). Observe que o plano

$$z - f(0,0) = \frac{\partial f}{\partial x}(0,0)(x-0) + \frac{\partial f}{\partial y}(0,0)(y-0)$$

ou seja,

$$z = 0$$

não contém a reta tangente à curva $\gamma(t) = (t, t, f(t, t))$ no ponto $\gamma(0) = (0, 0, f(0,0))$. De fato, a reta tangente a γ no ponto $(0, 0, f(0, 0)) = (0, 0, 0)$ é:

$$(x, y, z) = (0, 0, 0) + \lambda \left(1, 1, \frac{1}{2}\right), \lambda \in \mathbb{R}$$

que, evidentemente, não está contida no plano $z = 0$.

Exercícios 11.3

1. Determine as equações do plano tangente e da reta normal ao gráfico da função dada, no ponto dado.

   a) $f(x, y) = 2x^2 y$ em $(1, 1, f(1, 1))$.
   b) $f(x, y) = x^2 + y^2$ em $(0, 1, f(0, 1))$.
   c) $f(x, y) = 3x^3 y - xy$ em $(1, -1, f(1, -1))$.
   d) $f(x, y) = xe^{x^2 - y^2}$ em $(2, 2, f(2, 2))$.
   e) $f(x, y) = \text{arctg}(x - 2y)$ em $\left(2, \frac{1}{2}, f\left(2, \frac{1}{2}\right)\right)$.
   f) $f(x, y) = xy$ em $\left(\frac{1}{2}, \frac{1}{2}, f\left(\frac{1}{2}, \frac{1}{2}\right)\right)$.

2. Determine o plano que passa pelos pontos $(1, 1, 2)$ e $(-1, 1, 1)$ e que seja tangente ao gráfico de $f(x, y) = xy$.

3. Determine o plano que seja paralelo ao plano $z = 2x + y$ e tangente ao gráfico de $f(x, y) = x^2 + y^2$.

4. $z = 2x + y$ é a equação do plano tangente ao gráfico de $f(x, y)$ no ponto $(1, 1, 3)$. Calcule $\frac{\partial f}{\partial x}(1,1)$ e $\frac{\partial f}{\partial y}(1,1)$.

5. $2x + y + 3z = 6$ é a equação do plano tangente ao gráfico de $f(x, y)$ no ponto $(1, 1, 1)$.

   a) Calcule $\frac{\partial f}{\partial x}(1,1)$ e $\frac{\partial f}{\partial y}(1,1)$.
   b) Determine a equação da reta normal no ponto $(1, 1, 1)$.

6. Considere a função $f(x, y) = x\,\phi\left(\frac{x}{y}\right)$ em que $\phi(u)$ é uma função derivável de uma variável. Mostre que os planos tangentes ao gráfico de *f* passam pela origem.

Funções Diferenciáveis

7. Considere a função $f(x, y) = \dfrac{x^3}{x^2 + y^2}$. Mostre que os planos tangentes ao gráfico de f passam pela origem.

8. Determine o plano que seja paralelo ao plano $z = 2x + 3y$ e tangente ao gráfico de $f(x, y) = x^2 + xy$.

9. Determine os planos que sejam tangentes ao gráfico de $f(x, y) = x^2 + y^2$ e que contenham a interseção dos planos $x + y + z = 3$ e $z = 0$.

10. β é um plano tangente aos gráficos de $f(x, y) = 2 + x^2 + y^2$ e $g(x, y) = -x^2 - y^2$. Mostre que $a^2 + b^2 = 1$, sendo $(a, b, f(a, b))$ o ponto em que β tangencia o gráfico de f.

11. Considere a função $f(x, y) = 1 - x^2 - y^2$. Seja α o plano tangente ao gráfico de f no ponto $(a, b, 1 - a^2 - b^2)$, com $a > 0$, $b > 0$ e $a^2 + b^2 < 1$. Seja V o volume do tetraedro determinado por α e pelos planos coordenados.

    a) Expresse V em função de a e b.
    b) Determine a e b para que se tenha $\dfrac{\partial V}{\partial a}(a, b) = 0$ e $\dfrac{\partial V}{\partial b}(a, b) = 0$.

12. Determine os planos tangentes ao gráfico de $f(x, y) = 2 + x^2 + y^2$ e que contenham o eixo x.

13. Considere a função $f(x, y) = xg(x^2 - y^2)$, em que $g(u)$ é uma função derivável de uma variável. Mostre que o plano tangente ao gráfico de f no ponto $(a, a, f(a, a))$ passa pela origem.

14. A função $z = z(x, y)$ é diferenciável e dada implicitamente pela equação $\dfrac{x^2}{a^2} + \dfrac{y^2}{b^2} + \dfrac{z^2}{c^2} = 1$. Mostre que $\dfrac{x_0 x}{a^2} + \dfrac{y_0 y}{b^2} + \dfrac{z_0 z}{c^2} = 1$ é a equação do plano tangente no ponto (x_0, y_0, z_0), $z_0 \neq 0$.

15. Seja $z = f(x, y)$ diferenciável em (x_0, y_0). Seja S a função afim dada por $S(x, y) = a(x - x_0) + b(y - y_0) + c$. Suponha que

$$f(x, y) = S(x, y) + E(x, y)$$

com

$$\lim_{(x, y) \to (x_0, y_0)} \dfrac{E(x, y)}{\|(x, y) - (x_0, y_0)\|} = 0.$$

Conclua que $a = \dfrac{\partial f}{\partial x}(x_0, y_0)$, $b = \dfrac{\partial f}{\partial y}(x_0, y_0)$ e $c = f(x_0, y_0)$.

11.4 Diferencial

Seja $f(x, y)$ diferenciável em (x_0, y_0) e consideremos a transformação linear (transformação é sinônimo de função) $L: \mathbb{R}^2 \to \mathbb{R}$ dada por

①
$$L(h, k) = \dfrac{\partial f}{\partial x}(x_0, y_0)h + \dfrac{\partial f}{\partial y}(x_0, y_0)k.$$

Segue, do que vimos anteriormente, que $L(h, k)$ é a única transformação linear de $\mathbb{R}^2$ em $\mathbb{R}$ que aproxima o acréscimo

$$f(x_0 + h, y_0 + k) - f(x_0, y_0)$$

com erro $E(h, k)$ que tende a zero mais rapidamente que $\|(h, k)\|$, quando (h, k) tende a $(0, 0)$. Isto é,

$$f(x_0 + h, y_0 + k) - f(x_0, y_0) = \underbrace{\frac{\partial f}{\partial x}(x_0, y_0)h + \frac{\partial f}{\partial y}(x_0, y_0)k}_{L(h, k)} + E(h, k).$$

Com

$$\lim_{(h, k) \to (0, 0)} \frac{E(h, k)}{\|(h, k)\|} = 0.$$

Pois bem, a transformação linear L, dada por ①, denomina-se *diferencial* de f em (x_0, y_0).

Seja $T(x, y) = f(x_0, y_0) + \frac{\partial f}{\partial x}(x_0, y_0)(x - x_0) + \frac{\partial f}{\partial y}(x_0, y_0)(y - y_0)$. Sabemos que o gráfico de T é o plano tangente ao gráfico de f no ponto $(x_0, y_0), f(x_0, y_0))$. Fazendo $x = x_0 + h$ e $y = y_0 + k$, vem:

$$T(x_0 + h, y_0 + k) - f(x_0, y_0) = \underbrace{\frac{\partial f}{\partial x}(x_0, y_0)h + \frac{\partial f}{\partial y}(x_0, y_0)k}_{L(h, k)}.$$

Segue que $L(h, k)$ é a variação que sofre T, quando se passa do ponto (x_0, y_0), ao ponto $(x_0 + h, y_0 + k)$.

Por outro lado, $f(x_0 + h, y_0 + k) - f(x_0, y_0)$ é a variação em f, quando se passa de (x_0, y_0) a $(x_0 + h, y_0 + k)$. Temos:

$$f(x_0 + h, y_0 + k) - f(x_0, y_0) \cong \frac{\partial f}{\partial x}(x_0, y_0)h + \frac{\partial f}{\partial y}(x_0, y_0)k$$

sendo a aproximação tanto melhor quanto menores forem os módulos de h e k.

Muitas vezes, iremos nos referir a $\frac{\partial f}{\partial x}(x_0, y_0)h + \frac{\partial f}{\partial y}(x_0, y_0)k$ como a diferencial de f em (x_0, y_0), relativa aos acréscimos h e k.

Consideremos agora, a função diferenciável $z = f(x, y)$. Em notação clássica, a diferencial de f, em (x, y), relativa aos acréscimos dx e dy é indicada por dz (ou por df):

② $$dz = \frac{\partial f}{\partial x}(x, y)dx + \frac{\partial f}{\partial y}(x, y)dy.$$

No que se segue, iremos nos referir a ② simplesmente como a diferencial de $z = f(x, y)$.

O símbolo Δz será usado para representar a variação em f, quando se passa de (x, y) a $(x + dx, y + dy)$:

$$\Delta z = f(x + dx, y + dy) - f(x, y).$$

Assim,

$$\Delta z \cong dz$$

sendo a aproximação tanto melhor quanto menores forem os módulos de dx e dy.

Funções Diferenciáveis

Exemplo Seja $z = x^2 y$.

a) Calcule a diferencial.
b) Utilizando a diferencial, calcule um valor aproximado para a variação Δz em z, quando se passa de $x = 1$ e $y = 2$ para $x = 1,02$ e $y = 2,01$.
c) Calcule o erro cometido na aproximação acima.

Solução

a) $\dfrac{\partial f}{\partial x} = 2xy$ e $\dfrac{\partial f}{\partial y} = x^2$; assim, $dz = 2xy\, dx + x^2\, dy$.

b) $\Delta z \cong dz$ ou $\Delta z \cong 2xy\, dx + x^2\, dy$.
Fazendo $x = 1$, $y = 2$, $dx = 0,02$ e $dy = 0,01$ resulta $\Delta z \cong 0,09$.

c) $\Delta z = (x + dx)^2 (y + dy) - x^2\, y = (1,02)^2 (2,01) - 2 = 0,091204$ (valor exato).
O erro cometido na avaliação acima é $0,001204$.

Exercícios 11.4

1. Calcule a diferencial.

   a) $z = x^3 y^2$
   b) $z = x\, \text{arctg}\,(x + 2y)$
   c) $z = \text{sen}\, xy$
   d) $u = e^{s^2 - t^2}$
   e) $T = \ln(1 + p^2 + V^2)$
   f) $x = \text{arcsen}\, uv$

2. Seja $z = x\, e^{x^2 - y^2}$.

   a) Calcule um valor aproximado para a variação Δz em z, quando se passa de $x = 1$ e $y = 1$ para $x = 1,01$ e $y = 1,002$.
   b) Calcule um valor aproximado para z, correspondente a $x = 1,01$ e $y = 1,002$.

3. Seja $z = \sqrt{x} + \sqrt[3]{y}$.

   a) Calcule a diferencial de z no ponto $(1, 8)$.
   b) Calcule um valor aproximado para z, correspondente a $x = 1,01$ e $y = 7,9$.
   c) Calcule um valor aproximado para a variação Δz em z, quando se passa de $x = 1$ e $y = 8$ para $x = 0,9$ e $y = 8,01$.

4. Calcule um valor aproximado para a variação ΔA na área de um retângulo quando os lados variam de $x = 2$ m e $y = 3$ m para $x = 2,01$ m e $y = 2,97$ m.

5. Uma caixa de forma cilíndrica é feita com um material de espessura $0,03$ m. As medidas internas são: altura 2 m e raio da base 1 m. A caixa é sem tampa. Calcule um valor aproximado para o volume do material utilizado na caixa.

6. A energia consumida em um resistor elétrico é dada por $P = \dfrac{V^2}{R}$ watts. Se $V = 100$ volts e $R = 10$ ohms, calcule um valor aproximado para a variação ΔP em P, quando V decresce $0,2$ volt e R aumenta de $0,01$ ohm.

7. A altura de um cone é $h = 20$ cm e o raio da base $r = 12$ cm. Calcule um valor aproximado para a variação ΔV no volume quando h aumenta 2 mm e r decresce 1 mm.

8. Calcule aproximadamente $(1,01)^{2,03}$.

9. Um dos catetos de um triângulo retângulo é $x = 3$ cm e o outro, $y = 4$ cm. Calcule um valor aproximado para a variação Δz na hipotenusa z, quando x aumenta $0,01$ cm e y decresce $0,1$ cm.

10. Defina diferencial de uma função de três variáveis.

11. Calcule a diferencial.

   a) $w = xyz$
   b) $x = e^{2u+2v-t^2}$
   c) $w = \dfrac{x^2 + y^2}{1 + z^2}$
   d) $s = (1 + x^2)^{yz}$

12. Calcule aproximadamente $\sqrt{(0,01)^2 + (3,02)^2 + (3,97)^2}$.

11.5 O Vetor Gradiente

Seja $z = f(x, y)$ uma função que admite derivadas parciais em (x_0, y_0). O vetor

$$\nabla f(x_0, y_0) = \left(\frac{\partial f}{\partial x}(x_0, y_0), \frac{\partial f}{\partial y}(x_0, y_0) \right)$$

denomina-se *gradiente* de f em (x_0, y_0). Outra notação usada para o gradiente de f em (x_0, y_0) é: grad $f(x_0, y_0)$. Geometricamente, interpretaremos $\nabla f(x_0, y_0)$ como um vetor *aplicado* no ponto (x_0, y_0).

Exemplo Seja $f(x, y) = x^2 + y^2$. Calcule $\nabla f(1, 1)$ e represente-o geometricamente.

Solução

$$\nabla f(x, y) = \left(\frac{\partial f}{\partial x}(x, y), \frac{\partial f}{\partial y}(x, y) \right) = (2x, 2y). \text{ Assim,}$$

$$\nabla f(1, 1) = (2, 2) = 2\vec{i} + 2\vec{j}.$$

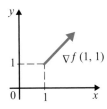

Suponhamos agora que $f(x, y)$ seja diferenciável em (x_0, y_0). Temos:

$$f(x, y) = f(x_0, y_0) + \frac{\partial f}{\partial x}(x_0, y_0)(x - x_0) + \frac{\partial f}{\partial y}(x_0, y_0)(y - y_0) + E(x, y)$$

com

$$\lim_{(x, y) \to (x_0, y_0)} \frac{E(x, y)}{\|(x, y) - (x_0, y_0)\|} = 0.$$

Tendo em vista a igualdade

$$\frac{\partial f}{\partial x}(x_0, y_0)(x - x_0) + \frac{\partial f}{\partial y}(x_0, y_0)(y - y_0) = \nabla f(x_0, y_0) \cdot [(x, y) - (x_0, y_0)]$$

resulta

$$f(x, y) = f(x_0, y_0) + \nabla f(x_0, y_0) \cdot [(x, y) - (x_0, y_0)] + E(x, y)$$

com

$$\lim_{(x, y) \to (x_0, y_0)} \frac{E(x, y)}{\|(x, y) - (x_0, y_0)\|} = 0.$$

Fazendo $X = (x, y)$ e $X_0 = (x_0, y_0)$ teremos:

$$f(X) = f(X_0) + \nabla f(X_0) \cdot (X - X_0) + E(X)$$

com

$$\lim_{X \to X_0} \frac{E(X)}{\|X - X_0\|} = 0.$$

Já vimos que se $f(x)$ for função de variável real e diferenciável em x_0, então

$$f(x) = f(x_0) + f'(x_0)(x - x_0) + E(x)$$

com

$$\lim_{x \to x_0} \frac{E(x)}{|x - x_0|} = 0.$$

Sendo $f(x, y)$ *diferenciável* em (x_0, y_0), nada mais natural então, do que definir a *derivada* de f em (x_0, y_0) por: $f'(x_0, y_0) = \nabla f(x_0, y_0)$. Assim, a derivada de $f(x, y)$ em (x_0, y_0) é o gradiente de f em (x_0, y_0).

Mais adiante, destacaremos as principais propriedades do vetor gradiente.

Exercícios 11.5

1. Calcule $\nabla f(x, y)$ sendo $f(x, y) =$

    a) $x^2 y$

    b) $e^{x^2 - y^2}$

    c) $\dfrac{x}{y}$

    d) $\operatorname{arctg} \dfrac{x}{y}$

2. Defina gradiente de uma função de três variáveis. Calcule $\nabla f(x, y, z)$ sendo $f(x, y, z) =$

    a) $\sqrt{x^2 + y^2 + z^2}$

    b) $x^2 + y^2 + z^2$

    c) $(x^2 + y^2 + 1)^{z^2}$

    d) $z \operatorname{arctg} \dfrac{x}{y}$

3. Seja $f(x, y) = x^2 - y^2$. Represente geometricamente $\nabla f(x_0, y_0)$, sendo $(x_0, y_0) =$

    a) $(1, 1)$
    b) $(-1, 1)$
    c) $(-1, -1)$
    d) $(1, -1)$

Capítulo 11

4. Seja $f(x, y) = \text{arctg}\dfrac{x}{y}$. Represente geometricamente $\nabla f(x_0, y_0)$, sendo (x_0, y_0) um ponto da circunferência $x^2 + y^2 = 1$.

5. Seja $f(x, y) = x^2 + y^2$ e seja $\gamma(t) = (x(t), y(t))$ uma curva diferenciável cuja imagem está contida na curva de nível $f(x, y) = 1$, isto é, para todo t no domínio de γ, $f(x(t), y(t)) = 1$ (dê exemplo de uma tal curva). Seja $\gamma(t_0) = (x_0, y_0)$. Prove que $\gamma'(t_0) \cdot \nabla f(x_0, y_0) = 0$. Interprete geometricamente.

   (*Sugestão*: para todo t no domínio de γ, $(x(t))^2 + (y(t))^2 = 1$; derive em relação a t e faça $t = t_0$.)

6. Seja $f(x, y, z) = x^2 + y^2 + z^2$ e seja $\gamma(t) = (x(t), y(t), z(t))$ uma curva diferencial cuja imagem está contida na superfície de nível $x^2 + y^2 + z^2 = 1$. Seja $\gamma(t_0) = (x_0, y_0, z_0)$. Prove que $\gamma'(t_0) \cdot \nabla f(x_0, y_0, z_0) = 0$. Interprete geometricamente.

7. Calcule $f'(x, y)$ sendo $f(x, y) =$

   a) xy
   b) 2^{x-y}
   c) $x \,\text{tg}\, \dfrac{x}{y}$
   d) $\text{arcsen}\, xy$

8. Seja $f(x, y) = xy$ e seja $\gamma(t) = (x(t), y(t))$, $t \in I$, uma curva diferenciável cuja imagem está contida na curva de nível $f(x, y) = 2$. Mostre que para todo t em I, $\gamma'(t) \cdot \nabla f(\gamma(t)) = 0$. Dê exemplo de uma curva cuja imagem esteja contida na curva de nível $xy = 2$.

9. Sejam $f(x, y) = y - x^2$ e $\gamma(t) = (\text{sen}\, t, \text{sen}^2 t)$.

   a) Verifique que a imagem de γ está contida na curva de nível $y - x^2 = 0$.
   b) Desenhe a imagem de γ.
   c) Verifique que para todo t, $\gamma'(t) \cdot \nabla f(\gamma(t)) = 0$.

10. Seja $f(x, y, z) = x^2 + 4y^2 + 9z^2$.

    a) Dê exemplo de uma curva $\gamma(t)$, diferenciável, cuja imagem esteja contida na superfície de nível $x^2 + 4y^2 + 9z^2 = 1$.
    b) Verifique que $\nabla f(\gamma(t)) \cdot \gamma'(t) = 0$. Interprete geometricamente.

11. Considere a função $f(x, y, z) = x^2 + 4y^2 + 9z^2$ e seja $\gamma(t) = (x(t), y(t), z(t))$ uma curva diferenciável qualquer, com imagem contida na superfície de nível $x^2 + 4y^2 + 9z^2 = 1$, e tal que $\gamma(t_0) = (x_0, y_0, z_0)$.

    a) Prove que $\nabla f(x_0, y_0, z_0) \cdot \gamma'(t_0) = 0$.
    b) Determine a equação do plano tangente à superfície de nível dada, no ponto (x_0, y_0, z_0).
    c) Determine a equação do plano tangente à superfície de nível $x^2 + 4y^2 + 9z^2 = 14$, no ponto $(1, 1, 1)$.

12

Regra da Cadeia

12.1 Regra da Cadeia

Sejam $f(x, y)$ uma função definida num aberto do $\mathbb{R}^2$, $\gamma(t)$ uma curva definida num intervalo I, tais que $\gamma(t) \in D_f$ para todo $t \in I$. Nosso objetivo a seguir é provar que, se f e γ forem diferenciáveis, então a composta $F(t) = f(\gamma(t))$ será, também, diferenciável e vale a regra da cadeia

$$F'(t) = \nabla f(\gamma(t)) \cdot \gamma'(t)$$

em que $\nabla f(\gamma(t)) \cdot \gamma'(t)$ é o produto escalar dos vetores $\nabla f(\gamma(t))$ e $\gamma'(t)$.

Vamos precisar do seguinte lema.

Lema. Se $f : A \subset \mathbb{R}^2 \to \mathbb{R}$, A aberto, for diferenciável em $X_0 \in A$, então existirá uma função $\varphi(X)$ definida em A tal que

$$f(X) - f(X_0) = \nabla f(X_0) \cdot (X - X_0) + \varphi(X) \| X - X_0 \|$$

com $\lim_{X \to X_0} \varphi(X) = 0 = \varphi(X_0)$.

Demonstração

Sendo f diferenciável em X_0 tem-se

$$f(X) - f(X_0) = \nabla f(X_0) \cdot (X - X_0) + E(X)$$

com

$$\lim_{X \to X_0} \frac{E(X)}{\| X - X_0 \|} = 0.$$

Tomando-se

$$\varphi(X) = \begin{cases} \dfrac{E(X)}{\| X - X_0 \|} & \text{se } X \neq X_0 \\ 0 & \text{se } X = X_0 \end{cases}$$

segue a nossa afirmação. Observe que $\varphi(X)$ é contínua em X_0. ∎

Capítulo 12

Note que no lema da página anterior nada muda se supusermos f uma função de n variáveis.

Antes de enunciar e demonstrar a regra da cadeia para derivação da composta de uma função de duas variáveis com uma curva, vejamos o seguinte exemplo.

Exemplo 1 Sejam $f(x, y) = xy$ e $\gamma(t) = (t^3, t^2)$. Considere a composta $F(t) = f(\gamma(t))$.

a) Calcule $F(t)$.
b) Calcule $F'(t)$ e verifique que $F'(t) = \nabla f(\gamma(t)) \cdot \gamma'(t)$.

Solução

a) $F(t) = f(\gamma(t)) = f(t^3, t^2) = t^5$. Observe que F fornece os valores que $f(x, y)$ assume nos pontos da curva $\gamma(t) = (t^3, t^2)$.

b) $\nabla f(x, y) = \left(\dfrac{\partial f}{\partial x}, \dfrac{\partial f}{\partial y} \right) = (y, x)$; segue que $\nabla f(t^3, t^2) = (t^2, t^3)$. Por outro lado, $\gamma'(t) = (3t^2, 2t)$. Assim,

$$\nabla f(\gamma(t)) \cdot \gamma'(t) = (t^2, t^3) \cdot (3t^2, 2t) = 3t^4 + 2t^4$$

ou seja,

$$\nabla f(\gamma(t)) \cdot \gamma'(t) = 5t^4 = F'(t).$$

Teorema. Sejam $f : A \subset \mathbb{R}^2 \to \mathbb{R}$, A aberto, e $\gamma : I \to \mathbb{R}^2$, tais que $\gamma(t) \in A$ para todo t no intervalo I. Nestas condições, se γ for diferenciável em t_0 e f em $X_0 = \gamma(t_0)$, então a composta $F(t) = f(\gamma(t))$ será diferenciável em t_0 e vale a regra da cadeia

$$F'(t_0) = \nabla f(\gamma(t)) \cdot \gamma'(t_0).$$

Demonstração

Pelo lema, para todo $X \in A$,

① $$f(X) - f(X_0) = \nabla f(X_0) \cdot (X - X_0) + \varphi(X) \| X - X_0 \|$$

em que

$$\lim_{X \to X_0} \varphi(X) = 0 = \varphi(X_0).$$

Substituindo em ① X por $\gamma(t)$ e X_0 por $\gamma(t_0)$ e dividindo por $t - t_0$, $t \neq t_0$, vem

$$\dfrac{f(\gamma(t)) - f(\gamma(t_0))}{t - t_0} = \nabla f(\gamma(t_0)) \cdot \dfrac{\gamma(t) - \gamma(t_0)}{t - t_0} + \phi(\gamma(t)) \dfrac{\| \gamma(t) - \gamma(t_0) \|}{t - t_0}.$$

Observe que

$$\dfrac{\| \gamma(t) - \gamma(t_0) \|}{t - t_0} = \dfrac{|t - t_0|}{t - t_0} \cdot \left\| \dfrac{\gamma(t) - \gamma(t_0)}{t - t_0} \right\|.$$

De

$$\lim_{t \to t_0} \underbrace{\varphi(\gamma(t))}_{0} \underbrace{\dfrac{|t - t_0|}{t - t_0}}_{\text{limitada}} = 0 \quad \text{e} \quad \lim_{t \to t_0} \left\| \dfrac{\gamma(t) - \gamma(t_0)}{t - t_0} \right\| = \| \gamma'(t_0) \|$$

resulta
$$\lim_{t \to t_0} \varphi(\gamma(t)) \frac{\|\gamma(t) - \gamma(t_0)\|}{t - t_0} = 0.$$

Logo,
$$F'(t_0) = \lim_{t \to t_0} \frac{F(t) - F(t_0)}{t - t_0} = \lim_{t \to t_0} \frac{f(\gamma(t)) - f(\gamma(t_0))}{t - t_0} = \nabla f(\gamma(t_0)) \cdot \gamma'(t_0).$$ ■

A demonstração do teorema acima é exatamente a mesma, se substituirmos f de duas variáveis por f de n variáveis.

Segue desse último teorema que se f for diferenciável em $A \subset \mathbb{R}^2$ e γ diferenciável em I, então a composta $F(t) = f(\gamma(t))$ será diferenciável e, para todo t em I,
$$F'(t) = \nabla f(\gamma(t)) \cdot \gamma'(t).$$

Fazendo $\gamma(t) = (x(t), y(t))$ e lembrando que
$$\nabla f(\gamma(t)) = \left(\frac{\partial f}{\partial x}(x(t), y(t)), \frac{\partial f}{\partial y}(x(t), y(t)) \right) \text{ e } \gamma'(t) = \left(\frac{dx}{dt}, \frac{dy}{dt} \right),$$

resulta:
$$\frac{dF}{dt}(t) = \frac{\partial f}{\partial x}(x(t), y(t)) \frac{dx}{dt} + \frac{\partial f}{\partial y}(x(t), y(t)) \frac{dy}{dt}.$$

Escreveremos com frequência
$$\frac{dF}{dt} = \frac{\partial f}{\partial x} \frac{dx}{dt} + \frac{\partial f}{\partial y} \frac{dy}{dt}$$

ficando subentendido que $\frac{\partial f}{\partial x}$ e $\frac{\partial f}{\partial y}$ devem ser calculados em $(x(t), y(t))$ quando $\frac{dF}{dt}$ for calculado em t.

Com frequência, ocorrerão, ainda, problemas do seguinte tipo: são dadas as funções diferenciáveis $z = f(x, y)$, $x = x(t)$ e $y = y(t)$ e pede-se calcular $\frac{dz}{dt}$. Evidentemente, o que se deseja é a derivada da composta $z = f(x(t), y(t))$. Assim:
$$\frac{dz}{dt} = \frac{d}{dt}[f(x, y)] = \frac{\partial f}{\partial x} \frac{dx}{dt} + \frac{\partial f}{\partial y} \frac{dy}{dt}$$

ou ainda,
$$\frac{dz}{dt} = \frac{\partial z}{\partial x} \frac{dx}{dt} + \frac{\partial z}{\partial y} \frac{dy}{dt}.$$

Tudo se passa da mesma forma no caso em que f é uma função de três ou mais variáveis.

Exemplo 2 Sejam $z = x^2 y$, $x = e^{t^2}$ e $y = 2t + 1$. Calcule $\frac{dz}{dt}$.

Solução

1º processo
$$z = x^2 y, x = e^{t^2} \text{ e } y = 2t + 1 \Rightarrow z = e^{2t^2}(2t + 1).$$
$$\frac{dz}{dt} = 4te^{2t^2}(2t + 1) + 2e^{2t^2}$$

ou seja,
$$\frac{dz}{dt} = 2e^{2t^2}\left[4t^2 + 2t + 1\right].$$

2º processo (regra da cadeia)
$$\frac{dz}{dt} = \frac{\partial z}{\partial x}\frac{dx}{dt} + \frac{\partial z}{\partial y}\frac{dy}{dt}$$

$$\frac{\partial z}{\partial x} = 2xy, \frac{\partial z}{\partial y} = x^2, \frac{dx}{dt} = 2te^{t^2} \text{ e } \frac{dy}{dt} = 2.$$

Assim,
$$\frac{dz}{dt} = 4xyte^{t^2} + 2x^2$$

ou seja,
$$\frac{dz}{dt} = 4te^{t^2}(2t+1)e^{t^2} + 2e^{2t^2} = 2e^{2t^2}\left[4t^2 + 2t + 1\right].$$

Exemplo 3 Seja $F(t) = f(e^{t^2}, \text{sen } t)$, em que $f(x, y)$ é uma função dada, diferenciável em $\mathbb{R}^2$.

a) Expresse $F'(t)$ em termos das derivadas parciais de f.
b) Calcule $F(0)'$ supondo $\frac{\partial f}{\partial y}(1, 0) = 5$.

Solução

a) $F(t) = f(x, y)$ em que $x = e^{t^2}$ e $y = \text{sen } t$.
$$\frac{dF}{dt} = \frac{\partial f}{\partial x}(x, y)\frac{dx}{dt} + \frac{\partial f}{\partial y}(x, y)\frac{dy}{dt}.$$

Daí
$$F'(t) = \frac{\partial f}{\partial x}(e^{t^2}, \text{sen } t) 2te^{t^2} + \frac{\partial f}{\partial y}(e^{t^2}, \text{sen } t)\cos t.$$

b) $F'(0) = \frac{\partial f}{\partial x}(1, 0) \cdot 0 + \frac{\partial f}{\partial y}(1, 0) \cdot 1$; logo
$$F'(0) = 5.$$

Exemplo 4 $z = f(x^2, 3x + 1)$, em que $f(u, v)$ é uma função de classe C^1 em $\mathbb{R}^2$.

a) Expresse $\frac{dz}{dx}$ em termos das derivadas parciais de f.
b) Verifique que $\left.\frac{dz}{dx}\right|_{x=1} = 2\frac{\partial f}{\partial u}(1, 4) + 3\frac{\partial f}{\partial v}(1, 4)$.

Solução

Sendo $f(u, v)$ de classe C^1 em $\mathbb{R}^2$, $f(u, v)$ será diferenciável em $\mathbb{R}^2$; $u = x^2$ e $v = 3x + 1$ também são diferenciáveis. Podemos então, aplicar a regra da cadeia.

a) $z = f(u, v)$, $u = x^2$ e $v = 3x + 1$.

$$\frac{dz}{dx} = \frac{\partial f}{\partial u}(u,v)\frac{du}{dx} + \frac{\partial f}{\partial v}(u,v)\frac{dv}{dx},$$

ou seja,

$$\frac{dz}{dx} = 2x\frac{\partial f}{\partial u}(x^2, 3x+1) + 3\frac{\partial f}{\partial v}(x^2, 3x+1).$$

b) Fazendo $x = 1$ na expressão anterior, obtemos:

$$\left.\frac{dz}{dx}\right|_{x=1} = 2\frac{\partial f}{\partial u}(1, 4) + 3\frac{\partial f}{\partial v}(1, 4).$$

Exemplo 5 Seja $g(x) = f(x, x^3 + 2)$, em que $f(x, y)$ é uma função dada, definida e diferenciável num aberto do $\mathbb{R}^2$. Expresse $g'(x)$ em termos das derivadas parciais de f.

Solução

$g(x) = f(x, y)$ em que $y = x^3 + 2$.

$$g'(x) = \frac{\partial f}{\partial x}(x,y)\frac{dx}{dx} + \frac{\partial f}{\partial y}(x,y)\frac{dy}{dx},$$

ou seja,

$$g'(x) = \frac{\partial f}{\partial x}(x, x^3+2) + 3x^2\frac{\partial f}{\partial y}(x, x^3+2).$$

Exemplo 6 Suponha $f(x, y)$ diferenciável e que, para todo x,

$$f(3x+1, 3x-1) = 4.$$

Verifique que $\frac{\partial f}{\partial x}(3x+1, 3x-1) = -\frac{\partial f}{\partial y}(3x+1, 3x-1)$.

Solução

Para evitar confusão com as variáveis, vamos primeiro substituir x por t. Assim, para todo t,

$$f(3t+1, 3t-1) = 4.$$

Derivando em relação a t os dois membros obtemos:

$$\frac{d}{dt}[f(3t+1, 3t-1)] = 0.$$

Como

$$\frac{d}{dt}[f(3t+1, 3t-1)] = \frac{\partial f}{\partial x}(3t+1, 3t-1)\frac{dx}{dt} + \frac{\partial f}{\partial y}(3t+1, 3t-1)\frac{dy}{dt}$$

$$= 3\frac{\partial f}{\partial x}(3t+1, 3t-1) + 3\frac{\partial f}{\partial y}(3t+1, 3t-1)$$

Capítulo 12

teremos, para todo t,

$$3\frac{\partial f}{\partial x}(3t+1, 3t-1) + 3\frac{\partial f}{\partial y}(3t+1, 3t-1) = 0,$$

ou seja,

$$\frac{\partial f}{\partial x}(3t+1, 3t-1) = -\frac{\partial f}{\partial y}(3t+1, 3t-1).$$

Segue que, para todo x,

$$\frac{\partial f}{\partial x}(3x+1, 3x-1) = -\frac{\partial f}{\partial y}(3x+1, 3x-1).$$

Observação. Sejam $f(x, y)$, $g(x)$ e $h(x)$ funções diferenciáveis e seja $\gamma(x) = (g(x), h(x))$. Assim,

$$f(g(x), h(x)) = f(\gamma(x)).$$

Pela regra da cadeia

$$\frac{d}{dx}[f(g(x), h(x))] = \frac{d}{dx}[f(\gamma(x))] = \nabla f(\gamma(x)) \cdot \gamma'(x),$$

ou seja,

$$\frac{d}{dx}[f(g(x), h(x))] = \frac{\partial f}{\partial x}(g(x), h(x))g'(x) + \frac{\partial f}{\partial y}(g(x), h(x))h'(x).$$

Vamos, agora, resolver o exemplo anterior trabalhando diretamente com a equação

$$f(3x+1, 3x-1) = 4.$$

Derivando em relação a x os dois membros, obtemos:

$$\frac{d}{dx}[f(3x+1, 3x-1)] = 0.$$

Como (veja observação acima)

$$\frac{d}{dx}[f(3x+1, 3x-1)] = \frac{\partial f}{\partial x}(3x+1, 3x-1)(3x+1)' + \frac{\partial f}{\partial y}(3x+1, 3x-1)(3x+1)'$$

$$= 3\frac{\partial f}{\partial x}(3x+1, 3x-1) + 3\frac{\partial f}{\partial y}(3x+1, 3x-1)$$

resulta:

$$\frac{\partial f}{\partial x}(3x+1, 3x-1) = -\frac{\partial f}{\partial y}(3x+1, 3x-1).$$

Exemplo 7 $z = f(e^{-u}, u^2)$, em que $f(x, y)$ é uma função diferenciável dada. Expresse $\dfrac{dz}{du}$ em termos das derivadas parciais de f.

Solução

$z = f(x, y)$ em que $x = e^{-u}$ e $y = u^2$.

$$\frac{dz}{du} = \frac{\partial f}{\partial x}(x, y)\frac{dx}{du} + \frac{\partial f}{\partial y}(x, y)\frac{dy}{du}$$

ou seja,

$$\frac{dz}{du} = -e^{-u}\frac{\partial f}{\partial x}(x, y) + 2u\frac{\partial f}{\partial y}(x, y)$$

em que $x = e^{-u}$ e $y = u^2$.

Exemplo 8 Sejam A e B abertos do $\mathbb{R}^2$, $f(x, y)$ diferenciável em A, $g(u, v)$ e $h(u, v)$ diferenciáveis em B tais que, para todo (u, v) em B, $(g(u, v), h(u, v)) \in A$. Seja

$$F(u, v) = f(g(u, v), h(u, v)), (u, v) \in B.$$

(Observe que a mudança de variáveis $x = g(u, v)$ e $y = h(u, v)$ transforma a função de duas variáveis $z = f(x, y)$ na função de duas variáveis

$$z = F(u, v) = f(g(u, v), h(u, v)).)$$

Mostre que

a) $\dfrac{\partial F}{\partial u} = \dfrac{\partial f}{\partial x}\dfrac{\partial x}{\partial u} + \dfrac{\partial f}{\partial y}\dfrac{\partial y}{\partial u}\left(\text{ou } \dfrac{\partial z}{\partial u} = \dfrac{\partial f}{\partial x}\dfrac{\partial x}{\partial u} + \dfrac{\partial f}{\partial y}\dfrac{\partial y}{\partial u}\right)$ em que $\dfrac{\partial f}{\partial x}$ e $\dfrac{\partial f}{\partial y}$ devem ser calculadas no ponto $(g(u, v), h(u, v))$.

b) $\dfrac{\partial F}{\partial v} = \dfrac{\partial f}{\partial x}\dfrac{\partial x}{\partial v} + \dfrac{\partial f}{\partial y}\dfrac{\partial y}{\partial v}\left(\text{ou } \dfrac{\partial z}{\partial v} = \dfrac{\partial f}{\partial x}\dfrac{\partial x}{\partial v} + \dfrac{\partial f}{\partial y}\dfrac{\partial y}{\partial v}\right).$

Solução

a) $F(u, v) = f(x, y)$ em que $x = g(u, v)$ e $y = h(u, v)$. Para calcular $\dfrac{\partial F}{\partial u}$ vamos aplicar a regra da cadeia, olhando v como constante; tudo se passa como se x e y dependessem apenas de u:

$$\frac{\partial F}{\partial u} = \frac{\partial f}{\partial x}(x, y)\frac{\partial x}{\partial u} + \frac{\partial f}{\partial y}(x, y)\frac{\partial y}{\partial u}$$

em que $x = g(u, v)$ e $y = h(u, v)$.

CUIDADO. Escrevemos $\dfrac{\partial x}{\partial u}$ e $\dfrac{\partial y}{\partial u}$ e não $\dfrac{dx}{du}$ e $\dfrac{dy}{du}$ por se tratarem de derivadas parciais.

b) Para calcular $\dfrac{\partial F}{\partial v}$ vamos aplicar a regra da cadeia, olhando u como constante; tudo se passa como se x e y dependessem apenas de v:

$$\frac{\partial F}{\partial v} = \frac{\partial f}{\partial x}(x, y)\frac{\partial x}{\partial v} + \frac{\partial f}{\partial y}(x, y)\frac{\partial y}{\partial v}$$

em que $x = g(u, v)$ e $y = h(u, v)$.

Capítulo 12

Exemplo 9 $z = f(u^2 + v^2, uv)$, em que $f(x, y)$ é uma função diferenciável dada. Expresse $\dfrac{\partial z}{\partial u}$ e $\dfrac{\partial z}{\partial v}$ em termos das derivadas parciais de f.

Solução

$z = f(x, y)$ em que $x = u^2 + v^2$ e $y = uv$.

$$\frac{\partial z}{\partial u} = \frac{\partial f}{\partial x}(x, y)\frac{\partial x}{\partial u} + \frac{\partial f}{\partial y}(x, y)\frac{\partial y}{\partial u} = 2u\frac{\partial f}{\partial x}(u^2 + v^2, uv) + v\frac{\partial f}{\partial y}(u^2 + v^2, uv).$$

$$\frac{\partial z}{\partial v} = \frac{\partial f}{\partial x}(x, y)\frac{\partial x}{\partial v} + \frac{\partial f}{\partial y}(x, y)\frac{\partial y}{\partial v} = 2v\frac{\partial f}{\partial x}(x, y) + u\frac{\partial f}{\partial y}(x, y)$$

em que $x = u^2 + v^2$ e $y = uv$.

Exemplo 10 $F(r, \theta) = f(x, y)$ em que $x = r \cos \theta$ e $y = r \,\text{sen}\, \theta$, sendo $f(x, y)$ uma função diferenciável dada. Verifique que

$$\frac{\partial f}{\partial y}(x, y) = \frac{\cos \theta}{r}\frac{\partial F}{\partial \theta}(r, \theta) + \text{sen}\, \theta \frac{\partial F}{\partial r}(r, \theta).$$

Solução

$$\frac{\partial F}{\partial r}(r, \theta) = \frac{\partial f}{\partial x}(x, y)\frac{\partial x}{\partial r} + \frac{\partial f}{\partial y}(x, y)\frac{\partial y}{\partial r}$$

ou

① $$\frac{\partial F}{\partial r}(r, \theta) = \cos \theta \frac{\partial f}{\partial x}(x, y) + \text{sen}\, \theta \frac{\partial f}{\partial y}(x, y).$$

$$\frac{\partial F}{\partial \theta}(r, \theta) = \frac{\partial f}{\partial x}(x, y)\frac{\partial x}{\partial \theta} + \frac{\partial f}{\partial y}(x, y)\frac{\partial y}{\partial \theta}$$

ou

$$\frac{\partial F}{\partial \theta}(r, \theta) = -r\,\text{sen}\, \theta \frac{\partial f}{\partial x}(x, y) + r \cos \theta \frac{\partial f}{\partial y}(x, y)$$

ou

② $$\frac{1}{r}\frac{\partial F}{\partial \theta}(r, \theta) = -\,\text{sen}\, \theta \frac{\partial f}{\partial x}(x, y) + \cos \theta \frac{\partial f}{\partial y}(x, y).$$

Multiplicando ① por sen θ, ② por cos θ e somando membro a membro obtemos a relação que queríamos.

Exemplo 11 Suponha $z = f(x, y)$ de classe C^1, $f(1, 2) = -2$, $\dfrac{\partial f}{\partial x}(1, 2) = 3$ e $\dfrac{\partial f}{\partial y}(1, 2) = 4$. Admita que a imagem da curva $\gamma(t) = (t^2, 3t - 1, z(t))$, $t \in \mathbb{R}$, esteja contida no gráfico de f.

a) Calcule $z(t)$.
b) Ache a equação da reta tangente a γ no ponto $\gamma(1)$.

Solução

a) $(x, y, z) \in G_f \Leftrightarrow z = f(x, y)$. Como a imagem de γ está contida no gráfico de f, para todo t, $(t^2, 3t-1, z(t)) \in G_f$, logo, $z(t) = f(t^2, 3t-1)$.

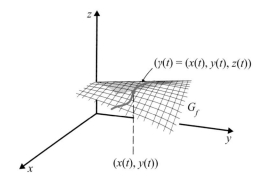

b) A equação da reta tangente no ponto $\gamma(1)$ é:
$$(x, y, z) = \gamma(1) + \lambda \gamma'(1), \lambda \in \mathbb{R}.$$

Temos:
$$\gamma(1) = (1, 2, z(1)) = (1, 2, f(1, 2)) = (1, 2, -2);$$

$$\gamma'(t) = \left(2t, 3, \frac{dz}{dt}\right);$$

$$z = f(t^2, 3t-1) \Rightarrow \frac{dz}{dt} = \frac{\partial f}{\partial x}(t^2, 3t-1)\frac{dx}{dt} + \frac{\partial f}{\partial y}(t^2, 3t-1)\frac{dy}{dt}.$$

Assim, $\dfrac{dz}{dt} = 2t\dfrac{\partial f}{\partial x}(t^2, 3t-1) + 3\dfrac{\partial f}{\partial y}(t^2, 3t-1)$ e, portanto, $\left.\dfrac{dz}{dt}\right|_{t=1} = 18$. Segue que
$$\gamma'(1) = (2, 3, 18).$$

A equação da reta tangente é, então,
$$(x, y, z) = (1, 2, -2) + \lambda(2, 3, 18), \lambda \in \mathbb{R}.$$

O próximo exemplo mostra-nos que se γ for uma curva qualquer, diferenciável em t_0, cuja imagem está contida no gráfico da função $f(x, y)$, diferenciável em (x_0, y_0), então a reta tangente γ no ponto $\gamma(t_0) = (x_0, y_0, f(x_0, y_0))$ está contida no plano tangente em $(x_0, y_0, f(x_0, y_0))$.

Exemplo 12 Seja $f(x, y)$ diferenciável em (x_0, y_0), $\gamma(t)$ uma curva diferenciável em t_0, cuja imagem está contida no gráfico de f. Seja $\gamma(t_0) = (x_0, y_0, f(x_0, y_0))$. Então a reta tangente a γ no ponto $\gamma(t_0)$ está contida no plano tangente ao gráfico de f no ponto $\gamma(t_0)$.

Solução

Seja $\gamma(t) = (x(t), y(t), z(t))$; como a imagem de γ está contida no gráfico de f
$$z(t) = f(x(t), y(t)).$$

Capítulo 12

Sendo f diferenciável em (x_0, y_0), $x(t)$ e $y(t)$ diferenciáveis em t_0, podemos aplicar a regra da cadeia para obter $z'(t_0)$:

① $$z'(t_0) = \frac{\partial f}{\partial x}(x_0, y_0)x'(t_0) + \frac{\partial f}{\partial y}(x_0, y_0)y'(t_0).$$

A equação da reta tangente em $\gamma(t_0)$ é:

$$(x, y, z) = (x_0, y_0, f(x_0, y_0)) + \lambda(x'(t_0), y'(t_0), z'(t_0)), \lambda \in \mathbb{R}.$$

Precisamos mostrar que, para todo λ, o ponto

$$(x_0 + \lambda x'(t_0), y_0 + \lambda y'(t_0), f(x_0, y_0) + \lambda z'(t_0))$$

pertence ao plano

② $$z = f(x_0, y_0) + \frac{\partial f}{\partial x}(x_0, y_0)(x - x_0) + \frac{\partial f}{\partial y}(x_0, y_0)(y - y_0).$$

Basta mostrar, então, que fazendo em ② $x = x_0 + \lambda x'(t_0)$ e $y = y_0 + \lambda y'(t_0)$ obteremos $z = f(x_0, y_0) + \lambda z'(t_0)$. De fato, para $x = x_0 + \lambda x'(t_0)$ e $y = y_0 + \lambda y'(t_0)$ temos:

$$z = f(x_0, y_0) + \frac{\partial f}{\partial x}(x_0, y_0)\lambda x'(t_0) + \frac{\partial f}{\partial y}(x_0, y_0)\lambda y'(t_0),$$

ou seja,

$$z = f(x_0, y_0) + \lambda\left[\frac{\partial f}{\partial x}(x_0, y_0)x'(t_0) + \frac{\partial f}{\partial y}(x_0, y_0)y'(t_0)\right];$$

tendo em vista ①

$$z = f(x_0, y_0) + \lambda z'(t_0).$$

Exercícios 12.1

(Todas as funções são supostas de classe C^1 ou diferenciáveis, quando necessário.)

1. Calcule $\dfrac{dz}{dt}$ pelo dois processos descritos no Exemplo 2.
   a) $z = \text{sen } xy$, $x = 3t$ e $y = t^2$.
   b) $z = x^2 + 3y^2$, $x = \text{sen } t$ e $y = \cos t$.
   c) $z = \ln(1 + x^2 + y^2)$, $x = \text{sen } 3t$ e $y = \cos 3t$.

2. Seja $g(t) = f(3t, 2t^2 - 1)$.
   a) Expresse $g'(t)$ em termos das derivadas parciais de f.
   b) Calcule $g'(0)$ admitindo $\dfrac{\partial f}{\partial x}(0, -1) = \dfrac{1}{3}$.

3. Expresse $\dfrac{dz}{dt}$ em termos das derivadas parciais de f, sendo $z = f(x, y)$ e
   a) $x = t^2$ e $y = 3t$.
   b) $x = \text{sen } 3t$ e $y = \cos 2t$.

4. Suponha que, para todo t, $f(t^2, 2t) = t^3 - 3t$. Mostre que $\dfrac{\partial f}{\partial x}(1, 2) = -\dfrac{\partial f}{\partial y}(1, 2)$.

5. Suponha que, para todo x, $f(3x, x^3) = \operatorname{arctg} x$.

   a) Calcule $\dfrac{\partial f}{\partial x}(3, 1)$ admitindo $\dfrac{\partial f}{\partial y}(3, 1) = 2$.

   b) Determine a equação do plano tangente ao gráfico de f no ponto $(3, 1, f(3, 1))$.

6. Admita que, para todo (x, y),

$$4y\dfrac{\partial f}{\partial x}(x, y) - x\dfrac{\partial f}{\partial y}(x, y) = 2.$$

   Calcule $g'(t)$, sendo $g(t) = f(2\cos t, \operatorname{sen} t)$.

7. Admita que, para todo (x, y),

$$4y\dfrac{\partial f}{\partial x}(x, y) - x\dfrac{\partial f}{\partial y}(x, y) = 0.$$

   Prove que f é constante sobre a elipse $\dfrac{x^2}{4} + y^2 = 1$.

   (Sugestão: Observe que a função g do exercício anterior fornece os valores de f sobre a elipse.)

8. A imagem da curva $\gamma(t) = (2t, t^2, z(t))$ está contida no gráfico de $z = f(x, y)$. Sabe-se que $f(2, 1) = 3$, $\dfrac{\partial f}{\partial x}(2, 1) = 1$ e $\dfrac{\partial f}{\partial y}(2, 1) = -1$. Determine a equação da reta tangente a γ no ponto $\gamma(1)$.

9. Admita que, para todo (x, y),

$$x\dfrac{\partial f}{\partial x}(x, y) - y\dfrac{\partial f}{\partial y}(x, y) = 0.$$

   Mostre que $g(t) = f\left(t, \dfrac{2}{t}\right)$, $t > 0$, é constante.

10. Seja $z = f(u + 2v, u^2 - v)$. Expresse $\dfrac{\partial z}{\partial u}$ e $\dfrac{\partial z}{\partial v}$ em termos das derivadas parciais de f.

11. Seja $z = f(u - v, v - u)$. Verifique que

$$\dfrac{\partial z}{\partial u} + \dfrac{\partial z}{\partial v} = 0.$$

12. Considere a função $F(x, y) = f\left(\dfrac{x}{y}, \dfrac{y}{x}\right)$. Mostre que $x\dfrac{\partial F}{\partial x} + y\dfrac{\partial F}{\partial y} = 0$.

13. Prove que a função $u = f(x + at, y + bt)$, a e b constantes, é solução da equação as derivadas parciais

$$\dfrac{\partial u}{\partial t} = a\dfrac{\partial u}{\partial x} + b\dfrac{\partial u}{\partial y}.$$

Capítulo 12

14. Seja $z = t^2 f(x, y)$, em que $x = t^2$ e $y = t^3$. Expresse $\dfrac{dz}{dt}$ em termos das derivadas parciais de f.

15. Seja g dada por $g(t) = f(x, y)\operatorname{sen} 3t$, em que $x = 2t$ e $y = 3t$. Verifique que

$$g'(t) = 3f(x, y)\cos 3t + \operatorname{sen} 3t\left[2\dfrac{\partial f}{\partial x}(x, y) + 3\dfrac{\partial f}{\partial y}(x, y)\right],$$

em que $x = 2t$ e $y = 3t$.

16. Seja $z = uf(u - v, u + v)$. Verifique que

$$u\dfrac{\partial z}{\partial u} + u\dfrac{\partial z}{\partial v} = z + 2u^2\dfrac{\partial f}{\partial y}.$$

em que $x = u - v$ e $y = u + v$.

17. Seja $g(x, y) = (x^2 + y^2)f(u, v)$, em que $u = 2x - y$ e $v = x + 2y$. Mostre que

$$\dfrac{\partial g}{\partial x} = 2x f(u, v) + (x^2 + y^2)\left[2\dfrac{\partial f}{\partial u} + \dfrac{\partial f}{\partial v}\right].$$

18. Seja $g(x)$ uma função diferenciável tal que $f(x, g(x)) = 0$, para todo $x \in D_g$. Mostre que

$$g'(x) = -\dfrac{\dfrac{\partial f}{\partial x}(x, g(x))}{\dfrac{\partial f}{\partial y}(x, g(x))}$$

para todo $x \in D_g$, com $\dfrac{\partial f}{\partial y}(x, g(x)) \neq 0$.

19. $f(t)$ e $g(x, y)$ são funções diferenciáveis tais que $g(t, f(t)) = 0$, para todo t. Suponha $f(0) = 1$, $\dfrac{\partial g}{\partial x}(0, 1) = 2$ e $\dfrac{\partial g}{\partial y}(0, 1) = 4$. Determine a equação da reta tangente a $\gamma(t) = (t, f(t))$, no ponto $\gamma(0)$.

20. $f(x, y, z)$ e $g(x, y)$ são funções diferenciáveis tais que, para todo (x, y) no domínio de g, $f(x, y, g(x, y)) = 0$. Suponha $g(1, 1) = 3$, $\dfrac{\partial f}{\partial x}(1, 1, 3) = 2$, $\dfrac{\partial f}{\partial y}(1, 1, 3) = 5$ e $\dfrac{\partial f}{\partial z}(1, 1, 3) = 10$. Determine a equação do plano tangente ao gráfico de g no ponto $(1, 1, 3)$.

21. Seja $g(t) = f(3t^2, t^3, e^{2t})$; suponha $\dfrac{\partial f}{\partial z}(0, 0, 1) = 4$.

    a) Expresse $g'(t)$ em termos das derivadas parciais de f.
    b) Calcule $g'(0)$.

22. Seja $g(x, y) = xf(x^2 + y, 2y, 2x - y)$. Expresse $\dfrac{\partial g}{\partial x}$ e $\dfrac{\partial g}{\partial y}$ em termos das derivadas parciais de f.

23. Suponha que, para todo (x, y), $f(x, y, x^2 + y^2) = 0$. Mostre que $\dfrac{\partial f}{\partial x}(1, 1, 2) = \dfrac{\partial f}{\partial y}(1, 1, 2)$.

24. Seja $F(x, y, z) = f\left(\dfrac{x}{y}, \dfrac{y}{z}, \dfrac{z}{x}\right)$. Mostre que

$$x\dfrac{\partial F}{\partial x} + y\dfrac{\partial F}{\partial y} + z\dfrac{\partial F}{\partial z} = 0.$$

25. Seja $F(u, v)$ diferenciável em $\mathbb{R}^2$, com $\dfrac{\partial F}{\partial v}(u,v) \neq 0$, para todo (u, v). Suponha que, para todo (x, y), $F(xy, z) = 0$, em que $z = z(x, y)$. Mostre que $x\dfrac{\partial z}{\partial x} - y\dfrac{\partial z}{\partial y} = 0$.

26. Seja $f(x, y)$ diferenciável e homogênea de grau λ no aberto A. Prove:

a) $a\dfrac{\partial f}{\partial x}(at, bt) + b\dfrac{\partial f}{\partial y}(at, bt) = \lambda t^{\lambda-1} f(a, b)$ para todo $t > 0$ e para todo $(a, b) \in A$, com $(at, bt) \in A$.

b) (Relação de Euler.) Conclua de a) que
$$x\dfrac{\partial f}{\partial x} + y\dfrac{\partial f}{\partial y} = \lambda f.$$

(*Sugestão* para a): Derive em relação a t os dois membros de $f(at, bt) = t^\lambda f(a, b)$.)

27. Seja $f(x, y)$ definida e diferenciável na bola aberta A. Suponha que f verifica em A a relação de Euler
$$x\dfrac{\partial f}{\partial x}(x, y) + y\dfrac{\partial f}{\partial y}(x, y) = \lambda f(x, y).$$

Prove que f é homogênea de grau λ.

$\left(\textit{Sugestão}: \text{Mostre que } g(t) = \dfrac{f(at, bt)}{t^\lambda} \text{ é constante.}\right)$

28. Seja $\phi(u)$ uma função diferenciável qualquer. A função $f(x, y) = x^2 \phi\left(\dfrac{x}{y}\right)$ verifica a relação de Euler $x\dfrac{\partial f}{\partial x} + y\dfrac{\partial f}{\partial y} = 2f$? Por quê?

29. $f(x, y) = \dfrac{e^{\frac{x}{y}} \operatorname{arctg} \dfrac{x}{y} + \operatorname{sen}\left(\cos \dfrac{x}{y}\right)}{\sqrt[3]{x^3 + y^3}}$ verifica a equação $x\dfrac{\partial f}{\partial x} + y\dfrac{\partial f}{\partial y} = -f$? Por quê?

30. Determine uma família de funções que verifique a equação $x\dfrac{\partial f}{\partial x} + y\dfrac{\partial f}{\partial y} = 0$.

31. Suponha $f(x, y)$ diferenciável no aberto A e homogênea de grau λ. Prove que $\dfrac{\partial f}{\partial x}$ é homogênea de grau $\lambda - 1$, isto é, que $\dfrac{\partial f}{\partial x}(tx, ty) = t^{\lambda-1} \dfrac{\partial f}{\partial x}(x, y)$ para todo $t > 0$, e para todo (x, y) em A com $(tx, ty) \in A$.

(*Sugestão*: Derive em relação a x os dois membros de $f(tx, ty) = t^\lambda f(x, y)$.)

32. Seja $f(x, y)$ definida em $\mathbb{R}^2$, diferenciável em $(0, 0)$ e tal que $f(tx, ty) = tf(x, y)$ para todo $t \in \mathbb{R}$ e todo $(x, y) \in \mathbb{R}^2$. Prove que f é linear, isto é, que existem reais a e b tais que $f(x, y) = ax + by$.

33. Seja $f(x, y) = \begin{cases} \dfrac{x^3}{x^2 + y^2} & \text{se } (x, y) \neq (0, 0) \\ 0 & \text{se } (x, y) = (0, 0) \end{cases}$

a) Verifique que $f(tx, ty) = tf(x, y)$ para todo t e todo (x, y).
b) Olhe para o Exercício 32 e responda: f é diferenciável em $(0, 0)$? Por quê?

Capítulo 12

34. Seja $f(x, y)$ diferenciável em $\mathbb{R}^2$ e tal que para todo (x, y) em $\mathbb{R}^2$

①
$$\frac{\partial f}{\partial x}(x, y) + \frac{\partial f}{\partial y}(x, y) = 0.$$

a) Verifique que a função $g(u, v)$ dada por $g(u,v) = f(x, y)$, em que $x = u + v$ e $y = u$, é tal que $\frac{\partial g}{\partial u} = 0$ em $\mathbb{R}^2$. Conclua que $g(u,v) = \varphi(v)$ para alguma função φ, definida e diferenciável em $\mathbb{R}$.

b) Determine uma família de soluções da equação ①.

c) $f(x,y) = \dfrac{e^{(x-y)^2} + \operatorname{arctg}(\operatorname{sen}(x-y)) + \ln\left[1 + (x-y)^2\right]}{(x-y)^2 + 5}$ verifica ①? (Não precisa fazer contas!)

12.2 Derivação de Funções Definidas Implicitamente. Teorema das Funções Implícitas

Como já vimos, a função $y = g(x)$ é *definida implicitamente* pela equação $f(x, y) = 0$ se, para todo $x \in D_g$,

$$f(x, g(x)) = 0.$$

Admitindo que f e g sejam diferenciáveis, vamos deduzir uma fórmula para o cálculo de $g'(x)$ em todo $x \in D_g$, para os quais $\frac{\partial f}{\partial y}(x, g(x)) \neq 0$. Então, derivando em relação a x os dois membros da equação anterior, obtemos,

$$\frac{d}{dx}[f(x, \overset{y}{\overbrace{g(x)}})] = 0$$

ou

$$\frac{\partial f}{\partial x}(x, g(x))\frac{dx}{dx} + \frac{\partial f}{\partial y}(x, g(x))g'(x) = 0$$

e, portanto,

$$g'(x) = -\frac{\frac{\partial f}{\partial x}(x, y)}{\frac{\partial f}{\partial y}(x, y)}, \quad y = g(x),$$

desde que $\frac{\partial f}{\partial y}(x, g(x)) \neq 0.$

Da mesma forma, $x = h(y)$ é definida implicitamente pela equação $f(x, y) = 0$ se, para todo $y \in D_h$,

$$f(h(y), y) = 0.$$

Supondo f e h diferenciáveis e derivando os dois membros da equação acima em relação a y, obtemos:

$$\frac{d}{dy}[f(\underbrace{h(y)}_{x}, y)] = 0$$

ou

$$\frac{\partial f}{\partial x}(x,y)\frac{dx}{dy} + \frac{\partial f}{\partial y}(x,y)\frac{dy}{dy} = 0$$

e, portanto,

$$\frac{dx}{dy} = -\frac{\frac{\partial f}{\partial y}(x,y)}{\frac{\partial f}{\partial x}(x,y)}, \quad x = h(y),$$

em todo $y \in D_h$, com $\frac{\partial f}{\partial x}(h(y), y) \neq 0$.

Exemplo 1 A função diferenciável $y = y(x)$ é definida implicitamente pela equação

$$y^3 + xy + x^3 - 3.$$

Expresse $\frac{dy}{dx}$ em termos de x e de y.

Solução

1º processo

$$\underbrace{y^3 + xy + x^3 - 3}_{f(x,y)} = 0$$

$$\frac{dy}{dx} = -\frac{\frac{\partial f}{\partial x}(x,y)}{\frac{\partial f}{\partial y}(x,y)} = -\frac{y + 3x^2}{3y^2 + x}$$

ou seja,

$$\frac{dy}{dx} = -\frac{y + 3x^2}{3y^2 + x}$$

em todo x no domínio de $y = y(x)$, com $3(y(x))^2 + x \neq 0$.

2º processo

$$\frac{d}{dx}[y^3 + xy + x^3] = \frac{d}{dx}(3)$$

$$3y^2\frac{dy}{dx} + y + x\frac{dy}{dx} + 3x^2 = 0$$

ou

$$\frac{dy}{dx} = -\frac{y+3x^2}{3y^2+x}.$$

Exemplo 2 Suponha que a função diferenciável $z = g(x, y)$ seja dada implicitamente pela equação $f(x, y, z) = 0$, em que f é diferenciável num aberto de $\mathbb{R}^3$. Verifique que

a) $\dfrac{\partial z}{\partial x} = -\dfrac{\dfrac{\partial f}{\partial x}(x, y, z)}{\dfrac{\partial f}{\partial z}(x, y, z)}$

em todo $(x, y) \in D_g$, com $\dfrac{\partial f}{\partial z}(x, y, g(x, y)) \neq 0$.

b) $\dfrac{\partial z}{\partial y} = -\dfrac{\dfrac{\partial f}{\partial y}(x, y, z)}{\dfrac{\partial f}{\partial z}(x, y, z)}$

em todo $(x, y) \in D_g$, com $\dfrac{\partial f}{\partial z}(x, y, g(x, y)) \neq 0$.

Solução

a) Para todo $(x, y) \in D_g$

① $\qquad\qquad\qquad f(x, y, g(x, y)) = 0.$

Derivando em relação a x os dois membros da equação, obtemos:

$$\frac{\partial}{\partial x}[f(x, y, \overbrace{g(x, y)}^{z})] = 0$$

ou

$$\frac{\partial f}{\partial x}(x, y, z)\frac{\partial}{\partial x}(x) + \frac{\partial f}{\partial y}(x, y, z)\frac{\partial}{\partial x}(y) + \frac{\partial f}{\partial z}(x, y, z)\frac{\partial z}{\partial x} = 0;$$

como $\dfrac{\partial}{\partial x}(x) = 1$ e $\dfrac{\partial}{\partial x}(y) = 0$, resulta

$$\frac{\partial z}{\partial x} = -\frac{\dfrac{\partial f}{\partial x}(x, y, z)}{\dfrac{\partial f}{\partial z}(x, y, z)}.$$

b) Derivando os dois membros de ① em relação a y, obtemos

$$\frac{\partial}{\partial y}[f(x, y, \overbrace{g(x, y)}^{z})] = 0$$

ou

$$\frac{\partial f}{\partial x}(x,y,z)\underbrace{\left(\frac{\partial}{\partial y}(x)\right)}_{0}+\frac{\partial f}{\partial y}(x,y,z)\underbrace{\left(\frac{\partial}{\partial y}(y)\right)}_{1}+\frac{\partial f}{\partial z}(x,y,z)\frac{\partial z}{\partial y}=0$$

e, portanto,

$$\frac{\partial z}{\partial y}=-\frac{\frac{\partial f}{\partial y}(x,y,z)}{\frac{\partial f}{\partial z}(x,y,z)}.$$

Exemplo 3 A função diferenciável $z = z(x, y)$ é dada implicitamente pela equação

$$xyz + x^3 + y^3 + z^3 = 5.$$

Expresse $\dfrac{\partial z}{\partial x}$ em termos de x, y e z.

Solução

1º processo

$$\underbrace{xyz + x^3 + y^3 + z^3 - 5}_{f(x,y,z)} = 0.$$

Pela parte *a*) do exemplo anterior

$$\frac{\partial z}{\partial x}=-\frac{\frac{\partial f}{\partial y}(x,y,z)}{\frac{\partial f}{\partial z}(x,y,z)}=-\frac{yz+3x^2}{xy+3z^2}.$$

2º processo

$$\frac{\partial}{\partial x}[xyz + x^3 + y^3 + z^3] = \frac{\partial}{\partial x}(5),$$

assim,

$$yz + xy\frac{\partial z}{\partial x} + 3x^2 + 3z^2\frac{\partial z}{\partial x} = 0,$$

ou seja,

$$\frac{\partial z}{\partial x} = -\frac{yz+3x^2}{xy+3z^2}.$$

Exemplo 4 As funções diferenciáveis $y = y(x)$ e $z = z(x)$, definidas no intervalo aberto I, são dadas implicitamente pelo sistema

①
$$\begin{cases} F(x,y,z)=0 \\ G(x,y,z)=0 \end{cases}$$

Capítulo 12

em que F e G são supostas diferenciáveis num aberto de $\mathbb{R}^3$. Expresse $\dfrac{dy}{dx}$ e $\dfrac{dz}{dx}$ em termos das derivadas parciais de F e de G.

Solução

Dizer que $y = y(x)$ e $z = z(x)$ estão definidas implicitamente por ① significa que, para todo x em I,

② $$F(x, y(x), z(x)) = 0 \quad \text{e} \quad G(x, y(x), z(x)) = 0,$$

ou seja, significa que a imagem da curva $\gamma(x) = (x, y(x), z(x))$ está contida na interseção das superfícies $F(x, y, z) = 0$ e $G(x, y, z) = 0$.

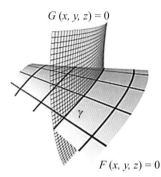

Para obter $\dfrac{dy}{dx}$ e $\dfrac{dz}{dx}$, vamos derivar em relação a x os dois membros de ②. Temos, então:

$$\begin{cases} \dfrac{\partial F}{\partial x}\dfrac{dx}{dx} + \dfrac{\partial F}{\partial y}\dfrac{dy}{dx} + \dfrac{\partial F}{\partial z}\dfrac{dz}{dx} = 0 \\ \dfrac{\partial G}{\partial x}\dfrac{dx}{dx} + \dfrac{\partial G}{\partial y}\dfrac{dy}{dx} + \dfrac{\partial G}{\partial z}\dfrac{dz}{dx} = 0 \end{cases}$$

ou seja,

$$\begin{cases} \dfrac{\partial F}{\partial y}\dfrac{dy}{dx} + \dfrac{\partial F}{\partial z}\dfrac{dz}{dx} = -\dfrac{\partial F}{\partial x} \\ \dfrac{\partial G}{\partial y}\dfrac{dy}{dx} + \dfrac{\partial G}{\partial z}\dfrac{dz}{dx} = -\dfrac{\partial G}{\partial x} \end{cases}$$

Pela regra de Cramer,

$$\dfrac{dy}{dx} = -\dfrac{\begin{vmatrix} \dfrac{\partial F}{\partial x} & \dfrac{\partial F}{\partial z} \\ \dfrac{\partial G}{\partial x} & \dfrac{\partial G}{\partial z} \end{vmatrix}}{\begin{vmatrix} \dfrac{\partial F}{\partial y} & \dfrac{\partial F}{\partial z} \\ \dfrac{\partial G}{\partial y} & \dfrac{\partial G}{\partial z} \end{vmatrix}} \qquad \dfrac{dz}{dx} = -\dfrac{\begin{vmatrix} \dfrac{\partial F}{\partial y} & \dfrac{\partial F}{\partial x} \\ \dfrac{\partial G}{\partial y} & \dfrac{\partial G}{\partial x} \end{vmatrix}}{\begin{vmatrix} \dfrac{\partial F}{\partial y} & \dfrac{\partial F}{\partial z} \\ \dfrac{\partial G}{\partial y} & \dfrac{\partial G}{\partial z} \end{vmatrix}}$$

para todo $x \in I$, com $\begin{vmatrix} \dfrac{\partial F}{\partial y} & \dfrac{\partial F}{\partial z} \\ \dfrac{\partial G}{\partial y} & \dfrac{\partial G}{\partial z} \end{vmatrix} \neq 0$ em $(x, y(x), z(x))$.

Notações

O símbolo $\dfrac{\partial(F,G)}{\partial(y,z)}$ é usado para indicar o *determinante jacobiano* de F e G em relação a y e z:

$$\dfrac{\partial(F,G)}{\partial(y,z)} = \begin{vmatrix} \dfrac{\partial F}{\partial y} & \dfrac{\partial F}{\partial z} \\ \dfrac{\partial G}{\partial y} & \dfrac{\partial G}{\partial z} \end{vmatrix}$$

Da mesma forma:

$$\dfrac{\partial(F,G)}{\partial(x,z)} = \begin{vmatrix} \dfrac{\partial F}{\partial x} & \dfrac{\partial F}{\partial z} \\ \dfrac{\partial G}{\partial x} & \dfrac{\partial G}{\partial z} \end{vmatrix} \quad \text{e} \quad \dfrac{\partial(F,G)}{\partial(y,x)} = \begin{vmatrix} \dfrac{\partial F}{\partial y} & \dfrac{\partial F}{\partial x} \\ \dfrac{\partial G}{\partial y} & \dfrac{\partial G}{\partial x} \end{vmatrix}$$

Com estas notações, $\dfrac{dy}{dx}$ e $\dfrac{dz}{dx}$ se escrevem:

$$\dfrac{dy}{dx} = -\dfrac{\dfrac{\partial(F,G)}{\partial(x,z)}}{\dfrac{\partial(F,G)}{\partial(y,z)}} \quad \text{e} \quad \dfrac{dz}{dx} = -\dfrac{\dfrac{\partial(F,G)}{\partial(y,x)}}{\dfrac{\partial(F,G)}{\partial(y,z)}}.$$

Exemplo 5 Sejam $y = y(x)$ e $z = z(x)$ diferenciáveis em $\mathbb{R}$ e dadas implicitamente pelo sistema

① $$\begin{cases} 2x + y - z = 3 \\ x + y + z = 1. \end{cases}$$

a) Calcule $\dfrac{dy}{dx}$ e $\dfrac{dz}{dx}$.

b) Determine um par de funções $y = y(x)$ e $z = z(x)$ que sejam dadas implicitamente pelo sistema ①.

Solução

a) Para obtermos $\dfrac{dy}{dx}$ e $\dfrac{dz}{dx}$, vamos derivar os dois membros de ① em relação a x, observando que y e z são funções de x:

Capítulo 12

$$\frac{d}{dx}[2x+y-z] = \frac{d}{dx}[3], \text{ ou seja, } 2+\frac{dy}{dx}-\frac{dz}{dx}=0;$$

$$\frac{d}{dx}[x+y+z] = \frac{d}{dx}[1], \text{ ou seja, } 1+\frac{dy}{dx}+\frac{dz}{dx}=0.$$

Assim,

$$\begin{cases} \dfrac{dy}{dx}-\dfrac{dz}{dx}=-2 \\ \dfrac{dy}{dx}+\dfrac{dz}{dx}=-1. \end{cases}$$

Resolvendo o sistema obtemos:

$$\frac{dy}{dx}=-\frac{3}{2} \quad \text{e} \quad \frac{dz}{dx}=\frac{1}{2}.$$

(Sugerimos ao leitor calcular $\dfrac{dy}{dx}$ e $\dfrac{dz}{dx}$ utilizando o exemplo anterior.)

b) ① é equivalente a $\begin{cases} y-z=3-2x \\ y+z=1-x \end{cases}$.

Resolvendo o sistema nas incógnitas *y* e *z* obtemos:

$$y=2-\frac{3}{2}x \quad \text{e} \quad z=-1+\frac{1}{2}x.$$

Observe que a imagem de

$$\gamma(x)=\left(x, 2-\frac{3}{2}x, -1+\frac{1}{2}x\right)$$

é a reta na interseção dos planos $2x+y-z=3$ e $x+y+z=1$.

Exemplo 6 Sejam $y=y(x)$ e $z=z(x)$, $z>0$, diferenciáveis e dadas implicitamente pelo sistema

$$\begin{cases} x^2+y^2+z^2=1 \\ x+y=1. \end{cases}$$

a) Expresse $\dfrac{dy}{dx}$ e $\dfrac{dz}{dx}$ em termos de *x*, *y* e *z*.
b) Expresse *y* e *z* em função de *x*.
c) Desenhe a imagem da curva $\gamma(x)=(x, y(x), z(x))$.

Solução

a) $\dfrac{d}{dx}[x^2+y^2+z^2]=\dfrac{d}{dx}[1]$, ou seja, $2x+2y\dfrac{dy}{dx}+2z\dfrac{dz}{dx}=0$;

$\dfrac{d}{dx}[x+y]=\dfrac{d}{dx}(1)$, ou seja, $1+\dfrac{dy}{dx}=0$.

Assim,

$$\begin{cases} y\dfrac{dy}{dx} + z\dfrac{dz}{dx} = -x \\ \dfrac{dy}{dx} = -1 \end{cases}$$

Resolvendo o sistema obtemos:

$$\dfrac{dy}{dx} = -1 \text{ e } \dfrac{dz}{dx} = \dfrac{y-x}{z}.$$

b) $\begin{cases} x^2 + y^2 + z^2 = 1 \\ x + y = 1 \end{cases} \Leftrightarrow \begin{cases} y^2 + z^2 = 1 - x^2 \\ y = 1 - x \end{cases}$

Substituindo $y = 1 - x$ na 1ª equação e observando que $z > 0$ obtemos: $z = \sqrt{2x - 2x^2}$.
Assim, $y = 1 - x$ e $z = \sqrt{2x - 2x^2}$, com $0 < x < 1$.

c)

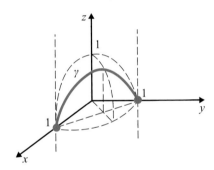

A imagem de γ está contida na interseção do plano $x + y = 1$ com a superfície esférica $x^2 + y^2 + z^2 = 1$.

Até agora, o problema referente a uma função $y = g(x)$ dada implicitamente por uma equação $F(x, y) = 0$ era colocado da seguinte forma: *suponha $y = g(x)$ diferenciável e definida implicitamente pela equação $F(x, y) = 0$; calcule $\dfrac{dy}{dx}$*. Evidentemente, $\dfrac{dy}{dx}$ só terá significado se realmente $F(x, y) = 0$ definir implicitamente alguma função $y = g(x)$. Por exemplo, $x^2 + y^2 = -3$ não define implicitamente função alguma; logo, $\dfrac{dy}{dx} = -\dfrac{x}{y}$ não terá, neste caso, nenhum significado.

O teorema que vamos enunciar a seguir fornece-nos uma condição suficiente para que a equação $F(x, y) = 0$ defina implicitamente uma função diferenciável $y = g(x)$. Antes, porém, vamos ver alguns exemplos.

Exemplo 7 Seja $F(x, y)$ de classe C^1 num aberto A de $\mathbb{R}^2$ e seja $(x_0, y_0) \in A$, com $F(x_0, y_0) = 0$. Suponha que $\dfrac{\partial F}{\partial y}(x_0, y_0) > 0$. Prove que existem intervalos abertos I e J, com $x_0 \in I$ e $y_0 \in J$, tais que, para cada $x \in I$, existe um único $g(x) \in J$, com $F(x, g(x)) = 0$.

Solução

$\dfrac{\partial F}{\partial y}$ é contínua, pois, por hipótese, F é de classe C^1. Como $\dfrac{\partial F}{\partial y}(x_0, y_0) > 0$, pelo teorema da conservação do sinal existe uma bola aberta B de centro (x_0, y_0), que podemos supor contida em A, pois A é aberto, tal que

$$\dfrac{\partial F}{\partial y}(x, y) > 0 \text{ em } B.$$

Sejam y_1 e y_2 tais que $y_1 < y_0 < y_2$, com (x_0, y_1) e (x_0, y_2) em B. Fixado x_0, consideremos a função

① $$z = F(x_0, y), y \in [y_1, y_2]$$

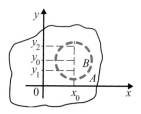

Como $\dfrac{\partial F}{\partial y}(x_0, y) > 0$ para todo $y \in [y_1, y_2]$, segue que ① é estritamente crescente em $[y_1, y_2]$. Tendo em vista que $F(x_0, y_0) = 0$, resulta:

② $$F(x_0, y_1) < 0 \quad \text{e} \quad F(x_0, y_2) > 0.$$

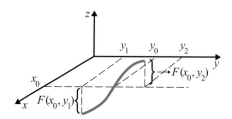

Seja $J =]y_1, y_2[$; observe que $y_0 = g(x_0)$ é o único número em J tal que $F(x_0, y_0) = 0$. Tendo em vista ② e pela continuidade de F, existe um intervalo aberto I, com $x_0 \in I$, tal que para todo $x \in I$, (x, y_1) e (x, y_2) pertencem a B, com $F(x, y_1) < 0$ e $F(x, y_2) > 0$.

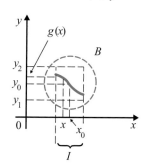

Como $\dfrac{\partial F}{\partial y}(x, y) > 0$ em B, para todo $x \in I$, a função

③ $\qquad z = F(x, y)$ (x fixo)

é estritamente crescente em $[y_1, y_2]$; tendo em vista que $F(x, y_1) < 0$ e $F(x, y_2) > 0$ pelo teorema do valor intermediário e pelo fato de ③ ser estritamente crescente em $[y_1, y_2]$, existirá um único $g(x) \in \,]y_1, y_2[$ tal que $F(x, g(x)) = 0$ (veja figura seguinte).

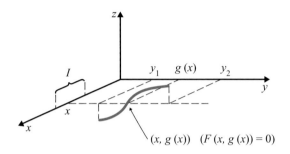

A função $g: I \to J$ está definida implicitamente pela equação $F(x, y) = 0$.

Observação. Para todos $\bar{y}_1$ e $\bar{y}_2$, com $y_1 < \bar{y}_1 < y_0 < \bar{y}_2 < y_2$, procedendo como acima, encontraremos um intervalo aberto $I_1 \subset I$, com $x_0 \in I_1$, tal que

$$x \in I_1 \Rightarrow g(x) \in \,]\bar{y}_1, \bar{y}_2[\,;$$

logo, g é contínua em x_0. Deixamos a seu cargo verificar que g é contínua em todo $x \in I$.

Exemplo 8 Suponha $F(x, y)$ diferenciável em (x_0, y_0). Prove que existem funções $\varphi_1(x, y)$ e $\varphi_2(x, y)$, definidas em D_F, tais que

④ $\qquad F(x, y) = F(x_0, y_0) + \dfrac{\partial F}{\partial x}(x_0, y_0)(x - x_0) + \dfrac{\partial F}{\partial y}(x_0, y_0)(y - y_0)$
$\qquad\qquad + \varphi_1(x, y)(x - x_0) + \varphi_2(x, y)(y - y_0)$

com

$$\lim_{(x,y) \to (x_0, y_0)} \varphi_1(x, y) = 0 = \varphi_1(x_0, y_0) \quad \text{e} \quad \lim_{(x,y) \to (x_0, y_0)} \varphi_2(x, y) = 0 = \varphi_2(x_0, y_0).$$

Solução

Pelo lema da Seção 12.1,

$$F(x, y) = F(x_0, y_0) + \dfrac{\partial F}{\partial x}(x_0, y_0)(x - x_0) + \dfrac{\partial F}{\partial y}(x_0, y_0)(y - y_0)$$
$$+ \varphi(x, y) \| (x, y) - (x_0, y_0) \|$$

em que $\lim_{(x,y) \to (x_0, y_0)} \varphi(x, y) = 0 = \varphi(x_0, y_0)$.

Capítulo 12

Para $(x, y) \neq (x_0, y_0)$.

$$\varphi(x,y) \| (x,y) - (x_0, y_0) \| = \varphi(x,y) \frac{(x - x_0)^2 + (y - y_0)^2}{\| (x,y) - (x_0, y_0) \|}$$

$$= \varphi(x,y) \frac{x - x_0}{\| (x,y) - (x_0, y_0) \|} (x - x_0) + \varphi(x,y) \frac{y - y_0}{\| (x,y) - (x_0, y_0) \|} (y - y_0).$$

Basta tomar

$$\varphi_1(x, y) = \begin{cases} \varphi(x,y) \dfrac{x - x_0}{\| (x,y) - (x_0, y_0) \|} & \text{se } (x, y) \neq (x_0, y_0) \\ 0 & \text{se } (x, y) = (x_0, y_0) \end{cases}$$

e

$$\varphi_2(x, y) = \begin{cases} \varphi(x,y) \dfrac{y - y_0}{\| (x,y) - (x_0, y_0) \|} & \text{se } (x, y) \neq (x_0, y_0) \\ 0 & \text{se } (x, y) = (x_0, y_0) \end{cases}$$

Exemplo 9 Prove que a função g do Exemplo 7 é diferenciável em x_0 e que

$$g'(x_0) = -\frac{\dfrac{\partial F}{\partial x}(x_0, g(x_0))}{\dfrac{\partial F}{\partial y}(x_0, g(x_0))}.$$

Solução

Substituindo $y = g(x)$ e $y_0 = g(x_0)$ em ④ do Exemplo 8 e lembrando que $F(x, g(x)) = 0$ e $F(x_0, g(x_0)) = 0$ resulta, após dividir por $x - x_0 (x \neq x_0)$:

$$0 = \frac{\partial F}{\partial x}(x_0, g(x_0)) + \frac{\partial F}{\partial y}(x_0, g(x_0)) \frac{g(x) - g(x_0)}{x - x_0} + \varphi_1(x, g(x))$$
$$+ \varphi_2(x, g(x)) \frac{g(x) - g(x_0)}{x - x_0}.$$

Pelo fato de g ser contínua em x_0 e $\dfrac{\partial F}{\partial y}(x_0, y_0) \neq 0$, resulta:

$$g'(x_0) = \lim_{x \to x_0} \frac{g(x) - g(x_0)}{x - x_0} = -\frac{\dfrac{\partial F}{\partial x}(x_0, g(x_0))}{\dfrac{\partial F}{\partial y}(x_0, g(x_0))}.$$

Teorema das funções implícitas (Caso $F(x, y) = 0$). Seja $F(x, y)$ de classe C^1 num aberto A de $\mathbb{R}^2$ e seja $(x_0, y_0) \in A$, com $F(x_0, y_0) = 0$. Nestas condições, se $\frac{\partial F}{\partial y}(x_0, y_0) \neq 0$, então existirão intervalos abertos I e J, com $x_0 \in I$ e $y_0 \in J$, tais que, para cada $x \in I$, existe um único $g(x) \in J$, com $F(x, g(x)) = 0$. A função $g : I \to J$ é diferenciável e

$$g'(x) = -\frac{\frac{\partial F}{\partial x}(x, g(x))}{\frac{\partial F}{\partial y}(x, g(x))}.$$

Demonstração

Veja Exemplos 7, 8 e 9.

Observação. Se a hipótese $\frac{\partial F}{\partial y}(x_0, y_0) \neq 0$ for substituída por $\frac{\partial F}{\partial x}(x_0, y_0) \neq 0$, então existirão intervalos abertos I e J, com $x_0 \in I$ e $y_0 \in J$, tais que, para cada $y \in J$, existirá um único $h(y) \in I$, com $F(h(y), y) = 0$. A função $h : J \to I$ será diferenciável e

$$h'(y) = -\frac{\frac{\partial F}{\partial y}(h(y), y)}{\frac{\partial F}{\partial x}(h(y), y)}.$$

Teorema das funções implícitas (Caso $F(x, y, z) = 0$). Seja $F(x, y, z)$ de classe C^1 no aberto A de $\mathbb{R}^3$ e seja $(x_0, y_0, z_0) \in A$, com $F(x_0, y_0, z_0) = 0$. Nestas condições, se $\frac{\partial F}{\partial z}(x_0, y_0, z_0) \neq 0$, então existirão uma bola aberta B de centro (x_0, y_0) e um intervalo aberto J, com $z_0 \in J$, tais que, para cada $(x, y) \in B$, existe um único $g(x, y) \in J$, com $F(x, y, g(x, y)) = 0$. A função $z = g(x, y)$, $(x, y) \in B$, é diferenciável e

$$\frac{\partial g}{\partial x}(x, y) = -\frac{\frac{\partial F}{\partial x}(x, y, g(x, y))}{\frac{\partial F}{\partial z}(x, y, g(x, y))} \quad \text{e} \quad \frac{\partial g}{\partial y}(x, y) = -\frac{\frac{\partial F}{\partial y}(x, y, g(x, y))}{\frac{\partial F}{\partial z}(x, y, g(x, y))}$$

Demonstração

Deixamos a cargo do leitor adaptar a demonstração do teorema anterior a este caso.

Observação. Note que, pelo fato de F ser de classe C^1 e g contínua, as funções $\frac{\partial F}{\partial x}(x, y, g(x, y))$, $\frac{\partial F}{\partial y}(x, y, g(x, y))$ e $\frac{\partial F}{\partial z}(x, y, g(x, y))$ serão contínuas em B; logo, $\frac{\partial g}{\partial x}$ e $\frac{\partial g}{\partial y}$ serão, também, contínuas em B, isto é, g é de classe C^1 em B.

Capítulo 12

Teorema das funções implícitas (Caso $F(x, y, z) = 0$ e $G(x, y, z) = 0$). Sejam $F(x, y, z)$ e $G(x, y, z)$ de classe C^1 no aberto A de $\mathbb{R}^3$ e seja $(x_0, y_0, z_0) \in A$, com $F(x_0, y_0, z_0) = 0$ e $G(x_0, y_0, z_0) = 0$. Nestas condições, se $\dfrac{\partial(F,G)}{\partial(y,z)} \neq 0$ em (x_0, y_0, z_0), então existirão um intervalo aberto I, com $x_0 \in I$, e um par de funções $y = y(x)$ e $z = z(x)$ definidas e de classe C^1 em I, tais que, para todo $x \in I$, $F(x, y(x), z(x)) = 0$ e $G(x, y(x), z(x)) = 0$; além disso, $y_0 = y(x_0)$ e $z_0 = z(x_0)$. Tem-se, ainda:

①
$$\frac{dy}{dx} = -\frac{\dfrac{\partial(F,G)}{\partial(x,z)}}{\dfrac{\partial(F,G)}{\partial(y,z)}} \quad \text{e} \quad \frac{dz}{dx} = -\frac{\dfrac{\partial(F,G)}{\partial(y,x)}}{\dfrac{\partial(F,G)}{\partial(y,z)}}$$

sendo que os determinantes jacobianos devem ser calculados em $(x, y(x), z(x))$.

Demonstração

Como F e G são classe C^1 em A, e

②
$$\begin{vmatrix} \dfrac{\partial F}{\partial y}(x_0, y_0, z_0) & \dfrac{\partial F}{\partial z}(x_0, y_0, z_0) \\ \dfrac{\partial G}{\partial y}(x_0, y_0, z_0) & \dfrac{\partial G}{\partial z}(x_0, y_0, z_0) \end{vmatrix} \neq 0$$

pelo teorema da conservação do sinal $\dfrac{\partial(F,G)}{\partial(y,z)}$ permanece diferente de zero numa bola aberta de centro (x_0, y_0, z_0). Podemos, então, supor que $\dfrac{\partial(F,G)}{\partial(y,z)} \neq 0$ em A. Segue de ② que $\dfrac{\partial F}{\partial y}(x_0, y_0, z_0) \neq 0$ ou $\dfrac{\partial F}{\partial z}(x_0, y_0, z_0) \neq 0$. Suponhamos $\dfrac{\partial F}{\partial z}(x_0, y_0, z_0) \neq 0$. Pelo teorema anterior, a equação

$$F(x, y, z) = 0$$

define implicitamente uma função $z = g(x, y)$, $(x, y) \in B$, sendo g de classe C^1 na bola aberta B de centro (x_0, y_0) e $z_0 = g(x_0, y_0)$. Consideremos, agora, a função

$$H(x, y) = G(x, y, g(x, y)), (x, y) \in B.$$

Temos: $H(x, y)$ é de classe C^1, $H(x_0, y_0) = 0$ e $\dfrac{\partial H}{\partial y}(x_0, y_0) \neq 0$ (verifique). Segue que a equação

$$H(x, y) = 0, \text{ ou seja, } G(x, y, g(x, y)) = 0$$

define implicitamente uma função $y = y(x)$, $x \in I$, sendo $y(x)$ de classe C^1 no intervalo aberto I e $y_0 = y(x_0)(x_0 \in I)$. Deixamos para o leitor completar a demonstração. ∎

No Vol. 3, voltaremos aos teoremas da função implícita e da função inversa.

Regra da Cadeia

Exercícios 12.2

1. A equação $y^3 + xy + x^3 = 4$ define implicitamente alguma função diferenciável $y = y(x)$? Em caso afirmativo, expresse $\dfrac{dy}{dx}$ em termos de x e y.

   (*Sugestão*: Observe que $(0, \sqrt[3]{4})$ satisfaz a equação e utilize o teorema das funções implícitas (caso $F(x, y) = 0$).)

2. Mostre que cada uma das equações seguintes define implicitamente pelo menos uma função diferenciável $y = y(x)$. Expresse $\dfrac{dy}{dx}$ em termos de x e y.

   a) $x^2 y + \operatorname{sen} y = x$ b) $y^4 + x^2 y^2 + x^4 = 3$

3. Mostre que cada uma das equações a seguir define implicitamente pelo menos uma função diferenciável $z = z(x, y)$. Expresse $\dfrac{\partial z}{\partial x}$ e $\dfrac{\partial z}{\partial y}$ em termos de x, y e z.

   a) $e^{x+y+z} + xyz = 1$ b) $x^3 + y^3 + z^3 = x + y + z$

4. Suponha que $y = y(x)$ seja diferenciável e dada implicitamente pela equação $x = F(x^2 + y, y^2)$, em que $F(u, v)$ é suposta diferenciável. Expresse $\dfrac{dy}{dx}$ em termos de x, y e das derivadas parciais de F.

5. Suponha que $y = g(x)$ seja diferenciável no intervalo aberto I e dada implicitamente pela equação $f(x, y) = 0$, em que $f(x, y)$ é suposta de classe C^2. Suponha, ainda, $\dfrac{\partial f}{\partial y}(x, y) \neq 0$ em D_f.

   a) Prove que $\dfrac{\partial f}{\partial x}(x_0, y_0) = 0$ é uma *condição necessária* para que x_0 seja ponto de máximo local de g.
   b) Prove que g'' é contínua em I.
   c) Prove que

   $$\dfrac{\partial f}{\partial x}(x_0, y_0) = 0$$

   e

   $$\dfrac{\dfrac{\partial^2 f}{\partial x^2}\left(\dfrac{\partial f}{\partial y}\right)^2 - 2\dfrac{\partial f}{\partial x}\dfrac{\partial f}{\partial y}\dfrac{\partial^2 f}{\partial x \partial y} + \dfrac{\partial^2 f}{\partial y^2}\left(\dfrac{\partial f}{\partial x}\right)^2}{\left(\dfrac{\partial f}{\partial y}\right)^3} > 0 \text{ em } (x_0, y_0)$$

   é *condição suficiente* para que x_0 seja ponto de máximo local de g.

6. A função diferenciável $z = z(x, y)$ é dada implicitamente pela equação $f\left(\dfrac{x}{y}, z\right) = 0$, em que $f(u, v)$ é suposta diferenciável e $\dfrac{\partial f}{\partial v}(u, v) \neq 0$. Verifique que

   $$x\dfrac{\partial z}{\partial x} + y\dfrac{\partial z}{\partial y} = 0.$$

7. A função diferenciável $z = z(x, y)$ é dada implicitamente pela equação $f\left(\dfrac{x}{y}, \dfrac{z}{x^\lambda}\right) = 0$ ($\lambda \neq 0$ um real fixo), em que $f(u, v)$ é suposta diferenciável e $\dfrac{\partial f}{\partial v}(u, v) \neq 0$. Verifique que

$$x\dfrac{\partial z}{\partial x} + y\dfrac{\partial z}{\partial y} = \lambda z.$$

8. Suponha que as funções diferenciáveis $y = y(x)$ e $z = z(x)$ sejam dadas implicitamente pelo sistema

① $\begin{cases} x^2 + z^2 = 1 \\ y^2 + z^2 = 1 \end{cases}$

  a) Expresse $\dfrac{dy}{dx}$ e $\dfrac{dz}{dx}$ em termos de x, y e z.
  b) Determine um par de funções $y = y(x)$ e $z = z(x)$ dadas implicitamente por ①.

9. Suponha que $x = x(u, v)$ e $y = y(u, v)$ sejam dadas implicitamente pelo sistema

$$\begin{cases} u = x + y \\ v = \dfrac{y}{x} \end{cases} \quad (x \neq 0).$$

  Mostre que $\dfrac{\partial x}{\partial u}\left(1 + \dfrac{y}{x}\right) = 1$.

10. Sejam $u = x + y$ e $v = \dfrac{y}{x}$. Calcule o determinante jacobiano $\dfrac{\partial(u, v)}{\partial(x, y)}$.

11. Calcule:

  a) $\dfrac{\partial(F, G)}{\partial(x, y)}$ sendo $F(x, y, z) = x^2 + y^2 + z^2$ e $G(x, y, z) = x + y + z$.

  b) $\dfrac{\partial(u, v)}{\partial(y, z)}$ sendo $u = xyz$ e $v = x^3 + y^2$.

  c) $\dfrac{\partial(x, y)}{\partial(r, s)}$ sendo $x = r + 3s + t^2$ e $y = r^2 - s^2 - 3t^2$.

  d) $\dfrac{\partial(x, y)}{\partial(s, t)}$ sendo $x = r + 3s + t^2$ e $y = r^2 - s^2 - 3t^2$.

12. Seja $g(u, v) = f(x, y)$, em que $x = x(u, v)$ e $y = y(u, v)$ são dadas implicitamente pelo sistema

$$\begin{cases} u = x^2 + y^2 \\ v = xy \end{cases}$$

  Suponha $x\dfrac{\partial f}{\partial x} - y\dfrac{\partial f}{\partial y} = 0$.

  a) Mostre que $\dfrac{\partial y}{\partial u} = -\dfrac{y}{x}\dfrac{\partial x}{\partial u}$.

b) Calcule $\dfrac{\partial g}{\partial u}$.

c) Mostre que f é constante sobre as hipérboles $xy = c$.

13. Sejam $x = x(u, v)$ e $y = y(u, v)$ dadas implicitamente pelo sistema

    ① $\begin{cases} u = x^2 + y^2 \\ v = xy \end{cases}$

    a) Expresse $\dfrac{\partial x}{\partial u}$ e $\dfrac{\partial y}{\partial u}$ em termos de x e y.

    b) Determine um par de funções $x = x(u, v)$ e $y = y(u, v)$ definidas implicitamente por ①.

14. Sejam $x = x(y, z)$, $y = y(x, z)$ e $z = z(x, y)$ definidas implicitamente pela equação $F(x, y, z) = 0$. Suponha $x_0 = x(y_0, z_0)$, $y_0 = y(x_0, z_0)$ e $z_0 = z(x_0, y_0)$ e que no ponto (x_0, y_0, z_0) as derivadas parciais de F sejam diferentes de zero. Mostre que

$$\left.\dfrac{\partial x}{\partial y}\right|_{\substack{y=y_0 \\ z=z_0}} \cdot \left.\dfrac{\partial y}{\partial z}\right|_{\substack{x=x_0 \\ z=z_0}} \cdot \left.\dfrac{\partial z}{\partial x}\right|_{\substack{x=x_0 \\ y=y_0}} = -1.$$

15. Sejam $x = x(u, v)$ e $y = y(u, v)$ definidas implicitamente pelo sistema

    $\begin{cases} x^2 + uy^2 = v \\ x + y^2 = u. \end{cases}$

    a) Expresse $\dfrac{\partial x}{\partial u}$ em termos de x, y e u.

    b) Determine um par de funções $x = x(u, v)$ e $y = y(u, v)$ definidas implicitamente pelo sistema.

13 CAPÍTULO

Gradiente e Derivada Direcional

Videoaulas — vídeo 4.6

13.1 Gradiente de uma Função de Duas Variáveis: Interpretação Geométrica

O gradiente de uma função $f(x, y)$ foi introduzido na Seção 11.5; nosso objetivo aqui é interpretá-lo geometricamente. Antes vamos recordar a regra da cadeia: se $f(x, y)$ for diferenciável no aberto $A \subset \mathbb{R}^2$, $\gamma(t)$ diferenciável no intervalo aberto I, em que $\gamma(t) \in A$ para todo $t \in I$, então, $h(t) = f(\gamma(t))$ será diferenciável e

$$h'(t) = \frac{d}{dt}[f(\gamma(t))] = \nabla f(\gamma(t)) \cdot \gamma'(t).$$

Seja $f(x, y)$ de classe C^1 num aberto $A \subset \mathbb{R}^2$ e seja (x_0, y_0) um ponto da curva de nível $f(x, y) = c$; suponhamos $\nabla f(x_0, y_0) \neq (0, 0)$. Vamos mostrar a seguir que $\nabla f(x_0, y_0)$ é *perpendicular* em (x_0, y_0) a toda curva γ, diferenciável, passando por (x_0, y_0) e cuja imagem esteja contida na curva de nível $f(x, y) = c$ (nas condições acima, pelo teorema das funções implícitas, uma tal curva existe). Seja, então, $\gamma(t)$, $t \in I$, uma tal curva, com $\gamma(t_0) = (x_0, y_0)$; como estamos admitindo que a imagem de γ está contida na curva de nível $f(x, y) = c$, teremos

① $$f(\gamma(t)) = c$$

para todo t no domínio de γ. Derivando os dois membros de ① em relação a t, obtemos:

$$\frac{d}{dt}[f(\gamma(t))] = \frac{d}{dt}(c)$$

ou

$$\nabla f(\gamma(t)) \cdot \gamma'(t) = 0, t \in I,$$

e, portanto,

$$\nabla f(\gamma(t_0)) \cdot \gamma'(t_0) = 0$$

ou seja, $\nabla f(x_0, y_0)$ é *perpendicular* a γ, em $\gamma(t_0) = (x_0, y_0)$.

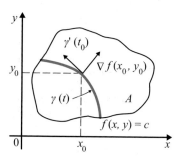

Dizemos, então, que $\nabla f(x_0, y_0)$ é *um vetor normal* à curva de nível $f(x, y) = c$, em (x_0, y_0). A reta passando por (x_0, y_0) e perpendicular $\nabla f(x_0, y_0)$ denomina-se *reta tangente*, em (x_0, y_0), à curva de nível $f(x, y) = c$. A equação de tal reta é:

$$\nabla f(x_0, y_0) \cdot [(x, y) - (x_0, y_0)] = 0.$$

Exemplo 1 A curva $\gamma(t)$ passa pelo ponto $(1, 2)$ e é tal que $f(\gamma(t)) = 6$ para todo t no domínio de γ, em que $f(x, y) = x^3y^3 - xy$ (observe que a imagem de γ está contida na curva de nível $f(x, y) = 6$). Suponha $\gamma(t_0) = (1, 2)$ e $\gamma'(t_0) \neq \vec{0}$. Determine a equação da reta tangente a γ no ponto $(1, 2)$.

Solução

$$\nabla f(1, 2) = \left(\frac{\partial f}{\partial x}(1, 2), \frac{\partial f}{\partial y}(1, 2)\right) = (22, 11).$$

A reta tangente a γ em $\gamma(t_0) = (1, 2)$ coincide com a reta tangente à curva de nível $f(x, y) = 6$ em $(1, 2)$. Assim, a equação da reta tangente a γ em $(1, 2)$ é:

ou
$$\nabla f(1, 2) \cdot [(x, y) - (1, 2)] = 0$$

ou
$$22(x - 1) + 11(y - 2) = 0$$

$$y = -2x + 4.$$

Vejamos como fica, em notação vetorial, a equação desta reta. O vetor $(-11, 22)$ é perpendicular a $\nabla f(1, 2) = (22, 11)$; logo, $(-11, 22)$ é paralelo a $\gamma'(t_0)$; assim, a equação da reta tangente acima pode, também, ser dada na forma

$$(x, y) = (1, 2) + \lambda(-11, 22), \lambda \in \mathbb{R}.$$

Exemplo 2 Considere a equação a derivadas parciais

② $$2\frac{\partial f}{\partial x} + \frac{\partial f}{\partial y} = 0$$

a) Com argumentos geométricos, obtenha solução de ②.
b) Suponha $f: \mathbb{R}^2 \to \mathbb{R}$ diferenciável; prove que se f satisfaz ②, então existe $\varphi: \mathbb{R} \to \mathbb{R}$ diferenciável tal que $f(x, y) = \varphi(2y - x)$.

Capítulo 13

Solução

a) Sendo $f(x, y)$ solução de ②, para todo $(x, y) \in \mathbb{R}^2$,

$$2\frac{\partial f}{\partial x}(x, y) + \frac{\partial f}{\partial y}(x, y) = 0$$

ou

$$(2, 1) \cdot \nabla f(x, y) = 0.$$

Como para todo (x, y), $\nabla f(x, y)$ é perpendicular ao vetor $(2, 1)$ e como $\nabla f(x, y)$ é perpendicular, em (x, y), à curva de nível de f que passa por este ponto, é razoável esperar que as curvas de nível de f sejam retas paralelas ao vetor $(2, 1)$; assim f deve ser constante sobre cada reta paralela ao vetor $(2, 1)$.

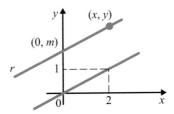

Sendo $f(x, y)$ constante sobre a reta r

$$f(x, y) = f(0, m), \text{ em que}$$

$\dfrac{y-m}{x-0} = \dfrac{1}{2}$, ou, $m = \dfrac{2y-x}{2}$. Assim, $f(x, y) = f\left(0, \dfrac{2y-x}{2}\right)$; tomando-se $\varphi(u) = f\left(0, \dfrac{u}{2}\right)$, resulta $f(x, y) = \varphi(2y - x)$, em que $\varphi : \mathbb{R} \to \mathbb{R}$ é uma função derivável. Verifique você que, para toda $\varphi : \mathbb{R} \to \mathbb{R}$ diferenciável, $f(x, y) = \varphi(2y - x)$ é solução de ②. Assim, as funções

sen $(2y - x)$, e^{2y-x}, $\dfrac{(2y-x)^2 + e^{2y-x}}{(2y-x)^4 + 1}$ etc. são soluções de ②.

Observação. Consideremos a mudança de variável

$$\begin{cases} u = 2y - x \\ v = y \end{cases} \text{ ou } \begin{cases} x = 2v - u \\ y = v \end{cases}$$

Note que quando (x, y) percorre a reta $2y - x = c$ correspondente ponto (u, v) percorrerá a reta vertical $u = c$.

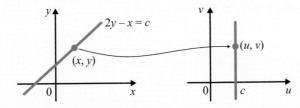

Seja $g(u, v) = f(x, y)$, com $x = 2v - u$ e $y = v$. Vimos, geometricamente, que f deve ser constante sobre as retas $2y - x = c$; é de se esperar, então, que g seja constante sobre as retas $u = c$, ou seja, que g não dependa de v. Vamos, agora, resolver a parte *b*).

b) Seja $f(x, y)$ diferenciável em $\mathbb{R}^2$; supondo f solução de ② teremos

$$2\frac{\partial f}{\partial x}(x,y) + \frac{\partial f}{\partial y}(x,y) = 0 \text{ em } \mathbb{R}^2.$$

Seja $g(u, v) = f(x, y)$ com $x = 2v - u$ e $y = v$ (veja observação anterior). Temos:

$$\frac{\partial g}{\partial v}(u,v) = \frac{\partial f}{\partial x}(x,y)\frac{\partial x}{\partial v} + \frac{\partial f}{\partial y}(x,y)\frac{\partial y}{\partial v}$$

ou

$$\frac{\partial g}{\partial v}(u,v) = \underbrace{2\frac{\partial f}{\partial x}(x,y) + \frac{\partial f}{\partial y}(x,y)}_{0}.$$

Assim, para todo (u, v) em $\mathbb{R}^2$,

$$\frac{\partial g}{\partial v}(u,v) = 0$$

o que mostra que g não depende de v, isto é,

$$g(u,v) = \varphi(u).$$

para alguma função $\varphi : \mathbb{R} \to \mathbb{R}$ diferenciável. Portanto, $f(x, y) = \varphi(2y - x)$, em que $\varphi : \mathbb{R} \to \mathbb{R}$ é uma função diferenciável.

Vejamos, agora, como utilizar o gradiente de uma função de duas variáveis na obtenção da reta tangente e da reta normal ao gráfico de uma função $y = g(x)$ de uma variável. Para isto, consideremos a função de duas variáveis $F(x, y) = g(x) - y$; evidentemente, o gráfico de g coincide com a curva de nível $F(x, y) = 0$. Seja (x_0, y_0), com $y_0 = g(x_0)$, um ponto do gráfico de g.

Segue que $\nabla F(x_0, y_0)$ é normal ao gráfico de g em (x_0, y_0). Como

$$\nabla F(x, y) = (g'(x), -1)$$

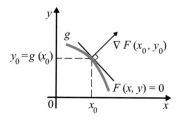

resulta, $\nabla F(x_0, y_0) = (g'(x_0), -1)$. A equação da reta tangente ao gráfico de g, no ponto de abscissa x_0, é, então

$$(g'(x_0), -1) \cdot [(x, y) - (x_0, y_0)] = 0$$

ou

$$g'(x_0)(x - x_0) - (y - y_0) = 0$$

ou, ainda, $y - y_0 = g'(x_0)(x - x_0)$.

Por outro lado, a equação da reta normal ao gráfico de g no ponto de abscissa x_0 é:

$$(x, y) = (x_0, y_0) + \lambda(g'(x_0), -1), \lambda \in \mathbb{R}.$$

Suponhamos, agora, que a função diferenciável $y = g(x)$ seja dada implicitamente pela equação $F(x, y) = 0$, em que F é suposta diferenciável e $\nabla F(x_0, y_0) \neq \vec{0}$, com $y_0 = g(x_0)$ (observe que a situação anterior é um caso particular desta). Segue que, para todo x no domínio de g, $F(x, g(x)) = 0$, isto é, a imagem da curva $\gamma(x) = (x, g(x))$ está contida na curva de nível $F(x, y) = 0$. Assim, $\nabla F(x_0, y_0)$ *é normal ao gráfico de g no ponto* (x_0, y_0). Poderíamos, também, ter chegado a este resultado, no caso $\frac{\partial F}{\partial y}(x_0, y_0) \neq 0$ e $\frac{\partial F}{\partial x}(x_0, y_0) \neq 0$, observando que

$$\frac{\frac{\partial F}{\partial y}(x_0, y_0)}{\frac{\partial F}{\partial x}(x_0, y_0)}$$

é o coeficiente angular da direção determinada pelo vetor

$$\nabla F(x_0, y_0) = \frac{\partial F}{\partial x}(x_0, y_0)\vec{i} + \frac{\partial F}{\partial y}(x_0, y_0)\vec{j} \text{ e que}$$

$$g'(x_0) = -\frac{\frac{\partial F}{\partial x}(x_0, y_0)}{\frac{\partial F}{\partial y}(x_0, y_0)}$$

(fórmula de derivação implícita) é o coeficiente angular da reta tangente ao gráfico de g no ponto (x_0, y_0).

Exemplo 3 $y = f(x)$ é uma função diferenciável definida implicitamente pela equação $y^3 + xy + x^3 = 3x$. Determine as equações das retas tangente e normal ao gráfico de f no ponto $(1, 1)$.

Solução

$$y^3 + xy + x^3 = 3x \Leftrightarrow \underbrace{y^3 + xy + x^3 - 3x}_{F(x, y)} = 0$$

$\nabla F(1, 1)$ é perpendicular ao gráfico de f no ponto $(1, 1)$. Temos:

$$\nabla F(1, 1) = (1, 4) \text{ pois, } \nabla F(x, y) = (y + 3x^2 - 3, 3y^2 + x)$$

Reta tangente:

$$\nabla F(1, 1) \cdot [(x, y) - (1, 1)] = 0$$

ou seja,

$$y = -\frac{1}{4}x + \frac{5}{4}.$$

Reta normal:

$$y - 1 = 4(x - 1) \text{ ou } y = 4x - 3.$$

Ou, em forma vetorial:

$$(x, y) = (1, 1) + \lambda(1, 4), \lambda \in \mathbb{R}.$$

Gradiente e Derivada Direcional

Exercícios 13.1

1. É dada uma curva γ que passa pelo ponto $\gamma(t_0) = (1, 3)$ e cuja imagem está contida na curva de nível $x^2 + y^2 = 10$. Suponha $\gamma'(t_0) \neq \vec{0}$.

   a) Determine a equação da reta tangente a γ no ponto $(1, 3)$.
   b) Determine uma curva $\gamma(t)$ satisfazendo as condições acima.

2. Determine a equação da reta tangente à curva γ no ponto $\gamma(t_0) = (2, 5)$ sabendo-se que $\gamma'(t_0) \neq \vec{0}$ e que a sua imagem está contida na curva de nível $xy = 10$. Qual a equação da reta normal a γ, neste ponto?

3. Determine a equação da reta tangente à curva de nível dada, no ponto dado.

   a) $x^2 + xy + y^2 - 3y = 1$ em $(1, 2)$.
   b) $e^{2x-y} + 2x + 2y = 4$ em $\left(\dfrac{1}{2}, 1\right)$.

4. Determine uma reta que seja tangente à elipse $2x^2 + y^2 = 3$ e paralela à reta $2x + y = 5$.
5. Determine uma reta que seja tangente à curva $x^2 + xy + y^2 = 7$ e paralela à reta $4x + 5y = 17$.
6. Utilizando argumentos geométricos, determine soluções da equação a derivadas parciais dada.

   a) $3\dfrac{\partial f}{\partial x} + 2\dfrac{\partial f}{\partial y} = 0$
   b) $\dfrac{\partial f}{\partial x} - \dfrac{\partial f}{\partial y} = 0$

   c) $\dfrac{\partial f}{\partial x} + \dfrac{\partial f}{\partial y} = 0$
   d) $y\dfrac{\partial f}{\partial x} - x\dfrac{\partial f}{\partial y} = 0$

7. Determine uma função $z = f(x, y)$ tal que $\dfrac{\partial f}{\partial x} = \dfrac{\partial f}{\partial y}$ e cujo gráfico passe pelos pontos $(1, 1, 3)$, $(0, 0, 1)$ e $(0, 1, 2)$.

8. Determine uma função $z = f(x, y)$ tal que $\dfrac{\partial f}{\partial x} = 2\dfrac{\partial f}{\partial y}$ e cujo gráfico contenha a imagem da curva $\gamma(t) = (t, t, t^2), t \in \mathbb{R}$.

9. Determine uma curva $\gamma(t) = (x(t), y(t))$ que passe pelo ponto $\gamma(0) = (1, 2)$ e que intercepte ortogonalmente as curvas da família $x^2 + 2y^2 = c$.

10. Determine uma função $y = y(x)$ cujo gráfico intercepte ortogonalmente as curvas da família $xy = c$, com $x > 0$ e $y > 0$, e tal que

    a) $y(1) = 1$
    b) $y(1) = 2$

11. Seja $z = f(x, y)$ diferenciável em $\mathbb{R}^2$ e tal que $\nabla f(x, y) = g(x, y)(x, y)$, para todo (x, y) em $\mathbb{R}^2$, em que $g(x, y)$ é uma função de $\mathbb{R}^2$ em $\mathbb{R}$ dada.

    a) Com argumentos geométricos, verifique que é razoável esperar que f seja constante sobre cada circunferência de centro na origem.
    b) Prove que f é constante sobre cada circunferência de centro na origem.

    (Sugestão: $g(t) = f(R \cos t, R \sen t)$ fornece os valores de f sobre a circunferência $x^2 + y^2 = R^2$.)

12. Seja $y = g(x)$ definida e derivável no intervalo aberto I, dada implicitamente pela equação $f(x, y) = 0$, em que $f(x, y)$ é suposta diferenciável no aberto $A \subset \mathbb{R}^2$. Suponha $\dfrac{\partial f}{\partial x}(x, y) \cdot \dfrac{\partial f}{\partial y}(x, y) > 0$ em A.

a) Com argumentos geométricos, mostre que é razoável esperar que *g* seja estritamente decrescente em *I*.

b) Prove que *g* é estritamente decrescente em *I*.

13.2 Gradiente de Função de Três Variáveis: Interpretação Geométrica

Seja $f(x, y, z)$ de classe C^1 num aberto $A \subset \mathbb{R}^3$ e seja (x_0, y_0, z_0) um ponto da superfície de nível $f(x, y, z) = c$; suponhamos $\nabla f(x_0, y_0, z_0) \neq (0, 0, 0)$. Vamos mostrar que $\nabla f(x_0, y_0, z_0)$ é *normal* em (x_0, y_0, z_0) a toda curva γ, diferenciável, passando por este ponto e cuja imagem esteja contida na superfície de nível $f(x, y, z) = c$. Seja, então, $\gamma(t)$, $t \in I$, uma tal curva, com $\gamma(t_0) = (x_0, y_0, z_0)$; como estamos supondo que a imagem de γ está contida na superfície de nível $f(x, y, z) = c$, teremos

① $$f(\gamma(t)) = c$$

para todo *t* no domínio de γ. Derivando, em relação a *t*, ambos os membros da equação ① obtemos, para todo $t \in I$,

$$\nabla f(\gamma(t)) \cdot \gamma'(t) = 0$$

e, portanto, $\nabla f(\gamma(t_0)) \cdot \gamma'(t_0) = 0$, o que mostra que $\nabla f(\gamma(t_0))$ e $\gamma'(t_0)$ são ortogonais.

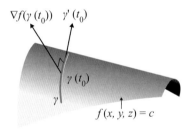

Fica provado assim que $\nabla f(x_0, y_0, z_0)$ é *normal* em (x_0, y_0, z_0) a toda curva diferenciável γ passando por este ponto e com imagem contida na superfície $f(x, y, z) = c$. Diremos, então, que $\nabla f(x_0, y_0, z_0)$ é *normal à superfície de nível* $f(x, y, z) = c$, *no ponto* (x_0, y_0, z_0). O plano passando pelo ponto (x_0, y_0, z_0) e perpendicular $\nabla f(x_0, y_0, z_0)$ denomina-se *plano tangente*, em (x_0, y_0, z_0), à superfície $f(x, y, z) = c$. A equação deste plano é:

$$\nabla f(x_0, y_0, z_0) \cdot [(x, y, z) - (x_0, y_0, z_0)] = 0.$$

A reta

$$(x, y, z) = (x_0, y_0, z_0) + \lambda \nabla f(x_0, y_0, z_0), \lambda \in \mathbb{R}$$

denomina-se *reta normal*, em (x_0, y_0, z_0), à superfície $f(x, y, z) = c$.

Seja $z = g(x, y)$ uma função diferenciável dada implicitamente pela equação $F(x, y, z) = 0$ em que $F(x, y, z)$ é suposta de classe C^1 num aberto de $\mathbb{R}^3$; seja (x_0, y_0, z_0), $z_0 = g(x_0, y_0)$, um ponto do gráfico de *g*, com $\vec{\nabla} F(x_0, y_0, z_0) \neq \vec{0}$. Como o gráfico de *g* está contido na superfície $F(x, y, z) = 0$, resulta que toda curva γ com imagem contida no gráfico de *g* tem, também, sua imagem contida na superfície $F(x, y, z) = 0$; assim, $\nabla F(x_0, y_0, z_0)$ é normal ao gráfico de *g*, em (x_0, y_0, z_0).

Observe que se $\gamma(t)$ é uma curva diferenciável com imagem contida na interseção das superfícies $F(x, y, z) = 0$ e $G(x, y, z) = 0$, em que F e G são supostos de classe C^1 num aberto de $\mathbb{R}^3$ e $\nabla F(x_0, y_0, z_0) \wedge \nabla G(x_0, y_0, z_0) \neq \vec{0}$, então o vetor $\gamma'(t_0) \neq \vec{0}$, tangente a γ em $\gamma(t_0) = (x_0, y_0, z_0)$, é paralelo a $\nabla F(x_0, y_0, z_0) \wedge \nabla G(x_0, y_0, z_0)$ (verifique).

Exemplo 1 Determine as equações do plano tangente e da reta normal à superfície $xyz + x^3 + y^3 + z^3 = 3z$ no ponto $(1, -1, 2)$.

Solução

$$xyz + x^3 + y^3 + z^3 = 3z \Leftrightarrow \underbrace{xyz + x^3 + y^3 + z^3 - 3z}_{F(x, y, z)} = 0.$$

$$\nabla F(x, y, z) = \left(\frac{\partial F}{\partial x}, \frac{\partial F}{\partial y}, \frac{\partial F}{\partial z}\right) = (yz + 3x^2, xz + 3y^2, xy + 3z^2 - 3).$$

$$\nabla F(1, -1, 2) = (1, 5, 8).$$

Plano tangente em $(1, -1, 2)$:

$$\nabla F(1, -1, 2) \cdot [(x, y, z) - (1, -1, 2)] = 0$$

ou

$$(1, 5, 8) \cdot [(x, y, z) - (1, -1, 2)] = 0$$

ou seja,

$$(x - 1) + 5(y + 1) + 8(z - 2) = 0$$

ou, ainda,

$$x + 5y + 8z = 12.$$

Reta normal em $(1, -1, 2)$:

$$(x, y, z) = (1, -1, 2) + \lambda(1, 5, 8), \lambda \in \mathbb{R}.$$

Exemplo 2 Considere a função $z = f(x, y)$ dada por $f(x, y) = \sqrt{8 - 3x^2 - y^2}$. Determine a equação do plano tangente no ponto $(1, 1, f(1, 1))$.

Solução

1º processo

$$z - f(1, 1) = \frac{\partial f}{\partial x}(1, 1)(x - 1) + \frac{\partial f}{\partial y}(1, 1)(y - 1)$$

$$\begin{cases} f(1, 1) = 2 \\ \frac{\partial f}{\partial x} = \frac{-6x}{2\sqrt{8 - 3x^2 - y^2}}; \text{ logo, } \frac{\partial f}{\partial x}(1, 1) = \frac{-3}{2} \\ \frac{\partial f}{\partial y} = \frac{-2y}{2\sqrt{8 - 3x^2 - y^2}}; \text{ logo, } \frac{\partial f}{\partial y}(1, 1) = -\frac{1}{2} \end{cases}$$

$$z - 2 = -\frac{3}{2}(x - 1) - \frac{1}{2}(y - 1)$$

é a equação do plano tangente em $(1, 1, f(1, 1))$.

Capítulo 13

2º processo

$$z = \sqrt{8 - 3x^2 - y^2} \Rightarrow z^2 = 8 - 3x^2 - y^2$$

A função é então definida implicitamente pela equação

$$\underbrace{3x^2 + y^2 + z^2 - 8}_{F(x,y,z)} = 0$$

$\nabla F(1, 1, 2)$ é, então, normal ao gráfico de f no ponto $(1, 1, f(1, 1))$.

$$\nabla F(x, y, z) = (6x, 2y, 2z) \Rightarrow \nabla F(1, 1, 2) = (6, 2, 4).$$

A equação do plano tangente em $(1, 1, 2)$ é:

$$(6, 2, 4) \cdot [(x, y, z) - (1, 1, 2)] = 0$$

ou

$$6(x-1) + 2(y-1) + 4(z-2) = 0,$$

ou, ainda,

$$z - 2 = -\frac{3}{2}(x-1) - \frac{1}{2}(y-1).$$

Exemplo 3 A imagem da curva $\gamma(t)$ está contida na interseção das superfícies $x^2 + 2y^2 + z = 4$ e $x^2 + y + z = 3$. Suponha $\gamma(t_0) = (1, 1, 1)$ e $\gamma'(t_0) \neq \vec{0}$.

a) Determine a reta tangente a γ no ponto $\gamma(t_0)$.
b) Determine uma curva $\gamma(t)$ nas condições acima.

Solução

a) Sejam $F(x, y, z) = x^2 + 2y^2 + z$ e $G(x, y, z) = x^2 + y + z$.
Para todo t no domínio de γ devemos ter

$$F(\gamma(t)) = 4 \quad \text{e} \quad G(\gamma(t)) = 3,$$

pois a imagem de γ está contida nas superfícies de nível $F(x, y, z) = 4$ e $G(x, y, z) = 3$. Segue que

$$\nabla F(\gamma(t_0)) \cdot \gamma'(t_0) = 0 \quad \text{e} \quad \nabla G(\gamma(t_0)) \cdot \gamma'(t_0) = 0,$$

ou seja, $\gamma'(t_0)$ é normal aos vetores $\nabla F(1, 1, 1)$ e $\nabla G(1, 1, 1)$; logo, $\gamma'(t_0)$ é paralelo ao produto vetorial $\nabla F(1, 1, 1) \wedge \nabla G(1, 1, 1)$. Temos:

$$\nabla F(1, 1, 1) \wedge \nabla G(1, 1, 1) = \begin{vmatrix} \vec{i} & \vec{j} & \vec{k} \\ 2 & 4 & 1 \\ 2 & 1 & 1 \end{vmatrix} = 3\vec{i} - 6\vec{k}.$$

A equação da reta tangente a γ no ponto $\gamma(t_0) = (1, 1, 1)$ é:

$$(x, y, z) = (1, 1, 1) + \lambda(3, 0, -6), \lambda \in \mathbb{R}.$$

b) $\begin{cases} x^2 + 2y^2 + z = 4 \\ x^2 + y + z = 3 \end{cases}$

$x^2 + y + z = 3 \Rightarrow z = 3 - x^2 - y$. Substituindo na 1ª equação vem:

$$x^2 + 2y^2 + 3 - x^2 - y = 4$$

e, portanto, $2y^2 - y - 1 = 0$, ou seja, $y = 1$ ou $y = -\dfrac{1}{2}$; isto é, y não depende de x. Como a curva deve passar pelo ponto $(1, 1, 1)$, vamos tornar $y = 1$. Segue que $z = 3 - x^2 - 1$, ou seja, $z = 2 - x^2$. A imagem da curva $\gamma(t) = (t, 1, 2 - t^2)$ está contida na interseção das superfícies e passa pelo ponto $(1, 1, 1)$. Sugerimos ao leitor desenhar a imagem de γ.

Exercícios 13.2

1. Determine as equações do plano tangente e da reta normal à superfície dada, no ponto dado.

   a) $x^2 + 3y^2 + 4z^2 = 8$ em $(1, -1, 1)$

   b) $2xyz = 3$ em $\left(\dfrac{1}{2}, 1, 3\right)$

   c) $ze^{x-y} + z^3 = 2$ em $(2, 2, 1)$

2. A função diferenciável $z = f(x, y)$ é dada implicitamente pela equação $x^3 + y^3 + z^3 = 10$. Determine a equação do plano tangente ao gráfico de f no ponto $(1, 1, f(1, 1))$.

3. Determine um plano que seja tangente à superfície $x^2 + 3y^2 + 2z^2 = \dfrac{11}{6}$ e paralelo ao plano $x + y + z = 10$.

4. É dada uma função diferenciável $z = f(x, y)$ cujo gráfico está contido na superfície $x^2 + y^2 + z^2 = 1$. Sabe-se que $f\left(\dfrac{1}{2}, \dfrac{1}{2}\right) = \dfrac{\sqrt{2}}{2}$. Determine a equação do plano tangente ao gráfico de f no ponto $\left(\dfrac{1}{2}, \dfrac{1}{2}, \dfrac{\sqrt{2}}{2}\right)$.

5. A imagem da curva $\gamma(t)$ está contida na interseção das superfícies $x^2 + y^2 + z^2 = 3$ e $x^2 + 3y^2 - z^2 = 3$. Suponha $\gamma(t_0) = (1, 1, 1)$ e $\gamma'(t_0) \neq \vec{0}$. Determine a reta tangente a γ em $\gamma(t_0)$.

6. A imagem da curva $\gamma(t)$ está contida na interseção da superfície cilíndrica $x^2 + y^2 = 2$ com a superfície esférica $x^2 + y^2 + z^2 = 3$. Suponha $\gamma(t_0) = (1, 1, 1)$ e $\gamma'(t_0) \neq \vec{0}$.

   a) Determine a reta tangente a γ em $\gamma(t_0)$.
   b) Determine uma curva $\gamma(t)$ satisfazendo as condições acima.

7. É dada uma curva $\gamma(t)$ cuja imagem é a interseção das superfícies $4x^2 + y^2 = 1$ e $x + y + z = 1$. Suponha $\gamma(t_0) = (0, 1, 0)$ e $\gamma'(t_0) \neq \vec{0}$.

   a) Determine a reta tangente a γ em $\gamma(t_0)$.
   b) Determine uma parametrização para a interseção acima.

8. Considere a função $z = \dfrac{\sqrt[4]{8+x^2+y^2}}{y}$.

   a) Determine uma função $F(x, y, z)$, que *não envolva radicais*, tal que a função dada seja definida implicitamente pela equação $F(x, y, z) = 0$.
   b) Determine a equação do plano tangente ao gráfico da função dada no ponto $(2, 2, 1)$.

9. Determine a equação do plano normal, em $(1, 2, 3)$, à interseção das superfícies $x^2 + y^2 + z^2 = 14$ e $xyz = 6$.

10. Determine um plano que passe pelos pontos $(5, 0, 1)$ e $(1, 0, 3)$ e que seja tangente à superfície $x^2 + 2y^2 + z^2 = 7$.

13.3 Derivada Direcional

Sejam $z = f(x, y)$ uma função, (x_0, y_0) um ponto de D_f e $\vec{u} = (a, b)$ e um vetor unitário. Suponhamos que exista $r > 0$ tal que para $|t| < r$ os pontos da reta $(x, y) = (x_0 + at, y_0 + bt)$ pertençam ao domínio de f. Como estamos supondo $\vec{u} = (a, b)$ unitário, a distância de $(x_0 + at, y_0 + bt)$ a (x_0, y_0) é $|t|$ (verifique).

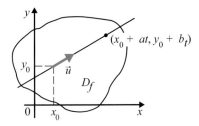

Pois bem, definimos a *taxa média* de variação de f, na direção $\vec{u} = (a, b)$, entre os pontos (x_0, y_0) e $(x_0 + at, y_0 + bt)$ por

① $$\dfrac{f(x_0 + at, y_0 + bt) - f(x_0, y_0)}{t}$$

Vamos destacar, a seguir, o limite de ① para $t \to 0$.

Definição. O limite

$$\dfrac{\partial f}{\partial \vec{u}}(x_0, y_0) = \lim_{t \to 0} \dfrac{f(x_0 + at, y_0 + bt) - f(x_0, y_0)}{t}$$

quando existe e é finito, denomina-se *derivada direcional de f no ponto* (x_0, y_0) *e na direção do vetor* $\vec{u} = (a, b)$, com $\vec{u}$ unitário.

A derivada direcional $\dfrac{\partial f}{\partial \vec{u}}(x_0, y_0)$ denomina-se, também, *taxa de variação de f no ponto* (x_0, y_0) *e na direção do vetor* $\vec{u}$. Observe:

$$\dfrac{\partial f}{\partial \vec{u}}(x_0, y_0) \cong \dfrac{f(x_0 + at, y_0 + bt) - f(x_0, y_0)}{t}$$

sendo a aproximação tanto melhor quanto menor for $|t|$.

Gradiente e Derivada Direcional

As derivadas parciais de f, em (x_0, y_0), são particulares derivadas direcionais. De fato:

$$\frac{\partial f}{\partial \vec{i}}(x_0, y_0) = \lim_{t \to 0} \frac{f(x_0+t, y_0) - f(x_0, y_0)}{t} = \frac{\partial f}{\partial x}(x_0, y_0)$$

e

$$\frac{\partial f}{\partial \vec{j}}(x_0, y_0) = \lim_{t \to 0} \frac{f(x_0, y_0+t) - f(x_0, y_0)}{t} = \frac{\partial f}{\partial y}(x_0, y_0).$$

Deste modo, $\frac{\partial f}{\partial x}(x_0, y_0)$ e $\frac{\partial f}{\partial y}(x_0, y_0)$ são, respectivamente, as derivadas direcionais de f, no ponto (x_0, y_0), e nas direções dos vetores $\vec{i} = (1, 0)$ e $\vec{j} = (0, 1)$.

A seguir, vamos interpretar geometricamente $\frac{\partial f}{\partial \vec{u}}(x_0, y_0)$. Para isto, consideremos a curva $\gamma(t)$ dada por

$$\gamma : \begin{cases} x = x_0 + at \\ y = y_0 + bt \\ z = g(t) \end{cases}$$

em que $g(t) = f(x_0 + at, y_0 + bt)$.

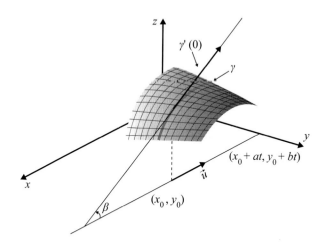

Observe que a imagem de γ está contida no gráfico de f. Temos:

$$g'(0) = \lim_{t \to 0} \frac{g(t) - g(0)}{t} = \lim_{t \to 0} \frac{f(x_0+at, y_0+bt) - f(x_0, y_0)}{t} = \frac{\partial f}{\partial \vec{u}}(x_0, y_0),$$

ou seja,

$$g'(0) = \frac{\partial f}{\partial \vec{u}}(x_0, y_0).$$

Segue que $\gamma'(0) = (a, b, g'(0)) = \left(a, b, \dfrac{\partial f}{\partial \vec{u}}(x_0, y_0)\right)$. Então,

$$\gamma'(0) = (a, b, 0) + \left(0, 0, \dfrac{\partial f}{\partial \vec{u}}(x_0, y_0)\right).$$

Como (a, b) é unitário, $\dfrac{\partial f}{\partial \vec{u}}(x_0, y_0) = \operatorname{tg} \beta$ (veja figura anterior).

Exemplo 1 Seja $f(x, y) = x^2 + y^2$. Calcule $\dfrac{\partial f}{\partial \vec{u}}(1, 1)$ em que $\vec{u}$ é o versor de

a) $\vec{v} = (-1, 1)$ b) $\vec{v} = (1, 2)$ c) $\vec{v} = (1, 1)$

Solução

Inicialmente, vamos calcular $\dfrac{\partial f}{\partial \vec{u}}(1, 1)$ em que $\vec{u} = (a, b)$ é um vetor unitário qualquer.

$$\dfrac{\partial f}{\partial \vec{u}}(1, 1) = \lim_{t \to 0} \dfrac{f(1 + at, 1 + bt) - f(1, 1)}{t}$$

$$= \lim_{t \to 0} \dfrac{(1 + at)^2 + (1 + bt)^2 - 2}{t} = 2a + 2b.$$

Ou seja,

$$\dfrac{\partial f}{\partial \vec{u}}(1, 1) = 2a + 2b.$$

a) $\vec{u} = \dfrac{(-1, 1)}{\|(-1, 1)\|} = \left(-\dfrac{1}{\sqrt{2}}, \dfrac{1}{\sqrt{2}}\right)$; $\vec{u}$ é tangente em $(1, 1)$ à curva de nível $f(x, y) = 2$ ou seja, $x^2 + y^2 = 2$ (verifique).

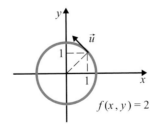

Portanto, é razoável esperar que, nesta direção t, a taxa de variação de f, em $(1, 1)$, seja nula. (Por quê?) De fato

$$\dfrac{\partial f}{\partial \vec{u}}(1, 1) = 2 \cdot \left(-\dfrac{1}{\sqrt{2}}\right) + 2 \cdot \left(\dfrac{1}{\sqrt{2}}\right) = 0.$$

b) $\vec{u} = \dfrac{(1,2)}{\|(1,2)\|} = \left(\dfrac{1}{\sqrt{5}}, \dfrac{2}{\sqrt{5}}\right) = (a,b)$

$$\dfrac{\partial f}{\partial \vec{u}}(1,1) = \dfrac{6}{\sqrt{5}}.$$

c) $\vec{u} = \dfrac{(1,1)}{\|(1,1)\|} = \left(\dfrac{1}{\sqrt{2}}, \dfrac{1}{\sqrt{2}}\right)$; observe que $\vec{u}$ é o versor do vetor gradiente $\nabla f(1,1) = (2,2)$.
Temos:

$$\dfrac{\partial f}{\partial \vec{u}}(1,1) = 2 \cdot \left(\dfrac{1}{\sqrt{2}}\right) + 2 \cdot \left(\dfrac{1}{\sqrt{2}}\right) = \dfrac{4}{\sqrt{2}}.$$

Note que o valor de $\dfrac{\partial f}{\partial \vec{u}}(1,1)$ para $\vec{u} = \left(\dfrac{1}{\sqrt{2}}, \dfrac{1}{\sqrt{2}}\right)$ é maior que para $\vec{u} = \left(\dfrac{1}{\sqrt{5}}, \dfrac{2}{\sqrt{5}}\right)$. Provaremos, na próxima seção que, sendo f diferenciável, $\dfrac{\partial f}{\partial \vec{u}}(x_0, y_0)$ assumirá valor máximo para $\vec{u}$ igual ao versor do vetor gradiente $\nabla f(x_0, y_0)$.

Exemplo 2 São dados uma função $f(x,y) = x^2 + y^2$, um vetor unitário (a,b) e um real $\beta > 2$. Suponha que $(1+sa, 1+sb)$ e $\left(1+\dfrac{t}{\sqrt{2}}, 1+\dfrac{t}{\sqrt{2}}\right)$, com $s > 0$ e $t > 0$, pertençam à curva de nível $f(x,y) = \beta$. Compare a taxa média de variação de f entre os pontos $(1,1)$ e $(1+sa, 1+sb)$ e entre os pontos $(1,1)$ e $\left(1+\dfrac{t}{\sqrt{2}}, 1+\dfrac{t}{\sqrt{2}}\right)$.

Solução

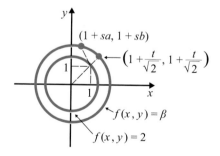

Sendo (a,b) unitário, a distância de $(1+sa, 1+sb)$ a $(1,1)$ é s; a distância de $\left(1+\dfrac{t}{\sqrt{2}}, 1+\dfrac{t}{\sqrt{2}}\right)$ a $(1,1)$ é t. Se $(a,b) \neq \left(\dfrac{1}{\sqrt{2}}, \dfrac{1}{\sqrt{2}}\right)$, teremos $t < s$. Como $f(1+sa, 1+sb) = f\left(1+\dfrac{t}{\sqrt{2}}, 1+\dfrac{t}{\sqrt{2}}\right)$ resulta, para $(a,b) \neq \left(\dfrac{1}{\sqrt{2}}, \dfrac{1}{\sqrt{2}}\right)$,

$$\frac{f(1+sa, 1+sb) - f(1,1)}{s} < \frac{f\left(1+\frac{t}{\sqrt{2}}, 1+\frac{t}{\sqrt{2}}\right) - f(1,1)}{t}.$$

É razoável, portanto, esperar que $\frac{\partial f}{\partial \vec{u}}(1,1)$ assuma valor máximo para $\vec{u} = \left(\frac{1}{\sqrt{2}}, \frac{1}{\sqrt{2}}\right)$.

Exemplo 3. Seja $\vec{u} = (a,b)$ um vetor unitário dado. Calcule $\frac{\partial f}{\partial \vec{u}}(0,0)$ em que

$$f(x,y) = \begin{cases} \dfrac{x^3}{x^2 + y^2} & \text{se } (x,y) \neq (0,0) \\ 0 & \text{se } (x,y) \neq (0,0). \end{cases}$$

Solução

$$\frac{f(0+at, 0+bt) - f(0,0)}{t} = \frac{\dfrac{a^3 t^3}{(at)^2 + (bt)^2}}{t} = \frac{a^3}{\underbrace{a^2 + b^2}_{1}} = a^3, t \neq 0.$$

$$\frac{\partial f}{\partial \vec{u}}(0,0) = \lim_{t \to 0} \frac{f(0+at, 0+bt) - f(0,0)}{t} = a^3$$

ou seja, para todo vetor unitário (a,b)

$$\frac{\partial f}{\partial \vec{u}}(0,0) = a^3.$$

Já vimos que f é contínua em $(0,0)$, mas não diferenciável em $(0,0)$. Este exemplo mostra-nos que uma *função pode ser contínua num ponto, ter derivada direcional em todas as direções neste ponto, e mesmo assim não ser diferenciável neste ponto.*

13.4 Derivada Direcional e Gradiente

O objetivo desta seção é destacar mais algumas propriedades do vetor gradiente. Inicialmente, vamos provar que se f for *diferenciável* em (x_0, y_0), então f admitirá derivada direcional em todas as direções, no ponto (x_0, y_0), e cada derivada direcional se exprime de modo bastante simples em termos do gradiente de f em (x_0, y_0).

Teorema 1. Sejam $f: A \subset \mathbb{R}^2 \to \mathbb{R}$, A aberto, $(x_0, y_0) \in A$ e $\vec{u} = (a,b)$ um vetor unitário. Se $f(x,y)$ for diferenciável em (x_0, y_0), então f admitirá derivada direcional em (x_0, y_0), na direção $\vec{u}$, e

$$\frac{\partial f}{\partial \vec{u}}(x_0, y_0) = \nabla f(x_0, y_0) \cdot \vec{u}.$$

Demonstração

Seja g dada por $g(t) = f(x_0 + at, y_0 + bt)$; da diferenciabilidade da f em (x_0, y_0) segue a diferenciabilidade da g em $t = 0$ e, pela regra da cadeia,

$$g'(0) = \frac{\partial f}{\partial x}(x_0, y_0)\, a + \frac{\partial f}{\partial y}(x_0, y_0)\, b = \nabla f(x_0, y_0) \cdot (a,b)$$

Como

$$\frac{\partial f}{\partial \vec{u}}(x_0, y_0) = g'(0)$$

resulta,

$$\frac{\partial f}{\partial \vec{u}}(x_0, y_0) = \nabla f(x_0, y_0) \cdot \vec{u}.$$

■

O teorema acima conta-nos que se $f(x, y)$ for *diferenciável* em (x_0, y_0), então

$$\boxed{\frac{\partial f}{\partial \vec{u}}(x_0, y_0) = \nabla f(x_0, y_0) \cdot \vec{u}.}$$

Entretanto, se f *não* for diferenciável em (x_0, y_0) esta relação não tem nenhuma obrigação de se verificar. (Veja Exercício 21.)

De agora em diante, quando nada for dito sobre uma função $f(x, y)$ ficará implícito que se trata de uma função definida num aberto e diferenciável.

Vimos na Seção 6.4 que se $\vec{w}$ e $\vec{u}$ são vetores não nulos e, θ o ângulo entre eles, então $\vec{w} \cdot \vec{u} = \|\vec{w}\| \|\vec{u}\| \cos \theta$; se $\vec{u}$ for unitário, $\vec{w} \cdot \vec{u} = \|\vec{w}\| \cos \theta$. Na figura a seguir, $\alpha \vec{u}$ é a *projeção de $\vec{w}$ na direção $\vec{u}$*, em que $\alpha = \|\vec{w}\| \cos \theta$. Diremos que o número $\alpha = \|\vec{w}\| \cos \theta$ é a *componente escalar de $\vec{w}$ na direção $\vec{u}$*.

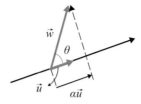

Veremos a seguir que $\frac{\partial f}{\partial \vec{u}}(x_0, y_0)$ é a componente escalar de $\nabla f(x_0, y_0)$ *na direção $\vec{u}$*.

Suponhamos $\nabla f(x_0, y_0) \neq \vec{0}$ e $\vec{u}$ unitário. Seja θ o ângulo entre $\nabla f(x_0, y_0)$ e $\vec{u}$. Temos:

$$\frac{\partial f}{\partial \vec{u}}(x_0, y_0) = \nabla f(x_0, y_0) \cdot \vec{u} = \|\nabla f(x_0, y_0)\| \cdot \|\vec{u}\| \cos \theta.$$

Como $\vec{u}$ é unitário

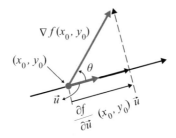

$$\frac{\partial f}{\partial \vec{u}}(x_0, y_0) = \|\nabla f(x_0, y_0)\| \cos \theta.$$

$\frac{\partial f}{\partial \vec{u}}(x_0, y_0)$ é a componente escalar de $\nabla f(x_0, y_0)$ na direção $\vec{u}$.

ATENÇÃO: $\frac{\partial f}{\partial \vec{u}}(x_0, y_0)$ é número.

Teorema 2. Seja $f : A \subset \mathbb{R}^2 \to \mathbb{R}$, A aberto, diferenciável em (x_0, y_0) e tal que $\nabla f(x_0, y_0) \neq \vec{0}$. Então, o valor máximo de $\frac{\partial f}{\partial \vec{u}}(x_0, y_0)$ ocorre quando $\vec{u}$ for o versor de $\nabla f(x_0, y_0)$, isto é, $\vec{u} = \frac{\nabla f(x_0, y_0)}{\|\nabla f(x_0, y_0)\|}$, e o valor máximo de $\frac{\partial f}{\partial \vec{u}}(x_0, y_0)$ é $\|\nabla f(x_0, y_0)\|$.

Demonstração

$$\frac{\partial f}{\partial \vec{u}}(x_0, y_0) = \|\nabla f(x_0, y_0)\| \cos \theta$$

$\frac{\partial f}{\partial \vec{u}}(x_0, y_0)$ terá valor máximo para $\theta = 0$, ou seja, quando $\vec{u}$ for o versor de $\nabla f(x_0, y_0)$. O valor máximo de $\frac{\partial f}{\partial \vec{u}}(x_0, y_0)$ é então $\|\nabla f(x_0, y_0)\|$. ■

O teorema acima nos diz, ainda, que, *estando em* (x_0, y_0), *a direção e o sentido que se deve tomar para que f cresça mais rapidamente é a do vetor* $\nabla f(x_0, y_0)$.

Exemplo 1 Calcule $\frac{\partial f}{\partial \vec{u}}(1, 2)$, em que $f(x, y) = x^2 + xy$, e $\vec{u}$ o versor de

a) $\vec{v} = (1, 1)$ b) $\vec{w} = (3, 4)$

Solução

Como f é diferenciável

$$\frac{\partial f}{\partial \vec{u}}(1, 2) = \nabla f(1, 2) \cdot \vec{u}.$$

$\nabla f(x, y) = (2x + y, x)$; logo, $\nabla f(1, 2) = (4, 1)$.

a) $\vec{u} = \dfrac{\vec{v}}{\|\vec{v}\|} = \left(\dfrac{1}{\sqrt{2}}, \dfrac{1}{\sqrt{2}}\right)$; assim,

$$\dfrac{\partial f}{\partial \vec{u}}(1, 2) = (4, 1) \cdot \left(\dfrac{1}{\sqrt{2}}, \dfrac{1}{\sqrt{2}}\right) = \dfrac{5}{\sqrt{2}}.$$

b) $\vec{u} = \dfrac{\vec{w}}{\|\vec{w}\|} = \left(\dfrac{3}{5}, \dfrac{4}{5}\right)$

$$\dfrac{\partial f}{\partial \vec{u}}(1, 2) = (4, 1) \cdot \left(\dfrac{3}{5}, \dfrac{4}{5}\right) = \dfrac{16}{5}.$$

Exemplo 2 Seja $f(x, y) = x^2 y$.

a) Determine $\vec{u}$ de modo que $\dfrac{\partial f}{\partial \vec{u}}(1, 1)$ seja máximo.

b) Qual o valor máximo de $\dfrac{\partial f}{\partial \vec{u}}(1, 1)$?

c) Estando-se em (1, 1), que direção e sentido deve-se tomar para que f cresça mais rapidamente?

Solução

$$\nabla f(1, 1) = \left(\dfrac{\partial f}{\partial x}(1, 1), \dfrac{\partial f}{\partial y}(1, 1)\right) = (2, 1).$$

a) Como f é diferenciável em (1, 1) e $\nabla f(1, 1) \neq (0, 0)$, segue que $\dfrac{\partial f}{\partial \vec{u}}(1, 1)$ é máximo para $\vec{u} = \dfrac{\nabla f(1, 1)}{\|\nabla f(1, 1)\|}$, ou seja, $\vec{u} = \left(\dfrac{2}{\sqrt{5}}, \dfrac{1}{\sqrt{5}}\right)$.

b) O valor máximo de $\dfrac{\partial f}{\partial \vec{u}}(1, 1)$ é $\|\nabla f(1, 1)\| = \sqrt{5}$.

c) $\nabla f(1, 1) = (2, 1)$ aponta a direção e sentido em que f cresce mais rapidamente em (1, 1).

Exemplo 3 Admita que $T(x, y) = x^2 + 3y^2$ represente uma distribuição de temperatura no plano xy: $T(x, y)$ é a temperatura no ponto (x, y) (supondo T em °C, x e y em cm).

a) Estando-se em $\left(2, \dfrac{1}{2}\right)$, qual a direção e sentido de maior crescimento da temperatura? Qual a taxa de crescimento nesta direção?

b) Estando-se em $\left(2, \dfrac{1}{2}\right)$, qual a direção e sentido de maior decrescimento da temperatura? Qual a taxa de decrescimento nesta direção?

Capítulo 13

Solução

a) $\nabla T\left(2, \dfrac{1}{2}\right) = (4, 3) = 4\vec{i} + 3\vec{j}$ aponta, em $\left(2, \dfrac{1}{2}\right)$, a direção e sentido de maior crescimento de temperatura. Nesta direção, $\vec{u} = \dfrac{\nabla T\left(2, \dfrac{1}{2}\right)}{\left\|\nabla T\left(2, \dfrac{1}{2}\right)\right\|}$, a taxa de variação da temperatura é máxima:

$$\dfrac{\partial T}{\partial \vec{u}}\left(2, \dfrac{1}{2}\right) = \left\|\nabla T\left(2, \dfrac{1}{2}\right)\right\| = 5 \text{ (°C/cm)},$$

o que significa que, a partir do ponto $\left(2, \dfrac{1}{2}\right)$ e na direção e sentido de $\nabla T\left(2, \dfrac{1}{2}\right)$, a temperatura está aumentando a uma taxa aproximada de 5°C por cm:

$$\dfrac{T\left(2 + \dfrac{4t}{5}, \dfrac{1}{2} + \dfrac{3t}{5}\right) - T\left(2, \dfrac{1}{2}\right)}{t} \cong 5$$

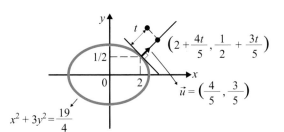

sendo a aproximação tanto melhor quanto menor for o *t*.

b) $-\nabla T\left(2, \dfrac{1}{2}\right) = -(4\vec{i} + 3\vec{j})$ aponta, em $\left(2, \dfrac{1}{2}\right)$, a direção e sentido de maior decrescimento da temperatura. Nesta direção, $\vec{u} = -\dfrac{\nabla T\left(2, \dfrac{1}{2}\right)}{\left\|\nabla T\left(2, \dfrac{1}{2}\right)\right\|}$, a taxa de variação da temperatura é mínima:

$$\dfrac{\partial T}{\partial \vec{u}}\left(2, \dfrac{1}{2}\right) = \nabla T\left(2, \dfrac{1}{2}\right) \cdot \left(-\dfrac{\nabla T\left(2, \dfrac{1}{2}\right)}{\left\|\nabla T\left(2, \dfrac{1}{2}\right)\right\|}\right) = -\left\|\nabla T\left(2, \dfrac{1}{2}\right)\right\|$$

ou seja,

$$\frac{\partial T}{\partial \vec{u}}\left(2, \frac{1}{2}\right) = -5 \text{ (°C/cm)}.$$

Nesta direção e sentido, a partir de $\left(2, \frac{1}{2}\right)$ a temperatura está decrescendo a uma taxa aproximada de 5°C por cm.

Exemplo 4 Suponha que $T(x, y) = 4x^2 + y^2$ represente uma distribuição de temperatura no plano xy. Determine uma parametrização para a trajetória descrita por um ponto P que se desloca, a partir de $(1, 1)$, sempre na direção e sentido de máximo crescimento da temperatura.

Solução

Por considerações geométricas, é razoável esperar que a trajetória descrita por P coincida com o gráfico de uma função $y = f(x)$, com $f(1) = 1$.

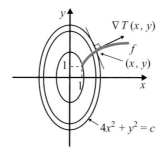

O coeficiente angular da reta tangente ao gráfico de f em (x, y) é $\frac{dy}{dx} = f'(x)$. Como $\nabla T(x, y) = (8x, 2y)$ deve ser tangente ao gráfico de f, em (x, y), devemos ter

① $$\frac{dy}{dx} = \frac{2y}{8x}.$$

(Observe que a direção do vetor $\nabla T(x, y) = 8x\vec{i} + 2y\vec{j}$ tem coeficiente angular $\frac{2y}{8x}$.) Separando as variáveis em ① e integrando, obtemos,

$$\ln y = \frac{1}{4} \ln x + k \left(\int \frac{dy}{y} = \int \frac{1}{4x} dx \right).$$

Para que a condição $f(1) = 1$ seja satisfeita, devemos tomar $k = 0$; assim,

$$\ln y = \frac{1}{4} \ln x \text{ ou } y = \sqrt[4]{x}.$$

Segue que $\gamma(t) = (t, \sqrt[4]{t})$, $t \geq 1$, é uma parametrização para a trajetória descrita por P. Um outro modo de resolver o problema é determinar funções $x(t)$ e $y(t)$ tais que a curva $\gamma(t) = (x(t), y(t))$ satisfaça as condições

$$\begin{cases} \gamma'(t) = \nabla T(\gamma(t)) \\ \gamma(0) = (1, 1). \end{cases}$$

Capítulo 13

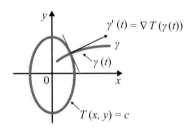

Temos:
$$\gamma'(t) = \nabla T(\gamma(t)) \Leftrightarrow (\dot{x}(t), \dot{y}(t)) = (8x(t), 2y(t)).$$

Deste modo, $x(t)$ e $y(t)$ devem satisfazer as condições

$$\begin{cases} \dot{x} = 8x \\ \dot{y} = 2y \\ x(0) = 1 \quad \text{e} \quad y(0) = 1. \end{cases}$$

Deixamos a seu cargo verificar que $x = e^{8t}$ e $x = e^{2t}$ satisfazem as condições acima. Assim,

$$\gamma(t) = (e^{8t}, e^{2t}), t \geq 0,$$

é, também, parametrização da trajetória descrita por P.

Exemplo 5 Calcule a derivada direcional de $f(x, y) = x^2 + y^2$ no ponto $(1, 2)$ e na direção do vetor $2\vec{i} - \vec{j}$.

Solução

O que queremos aqui é $\dfrac{\partial f}{\partial \vec{u}}(1, 2)$ em que $\vec{u}$ é o versor de $2\vec{i} - \vec{j}$.

$$\nabla f(1, 2) = (2, 4) \text{ e } \vec{u} = \frac{(2, -1)}{\|(2, -1)\|} = \left(\frac{2}{\sqrt{5}}, -\frac{1}{\sqrt{5}} \right)$$

assim,

$$\frac{\partial f}{\partial \vec{u}}(1, 2) = (2, 4) \cdot \left(\frac{2}{\sqrt{5}}, -\frac{1}{\sqrt{5}} \right) = 0.$$

Observação. Tudo o que dissemos nesta seção generaliza-se para funções reais de três ou mais variáveis.

Exemplo 6 Calcule a derivada direcional de $f(x, y, z) = xyz$ no ponto $(1, 1, 3)$ e na direção $\vec{i} + \vec{j} + \vec{k}$.

Solução

$$\frac{\partial f}{\partial \vec{u}}(1, 1, 3) = \nabla f(1, 1, 3) \cdot \vec{u}$$

em que $\vec{u}$ é o versor de $\vec{i} + \vec{j} + \vec{k}$.

Gradiente e Derivada Direcional

assim,
$$\vec{u} = \frac{(1,1,1)}{\|(1,1,1)\|} = \left(\frac{1}{\sqrt{3}}, \frac{1}{\sqrt{3}}, \frac{1}{\sqrt{3}}\right) \text{ e } \nabla f(1,1,3) = (3,3,1)$$

$$\frac{\partial f}{\partial \vec{u}}(1,1,3) = (3,3,1) \cdot \left(\frac{1}{\sqrt{3}}, \frac{1}{\sqrt{3}}, \frac{1}{\sqrt{3}}\right) = \frac{7}{\sqrt{3}}.$$

Exercícios 13.4

1. Calcule $\frac{\partial f}{\partial \vec{u}}(x_0, y_0)$, sendo dados:

   a) $f(x,y) = x^2 - 3y^2$, $(x_0, y_0) = (1,2)$ e $\vec{u}$ o versor de $2\vec{i} + \vec{j}$.
   b) $f(x,y) = e^{x^2 - y^2}$, $(x_0, y_0) = (1,1)$ e $\vec{u}$ o versor de $(3,4)$.
   c) $f(x,y) = \arctg\frac{x}{y}$, $(x_0, y_0) = (3,3)$ e $\vec{u} = \left(\frac{1}{\sqrt{2}}, \frac{1}{\sqrt{2}}\right)$.
   d) $f(x,y) = xy$, $(x_0, y_0) = (1,1)$ e $\vec{u}$ o versor de $\vec{i} + \vec{j}$.

2. Em que direção e sentido a função dada cresce mais rapidamente no ponto dado? E em que direção e sentido decresce mais rapidamente?

   a) $f(x,y) = x^2 + xy + y^2$ em $(1,1)$.
   b) $f(x,y) = \ln \|(x,y)\|$ em $(1,-1)$.
   c) $f(x,y) = \sqrt{4 - x^2 - 2y^2}$ em $\left(1, \frac{1}{2}\right)$.

3. Seja $f(x,y) = x \arctg\frac{x}{y}$. Calcule $\frac{\partial f}{\partial \vec{u}}(1,1)$, em que $\vec{u}$ aponta na direção e sentido de máximo crescimento de f, no ponto $(1,1)$.

4. Calcule a derivada direcional de $f(x,y) = \sqrt{1 + x^2 + y^2}$ no ponto $(2,2)$ e na direção

   a) $\vec{v} = (1,2)$
   b) $\vec{w} = -\vec{i} + 2\vec{j}$

5. Calcule a derivada direcional de $f(x,y) = \frac{2}{x^2 + y^2}$, no ponto $(-1,1)$ e na direção $2\vec{i} + 3\vec{j}$.

6. Uma função diferenciável $f(x,y)$ tem, no ponto $(1,1)$, derivada direcional igual a 3 na direção $3\vec{i} + 4\vec{j}$ e igual a -1 na direção $4\vec{i} - 3\vec{j}$. Calcule

   a) $\nabla f(1,1)$.
   b) $\frac{\partial f}{\partial \vec{u}}(1,1)$ em que $\vec{u}$ é o versor de $\vec{i} + \vec{j}$.

7. Admita que $T(x,y) = 16 - 2x^2 - y^2$ represente uma distribuição de temperatura no plano xy. Determine uma parametrização para a trajetória descrita por um ponto P que se desloca, a partir do ponto $(1,2)$, sempre na direção e sentido de máximo crescimento da temperatura.

8. Seja $f(x,y) = xy$. Determine uma parametrização para a trajetória descrita por um ponto P que se desloca, a partir do ponto $(1,2)$, sempre na direção e sentido de máximo crescimento de f.

Capítulo 13

9. Seja $f(x, y) = xy$. Determine a reta tangente ao gráfico de f, no ponto $(1, 2, f(1, 2))$, que forma com o plano xy ângulo máximo.

10. Seja $f(x, y) = x + 2y + 1$. Determine a reta contida no gráfico de f, passando pelo ponto $(1, 1, 4)$ e que forma com o plano xy ângulo máximo.

11. Um ponto P descreve uma trajetória sobre o gráfico de $f(x, y) = 4x^2 + y^2$. Sabe-se que a reta tangente em cada ponto da trajetória forma com o plano xy ângulo máximo. Determine uma parametrização para a trajetória admitindo que ela passe pelo ponto $(1, 1, 5)$.

12. Admita que o gráfico de $z = xy$ represente uma superfície própria para a prática do esqui. Admita, ainda, que um esquiador deslize pela superfície sempre na direção de maior declive. Se ele parte do ponto $(1, 2, 2)$, em que ponto ele tocará o plano xy?

13. Seja $A = \{(x, y) \in \mathbb{R}^2 \mid 5 - x^2 - 4y^2 \geq 0\}$. Suponha que o gráfico de $z = 5 - x^2 - 4y^2$, $(x, y) \in A$, represente a superfície de um monte. (Adote o km como unidade de medida.) Um alpinista que se encontra na posição $(1, 1, 0)$ pretende escalá-lo. Determine a trajetória a ser descrita pelo alpinista admitindo que ele busque sempre a direção de maior aclive. Sugerimos ao leitor desenhar o monte e a trajetória a ser descrita pelo alpinista.

14. Suponha que $T(x, y) = 40 - x^2 - 2y^2$ represente uma distribuição de temperatura no plano xy. (Admita que x e y sejam dados em km e a temperatura em °C.) Um indivíduo encontra-se na posição $(3, 2)$ e pretende dar um passeio.

    a) Descreva o lugar geométrico dos pontos que ele deverá percorrer se for seu desejo desfrutar sempre da mesma temperatura do ponto $(3, 2)$.

    b) Qual a direção e sentido que deverá tomar se for seu desejo caminhar na direção de maior crescimento da temperatura?

    c) De quanto a temperatura se elevará aproximadamente, caso caminhe 0,01 km na direção encontrada no item b?

    d) De quanto decrescerá, aproximadamente, a temperatura, caso caminhe 0,01 km na direção $\vec{j}$?

15. Calcule a derivada direcional da função dada, no ponto e direção $\vec{w}$ indicados.

    a) $f(x, y, z) = xyz$ em $(1, 1, 1)$ e na direção $\vec{w} = 2\vec{i} + \vec{j} - \vec{k}$.

    b) $f(x, y, z) = x^2 + xy + z^2$ em $(1, 2, -1)$ e na direção $\vec{w} = \vec{i} + 2\vec{j} + \vec{k}$.

16. A função diferenciável $f(x, y, z)$ tem, no ponto $(1, 1, 1)$, derivada direcional igual a 1 na direção $4\vec{j} + 3\vec{k}$, igual a 2 na direção $-4\vec{i} + 3\vec{j}$, e igual a zero na direção $\vec{j}$. Calcule o valor máximo de $\dfrac{\partial f}{\partial \vec{u}}(1, 1, 1)$.

17. Seja $f(x, y)$ diferenciável e sejam $\vec{u}$ e $\vec{v}$ dois vetores de $\mathbb{R}^2$, unitários e ortogonais. Prove:

$$\nabla f(x, y) = \frac{\partial f}{\partial \vec{u}}(x, y)\, \vec{u} + \frac{\partial f}{\partial \vec{v}}(x, y)\, \vec{v}.$$

$\left(\dfrac{\partial f}{\partial \vec{u}}(x, y) \text{ e } \dfrac{\partial f}{\partial \vec{v}}(x, y) \text{ são os componentes de } \nabla f(x, y) \text{ em relação à base } (\vec{u}, \vec{v}) \right)$

Gradiente e Derivada Direcional

18. Seja $g(r,\theta) = f(x,y)$, com $x = r\cos\theta$ e $y = r\,\text{sen}\,\theta$, em que $f(x,y)$ é suposta diferenciável num aberto do $\mathbb{R}^2$. Sejam $\vec{u} = \cos\theta\,\vec{i} + \text{sen}\,\theta\,\vec{j}$ e $\vec{v} = -\text{sen}\,\theta\,\vec{i} + \cos\theta\,\vec{j}$. Mostre que

a) $\dfrac{\partial g}{\partial r}(r,\theta) = \dfrac{\partial f}{\partial \vec{u}}(x,y)$ e $\dfrac{1}{r}\dfrac{\partial g}{\partial \theta}(r,\theta) = \dfrac{\partial f}{\partial \vec{v}}(x,y)$.

b) $\nabla f(x,y) = \dfrac{\partial f}{\partial \vec{u}}(x,y)\vec{u} + \dfrac{\partial f}{\partial \vec{v}}(x,y)\vec{v}$.

c) $\|\nabla f(x,y)\|^2 = \left[\dfrac{\partial g}{\partial r}(r,\theta)\right]^2 + \dfrac{1}{r^2}\left[\dfrac{\partial g}{\partial \theta}(r,\theta)\right]^2$, em que $x = r\cos\theta$ e $y = r\,\text{sen}\,\theta$.

19. Calcule $\|\nabla f(1,1)\|$ sendo $f(x,y) = \left[\arcsen\dfrac{y}{\sqrt{x^2+y^2}}\right]^4$.

    (*Sugestão*: Faça $g(r,\theta) = f(x,y)$, com $x = r\cos\theta$ e $y = r\,\text{sen}\,\theta$ e utilize o item c) do exercício anterior.)

20. Suponha $f(x,y)$ diferenciável no aberto A. Sejam (s,t) as coordenadas do vetor (x,y) em relação à base $(\vec{u},\vec{v})$, em que $\vec{u} = (\cos\alpha, \text{sen}\,\alpha)$ e $\vec{v} = (-\text{sen}\,\alpha, \cos\alpha)$. Considere a função g dada por $g(s,t) = f(x,y)$. Mostre que

$$\dfrac{\partial g}{\partial s}(s,t) = \dfrac{\partial f}{\partial \vec{u}}(x,y) \quad \text{e} \quad \dfrac{\partial g}{\partial t}(s,t) = \dfrac{\partial f}{\partial \vec{v}}(x,y).$$

Interprete.

21. Seja $f(x,y) = \dfrac{x^3}{x^2+y^2}$ se $(x,y) \neq (0,0)$ e $f(0,0) = 0$. Mostre que

$$\dfrac{\partial f}{\partial \vec{u}}(0,0) \neq \nabla f(0,0)\cdot\vec{u}, \text{ em que } \vec{u} = \left(\dfrac{1}{\sqrt{2}}, \dfrac{1}{\sqrt{2}}\right). \text{ Explique.}$$

22. Seja $f(x,y)$ diferenciável no aberto A de $\mathbb{R}^2$ e sejam $\gamma(t)$ e $\delta(t)$ duas curvas definidas e diferenciáveis num intervalo aberto I e com imagens contidas em A. Suponha $\gamma(t_0)$ e $\delta(t_0)$, $\|\gamma'(t_0)\| = 1$, $\|\delta'(t_0)\| = 1$, $\nabla f(\gamma(t_0)) \neq \vec{0}$ e $\gamma'(t_0)$ o versor de $\nabla f(\gamma(t_0))$. Suponha, ainda, que $\gamma'(t_0)$ não seja paralelo a $\delta'(t_0)$. Prove que existe $r > 0$ tal que

$$f(\gamma(t)) > f(\delta(t)) \text{ para } t_0 < t < t_0 + r$$

e

$$f(\gamma(t)) < f(\delta(t)) \text{ para } t_0 - r < t < t_0.$$

Interprete.

23. Seja $f(x,y,z)$ diferenciável num aberto do $\mathbb{R}^3$ e sejam $\vec{u}, \vec{v}$ e $\vec{w}$ vetores do $\mathbb{R}^3$, unitários e dois a dois ortogonais. Prove:

$$\nabla f(x,y,z) = \dfrac{\partial f}{\partial \vec{u}}(x,y,z)\,\vec{u} + \dfrac{\partial f}{\partial \vec{v}}(x,y,z)\,\vec{v} + \dfrac{\partial f}{\partial \vec{w}}(x,y,z)\,\vec{w}.$$

Capítulo 13

24. Seja $F(r,\theta,z) = f(x,y,z)$, com $x = r\cos\theta$ e $y = r\,\text{sen}\,\theta$, em que f é suposta diferenciável num aberto do $\mathbb{R}^3$. Prove que

$$\nabla f(x,y,z) = \frac{\partial F}{\partial r}(r,\theta,z)\,\vec{u} + \frac{1}{r}\frac{\partial F}{\partial \theta}(r,\theta,z)\,\vec{v} + \frac{\partial F}{\partial z}(r,\theta,z)\,\vec{k}$$

em que $\vec{u} = \cos\theta\,\vec{i} + \text{sen}\,\theta\,\vec{j}$ e $\vec{v} = -\text{sen}\,\theta\,\vec{i} + \cos\theta\,\vec{j}$.

25. Seja $F = (r, \theta, \varphi) = f(x,y,z)$, com $x = r\,\text{sen}\,\varphi\cos\theta$, $y = r\,\text{sen}\,\varphi\,\text{sen}\,\theta$, e $z = r\cos\varphi$, em que f é suposta diferenciável num aberto de $\mathbb{R}^3$. Prove que

$$\nabla f(x,y,z) = \frac{\partial F}{\partial r}(r,\theta,\varphi)\vec{u} + \frac{1}{r\,\text{sen}\,\varphi}\frac{\partial F}{\partial \theta}(r,\theta,\varphi)\vec{v} + \frac{1}{r}\frac{\partial F}{\partial \varphi}(r,\theta,\varphi)\vec{w}$$

em que $\vec{u} = (\text{sen}\,\varphi\cos\theta,\ \text{sen}\,\varphi\,\text{sen}\,\theta,\ \cos\varphi)$, $\vec{v} = (-\text{sen}\,\theta, \cos\theta, 0)$ e $\vec{w} = (\cos\varphi\cos\theta,\ \cos\varphi\,\text{sen}\,\theta,\ -\text{sen}\,\varphi)$.

14 CAPÍTULO

Derivadas Parciais de Ordens Superiores

Videoaulas — vídeo 5.1

14.1 Derivadas Parciais de Ordens Superiores

Seja a função $z = f(x,y)$; na Seção 10.1 vimos como construir as funções $\dfrac{\partial f}{\partial x}$ e $\dfrac{\partial f}{\partial y}$. Da mesma forma, podemos, agora, construir as funções:

$$\frac{\partial^2 f}{\partial x^2} = \frac{\partial}{\partial x}\left(\frac{\partial f}{\partial x}\right),\ \frac{\partial^2 f}{\partial y^2} = \frac{\partial}{\partial y}\left(\frac{\partial f}{\partial y}\right),\ \frac{\partial^2 f}{\partial x\, \partial y} = \frac{\partial}{\partial x}\left(\frac{\partial f}{\partial y}\right),\ \frac{\partial^2 f}{\partial y\, \partial x} = \frac{\partial}{\partial y}\left(\frac{\partial f}{\partial x}\right),$$

$$\frac{\partial^3 f}{\partial x^3} = \frac{\partial}{\partial x}\left(\frac{\partial^2 f}{\partial x^2}\right),\ \frac{\partial^3 f}{\partial x\, \partial y\, \partial x} = \frac{\partial}{\partial x}\left(\frac{\partial^2 f}{\partial y\, \partial x}\right)\ \text{etc.}$$

Exemplo 1 Seja $f(x,y) = 4x^5 y^4 - 6x^2 y + 3$. Calcule todas as derivadas parciais de 2ª ordem.

Solução

$$\frac{\partial f}{\partial x}(x,y) = 20x^4 y^4 - 12xy \ \text{e}\ \frac{\partial f}{\partial y}(x,y) = 16x^5 y^3 - 6x^2.$$

$$\frac{\partial^2 f}{\partial x^2}(x,y) = \frac{\partial}{\partial x}\left(\frac{\partial f}{\partial x}(x,y)\right) = \frac{\partial}{\partial x}(20x^4 y^4 - 12xy) = 80x^3 y^4 - 12y.$$

$$\frac{\partial^2 f}{\partial y\, \partial x}(x,y) = \frac{\partial}{\partial y}\left(\frac{\partial f}{\partial x}(x,y)\right) = \frac{\partial}{\partial y}(20x^4 y^4 - 12xy) = 80x^4 y^3 - 12x.$$

$$\frac{\partial^2 f}{\partial y^2}(x,y) = \frac{\partial}{\partial y}\left(\frac{\partial f}{\partial y}(x,y)\right) = \frac{\partial}{\partial y}(16x^5 y^3 - 6x^2) = 48x^5 y^2.$$

$$\frac{\partial^2 f}{\partial x\, \partial y}(x,y) = \frac{\partial}{\partial x}\left(\frac{\partial f}{\partial y}(x,y)\right) = \frac{\partial}{\partial x}(16x^5 y^3 - 6x^2) = 80x^4 y^3 - 12x.$$

Note que, neste exemplo, $\dfrac{\partial^2 f}{\partial x\, \partial y}(x,y) = \dfrac{\partial^2 f}{\partial y\, \partial x}(x,y)$, para todo $(x,y) \in \mathbb{R}^2$.

Exemplo 2 Seja $f(x,y) = \begin{cases} \dfrac{xy^3}{x^2+y^2} & \text{se } (x,y) \neq (0,0) \\ 0 & \text{se } (x,y) = (0,0). \end{cases}$

Mostre que

a) $\dfrac{\partial^2 f}{\partial x\, \partial y}(0,0) = 0$ \qquad b) $\dfrac{\partial^2 f}{\partial y\, \partial x}(0,0) = 1$

Solução

a) Devemos, primeiro, determinar $\dfrac{\partial f}{\partial y}$. Para $(x,y) \neq (0,0)$, temos:

$$\dfrac{\partial f}{\partial y}(x,y) = \dfrac{3xy^2(x^2+y^2) - 2xy^4}{(x^2+y^2)^2} = \dfrac{xy^4 + 3x^3 y^2}{(x^2+y^2)^2}.$$

Em $(0,0)$ temos:

$$\dfrac{\partial f}{\partial y}(0,0) = \lim_{y \to 0} \dfrac{f(0,y) - f(0,0)}{y} = 0. \text{ Assim,}$$

$$\dfrac{\partial f}{\partial y}(x,y) = \begin{cases} \dfrac{xy^4 + 3x^3 y^2}{(x^2+y^2)^2} & \text{se } (x,y) \neq (0,0) \\ 0 & \text{se } (x,y) = (0,0). \end{cases}$$

Temos, agora:

$$\dfrac{\partial^2 f}{\partial x\, \partial y}(0,0) = \lim_{x \to 0} \dfrac{\dfrac{\partial f}{\partial y}(x,0) - \dfrac{\partial f}{\partial y}(0,0)}{x - 0} = 0 \text{ ou seja, } \dfrac{\partial^2 f}{\partial x\, \partial y}(0,0) = 0.$$

b) $\dfrac{\partial f}{\partial x}(x,y) = \begin{cases} \dfrac{y^3(x^2+y^2) - 2x^2 y^3}{(x^2+y^2)^2} & \text{se } (x,y) \neq (0,0) \\ 0 & \text{se } (x,y) = (0,0). \end{cases}$ (verifique).

$$\dfrac{\partial^2 f}{\partial y\, \partial x}(0,0) = \lim_{y \to 0} \dfrac{\dfrac{\partial f}{\partial x}(0,y) - \dfrac{\partial f}{\partial x}(0,0)}{y - 0} = 1 \text{ ou seja, } \dfrac{\partial^2 f}{\partial y\, \partial x}(0,0) = 1.$$

O exemplo anterior mostra-nos que a igualdade $\dfrac{\partial^2 f}{\partial x\, \partial y}(x,y) = \dfrac{\partial^2 f}{\partial y\, \partial x}(x,y)$ nem sempre se verifica. O próximo teorema, cuja demonstração é deixada para exercício (veja Exercício 15), fornece-nos uma *condição suficiente* para que tal igualdade ocorra. Antes de enunciar tal teorema, vamos definir função de classe C^n.

Derivadas Parciais de Ordens Superiores

Uma função $f : A \subset \mathbb{R}^2 \to \mathbb{R}$, A aberto, é dita de *classe C^n* em A se f admitir todas as derivadas parciais de ordem n contínuas em A.

O teorema que enunciaremos a seguir conta-nos que se f for de classe C^2 em A, A aberto, então as derivadas parciais *mistas* $\dfrac{\partial^2 f}{\partial x\, \partial y}$ e $\dfrac{\partial^2 f}{\partial y\, \partial x}$ serão iguais em A.

Teorema (de Schwarz). Seja $f : A \subset \mathbb{R}^2 \to \mathbb{R}$, A aberto. Se f for de classe C^2 em A,

$$\frac{\partial^2 f}{\partial x\, \partial y}(x, y) = \frac{\partial^2 f}{\partial y\, \partial x}(x, y)$$

para todo $(x, y) \in A$.

Exercícios 14.1

1. Calcule todas as derivadas parciais de 2ª ordem.

   a) $f(x, y) = x^3 y^2$
   b) $z = e^{x^2 - y^2}$
   c) $z = \ln(1 + x^2 + y^2)$
   d) $g(x, y) = 4x^3 y^4 + y^3$

2. Seja $f(x, y) = \dfrac{1}{x^2 + y^2}$. Verifique que

   a) $x \dfrac{\partial^2 f}{\partial x^2}(x, y) + y \dfrac{\partial^2 f}{\partial y\, \partial x}(x, y) = -3 \dfrac{\partial f}{\partial x}(x, y)$

   b) $\dfrac{\partial^2 f}{\partial x^2}(x, y) + \dfrac{\partial^2 f}{\partial y^2}(x, y) = \dfrac{4}{(x^2 + y^2)^2}$

 3. Verifique que $\dfrac{\partial^2 f}{\partial x^2} + \dfrac{\partial^2 f}{\partial y^2} = 0$, em que $f(x, y) = \ln(x^2 + y^2)$.

4. Verifique que $x \dfrac{\partial^2 z}{\partial x\, \partial y} + y \dfrac{\partial^2 z}{\partial y^2} = 0$, em que $z = (x + y)e^{\frac{x}{y}}$.

5. Sejam $f, g : A \subset \mathbb{R}^2 \to \mathbb{R}$, A aberto, duas funções de classe C^2 e tais que

   $$\frac{\partial f}{\partial x} = \frac{\partial g}{\partial y} \quad \text{e} \quad \frac{\partial f}{\partial y} = -\frac{\partial g}{\partial x}.$$

   Prove que

   $$\frac{\partial^2 f}{\partial x^2} + \frac{\partial^2 f}{\partial y^2} = 0 \quad \text{e} \quad \frac{\partial^2 g}{\partial x^2} + \frac{\partial^2 g}{\partial y^2} = 0.$$

6. Sejam $f : A \subset \mathbb{R}^3 \to \mathbb{R}$ de classe C^2 no aberto A. Justifique as igualdades.

   a) $\dfrac{\partial^2 f}{\partial x\, \partial y} = \dfrac{\partial^2 f}{\partial y\, \partial x}$
   b) $\dfrac{\partial^2 f}{\partial x\, \partial z} = \dfrac{\partial^2 f}{\partial z\, \partial x}$
   c) $\dfrac{\partial^2 f}{\partial y\, \partial z} = \dfrac{\partial^2 f}{\partial z\, \partial y}$

Capítulo 14

7. Seja $f(x,y,z) = \dfrac{1}{\sqrt{x^2 + y^2 + z^2}}$. Verifique que

$$\frac{\partial^2 f}{\partial x^2} + \frac{\partial^2 f}{\partial y^2} + \frac{\partial^2 f}{\partial z^2} = 0.$$

8. Seja $f(x,y) = \begin{cases} xy\dfrac{x^2 - y^2}{x^2 + y^2} & \text{se } (x,y) \neq (0,0) \\ 0 & \text{se } (x,y) = (0,0) \end{cases}$. Calcule $\dfrac{\partial^2 f}{\partial x \, \partial y}(0,0)$ e $\dfrac{\partial^2 f}{\partial y \, \partial x}(0,0)$.

9. Seja $u(x,t) = A \operatorname{sen}(a\lambda t + \varphi)\operatorname{sen}\lambda x$, com A, a, λ e φ constantes. Verifique que

$$\frac{\partial^2 u}{\partial t^2} = a^2 \frac{\partial^2 u}{\partial x^2}.$$

10. Seja $u = f(x - at) + g(x + at)$, em que f e g são duas funções quaisquer de uma variável real e deriváveis até a 2ª ordem. Verifique que

$$\frac{\partial^2 u}{\partial t^2} = a^2 \frac{\partial^2 u}{\partial x^2}.$$

11. Sejam $x = x(u,v)$ e $y = y(u,v)$ duas funções que admitem derivadas parciais num mesmo aberto A. Suponha que $(1,1) \in A$ e que $x(1,1) > 0$. Suponha, ainda, que para todo $(u,v) \in A$

$$x^3 + y^3 = u - v \text{ e } xy = u - 2v.$$

Calcule $\dfrac{\partial x}{\partial u}\bigg|_{\substack{u=1 \\ v=1}}$

12. Seja $z = xye^{\frac{x}{y}}$. Verifique que

$$x\frac{\partial^3 z}{\partial x^3} + y\frac{\partial^3 z}{\partial y \, \partial x^2} = 0.$$

13. Seja $z = f(x,y)$ de classe C^2 no aberto A e seja $(x_0, y_0) \in A$. Suponha que $f(x_0, y_0) \geqslant f(x,y)$, para todo $(x,y) \in A$. Prove que

$$\frac{\partial^2 f}{\partial x^2}(x_0, y_0) \leqslant 0 \text{ e } \frac{\partial^2 f}{\partial y^2}(x_0, y_0) \leqslant 0.$$

Interprete graficamente.

14. Seja $z = \int_1^{x^2 - y^2} \left[\int_0^u \operatorname{sen} t^2 \, dt\right] du$. Calcule

a) $\dfrac{\partial^2 z}{\partial x \, \partial y}$

b) $\dfrac{\partial^2 z}{\partial x^2}\bigg|_{\substack{x=1 \\ y=1}}$

15. Seja $z = f(x,y)$, $(x,y) \in A$, com A aberto. Suponha que $\dfrac{\partial f}{\partial x}$ e $\dfrac{\partial f}{\partial y}$ estão definidas em A e que $\dfrac{\partial^2 f}{\partial x \, \partial y}$ e $\dfrac{\partial^2 f}{\partial y \, \partial x}$ são contínuas em A. Seja (x_0, y_0) um ponto qualquer de A; seja B uma bola

aberta de centro (x_0, y_0) e contida em A. Sejam h e k tais que $(x_0 + h, y_0 + k)$ pertença a B. Seja, ainda,

$$H(h, k) = f(x_0 + h, y_0 + k) - f(x_0, y_0 + k) - f(x_0 + h, y_0) + f(x_0, y_0).$$

a) Considere as funções $\varphi(t) = f(t, y_0 + k) - f(t, y_0)$ e $\rho(s) = f(x_0 + h, s) - f(x_0, s)$. Mostre que

$$H(h, k) = \varphi(x_0 + h) - \varphi(x_0) = \rho(y_0 + k) - \rho(y_0).$$

b) Prove: existe t_1 entre x_0 e $x_0 + h$ tal que

$$\varphi(x_0 + h) - \varphi(x_0) = \varphi'(t_1)h = \left[\frac{\partial f}{\partial x}(t_1, y_0 + k) - \frac{\partial f}{\partial x}(t_1, y_0)\right]h.$$

c) Prove: existem t_1 e s_1, com t_1 entre x_0 e $x_0 + h$ e s_1 entre y_0 e $y_0 + k$, tais que

$$H(h, k) = \frac{\partial^2 f}{\partial y \, \partial x}(t_1, s_1) = \varphi(x_0 + h) - \varphi(x_0).$$

d) Prove: existem t_2 e s_2, com t_2 entre x_0 e $x_0 + h$ e s_2 entre y_0 e $y_0 + k$, tais que

$$H(h, k) = \frac{\partial^2 f}{\partial x \, \partial y}(t_2, s_2) = \rho(y_0 + k) - \rho(y_0).$$

e) Prove: $\dfrac{\partial^2 f}{\partial x \, \partial y}(x_0, y_0) = \dfrac{\partial^2 f}{\partial y \, \partial x}(x_0, y_0).$

Observação. A razão de considerarmos a expressão $H(h, k)$ é a seguinte:

$$\frac{\partial f}{\partial x}(x_0, y_0) = \lim_{h \to 0} \frac{f(x_0 + h, y_0) - f(x_0, y_0)}{h},$$

$$\frac{\partial^2 f}{\partial y \, \partial x}(x_0, y_0) = \lim_{k \to 0} \frac{\frac{\partial f}{\partial x}(x_0, y_0 + k) - \frac{\partial f}{\partial x}(x_0, y_0)}{k},$$

$$= \lim_{k \to 0} \frac{\lim_{h \to 0} \frac{f(x_0 + h, y_0 + k) - f(x_0, y_0 + k)}{h} - \lim_{h \to 0} \frac{f(x_0 + h, y_0) - f(x_0, y_0)}{h}}{k}$$

$$= \lim_{k \to 0} \left[\lim_{h \to 0} \frac{f(x_0 + h, y_0 + k) - f(x_0, y_0 + k) - f(x_0 + h, y_0) - f(x_0, y_0)}{hk}\right].$$

14.2 Aplicações da Regra da Cadeia Envolvendo Derivadas Parciais de Ordens Superiores

Sejam $f(x, y)$, $x = x(t)$ e $y = y(t)$ diferenciáveis. Pela regra da cadeia, temos:

$$\frac{d}{dt}[f(x, y)] = \frac{\partial f}{\partial x}(x, y)\frac{dx}{dt} + \frac{\partial f}{\partial y}(x, y)\frac{dy}{dt}$$

Capítulo 14

ou

$$\frac{d}{dt}[f(x,y)] = \nabla f(x,y) \cdot \left(\frac{dx}{dt}, \frac{dy}{dt}\right).$$

Suponhamos, agora, que as funções $\frac{\partial f}{\partial x}$ e $\frac{\partial f}{\partial y}$ sejam também diferenciáveis. O gradiente de $\frac{\partial f}{\partial x}$ em (x, y) é:

$$\nabla \frac{\partial f}{\partial x}(x,y) = \left(\frac{\partial}{\partial x}\left(\frac{\partial f}{\partial x}(x,y)\right), \frac{\partial}{\partial y}\left(\frac{\partial f}{\partial x}(x,y)\right)\right)$$

ou seja,

$$\nabla \frac{\partial f}{\partial x}(x,y) = \left(\frac{\partial^2 f}{\partial x^2}(x,y), \frac{\partial^2 f}{\partial y \, \partial x}(x,y)\right).$$

Temos, então, pela regra da cadeia:

$$\frac{d}{dt}\left[\frac{\partial f}{\partial x}(x,y)\right] = \nabla \frac{\partial f}{\partial x}(x,y) \cdot \left(\frac{dx}{dt}, \frac{dy}{dt}\right) = \frac{\partial}{\partial x}\left(\frac{\partial f}{\partial x}(x,y)\right)\frac{dx}{dt} + \frac{\partial}{\partial y}\left(\frac{\partial f}{\partial x}(x,y)\right)\frac{dy}{dt}.$$

Assim,

$$\frac{d}{dt}\left[\frac{\partial f}{\partial x}(x,y)\right] = \frac{\partial^2 f}{\partial x^2}(x,y)\frac{dx}{dt} + \frac{\partial^2 f}{\partial y \, \partial x}(x,y)\frac{dy}{dt}.$$

Da mesma forma,

$$\frac{d}{dt}\left[\frac{\partial f}{\partial y}(x,y)\right] = \frac{\partial}{\partial x}\left(\frac{\partial f}{\partial y}(x,y)\right)\frac{\partial x}{\partial t} + \frac{\partial}{\partial y}\left(\frac{\partial f}{\partial y}(x,y)\right)\frac{dy}{dt}$$

e, portanto,

$$\frac{d}{dt}\left[\frac{\partial f}{\partial y}(x,y)\right] = \frac{\partial^2 f}{\partial x \, \partial y}(x,y)\frac{dx}{dt} + \frac{\partial^2 f}{\partial y^2}(x,y)\frac{dy}{dt}.$$

Exemplo 1 Suponha $f(x, y)$ de classe C^2 num aberto do $\mathbb{R}^2$. Seja $g(t) = f(3t, 2t+1)$. Expresse $g''(t)$ em termos de derivadas parciais de f.

Solução

$$g(t) = f(x, y), \; x = 3t \text{ e } y = 2t + 1.$$

$$g'(t) = \frac{d}{dt}[f(x,y)] = \frac{\partial f}{\partial x}(x,y)\frac{dx}{dt} + \frac{\partial f}{\partial y}(x,y)\frac{dy}{dt}$$

ou seja,

$$g'(t) = 3\frac{\partial f}{\partial x}(x,y) + 2\frac{\partial f}{\partial y}(x,y).$$

Então,

① $$g''(t) = 3\frac{d}{dt}\left[\frac{\partial f}{\partial x}(x,y)\right] + 2\frac{d}{dt}\left[\frac{\partial f}{\partial y}(x,y)\right].$$

Temos:

$$\frac{d}{dt}\left[\frac{\partial f}{\partial x}(x,y)\right] = \frac{\partial^2 f}{\partial x^2}(x,y)\frac{dx}{dt} + \frac{\partial^2 f}{\partial y \partial x}(x,y)\frac{dy}{dt}$$

e

$$\frac{d}{dt}\left[\frac{\partial f}{\partial y}(x,y)\right] = \frac{\partial^2 f}{\partial x \partial y}(x,y)\frac{dx}{dt} + \frac{\partial^2 f}{\partial y^2}(x,y)\frac{dy}{dt}.$$

Substituindo em ① $\left(\text{lembrando que } \frac{dx}{dt} = 3 \text{ e } \frac{dy}{dt} = 2\right)$ vem:

$$g''(t) = 9\frac{\partial^2 f}{\partial x^2}(x,y) + 6\frac{\partial^2 f}{\partial y \partial x}(x,y) + 6\frac{\partial^2 f}{\partial x \partial y}(x,y) + 4\frac{\partial^2 f}{\partial y^2}(x,y).$$

Como f é de classe C^2, $\frac{\partial^2 f}{\partial y \partial x} = \frac{\partial^2 f}{\partial x \partial y}$. Logo,

$$g''(t) = 9\frac{\partial^2 f}{\partial x^2}(x,y) + 12\frac{\partial^2 f}{\partial x \partial y}(x,y) + 4\frac{\partial^2 f}{\partial y^2}(x,y)$$

em que $x = 3t$ e $y = 2t + 1$.

Exemplo 2 Sejam $f(x,y) = x^5 y^4$, $x = 3t$ e $y = 2t + 1$. Calcule $g''(t)$, sendo

$$g(t) = f(3t, 2t+1).$$

Solução

1º processo (pela regra da cadeia)

$$g(t) = f(x,y), x = 3t \text{ e } y = 2t + 1.$$

Pelo exemplo anterior

$$g''(t) = 9\frac{\partial^2 f}{\partial x^2}(x,y) + 12\frac{\partial^2 f}{\partial x \partial y}(x,y) + 4\frac{\partial^2 f}{\partial y^2}(x,y)$$

em que $x = 3t$ e $y = 2t + 1$. Tendo em vista que

$$\frac{\partial^2 f}{\partial x^2}(x,y) = 20x^3 y^4, \frac{\partial^2 f}{\partial x \partial y}(x,y) = 20x^4 y^3 \text{ e } \frac{\partial^2 f}{\partial y^2}(x,y) = 12x^5 y^2$$

resulta,

$$g''(t) = 180x^3 y^4 + 240x^4 y^3 + 48x^5 y^2$$

Capítulo 14

e, portanto,
$$g''(t) = 180(3t)^3(2t+1)^4 + 240(3t)^4(2t+1)^3 + 48(3t)^5(2t+1)^2.$$

2º processo
$$g(t) = (3t)^5(2t+1)^4.$$
$$g'(t) = 15(3t)^4(2t+1)^4 + 8(3t)^5(2t+1)^3.$$

Portanto,
$$g''(t) = 180(3t)^3(2t+1)^4 + 120(3t)^4(2t+1)^3 + 120(3t)^4(2t+1)^3 + 48(3t)^5(2t+1)^2$$

ou seja,
$$g''(t) = 180(3t)^3(2t+1)^4 + 240(3t)^4(2t+1)^3 + 48(3t)^5(2t+1)^2.$$

Exemplo 3 Suponha $f(x, y)$ de classe C^2 num aberto de $\mathbb{R}^2$. Seja g dada por
$$g(t) = t^2 \frac{\partial f}{\partial x}(x, y),$$
em que $x = t^2$ e $y = t^3$. Expresse $g'(t)$ em termos de derivadas parciais de f.

Solução

Pela regra de derivação de um produto, temos:
$$g'(t) = 2t \frac{\partial f}{\partial x}(x, y) + t^2 \frac{d}{dt}\left[\frac{\partial f}{\partial x}(x, y)\right].$$

Como
$$\frac{d}{dt}\left[\frac{\partial f}{\partial x}(x, y)\right] = \frac{\partial}{\partial x}\left[\frac{\partial f}{\partial x}(x, y)\right]\frac{dx}{dt} + \frac{\partial}{\partial y}\left(\frac{\partial f}{\partial x}(x, y)\right)\frac{dy}{dt}$$
$$= \frac{\partial^2 f}{\partial x^2}(x, y)\frac{dx}{dt} + \frac{\partial^2 f}{\partial y\,\partial x}(x, y)\frac{dy}{dt}$$
$$= 2t \frac{\partial^2 f}{\partial x^2}(x, y) + 3t^2 \frac{\partial^2 f}{\partial y\,\partial x}(x, y)$$

resulta,
$$g'(t) = 2t \frac{\partial f}{\partial x}(x, y) + 2t^3 \frac{\partial^2 f}{\partial x^2}(x, y) + 3t^4 \frac{\partial^2 f}{\partial y\,\partial x}(x, y).$$

Exemplo 4 Seja $z = f(x, x^2)$ em que $f(x, y)$ é de classe C^2 num aberto de $\mathbb{R}^2$. Expresse $\frac{d^2 z}{dx^2}$ em termos de derivadas parciais de f.

Solução
$$z = f(x, y), \text{ em que } y = x^2.$$
$$\frac{dz}{dx} = \frac{d}{dx}[f(x, y)] = \frac{\partial f}{\partial x}(x, y)\frac{dx}{dx} + \frac{\partial f}{\partial y}(x, y)\frac{dy}{dx}$$

Derivadas Parciais de Ordens Superiores

ou seja,
$$\frac{dz}{dx} = \frac{\partial f}{\partial x}(x,y) + 2x\frac{\partial f}{\partial y}(x,y).$$

Segue que,

① $$\frac{d^2 z}{dx^2} = \frac{d}{dx}\left[\frac{\partial f}{\partial x}(x,y)\right] + \frac{d}{dx}\left[2x\frac{\partial f}{\partial y}(x,y)\right].$$

Temos:
$$\frac{d}{dx}\left[\frac{\partial f}{\partial x}(x,y)\right] = \frac{\partial}{\partial x}\left(\frac{\partial f}{\partial x}(x,y)\right)\frac{dx}{dx} + \frac{\partial}{\partial y}\left(\frac{\partial f}{\partial x}(x,y)\right)\frac{dy}{dx}$$

ou seja,

② $$\frac{d}{dx}\left[\frac{\partial f}{\partial x}(x,y)\right] = \frac{\partial^2 f}{\partial x^2}(x,y) + 2x\frac{\partial^2 f}{\partial y\,\partial x}(x,y).$$

Temos, também:
$$\frac{d}{dx}\left[2x\frac{\partial f}{\partial y}(x,y)\right] = 2\frac{\partial f}{\partial y}(x,y) + 2x\frac{d}{dx}\left(\frac{\partial f}{\partial y}(x,y)\right)$$
$$= 2\frac{\partial f}{\partial y}(x,y) + 2x\left[\frac{\partial^2 f}{\partial x\,\partial y}(x,y) + 2x\frac{\partial^2 f}{\partial y^2}(x,y)\right]$$

ou seja,

③ $$\frac{d}{dx}\left[2x\frac{\partial f}{\partial y}(x,y)\right] = 2\frac{\partial f}{\partial y}(x,y) + 2x\frac{\partial^2 f}{\partial x\,\partial y}(x,y) + 4x^2\frac{\partial^2 f}{\partial y^2}(x,y).$$

Substituindo ② e ③ em ① e lembrando que f é de classe C^2, resulta:
$$\frac{d^2 z}{dx^2} = \frac{\partial^2 f}{\partial x^2}(x,y) + 4x\frac{\partial^2 f}{\partial x\,\partial y}(x,y) + 4x^2\frac{\partial^2 f}{\partial y^2}(x,y) + 2\frac{\partial f}{\partial y}(x,y).$$

Exemplo 5 Seja $z = f(u-2v, v+2u)$ em que $f(x,y)$ é de classe C^2 num aberto de $\mathbb{R}^2$. Expresse $\dfrac{\partial^2 z}{\partial u^2}$ em termos de derivadas parciais de f.

Solução
$$z = f(x,y),\ x = u - 2v\ \text{e}\ y = v + 2u.$$
$$\frac{\partial z}{\partial u} = \frac{\partial}{\partial u}[f(x,y)] = \frac{\partial f}{\partial x}(x,y)\frac{\partial x}{\partial u} + \frac{\partial f}{\partial y}(x,y)\frac{\partial y}{\partial u}$$

ou seja,
$$\frac{\partial z}{\partial u} = \frac{\partial f}{\partial x}(x,y) + 2\frac{\partial f}{\partial y}(x,y).$$

Capítulo 14

Segue que,

$$\frac{\partial^2 z}{\partial u^2} = \frac{\partial}{\partial u}\left[\frac{\partial f}{\partial x}(x,y)\right] + 2\frac{\partial}{\partial u}\left[\frac{\partial f}{\partial y}(x,y)\right].$$

Como

$$\frac{\partial}{\partial u}\left[\frac{\partial f}{\partial x}(x,y)\right] = \frac{\partial^2 f}{\partial x^2}(x,y) + 2\frac{\partial^2 f}{\partial y\,\partial x}(x,y)$$

e

$$\frac{\partial}{\partial u}\left[\frac{\partial f}{\partial y}(x,y)\right] = \frac{\partial}{\partial x}\left(\frac{\partial f}{\partial y}(x,y)\right)\frac{\partial x}{\partial u} + \frac{\partial}{\partial y}\left(\frac{\partial f}{\partial y}(x,y)\right)\frac{\partial y}{\partial u} =$$

$$= \frac{\partial^2 f}{\partial x\,\partial y}(x,y) + 2\frac{\partial^2 f}{\partial y^2}(x,y)$$

resulta

$$\frac{\partial^2 z}{\partial u^2} = \frac{\partial^2 f}{\partial x^2}(x,y) + 4\frac{\partial^2 f}{\partial x\,\partial y}(x,y) + 4\frac{\partial^2 f}{\partial y^2}(x,y).$$

Exemplo 6 Mostre que a mudança de variáveis $x = e^u$ e $y = e^v$ transforma a equação

$$x^2\frac{\partial^2 z}{\partial x^2} + y^2\frac{\partial^2 z}{\partial y^2} + x\frac{\partial z}{\partial x} + y\frac{\partial z}{\partial y} = 1$$

em

$$\frac{\partial^2 z}{\partial u^2} + \frac{\partial^2 z}{\partial v^2} = 1.$$

Solução

$$z = z(x,y),\ x = e^u\ \text{e}\ y = e^v.$$

Temos

$$\frac{\partial z}{\partial u} = \frac{\partial z}{\partial x}\frac{\partial x}{\partial u} + \frac{\partial z}{\partial y}\frac{\partial y}{\partial u}$$

ou seja,

① $$\frac{\partial z}{\partial u} = e^u\frac{\partial z}{\partial x}.$$

ABUSOS DE NOTAÇÃO. Aqui $\frac{\partial z}{\partial x}$ deve ser olhado como função de x e y, enquanto $\frac{\partial z}{\partial u}$ deve ser olhado como função de u e v.

Segue de ① que

$$\frac{\partial^2 z}{\partial u^2} = e^u\frac{\partial z}{\partial x} + e^u\frac{\partial}{\partial u}\left[\frac{\partial z}{\partial x}\right].$$

Tendo em vista que

$$\frac{\partial}{\partial u}\left[\frac{\partial z}{\partial x}\right] = \frac{\partial}{\partial x}\left(\frac{\partial z}{\partial x}\right)\frac{\partial x}{\partial u} + \frac{\partial}{\partial y}\left(\frac{\partial z}{\partial x}\right)\frac{\partial y}{\partial u} = e^u \frac{\partial^2 z}{\partial x^2}$$

resulta

② $$\frac{\partial^2 z}{\partial u^2} = e^u \frac{\partial z}{\partial x} + e^{2u} \frac{\partial^2 z}{\partial x^2}.$$

Procedendo de forma análoga obtém-se

③ $$\frac{\partial^2 z}{\partial v^2} = e^v \frac{\partial z}{\partial y} + e^{2v} \frac{\partial^2 z}{\partial y^2}.$$

Somando-se ② e ③ resulta

$$\frac{\partial^2 z}{\partial u^2} + \frac{\partial^2 z}{\partial v^2} = e^{2u}\frac{\partial^2 z}{\partial x^2} + e^{2v}\frac{\partial^2 z}{\partial y^2} + e^u \frac{\partial z}{\partial x} + e^v \frac{\partial z}{\partial y}$$

$$= x^2 \frac{\partial^2 z}{\partial x^2} + y^2 \frac{\partial^2 z}{\partial y^2} + x \frac{\partial z}{\partial x} + y \frac{\partial z}{\partial y} = 1.$$

Exercícios 14.2

(Quando nada for dito sobre uma função, ficará subentendido que se trata de uma função de classe C^2 num aberto.)

1. Expresse $g'(t)$ em termos de derivadas parciais de f, sendo g dada por

    a) $g(t) = \dfrac{\partial f}{\partial x}(x, y)$, $x = t^2$ e $y =$ sen t.

    b) $g(t) = t^3 \dfrac{\partial f}{\partial x}(3t, 2t)$.

    c) $g(t) = \dfrac{\partial f}{\partial x}(t^2, 2t) + 5\dfrac{\partial f}{\partial y}(\text{sen } 3t, t)$.

2. Expresse $g''(t)$ em termos de derivadas parciais de f, sendo $g(t) = f(5t, 4t)$.

3. Considere a função $g(t) = f(a + ht, b + kt)$, com a, b, h e k constantes.

    a) Supondo $f(x, y)$ de classe C^2 num aberto de $\mathbb{R}^2$, verifique que

    $$g''(t) = h^2 \frac{\partial^2 f}{\partial x^2}(x, y) + 2hk \frac{\partial^2 f}{\partial x \partial y}(x, y) + k^2 \frac{\partial^2 f}{\partial y^2}(x, y)$$

    em que $x = a + ht$ e $y = b + kt$.

Capítulo 14

b) Supondo $f(x, y)$ de classe C^3 num aberto de $\mathbb{R}^2$, verifique que

$$g'''(t) = h^3 \frac{\partial^3 f}{\partial x^3}(x,y) + 3h^2 k \frac{\partial^3 f}{\partial x^2 \partial y}(x,y) + 3hk^2 \frac{\partial^3 f}{\partial x \partial y^2}(x,y) + k^3 \frac{\partial^3 f}{\partial y^3}(x,y)$$

em que $x = a + ht$ e $y = b + kt$.

4. Considere a função $h(x, y) = f(x^2 + y^2, x^2 - y^2)$, em que $f(u, v)$ é suposta de classe C^2. Verifique que

$$\frac{\partial^2 h}{\partial x^2}(x,y) = 2\left[\frac{\partial f}{\partial u}(u,v) + \frac{\partial f}{\partial v}(u,v)\right] + 4x^2 \left[\frac{\partial^2 f}{\partial u^2}(x,v) + 2\frac{\partial^2 f}{\partial u \partial v}(u,v) + \frac{\partial^2 f}{\partial v^2}(u,v)\right]$$

em que $u = x^2 + y^2$ e $v = x^2 - y^2$.

5. Considere a função $z = \frac{\partial f}{\partial x}(x, \text{sen } 3x)$. Verifique que

$$\frac{dz}{dx} = \frac{\partial^2 f}{\partial x^2}(x, \text{sen } 3x) + 3\cos 3x \frac{\partial^2 f}{\partial y \partial x}(x, \text{sen } 3x).$$

6. Considere a função $z = \frac{\partial f}{\partial y}(2x, x^3)$. Verifique que

$$\frac{dz}{dx} = \frac{\partial f}{\partial y}(2x, x^3) + x\left[2\frac{\partial^2 f}{\partial x \partial y}(2x, x^3) + 3x^2 \frac{\partial^2 f}{\partial y^2}(2x, x^3)\right].$$

7. Seja $g(u, v) = f(2u + v, u - 2v)$, em que $f(x, y)$ é suposta de classe C^2. Verifique que

$$\frac{\partial^2 g}{\partial u^2} + \frac{\partial^2 g}{\partial v^2} = 5\frac{\partial^2 f}{\partial x^2} + 5\frac{\partial^2 f}{\partial y^2}.$$

8. Seja $v(r, \theta) = u(x, y)$, em que $x = r \cos \theta$ e $y = r \text{ sen } \theta$. Verifique que

$$\frac{\partial^2 u}{\partial x^2} + \frac{\partial^2 u}{\partial y^2} = \frac{\partial^2 v}{\partial r^2} + \frac{1}{r}\frac{\partial v}{\partial r} + \frac{1}{r^2}\frac{\partial^2 v}{\partial \theta^2}.$$

9. Sejam $f(x, y)$ de classe C^2 num aberto de $\mathbb{R}^2$, $g(x)$ derivável até a 2ª ordem num intervalo aberto I e tais que, para todo $x \in I$, $f(x, g(x)) = 0$ (isto é, $y = g(x)$ é dada implicitamente pela equação $f(x, y) = 0$). Expresse $g''(x)$ em termos de derivadas parciais de f.

10. Suponha que $f(x, t)$ satisfaça a equação

① $$\frac{\partial^2 f}{\partial x^2} = \frac{\partial^2 f}{\partial t^2}.$$

a) Verifique que $g(u, v) = f(x, t)$, em que $x = u + v$ e $t = u - v$ satisfaz a equação $\frac{\partial^2 g}{\partial v \partial u} = 0$.

b) Determine uma coleção de funções $f(x, t)$ que satisfaçam ①.

Derivadas Parciais de Ordens Superiores

11. Suponha que $f(x, t)$ satisfaça a equação

②
$$\frac{\partial^2 f}{\partial t^2} = c^2 \frac{\partial^2 f}{\partial x^2} \quad (c \neq 0 \text{ constante}).$$

a) Determine as constantes m, n, p e q para que $g(u,v) = f(x,t)$, em que $x = mu + nv$ e $t = pu + qv$ satisfaça a equação $\frac{\partial^2 g}{\partial u \, \partial v} = 0$.

b) Determine uma família de soluções de ②.

12. Seja $F(r, \theta, t) = f(x, y, t)$ em que $x = r \cos \theta$ e $y = r \, \text{sen}\, \theta$. Suponha que ($c \neq 0$ constante)

$$\frac{\partial^2 f}{\partial t^2} = c^2 \left[\frac{\partial^2 f}{\partial x^2} + \frac{\partial^2 f}{\partial y^2} \right].$$

Mostre que

$$\frac{\partial^2 F}{\partial t^2} = c^2 \left[\frac{\partial^2 F}{\partial r^2} + \frac{1}{r^2} \frac{\partial^2 F}{\partial \theta^2} + \frac{1}{r} \frac{\partial F}{\partial r} \right].$$

13. Sejam $z = z(x, y)$, $x = e^u \cos v$ e $y = e^u \,\text{sen}\, v$. Suponha que $\frac{\partial^2 z}{\partial x^2} + \frac{\partial^2 z}{\partial y^2} = 0$. Calcule

$$\frac{\partial^2 z}{\partial u^2} + \frac{\partial^2 z}{\partial v^2}.$$

14. Sejam $G(u, v) = \frac{F(x, y)}{x}$, $u = x + y$ e $v = \frac{y}{x}$. Suponha que $\frac{\partial^2 F}{\partial x^2} - 2 \frac{\partial^2 F}{\partial x \, \partial y} + \frac{\partial^2 F}{\partial y^2} = 0$. Calcule $\frac{\partial^2 G}{\partial v^2}$.

15. *a)* Ache uma função $u(x, y)$ da forma $u(x, y) = F(x^2 + y^2)$ que satisfaça a equação de Laplace

$$\frac{\partial^2 u}{\partial x^2} + \frac{\partial^2 u}{\partial y^2} = 0.$$

b) Faça a mesma coisa para funções de três ou mais variáveis.

16. Verifique que a mudança de variáveis $x = s \cos \theta - t \, \text{sen}\, \theta$ e $y = s \, \text{sen}\, \theta + t \cos \theta$ com θ constante, transforma a equação

$$\frac{\partial^2 u}{\partial x^2} + \frac{\partial^2 u}{\partial y^2} = 0 \; (u = u(x, y))$$

em

$$\frac{\partial^2 u}{\partial s^2} + \frac{\partial^2 u}{\partial t^2} = 0 \; (u = u(s, t)).$$

17. Verifique que a mudança de variáveis $u = x + y$ e $v = y + 2x$ transforma a equação

③
$$\frac{\partial^2 z}{\partial x^2} - 3\frac{\partial^2 z}{\partial x \partial y} + 2\frac{\partial^2 z}{\partial y^2} = 0$$

em

$$\frac{\partial^2 z}{\partial u \partial v} = 0.$$

Determine, então, uma coleção de soluções de ③.

18. Suponha que $z = z(x, y)$ satisfaça a equação

$$x^2 \frac{\partial^2 z}{\partial x^2} + 2xy \frac{\partial^2 z}{\partial x \partial y} - x\frac{\partial z}{\partial x} = x^3 y^2.$$

Fazendo a mudança de variáveis $x = e^u$ e $y = e^v$, calcule $\frac{\partial^2 z}{\partial u^2} + 2\frac{\partial^2 z}{\partial u \partial v} - 2\frac{\partial z}{\partial u}$.

15

Teorema do Valor Médio. Fórmula de Taylor com Resto de Lagrange

Videoaulas
video 5.2

15.1 Teorema do Valor Médio

Um dos teoremas centrais do cálculo de funções reais de uma variável real é o teorema do valor médio (TVM). Nesta seção, vamos estendê-lo para o caso de funções reais de duas variáveis reais e deixaremos a cargo do leitor a tarefa de generalizá-lo para funções reais de três ou mais variáveis reais.

Antes de enunciar e demonstrar tal teorema, vamos introduzir os conceitos de *segmento* e *poligonal*. Sejam P_0 e P_1 dois pontos do $\mathbb{R}^2$; o conjunto

$$P_0 P_1 = \{P \in \mathbb{R}^2 \mid P = P_0 + \lambda(P_1 - P_0), 0 \leq \lambda \leq 1\}$$

denomina-se *segmento* de extremidades P_0 e P_1. Sejam, agora, $P_0, P_1, P_2, \ldots, P_n$, $n+1$ pontos distintos do $\mathbb{R}^2$, o conjunto

$$P_0 P_1 \cup P_1 P_2 \cup \ldots \cup P_{n-1} P_n$$

denomina-se *poligonal* de vértices $P_0, P_1, \ldots, P_n$.

Segmento de
extremidades P_0 e P_1

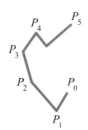

Poligonal de vértices
P_0, P_1, P_2, P_3, P_4 e P_5

Capítulo 15

Teorema (do valor médio). Sejam A um subconjunto aberto do $\mathbb{R}^2$, P_0 e P_1 dois pontos de A tais que o segmento P_0P_1 esteja contido em A. Nestas condições, se $f(x, y)$ for diferenciável em A, então existirá pelo menos um ponto $\overline{P}$ interno ao segmento P_0P_1 (isto é, $\overline{P}$ pertence a P_0P_1 mas não é extremidade) tal que

$$f(P_1) - f(P_0) = \nabla f(\overline{P}) \cdot (P_1 - P_0).$$

Demonstração

Consideremos a função $g : [0, 1] \to \mathbb{R}$ dada por

$$g(t) = f(P_0 + t(P_1 - P_0)), 0 \leq t \leq 1.$$

Esta função g fornece os valores que f assume nos pontos do segmento P_0P_1. Da diferenciabilidade de f em A, segue que g é contínua em $[0, 1]$ e derivável em $]0, 1[$. Pelo TVM existe $\overline{t}$ em $]0, 1[$ tal que

$$g(1) - g(0) = g'(\overline{t}) \cdot (1 - 0),$$

ou seja,

$$g(1) - g(0) = g'(\overline{t}).$$

Como $g(1) = f(P_1)$ e $g(0) = f(P_0)$, resulta

$$f(P_1) - f(P_0) = g'(\overline{t})$$

Pela regra da cadeia

$$g'(t) = \nabla f(P_0 + t (P_1 - P_0)) \cdot \gamma'(t)$$

em que $\gamma(t) = P_0 + t (P_1 - P_0)$. Temos

$$\gamma(t) = P_0 + t (P_1 - P_0) \Rightarrow \gamma'(t) = P_1 - P_0.$$

Assim,

$$g'(\overline{t}) = \nabla f(P_0 + \overline{t} (P_1 - P_0)) \cdot (P_1 - P_0)$$

em que $\overline{P} = P_0 + \overline{t} (P_1 - P_0)$ é um ponto interno ao segmento P_0P_1 pois $0 < \overline{t} < 1$. Portanto,

$$f(P_1) - f(P_0) = \nabla f(\overline{P}) \cdot (P_1 - P_0).$$ ∎

Pelo TVM existe $\overline{P}$ interno ao segmento P_0P_1 tal que

$$f(P_1) - f(P_0) = \nabla f(\overline{P}) \cdot (P_1 - P_0) = \nabla f(\overline{P}) \cdot \frac{P_1 - P_0}{\| P_1 - P_0 \|} \| P_1 - P_0 \|.$$

Fazendo $\vec{u} = \dfrac{P_1 - P_0}{\| P_1 - P_0 \|}$ resulta,

$$f(P_1) - f(P_0) = (\nabla f(\overline{P}) \cdot \vec{u}) \| P_1 - P_0 \|,$$

ou seja,

$$f(P_1) - f(P_0) = \frac{\partial f}{\partial \vec{u}}(\overline{P}) \| P_1 - P_0 \|$$

ou ainda,

$$\boxed{\frac{f(P_1) - f(P_0)}{\| P_1 - P_0 \|} = \frac{\partial f}{\partial \vec{u}}(\overline{P}).} \qquad (P_1 \neq P_0)$$

Assim, se $f(x, y)$ for diferenciável no aberto A e se $P_0P_1 \subset A$, então existirá $\overline{P}$ interno a P_0P_1 tal que a derivada direcional de f, em $\overline{P}$, e na direção $\vec{u} = \dfrac{P_1 - P_0}{\| P_1 - P_0 \|}$, é a taxa média de variação de f entre os pontos P_0 e P_1, $P_0 \neq P_1$.

Observação. O enunciado do TVM para função real de n variáveis ($n > 2$) é o acima, substituindo $\mathbb{R}^2$ por $\mathbb{R}^n$.

Exercícios 15.1

1. Determine $\overline{P} = (\overline{x}, \overline{y})$ como no teorema do valor médio, sendo dados:
   a) $f(x, y) = 2x^2 + 3y, P_0 = (1, 1)$ e $P_1 = (2, 3)$.
   b) $f(x, y) = 2x^2 - 3y^2 + xy, P_0 = (1, 2)$ e $P_1 = (4, 3)$.
   c) $f(x, y) = x^3 + xy^2, P_0 = (1, 1)$ e $P_1 = (2, 2)$.

2. Seja $f(x, y)$ diferenciável em $\mathbb{R}^2$ e suponha que existe $M > 0$ tal que $\| \nabla f(x, y) \| \leq M$, para todo (x, y). Prove que

$$|f(x, y) - f(s, t)| \leq M \| (x, y) - (s, t) \|$$

quaisquer que sejam (x, y) e (s, t) em $\mathbb{R}^2$.

3. Seja $f(x, y) = \ln(x, y)$. Prove que

$$|f(x, y) - f(s, t)| \leq \| (x, y) - (s, t) \|$$

quaisquer que sejam (x, y) e (s, t), com $x > 1, y > 1, s > 1$ e $t > 1$.

15.2 Funções com Gradiente Nulo

Estamos interessados, agora, em estudar as funções que têm gradiente nulo num aberto. Se $f(x, y)$ for constante num aberto A de $\mathbb{R}^2$, então $\nabla f(x, y) = (0, 0)$ para todo $(x, y) \in A$. Entretanto, pode acontecer de uma função ter gradiente nulo em todos os pontos de um aberto sem ser constante neste aberto: a função

$$f(x, y) = \begin{cases} 2 \text{ se } y > 0 \text{ e } 0 < x < 1 \\ 1 \text{ se } y > 0 \text{ e } 1 < x < 2 \end{cases}$$

tem gradiente nulo no aberto $A = \{(x, y) \in \mathbb{R}^2 \mid y > 0, 0 < x < 1 \text{ ou } 1 < x < 2\}$, mas não é constante em A.

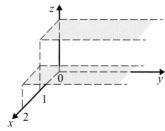

Provaremos a seguir que se uma função admitir gradiente nulo em todos os pontos de um conjunto *A conexo por caminhos*, então a função será necessariamente constante em *A*. Dizemos que um conjunto *aberto A é conexo por caminhos* se, quaisquer que forem os pontos *P* e *Q* pertencentes a *A*, existir uma poligonal, de extremidades *P* e *Q*, contida em *A*.

Exemplos

a) $A = \mathbb{R}^2$ é conexo por caminhos.
b) Toda bola aberta é conexa por caminhos.
c)

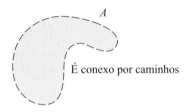

É conexo por caminhos

d) $A = \{(x,y) \in \mathbb{R}^2 \mid y > 0, 0 < x < 1 \text{ ou } 1 < x < 2\}$ não é conexo por caminhos.

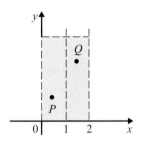

Qualquer poligonal ligando *P* a *Q* tem pontos que não pertencem a *A*. (Observe que os pontos $(1, y)$, $y > 0$, não pertencem a *A*.)

Teorema. Seja $A \subset \mathbb{R}^2$ aberto e *conexo por caminhos*. Nestas condições, se $\nabla f(x,y) = (0,0)$ para todo (x,y) em *A*, então *f* será constante em *A*.

Demonstração

Seja $P_0 = (x_0, y_0)$ um ponto de *A*; vamos provar que para todo $P = (x,y) \in A$, $f(x,y) = f(x_0, y_0)$. Como *A* é conexo por caminhos, existem pontos $P_1, P_2, ..., P_{n-1}$ e $P_n = P$ pertencentes a *A* tais que a poligonal $P_0P_1 \cup P_1P_2 \cup ... \cup P_{n-1}P_n$ está contida em *A*.

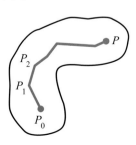

Pelo teorema do valor médio, para todo i existe $\overline{P}_i$ interno a $P_{i-1}P_i$ ($i = 1, 2, ..., n$) tal que

$$f(P_i) - f(P_{i-1}) = \nabla f(\overline{P}_i) \cdot (P_i - P_{i-1})$$

e como $\nabla f(\overline{P}_i) = 0$ (hipótese) resulta

$$f(P_i) = f(P_{i-1})$$

para $i = 1, 2, ..., n$; assim,

$$f(P_0) = f(P_1) = f(P_2) = ... = f(P_n) = f(P)$$

e, portanto, $f(x, y) = f(x_0, y_0)$. Fica provado assim que, para todo $(x, y) \in A$, $f(x, y) = f(x_0, y_0)$, ou seja, f é constante em A. ∎

15.3 Relação entre Funções com Mesmo Gradiente

Teorema 1. Seja $A \subset \mathbb{R}^2$ aberto e *conexo por caminhos* e sejam f, g duas funções que admitem derivadas parciais em A. Nestas condições, se $\nabla f(x, y) = \nabla g(x, y)$ para todo $(x, y) \in A$, então existirá uma constante k tal que

$$g(x, y) = f(x, y) + k$$

para todo (x, y) em A.

Demonstração

Seja $h(x, y) = g(x, y) - f(x, y)$, $(x, y) \in A$; como

$$\nabla h(x, y) = \nabla g(x, y) - \nabla f(x, y), (x, y) \in A,$$

segue da hipótese que $\nabla h(x, y) = (0,0)$ para todo $(x, y) \in A$. Como A é conexo por caminhos, resulta que h é constante em A; logo, existe uma constante k tal que $h(x, y) = k$ em A, ou seja,

$$g(x, y) = f(x, y) + k$$

para todo $(x, y) \in A$. ∎

O teorema acima nos diz que *duas funções com gradientes iguais num conjunto conexo por caminhos diferem, neste conjunto, por uma constante.*

Exemplo 1 Determine todas as funções $f(x, y)$, definidas em $\mathbb{R}^2$, tais que

① $$\begin{cases} \dfrac{\partial f}{\partial x} = 3x^2 y^2 + 4 \\ \dfrac{\partial f}{\partial y} = 2x^3 y + y^2 \end{cases}$$

Solução

Observe que duas funções que satisfazem ① terão gradientes iguais; logo, deverão diferir por constante, pois $\mathbb{R}^2$ é conexo por caminhos. Basta, então, determinar uma solução de ① e qualquer outra será esta mais uma constante. A função

$$x^3 y^2 + 4x$$

satisfaz a 1ª equação (obtém-se tal função integrando-se a 1ª equação de ① em relação a x, mantendo-se y constante). Por outro lado,

$$x^3 y^2 + \frac{y^3}{3}$$

satisfaz a 2ª equação de ①. Segue que

$$x^3 y^2 + 4x + \frac{y^3}{3}$$

satisfaz ①. (Por quê?) Logo,

$$f(x, y) = x^3 y^2 + 4x + \frac{y^3}{3} + k \qquad (k \in \mathbb{R})$$

é a família das soluções de ①.

Sejam $P(x, y)$ e $Q(x, y)$ duas funções dadas, definidas num aberto A do $\mathbb{R}^2$. O problema que se coloca é o seguinte: o sistema

$$\begin{cases} \dfrac{\partial f}{\partial x} = P(x, y) \\ \dfrac{\partial f}{\partial y} = Q(x, y) \end{cases}$$

admite sempre solução? A resposta em geral é não. A seguir apresentaremos uma *condição necessária* para que o sistema admita solução.

Teorema 2. Sejam $P(x, y)$ e $Q(x, y)$ duas funções definidas e de classe C^1 num aberto A do $\mathbb{R}^2$. Uma *condição necessária* para que exista uma função $f : A \to \mathbb{R}^2$ tal que, para todo $(x, y) \in A$.

$$\begin{cases} \dfrac{\partial f}{\partial x}(x, y) = P(x, y) \\ \dfrac{\partial f}{\partial y}(x, y) = Q(x, y) \end{cases}$$

é que $\dfrac{\partial Q}{\partial x} = \dfrac{\partial P}{\partial y}$ em A.

Demonstração

Suponhamos que tal f exista; assim

$$\begin{cases} \dfrac{\partial f}{\partial x}(x, y) = P(x, y) \\ \dfrac{\partial f}{\partial y}(x, y) = Q(x, y) \end{cases} \quad \text{em } A.$$

Derivando os dois membros da primeira equação em relação a y e os da segunda em relação a x, obtemos, para todo $(x, y) \in A$,

$$\frac{\partial^2 f}{\partial y\, \partial x}(x, y) = \frac{\partial P}{\partial y}(x, y)$$

e

$$\frac{\partial^2 f}{\partial x\, \partial y}(x, y) = \frac{\partial Q}{\partial x}(x, y).$$

Como P e Q são supostas de classe C^1, resulta que f será de classe C^2; pelo teorema de Schwarz $\frac{\partial^2 f}{\partial x\, \partial y} = \frac{\partial^2 f}{\partial y\, \partial x}$. Logo,

$$\frac{\partial P}{\partial y} = \frac{\partial Q}{\partial x} \quad \text{em } A.$$ ∎

Exemplo 2 Consideremos o sistema

$$\begin{cases} \dfrac{\partial f}{\partial x} = xy \\ \dfrac{\partial f}{\partial y} = y \end{cases}$$

Como $\frac{\partial}{\partial y}(xy) \neq \frac{\partial}{\partial x}(y)$ em $\mathbb{R}^2$, segue que não existe função definida em $\mathbb{R}^2$ que satisfaça o sistema.

Exemplo 3 Determine, caso existam, todas as funções $z = f(x, y)$ tais que

$$\begin{cases} \dfrac{\partial f}{\partial x} = \dfrac{x}{x^2 + y^2} \\ \dfrac{\partial f}{\partial y} = \dfrac{y}{x^2 + y^2} - e^{-y} \end{cases} \quad \text{em } \mathbb{R}^2 - \{(0, 0)\}$$

Solução

$$\frac{\partial}{\partial y}\left(\frac{x}{x^2 + y^2}\right) = \frac{-2xy}{(x^2 + y^2)^2}$$

e

$$\frac{\partial}{\partial x}\left(\frac{y}{x^2 + y^2} - e^{-y}\right) = \frac{-2xy}{(x^2 + y^2)^2}.$$

Assim,

$$\frac{\partial P}{\partial y} = \frac{\partial Q}{\partial x} \quad \text{em } \mathbb{R}^2 - \{(0, 0)\}$$

em que $P(x, y) = \dfrac{y}{x^2 + y^2}$ e $Q(x, y) = \dfrac{y}{x^2 + y^2} - e^{-y}$.

A condição necessária está verificada; o sistema pode admitir soluções. Deixamos a seu cargo verificar que

$$z = \frac{1}{2}\ln(x^2 + y^2) + e^{-y} + k \qquad (k \in \mathbb{R})$$

é a família das soluções do sistema.

Uma pergunta que surge naturalmente é a seguinte: a condição necessária do Teorema 2 é também suficiente? A resposta é não. (Veja Exercícios 9 e 10.) Entretanto, se algumas restrições forem impostas ao conjunto A a condição será, também, suficiente. Este problema será discutido no Vol. 3.

Exercícios 15.3

1. Determine todas as funções $f : \mathbb{R}^2 \to \mathbb{R}$ tais que

   a) $\dfrac{\partial f}{\partial x} = 9x^2 y^2 - 10x, \dfrac{\partial f}{\partial y} = 6x^3 y + 1$

   b) $\dfrac{\partial f}{\partial x} = y \cos xy + 3x^2 - y, \dfrac{\partial f}{\partial y} = x \cos xy - x + 3y^2$

   c) $\dfrac{\partial f}{\partial x} = 2x\, e^{x^2 + y^2}, \dfrac{\partial f}{\partial y} = 2y\, e^{x^2 + y^2} + \dfrac{1}{1 + y^2}$

2. Determine a função $f : \mathbb{R}^2 \to \mathbb{R}$ cujo gráfico passa pelo ponto $(1, 2, 1)$ e tal que

   $$\nabla f(x, y) = (2xy^3 - 2x, 3x^2 y^2 + 2y - 1).$$

3. Determine a função $f : \mathbb{R}^2 \to \mathbb{R}$ cujo gráfico passa pelo ponto $(0, 0, 2)$ e tal que

   $$\nabla f(x, y) = \left(\frac{x}{1 + x^2 + y^2}, \frac{y}{1 + x^2 + y^2} + y e^{y^2} \right).$$

4. Existe função $f : \mathbb{R}^2 \to \mathbb{R}$ tal que

   $$\nabla f(x, y) = (x^2 + y^2 + 1, x^2 - y^2 + 1)$$

   para todo (x, y) em $\mathbb{R}^2$? Justifique.

5. Determine $z = \varphi_1(x, y)$, $y > 0$, tal que $\varphi_1(1, 1) = \dfrac{\pi}{4}$ e, para todo $y > 0$,

   $$\nabla \varphi_1(x, y) = \left(\frac{-y}{x^2 + y^2}, \frac{x}{x^2 + y^2} \right).$$

6. Determine $z = \varphi_2(x, y)$, $x < 0$, tal que $\varphi_2(-1, 1) = \dfrac{3\pi}{4}$ e, para todo $x < 0$,

   $$\nabla \varphi_2(x, y) = \left(\frac{-y}{x^2 + y^2}, \frac{x}{x^2 + y^2} \right).$$

7. Seja $A = \{(x,y) \in \mathbb{R}^2 | y > 0\} \cup \{(x,y) \in \mathbb{R}^2 | x < 0\}$. Determine $z = \varphi(x,y)$, $(x,y) \in A$, tal que $\varphi(-1,1) = \dfrac{3\pi}{4}$ e, para todo $(x,y) \in A$,

$$\nabla \varphi(x,y) = \left(\dfrac{-y}{x^2 + y^2}, \dfrac{x}{x^2 + y^2} \right).$$

(*Sugestão*: Utilize os Exercícios 5 e 6.)

8. Um campo de forças $\vec{F}(x,y) = P(x,y)\vec{i} + Q(x,y)\vec{j}$, em que P e Q são funções definidas num aberto $A \subset \mathbb{R}^2$, denomina-se *conservativo* se existe um campo escalar $\varphi : A \to \mathbb{R}$ tal que

$$\nabla \varphi(x,y) = \vec{F}(x,y) \text{ em } A.$$

Uma tal função φ, quando existe, denomina-se *função potencial* associada ao campo $\vec{F}$. O campo de forças dado é conservativo? Justifique.

a) $\vec{F}(x,y) = x\vec{i} + y\vec{j}$

b) $\vec{F}(x,y) = y\vec{i} - x\vec{j}$

c) $\vec{F}(x,y) = y\vec{i} + (x + 2y)\vec{j}$

d) $\vec{F}(x,y) = \dfrac{x\vec{i} + y\vec{j}}{(x^2 + y^2)^{3/2}}$

e) $\vec{F}(x,y) = 4\vec{i} - x^2\vec{j}$

f) $\vec{F}(x,y) = e^{x^2 - y^2}(2x\vec{i} - 2y\vec{j})$

9. Seja $\vec{F}(x,y) = P(x,y)\vec{i} + Q(x,y)\vec{j}$ um campo de forças com P e Q contínuas no aberto $A \subset \mathbb{R}^2$. Seja $\gamma(t) = (x(t), y(t))$, $t \in [a,b]$, uma curva de classe C^1, com $\gamma(a) = \gamma(b)$ (γ é uma *curva fechada*). Suponha que, para todo $t \in [a,b]$, $\gamma(t) \in A$. Prove que se $\vec{F}$ for conservativo, então,

$$\int_a^b \vec{F}(\gamma(t)) \cdot \gamma'(t)\,dt = 0$$

10. Seja $\vec{F}(x,y) = \dfrac{-y}{x^2 + y^2}\vec{i} + \dfrac{x}{x^2 + y^2}\vec{j}$, $(x,y) \neq (0,0)$.

a) Verifique que, para todo $(x,y) \neq (0,0)$,

$$\dfrac{\partial P}{\partial y}(x,y) = \dfrac{\partial Q}{\partial x}(x,y)$$

em que $P(x,y) = -\dfrac{y}{x^2 + y^2}$ e $Q(x,y) = \dfrac{x}{x^2 + y^2}$.

b) Calcule $\int_0^{2\pi} \vec{F}(\gamma(t)) \cdot \gamma'(t)\,dt$, em que $\gamma(t) = (\cos t, \operatorname{sen} t)$, $t \in [0, 2\pi]$.

c) $\vec{F}$ é conservativo? Por quê? (Veja Exercício 9 acima.)

11. Seja $\vec{F}(x,y) = P(x,y)\vec{i} + Q(x,y)\vec{j}$ um campo de forças com P e Q definidas e contínuas no aberto A de $\mathbb{R}^2$. Se $\vec{F}$ for conservativo então existirá uma função escalar $U(x,y)$ definida em A tal que $\vec{F} = -\nabla U$ em A. Uma tal função denomina-se *função energia potencial* associada

ao campo $\vec{F}$. Determine, caso exista, a função energia potencial associada ao campo $\vec{F}$ dado e satisfazendo a condição dada.

a) $\vec{F}(x, y) = -6x\vec{i} - 2y\vec{j}$ e $U(0, 0) = 0$.

b) $\vec{F}(x, y) = x\vec{i} - y\vec{j}$ e $U(0, 0) = 0$.

c) $\vec{F}(x, y) = \dfrac{1}{x^2 + y^2} \cdot \dfrac{x\vec{i} + y\vec{j}}{\sqrt{x^2 + y^2}}$ e $U(3, 4) = \dfrac{1}{5}$.

d) $\vec{F}(x, y) = x\vec{i} - xy\vec{j}$ e $U(0, 0) = 1.000$.

12. Seja $U(x, y) = 2x^2 + \dfrac{1}{2} y^2$ a função energia potencial associada ao campo $\vec{F}$.

a) Determine $\vec{F}$.

b) Uma partícula de massa $m = 1$ é abandonada na posição $(1, 1)$ com velocidade nula. Admita que $\vec{F}$ é a única força atuando sobre a partícula. Determine a posição $\gamma(t) = (x(t), y(t))$ da partícula no instante t. Desenhe a trajetória descrita pela partícula.

(*Sugestão*: Pela lei de Newton $\ddot{\gamma}(t) = \vec{F}(\gamma(t))$.)

13. Seja $U(x, y) = \dfrac{x^2}{2} + \dfrac{y^2}{2}$ a energia potencial associada do campo $\vec{F}$.

a) Determine $\vec{F}$.

b) Uma partícula de massa $m = 1$ é abandonada na posição $(1, 1)$ com velocidade inicial $\vec{v}_0 = (-1, 1)$. Sendo $\vec{F}$ a única força atuando sobre a partícula, determine a posição $\gamma(t)$ da partícula no instante t. Desenhe a trajetória descrita pela partícula.

14. Seja $\vec{F}$ a força do exercício anterior. Uma partícula de massa $m = 1$ é abandonada na posição $(1, 0)$ com velocidade inicial $\vec{v}_0 = (0, 2)$. Sendo $\vec{F}$ a única força atuando sobre a partícula, determine a posição $\gamma(t)$ da partícula no instante t. Desenhe a trajetória descrita pela partícula.

15.4 Polinômio de Taylor de Ordem 1

Seja $f(x, y)$ de classe C^2 no aberto $A \subset \mathbb{R}^2$. Sejam $(x_0, y_0) \in A$ e $(h, k) \neq (0, 0)$ tais que o segmento de extremidades (x_0, y_0) e $(x_0 + h, y_0 + k)$ esteja contido em A. Consideremos a função g dada por

$$g(t) = f(x_0 + ht, y_0 + kt), t \in [0, 1].$$

A g fornece os valores que a f assume nos pontos do segmento de extremidades (x_0, y_0) e $(x_0 + h, y_0 + k)$. Esta função g desempenhará o papel de ligação na extensão da fórmula de Taylor para funções de duas variáveis reais.

Pela fórmula de Taylor, com resto de Lagrange, para funções de uma variável, temos:

① $$g(1) = g(0) + g'(0)(1 - 0) + \dfrac{g''(\bar{t})}{2}(1 - 0)^2$$

para algum $\bar{t}$ em $]0, 1[$.

Calculemos, agora, $g'(t)$ e $g''(t)$:

$$g'(t) = \frac{d}{dt}[f(x,y)] = \frac{\partial f}{\partial x}(x,y)\frac{dx}{dy} + \frac{\partial f}{\partial y}(x,y)\frac{dy}{dt},$$

ou seja,

$$g'(t) = \frac{\partial f}{\partial x}(x,y)h + \frac{\partial f}{\partial y}(x,y)k$$

em que $x = x_0 + ht$ e $y = y_0 + kt$;

$$g''(t) = \frac{d}{dt}\left[\frac{\partial f}{\partial x}(x,y)\right]h + \frac{d}{dt}\left[\frac{\partial f}{\partial y}(x,y)\right]k$$

$$= \left[\frac{\partial^2 f}{\partial x^2}(x,y)h + \frac{\partial^2 f}{\partial y\,\partial x}(x,y)k\right]h + \left[\frac{\partial^2 f}{\partial x\,\partial y}(x,y)h + \frac{\partial^2 f}{\partial y^2}(x,y)k\right]k,$$

ou seja,

$$g''(t) = \frac{\partial^2 f}{\partial x^2}(x,y)h^2 + 2\frac{\partial^2 f}{\partial x\,\partial y}(x,y)hk + \frac{\partial^2 f}{\partial y^2}(x,y)k^2$$

em que $x = x_0 + ht$ e $y = y_0 + kt$.

Temos, então:

② $\begin{cases} g(1) = f(x_0 + h, y_0 + k),\ g(0) = f(x_0, y_0), \\ g'(0) = \frac{\partial f}{\partial x}(x_0, y_0)h + \frac{\partial f}{\partial y}(x_0, y_0)k \text{ e} \\ g''(\bar{t}) = \frac{\partial^2 f}{\partial x^2}(\bar{x},\bar{y})h^2 + 2\frac{\partial^2 f}{\partial x\,\partial y}(\bar{x},\bar{y})hk + \frac{\partial^2 f}{\partial y^2}(\bar{x},\bar{y})k^2 \\ \text{em que } \bar{x} = x_0 + h\bar{t} \text{ e } \bar{y} = y_0 + k\bar{t}. \end{cases}$

Observe que $(\bar{x}, \bar{y})$ é um ponto interno ao segmento de extremidades (x_0, y_0) e $(x_0 + h, y_0 + k)$, pois $\bar{t} \in\ ]0, 1[$.

Substituindo ② em ① resulta:

$$f(x_0 + h, y_0 + k) = f(x_0, y_0) + \frac{\partial f}{\partial x}(x_0, y_0)h + \frac{\partial f}{\partial y}(x_0, y_0)k + E(h,k)$$

Capítulo 15

em que

$$E(h,k) = \frac{1}{2}\left[\frac{\partial^2 f}{\partial x^2}(\overline{x},\overline{y})h^2 + 2\frac{\partial^2 f}{\partial x \partial y}(\overline{x},\overline{y})hk + \frac{\partial^2 f}{\partial y^2}(\overline{x},\overline{y})k^2\right]$$

para algum $(\overline{x},\overline{y})$ interno ao segmento de extremidades (x_0, y_0) e $(x_0 + h, y_0 + k)$.
Demonstramos, assim, o seguinte teorema.

Teorema. Seja $f(x, y)$ de classe C^2 no aberto $A \subset \mathbb{R}^2$ e sejam $(x_0, y_0) \in A$ e $(h, k) \neq (0, 0)$ tais que o segmento de extremidades (x_0, y_0) e $(x_0 + h, y_0 + k)$ esteja contido em A. Nestas condições,

$$f(x_0 + h, y_0 + k) = f(x_0, y_0) + \frac{\partial f}{\partial x}(x_0, y_0)h + \frac{\partial f}{\partial y}(x_0, y_0)k + E(h, k)$$

em que

$$E(h,k) = \frac{1}{2}\left[\frac{\partial^2 f}{\partial x^2}(\overline{x},\overline{y})h^2 + 2\frac{\partial^2 f}{\partial x \partial y}(\overline{x},\overline{y})hk + \frac{\partial^2 f}{\partial y^2}(\overline{x},\overline{y})k^2\right]$$

para algum $(\overline{x},\overline{y})$ interno ao segmento de extremidades (x_0, y_0) e $(x_0 + h, y_0 + k)$.

Observação. Fazendo $x = x_0 + h$ e $y = y_0 + k$, obtemos

$$f(x,y) = \underbrace{f(x_0, y_0) + \frac{\partial f}{\partial x}(x_0, y_0)(x - x_0) + \frac{\partial f}{\partial y}(x_0, y_0)(y - y_0)}_{P_1(x,y)} + E_1(x,y)$$

em que

③
$$E_1(x,y) = \frac{1}{2}\left[\frac{\partial^2 f}{\partial x^2}(\overline{x},\overline{y})(x-x_0)^2 + 2\frac{\partial^2 f}{\partial x \partial y}(\overline{x},\overline{y})(x-x_0)(y-y_0)\right.$$
$$\left. + \frac{\partial^2 f}{\partial y^2}(\overline{x},\overline{y})(y-y_0)^2\right]$$

para algum $(\overline{x},\overline{y})$ interno ao segmento de extremidades (x_0, y_0) e (x, y).

O polinômio

$$P_1(x,y) = f(x_0, y_0) + \frac{\partial f}{\partial x}(x_0, y_0)(x - x_0) + \frac{\partial f}{\partial y}(x_0, y_0)(y_0 - y_0)$$

denomina-se *polinômio de Taylor de ordem 1 de $f(x, y)$ em volta de (x_0, y_0)*.

Observe que o gráfico de $P_1(x, y)$ é o plano tangente ao gráfico de f em $(x_0, y_0, f(x_0, y_0))$. $E_1(x, y)$ é o erro que se comete na aproximação de $f(x, y)$ por $P_1(x, y)$; ③ é a expressão do erro na *forma de* Lagrange. (Às vezes, usa-se a expressão *resto* em lugar de erro.)

Exemplo Seja $f(x, y) = \ln(x + y)$.

a) Determine o polinômio de Taylor de ordem 1 de f em volta de $\left(\frac{1}{2}, \frac{1}{2}\right)$.

b) Mostre que para todo (x, y), com $x + y > 1$, $\left|\ln(x+y) - (x+y-1)\right| < \frac{1}{2}(x+y-1)^2$.

Solução

a) $P_1(x, y) = f\left(\frac{1}{2}, \frac{1}{2}\right) + \frac{\partial f}{\partial x}\left(\frac{1}{2}, \frac{1}{2}\right)\left(x - \frac{1}{2}\right) + \frac{\partial f}{\partial y}\left(\frac{1}{2}, \frac{1}{2}\right)\left(y - \frac{1}{2}\right).$

Como
$$\frac{\partial f}{\partial x}(x, y) = \frac{1}{x+y} \text{ e } \frac{\partial f}{\partial y}(x, y) = \frac{1}{x+y}$$

resulta:
$$P_1(x, y) = 0 + \left(x - \frac{1}{2}\right) + \left(y - \frac{1}{2}\right),$$

ou seja,
$$P_1(x, y) = x + y - 1.$$

b) $\ln(x + y) = P_1(x, y) + E(x, y)$, em que

$$E(x, y) = \frac{1}{2}\left[\frac{\partial^2 f}{\partial x^2}(\bar{x}, \bar{y})\left(x - \frac{1}{2}\right)^2 + 2\frac{\partial^2 f}{\partial x \partial y}(\bar{x}, \bar{y})\left(x - \frac{1}{2}\right)\left(y - \frac{1}{2}\right)\right.$$
$$\left. + \frac{\partial^2 f}{\partial y^2}(\bar{x}, \bar{y})\left(y - \frac{1}{2}\right)^2\right]$$

para algum $(\bar{x}, \bar{y})$ interno ao segmento de extremidades $\left(\frac{1}{2}, \frac{1}{2}\right)$ e (x, y). Temos:

$$\frac{\partial^2 f}{\partial x^2}(x, y) = \frac{-1}{(x+y)^2} = \frac{\partial^2 f}{\partial x \partial y}(x, y) = \frac{\partial^2 f}{\partial y^2}(x, y).$$

Como estamos supondo $x + y > 1$, teremos, também, $\bar{x} + \bar{y} > 1$. Assim, para todo (x, y), com $x + y > 1$, $\left|\frac{-1}{(\bar{x}+\bar{y})^2}\right| < 1$. Segue que

$$|E(x, y)| < \frac{1}{2}\left|\left(x - \frac{1}{2}\right)^2 + 2\left(x - \frac{1}{2}\right)\left(y - \frac{1}{2}\right) + \left(y - \frac{1}{2}\right)^2\right|$$

ou
$$|E(x, y)| < \frac{1}{2}(x + y - 1)^2$$

para todo (x, y), com $x + y > 1$. Assim,
$$|\ln(x + y) - P_1(x, y)| < \frac{1}{2}(x + y - 1)^2$$

ou

$$|\ln x + y) - (x + y - 1)| < \frac{1}{2}(x + y - 1)^2$$

para todo (x, y), com $x + y > 1$.

Exercícios 15.4

1. Determine o polinômio de Taylor de ordem 1 da função dada, em volta do ponto (x_0, y_0) dado.

    a) $f(x, y) = e^{x+5y}$ e $(x_0, y_0) = (0, 0)$.
    b) $f(x, y) = x^3 + y^3 - x^2 + 4y$ e $(x_0, y_0) = (1, 1)$.
    c) $f(x, y) = \text{sen}\,(3x + 4y)$ e $(x_0, y_0) = (0, 0)$.

2. Sejam $f(x, y) = e^{x+5y}$ e $P_1(x, y)$ o polinômio de Taylor de ordem 1 de f em volta de $(0, 0)$.

    a) Mostre que para todo (x, y), com $x + 5y < 1$,
    $$|e^{x+5y} - P_1(x, y)| < \frac{3}{2}(x + 5y)^2$$

    b) Avalie o erro que se comete na aproximação
    $$e^{x+5y} \cong P_1(x, y)$$
    para $x = 0{,}01$ e $y = 0{,}01$.

3. Sejam $f(x, y) = x^3 + y^3 - x^2 + 4y$ e $P_1(x, y)$ o polinômio de Taylor de ordem 1 de f em volta de $(1, 1)$. Mostre que para todo (x, y), com $|x - 1| < 1$ e $|y - 1| < 1$,
    $$|f(x, y) - P_1(x, y)| < 7(x - 1)^2 + 6(y - 1)^2$$

4. Sejam $f(x, y) = x^3 + y^3 - x^2 + 4y$ e $P_1(x, y)$ o polinômio de Taylor de ordem 1 de f em volta de $(1, 1)$.

    a) Utilizando $P_1(x, y)$, calcule um valor aproximado para $f(x, y)$, sendo $x = 1{,}001$ e $y = 0{,}99$.
    b) Avalie o erro que se comete na aproximação do item a).

   (*Sugestão*: Utilize o Exercício 3.)

5. Seja (x_0, y_0) um ponto crítico de $f(x, y)$ e suponha que f seja de classe C^2 na bola aberta B de centro (x_0, y_0). Prove que para todo (x, y) em B, existe $(\bar{x}, \bar{y})$ interno ao segmento de extremidades (x_0, y_0) e (x, y) tal que

$$f(x, y) - f(x_0, y_0) = \frac{1}{2}\left[\frac{\partial^2 f}{\partial x^2}(\bar{x}, \bar{y})(x - x_0)^2 + 2\frac{\partial^2 f}{\partial x\,\partial y}(\bar{x}, \bar{y})(x - x_0)(y - y_0) \right. $$
$$\left. + \frac{\partial^2 f}{\partial y^2}(\bar{x}, \bar{y})(y - y_0)^2\right].$$

6. Seja $f(x, y) = ax^2 + bxy + cy^2 + dx + ey + m$ (a, b, c, d, e, m constantes) e seja (x_0, y_0) um ponto crítico de f. Prove que, para todo (h, k),
$$f(x_0 + h, y_0 + k) - f(x_0, y_0) = ah^2 + bhk + ck^2.$$

7. Sejam $f(x, y)$ e (x_0, y_0) como no exercício anterior. Prove que se $a > 0$ e $b^2 - 4ac < 0$, então
$$f(x_0 + h, y_0 + k) > f(x_0, y_0)$$
para todo $(h, k) \neq (0,0)$. Como é o gráfico de f?

8. Suponha $f(x, y)$ da classe C^2 na bola aberta B de centro (x_0, y_0) e que as derivadas parciais de 2ª ordem sejam limitadas em B. Prove que existe $M > 0$ tal que, para todo $(x, y) \in B$.
$$|f(x, y) - P_1(x, y)| \leq M \|(x, y) - (x_0, y_0)\|^2$$
em que $P_1(x, y)$ é o polinômio de Taylor de ordem 1 de f em volta de (x_0, y_0).

9. Considere o polinômio $P(x, y) = a(x - x_0) + b(y - y_0) + c$, com a, b, c, x_0 e y_0 constantes. Suponha que exista $M > 0$ tal que, para todo (x, y),
$$|P(x, y)| \leq M \|(x, y) - (x_0, y_0)\|^2.$$
Prove que $P(x, y) = 0$ em $\mathbb{R}^2$.

10. Seja $f(x, y)$ de classe C^2 no aberto $A \subset \mathbb{R}^2$ e seja (x_0, y_0) um ponto de A. Seja o polinômio $P(x, y) = a(x - x_0) + b(y - y_0) + c$, com a, b e c constantes. Suponha que existam $M > 0$ e uma bola aberta B de centro (x_0, y_0), com $B \subset A$, tal que, para todo (x, y) em B,
$$|f(x, y) - P(x, y)| \leq M \|(x, y) - (x_0, y_0)\|^2.$$
Prove que P é o polinômio de Taylor de ordem 1 de f em volta de (x_0, y_0).

15.5 Polinômio de Taylor de Ordem 2

Suponhamos $f(x, y)$ de classe C^3 no aberto $A \subset \mathbb{R}^2$. Sejam (x_0, y_0), $(x_0 + h, y_0 + k)$ e $g(t) = f(x_0 + ht, y_0 + kt)$ como na seção anterior. Pela fórmula de Taylor, com resto de Lagrange, para funções de uma variável segue que

(1)
$$g(1) = g(0) + g'(0)(1 - 0) + \frac{g''(0)}{2!}(1 - 0)^2 + \frac{g'''(\bar{t})}{3!}(1 - 0)^3$$

para algum $\bar{t}$ em $]0, 1[$.

Vimos no parágrafo anterior que

$$g'(t) = \frac{\partial f}{\partial x}(x, y)h + \frac{\partial f}{\partial y}(x, y)k$$

e

$$g''(t) = \frac{\partial^2 f}{\partial x^2}(x, y)h^2 + 2\frac{\partial^2 f}{\partial x \, \partial y}(x, y)hk + \frac{\partial^2 f}{\partial y^2}(x, y)k^2$$

em que $x = x_0 + ht$ e $y = y_0 + ht$. Deixamos a seu cargo verificar que

$$g'''(t) = \frac{\partial^3 f}{\partial x^3}(x, y)h^3 + 3\frac{\partial^3 f}{\partial x^2 \, \partial y}(x, y)h^2 k + 3\frac{\partial^3 f}{\partial x \, \partial y^2}hk^2 + \frac{\partial^3 f}{\partial y^3}(x, y)k^3$$

Capítulo 15

em que $x = x_0 + ht$ e $y = y_0 + ht$. Temos:

②
$$\begin{cases} g(1) = f(x_0 + h, y_0 + k), g(0) = f(x_0, y_0), \\ g'(0) = \dfrac{\partial f}{\partial x}(x_0, y_0)h + \dfrac{\partial f}{\partial y}(x_0, y_0)k, \\ g''(0) = \dfrac{\partial^2 f}{\partial x^2}(x_0, y_0)h^2 + 2\dfrac{\partial^2 f}{\partial x \partial y}(x_0, y_0)hk + \dfrac{\partial^2 f}{\partial y^2}(x_0, y_0)k^2 \\ g'''(\bar{t}) = \dfrac{\partial^3 f}{\partial x^3}(\bar{x}, \bar{y})h^3 + 3\dfrac{\partial^3 f}{\partial x^2 \partial y}(\bar{x}, \bar{y})h^2 k + 3\dfrac{\partial^3 f}{\partial x \partial y^2}(\bar{x}, \bar{y})hk^2 + 3\dfrac{\partial^3 f}{\partial y^3}(\bar{x}, \bar{y})k^3 \\ \text{em que } \bar{x} = x_0 + h\bar{t} \text{ e } \bar{y} = y_0 + k\bar{t}. \end{cases}$$
e

Substituindo ② em ① resulta:

$$f(x_0 + h, y_0 + k) = f(x_0, y_0) + \dfrac{\partial f}{\partial x}(x_0, y_0)h + \dfrac{\partial f}{\partial y}(x_0, y_0)k$$
$$+ \dfrac{1}{2}\left[\dfrac{\partial^2 f}{\partial x^2}(x_0, y_0)h^2 + 2\dfrac{\partial^2 f}{\partial x \partial y}(x_0, y_0)hk + \dfrac{\partial^2 f}{\partial y^2}(x_0, y_0)k^2\right] + E(h, k)$$

em que

$$E(h, k) = \dfrac{1}{3!}\left[\dfrac{\partial^3 f}{\partial x^3}(\bar{x}, \bar{y})h^3 + 3\dfrac{\partial^3 f}{\partial x^2 \partial y}(\bar{x}, \bar{y})h^2 k + 3\dfrac{\partial^3 f}{\partial x \partial y^2}(\bar{x}, \bar{y})hk^2 \right.$$
$$\left. + \dfrac{\partial^3 f}{\partial y^3}(\bar{x}, \bar{y})k^3\right],$$

para algum $(\bar{x}, \bar{y})$ interno ao segmento de extremidades (x_0, y_0) e $(x_0 + h, y_0 + k)$.

Demonstramos assim o seguinte

Teorema. Seja $f(x, y)$ de classe C^3 no aberto $A \subset \mathbb{R}^2$ e sejam $(x_0, y_0) \in A$ e $(h, k) \neq (0, 0)$ tais que o segmento de extremidades (x_0, y_0) e $(x_0 + h, y_0 + k)$ esteja contido em A.

Nestas condições,

$$f(x_0 + h, y_0 + k) = f(x_0, y_0) + \dfrac{\partial f}{\partial x}(x_0, y_0)h + \dfrac{\partial f}{\partial y}(x_0, y_0)k$$
$$+ \dfrac{1}{2}\left[\dfrac{\partial^2 f}{\partial x^2}(x_0, y_0)h^2 + 2\dfrac{\partial^2 f}{\partial x \partial y}(x_0, y_0)hk + \dfrac{\partial^2 f}{\partial y^2}(x_0, y_0)k^2\right] + E(h, k)$$

em que

$$E(h, k) = \dfrac{1}{3!}\left[\dfrac{\partial^3 f}{\partial x^3}(\bar{x}, \bar{y})h^3 + 3\dfrac{\partial^3 f}{\partial x^2 \partial y}(\bar{x}, \bar{y})h^2 k + 3\dfrac{\partial^3 f}{\partial x \partial y^2}(\bar{x}, \bar{y})hk^2 \right.$$
$$\left. + \dfrac{\partial^3 f}{\partial y^3}(x, y)k^3\right],$$

para algum $(\bar{x}, \bar{y})$ interno ao segmento de extremidades (x_0, y_0) e $(x_0 + h, y_0 + k)$.

O polinômio

$$P_2(x,y) = f(x_0,y_0) + \frac{\partial f}{\partial x}(x_0,y_0)(x-x_0) + \frac{\partial f}{\partial y}(x_0,y_0)(y-y_0)$$

$$+ \frac{1}{2}\left[\frac{\partial^2 f}{\partial x^2}(x_0,y_0)(x-x_0)^2 + 2\frac{\partial^2 f}{\partial x \partial y}(x_0,y_0)(x-x_0)(y-y_0)\right.$$

$$\left. + \frac{\partial^2 f}{\partial y^2}(x_0,y_0)(y-y_0)^2\right]$$

denomina-se *polinômio de Taylor de ordem 2 de f em volta de* (x_0, y_0).

Fazendo $x = x_0 + h$ e $y = y_0 + k$ no teorema acima, resulta:

$$f(x,y) = P_2(x,y) + E_2(x,y)$$

em que

$$E_1(x,y) = \frac{1}{3!}\left[\frac{\partial^3 f}{\partial x^3}(\overline{x},\overline{y})(x-x_0)^3 + 3\frac{\partial^3 f}{\partial x^2 \partial y}(\overline{x},\overline{y})(x-x_0)^2(y-y_0)\right.$$

$$\left. + 3\frac{\partial^3 f}{\partial x \partial y^2}(\overline{x},\overline{y})(x-x_0)(y-y_0)^2 + \frac{\partial^3 f}{\partial y^3}(\overline{x},\overline{y})(y-y_0)^3\right]$$

para algum $(\overline{x},\overline{y})$ interno ao segmento de extremidades (x_0, y_0) e (x, y).

Exercícios 15.5

1. Determine o polinômio de Taylor de ordem 2 da função dada, em volta do ponto (x_0, y_0) dado.

   a) $f(x,y) = x \operatorname{sen} y$ e $(x_0, y_0) = (0, 0)$.
   b) $f(x,y) = x^3 + 2x^2 y + 3y^3 + x - y$ e $(x_0, y_0) = (1, 1)$.

2. Expresse o polinômio $f(x,y) = x^3 + 2x^2 y + 3y^3 + x - y$ como soma de termos do tipo $a(x-1)^p (y-1)^q$.

3. Seja $P_2(x,y)$ o polinômio de Taylor de ordem 2 de $f(x,y) = x \operatorname{sen} y$ em volta de $(0, 0)$. Mostre que

$$|f(x,y) - P_2(x,y)| < \frac{|y|^2}{2}\left[|x| + \frac{1}{3}|y|\right]$$

para todo (x, y), com $|x| < 1$.

4. Seja $f(x,y)$ de classe C^3 no aberto $A \subset \mathbb{R}^2$ e seja (x_0, y_0) um ponto de A (lembre-se de que f de classe C^3 em A significa que todas as derivadas parciais de ordem 3 são contínuas em A). Prove que existem uma bola aberta B de centro (x_0, y_0), com $B \in A$, e um número $M > 0$ tais que, para todo $(x, y) \in B$,

$$|f(x,y) - P_2(x,y)| \leq M \|(x,y) - (x_0, y_0)\|^3$$

em que $P_2(x, y)$ é o polinômio de Taylor de ordem 2 de f em volta de (x_0, y_0). Conclua que

$$\lim_{(x,y)\to(x_0,y_0)} \frac{E(x,y)}{\|(x,y)-(x_0,y_0)\|^2} = 0$$

em que $E(x, y) = f(x, y) - P_2(x, y)$; isto é, o erro $E(x, y)$ tende a zero mais rapidamente que $\|(x, y) - (x_0, y_0)\|^2$, quando $(x, y) \to (x_0, y_0)$.

5. Sejam $f(x, y)$, $P_2(x, y)$ e (x_0, y_0) como no Exercício 4. Prove que existe uma função $\varphi(x, y)$ definida em A tal que, para todo (x, y) em A.

$$f(x, y) = P_2(x, y) + \varphi(x, y) \|(x, y) - (x_0, y_0)\|^2$$

com

$$\lim_{(x,y)\to(x_0,y_0)} \varphi(x, y) = \varphi(x_0, y_0) = 0.$$

6. Seja $f(x, y)$ de classe C^3 no aberto $A \subset \mathbb{R}^2$ e seja (x_0, y_0) um ponto de A. Seja $\bar{P}_2(x, y)$ um polinômio de grau no máximo 2. Prove que se

$$\lim_{(x,y)\to(x_0,y_0)} \frac{f(x,y) - \bar{P}_2(x,y)}{\|(x,y)-(x_0,y_0)\|^2} = 0$$

então $\bar{P}_2(x, y)$ é o polinômio de Taylor de ordem 2 de f em volta de (x_0, y_0).

15.6 Fórmula de Taylor com Resto de Lagrange

Suponhamos $f(x, y)$ de classe C^{n+1} no aberto $A \subset \mathbb{R}^2$. Sejam (x_0, y_0), $(x_0 + h, y_0 + k)$ e $g(t) = f(x_0 + ht, y_0 + kt)$ como na seção anterior. Vimos que

$$g'(t) = \frac{\partial f}{\partial x}(x, y)h + \frac{\partial f}{\partial y}(x, y)k,$$

$$g''(t) = \sum_{p=0}^{2} \binom{2}{p} \frac{\partial^2 f}{\partial x^{2-p} \partial y^p}(x, y) h^{(2-p)} k^p$$

$$= \binom{2}{0}\frac{\partial^2 f}{\partial x^2}(x,y)h^2 + \binom{2}{1}\frac{\partial^2 f}{\partial x \partial y}(x,y)hk + \binom{2}{2}\frac{\partial^2 f}{\partial y^2}(x,y)k^2$$

$$= \frac{\partial^2 f}{\partial x^2}(x,y)h^2 + 2\frac{\partial^2 f}{\partial x \partial y}(x,y)hk + \frac{\partial^2 f}{\partial y^2}(x,y)k^2$$

e que

$$g'''(t) = \sum_{p=0}^{3} \binom{3}{p} \frac{\partial^3 f}{\partial x^{3-p} \partial y^p}(x,y) h^{(3-p)} k^p$$

em que $x = x_0 + ht$ e $y = y_0 + kt$. Deixamos a seu cargo provar por indução que

$$g^{(r)}(t) = \sum_{p=0}^{r} \binom{r}{p} \frac{\partial^r f}{\partial x^{r-p} \partial y^p}(x,y) h^{(r-p)} k^p$$

em que $x = x_0 + ht$ e $y = y_0 + kt$.

Pela fórmula de Taylor com resto de Lagrange para funções de uma variável, temos:

$$g(1) = g(0) + \sum_{r=1}^{n} \frac{1}{r!} g^r(0) + \frac{g^{(n+1)}(\bar{t})}{(n+1)!}$$

para algum $\bar{t}$ em $]0, 1[$. Segue que

$$f(x_0 + h, y_0 + k) = f(x_0, y_0) + \sum_{r=1}^{n} \frac{1}{r!} \left[\sum_{p=0}^{r} \binom{r}{p} \frac{\partial^r f}{\partial x^{r-p} \partial y^p}(x_0, y_0) h^{r-p} k^p \right]$$
$$+ E(h, k)$$

em que

$$E(h, k) = \frac{1}{(n+1)!} \sum_{p=0}^{n+1} \binom{n+1}{p} \frac{\partial^{n+1} f}{\partial x^{n+1-p} \partial y^p}(\bar{x}, \bar{y}) h^{(n+1-p)} k^p$$

para algum $(\bar{x}, \bar{y})$ interno ao segmento de extremidades (x_0, y_0) e $(x_0 + h, y_0 + k)$.
Fica provado assim o seguinte

Teorema (Fórmula de Taylor com resto de Lagrange). Seja $f(x, y)$ de classe C^{n+1} no aberto $A \subset \mathbb{R}^2$ e sejam $(x_0, y_0) \in A$ e $(h, k) \neq (0, 0)$ tais que o segmento de extremidades (x_0, y_0) e $(x_0 + h, y_0 + k)$ esteja contido em A. Nestas condições

$$f(x_0 + h, y_0 + k) = f(x_0, y_0) + \sum_{r=1}^{n} \frac{1}{r!} \left[\sum_{p=0}^{r} \binom{r}{p} \frac{\partial^r f}{\partial x^{r-p} \partial y^p}(x_0, y_0) h^{r-p} k^p \right]$$
$$+ E(h, k)$$

em que

$$E(h, k) = \frac{1}{(n+1)!} \sum_{p=0}^{n+1} \binom{n+1}{p} \frac{\partial^{n+1} f}{\partial x^{n+1-p} \partial y^p}(\bar{x}, \bar{y}) h^{(n+1-p)} k^p$$

para algum $(\bar{x}, \bar{y})$ interno ao segmento de extremidades (x_0, y_0) e $(x_0 + h, y_0 + k)$.

16 CAPÍTULO

Máximos e Mínimos

16.1 Pontos de Máximo e Pontos de Mínimo

Seja $f(x, y)$ uma função a valores reais e seja $(x_0, y_0) \in A$ com $A \subset D_f$. Dizemos que (x_0, y_0) é *ponto de máximo de f* em A se, para todo (x, y) em A,

$$f(x, y) \leq f(x_0, y_0).$$

Sendo (x_0, y_0) ponto de máximo de f em A, o número $f(x_0, y_0)$ será denominado *valor máximo* de f em A.

Dizemos que $(x_0, y_0) \in D_f$ é *ponto de máximo global ou absoluto de f* se, para todo $(x, y) \in D_f$,

$$f(x, y) \leq f(x_0, y_0).$$

Diremos, neste caso, que $f(x_0, y_0)$ é o *valor máximo* de f.

Finalmente, diremos que $(x_0, y_0) \in D_f$ é *ponto de máximo local* de f se existir uma bola aberta B de centro (x_0, y_0) tal que

$$f(x, y) \leq f(x_0, y_0)$$

para todo $(x, y) \in B \cap D_f$.

Deixamos a seu cargo definir ponto de mínimo de f em $A \subset D_f$, ponto de mínimo global e ponto de mínimo local.

Os pontos de máximo e de mínimo de uma função f denominam-se *extremantes* de f.

Exemplo 1 $(0, 0)$ é ponto de mínimo global de $f(x, y) = x^2 + y^2$ e $f(0,0) = 0$ é o valor mínimo de f, pois, $f(x, y) \geq f(0,0)$, para todo (x, y) em $\mathbb{R}^2$.

Exemplo 2 Seja $f(x, y) = 2x - y$ e seja A o conjunto determinado pelas condições $x \geq 0$, $y \geq 0$, $x + y \leq 3$ e $y \geq x$. Estude f com relação a máximo e mínimo em A.

Solução

Tal estudo será feito com auxílio das curvas de nível de f.

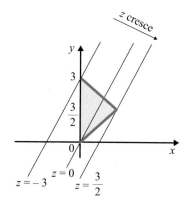

$z = 2x - y$

$z = 0 \Leftrightarrow y = 2x$

$z = -3 \Leftrightarrow y = 2x + 3 \; [f(0, 3) = -3]$

$z = \dfrac{3}{2} \Leftrightarrow y = 2x - \dfrac{3}{2} \left[f\left(\dfrac{3}{2}, \dfrac{3}{2}\right) = \dfrac{3}{2} \right]$

Vemos, geometricamente, que $\left(\dfrac{3}{2}, \dfrac{3}{2}\right)$ e $(0, 3)$ são, respectivamente, *pontos de máximo* e de *mínimo* de f em A; $f\left(\dfrac{3}{2}, \dfrac{3}{2}\right) = \dfrac{3}{2}$ é o *valor máximo* e $f(0, 3) = -3$ é o *valor mínimo* de f em A.

Para comprovar analiticamente que o que dissemos acima está correto, podemos proceder do seguinte modo: para todo (x, y) em A

$$f(x, y) - f\left(\dfrac{3}{2}, \dfrac{3}{2}\right) = 2x - y - \dfrac{3}{2} = -\underbrace{\left(\dfrac{3}{2} - x\right)}_{\geq 0} - \underbrace{(y - x)}_{\geq 0} \leq 0,$$

ou seja, $f(x, y) \leq f\left(\dfrac{3}{2}, \dfrac{3}{2}\right)$.

$$f(x, y) - f(0, 3) = 2x - y + 3 = \underbrace{3x}_{\geq 0} + \underbrace{(3 - x - y)}_{\geq 0} \geq 0,$$

ou seja,

$$f(x, y) \geq f(0, 3).$$

Exemplo 3 Seja (x, y) definida em $\mathbb{R}^2$ dada por

$$f(x, y) = \begin{cases} x^2 + y^2 & \text{se } x^2 + y^2 \leq 4 \\ 1 - (x - 3)^2 - y^2 & \text{se } x^2 + y^2 > 4. \end{cases}$$

$(0, 0)$ é ponto de mínimo local; $(3, 0)$ é ponto de máximo local e todo (x_0, y_0) pertencente à circunferência $x^2 + y^2 = 4$ é ponto de máximo global de f. Deixamos a seu cargo fazer um esboço do gráfico de f e verificar as afirmações acima.

16.2 Condições Necessárias para que um Ponto Interior ao Domínio de *f* Seja um Extremante Local de *f*

O teorema que enunciaremos e demonstraremos a seguir fornece-nos um critério para selecionar, entre os *pontos interiores de* D_f, candidatos a extremantes locais de *f*.

Teorema 1. Seja (x_0, y_0) um *ponto interior de* D_f e suponhamos que $\dfrac{\partial f}{\partial x}(x_0, y_0)$ e $\dfrac{\partial f}{\partial y}(x_0, y_0)$ existam. Nestas condições, uma *condição necessária* para que (x_0, y_0) seja um extremante local de *f* é que $\dfrac{\partial f}{\partial x}(x_0, y_0) = 0$ e $\dfrac{\partial f}{\partial y}(x_0, y_0) = 0$.

Demonstração

Suponhamos que (x_0, y_0) seja um ponto de máximo local de *f*. Como (x_0, y_0) é ponto interior de D_f, existe uma bola aberta $B \subset D_f$, B de centro (x_0, y_0), tal que, para todo (x, y) em B

$$f(x, y) \leqslant f(x_0, y_0).$$

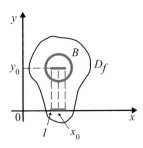

Por outro lado, existe um intervalo aberto I, com $x_0 \in I$, tal que para todo $x \in I$, $(x, y_0) \in B$. Consideremos a função *g* dada por

$$g(x) = f(x, y_0), \; x \in I.$$

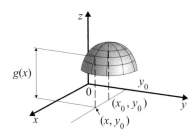

Temos:

$$\begin{cases} g \text{ é derivável em } x_0 \left(g'(x_0) = \dfrac{\partial f}{\partial x}(x_0, y_0) \right) \\ x_0 \text{ é ponto interior de } I \text{ e} \\ x_0 \text{ é ponto de máximo local de } g \end{cases}$$

daí
$$g'(x_0) = 0$$
e, portanto,
$$\frac{\partial f}{\partial x}(x_0, y_0) = 0.$$

De modo análogo, demonstra-se que $\frac{\partial f}{\partial y}(x_0, y_0) = 0$. ∎

Segue deste teorema que se (x_0, y_0) for interior a D_f, f diferenciável em (x_0, y_0) e (x_0, y_0) extremante local de f, então o plano tangente ao gráfico de f em $(x_0, y_0, f(x_0, y_0))$ será paralelo ao plano xy.

Dizemos que (x_0, y_0) é um *ponto crítico* ou *estacionário* de f se (x_0, y_0) for interior a D_f e se $\nabla f(x_0, y_0) = (0, 0)$. O teorema anterior nos diz que se f admite derivadas parciais em todos os pontos interiores de D_f, então os pontos críticos de f são, entre os pontos interiores de D_f, os únicos candidatos a extremantes locais de f.

Um ponto $(x_0, y_0) \in A$ que não é ponto interior de A denomina-se *ponto de fronteira de A*. O teorema anterior não se aplica a pontos de fronteira de D_f; um ponto de fronteira de D_f pode ser um extremante local sem que as derivadas parciais se anulem nele. Os pontos de fronteira devem ser analisados separadamente.

Exemplo 1 Seja $f(x, y) = x^2 + y^2$. Como D_f é um conjunto aberto ($D_f = \mathbb{R}^2$), de

$$\begin{cases} \dfrac{\partial f}{\partial x}(x, y) = 2x \\ \dfrac{\partial f}{\partial y}(x, y) = 2x \end{cases}$$

segue que $(0, 0)$ é o único candidato a extremante local. Como $f(x, y) \geq f(0, 0) = 0$, para todo (x, y) em $\mathbb{R}^2$, resulta que $(0, 0)$ é um ponto de mínimo global de f.

Exemplo 2 O único ponto crítico de $f(x, y) = x^2 - y^2$ é $(0, 0)$. Verifica-se sem dificuldade que $(0, 0)$ não é extremante local (para uma visualização geométrica, desenhe as interseções do gráfico de f com os planos yz e xz). O ponto $(0, 0)$ denomina-se *ponto de sela*. O gráfico desta função tem o aspecto de uma "sela de cavalo": tente desenhá-lo.

Exemplo 3 Seja $z = f(x, y)$ com domínio $A = \{(x, y) \in \mathbb{R}^2 \mid x \geq 0 \text{ e } y \geq 0\}$, em que $f(x, y) = x^2 y + 3x$. O ponto $(0, 0)$ é um ponto de mínimo de f em A pois $f(x, y) \geq f(0, 0)$ em A. Como $\frac{\partial f}{\partial x} = 2xy + 3$, segue que $\frac{\partial f}{\partial x}(0, 0) = 3 \neq 0$. Este fato não contradiz o Teorema 1, pois ele só se aplica a pontos interiores de D_f e $(0, 0)$ não é ponto interior de D_f ($D_f = A$).

Suponhamos, agora, que o domínio de f seja aberto e que f seja de classe C^2. Suponhamos, ainda, que $(x_0, y_0) \in D_f$ seja um ponto de máximo local de f. Consideremos a função $g(x)$ dada por
$$g(x) = f(x, y_0).$$

Capítulo 16

Tendo em vista as hipóteses sobre f, segue que x_0 é ponto interior do domínio de g e, além disso, é ponto de máximo local de g; como g é, também, de classe C^2 teremos que ter necessariamente

$$g'(x_0) = 0 \text{ e } g''(x_0) \leq 0$$

(observe que se tivéssemos $g''(x_0) > 0$, x_0 teria que ser ponto de mínimo local de g). Da mesma forma, considerando a função $h(y) = f(x_0, y)$, teremos que ter necessariamente

$$h'(y_0) = 0 \text{ e } h''(y_0) \leq 0.$$

Fica provado assim o seguinte teorema.

Teorema 2. Seja f de classe C^2 e seja (x_0, y_0) um ponto interior do domínio de f. Uma *condição necessária* para que (x_0, y_0) seja ponto de máximo local de f é que (x_0, y_0) seja ponto crítico de f e, além disso, $\frac{\partial^2 f}{\partial x^2}(x_0, y_0) \leq 0$ e $\frac{\partial^2 f}{\partial y^2}(x_0, y_0) \leq 0$. (Interprete geometricamente.)

Se no teorema acima as condições $\frac{\partial^2 f}{\partial x^2}(x_0, y_0) \leq 0$ e $\frac{\partial^2 f}{\partial y^2}(x_0, y_0) \leq 0$ forem trocadas por $\frac{\partial^2 f}{\partial x^2}(x_0, y_0) \geq 0$ e $\frac{\partial^2 f}{\partial y^2}(x_0, y_0) \geq 0$ teremos uma *condição necessária* para (x_0, y_0) ser *ponto de mínimo local de f*.

Exemplo 4 Determine os candidatos a extremantes locais de $f(x, y) = x^3 + y^3 - 3x - 3y + 4$.

Solução

Os únicos candidatos a extremantes locais são os pontos críticos, pois o domínio de f ($D_f = \mathbb{R}^2$) é aberto. De

$$\frac{\partial f}{\partial x}(x, y) = 3x^2 - 3 \text{ e } \frac{\partial f}{\partial y}(x, y) = 3y^2 - 3$$

resulta que os candidatos a extremantes locais são as soluções do sistema

$$\begin{cases} 3x^2 - 3 = 0 \\ 3y^2 - 3 = 0. \end{cases}$$

As soluções do sistema são: $(1, 1)$, $(-1, 1)$, $(1, -1)$ e $(-1, -1)$. Temos:

$$\frac{\partial^2 f}{\partial x^2}(x, y) = 6x \text{ e } \frac{\partial^2 f}{\partial y^2}(x, y) = 6y.$$

$\frac{\partial^2 f}{\partial x^2}(1, 1) = 6$ e $\frac{\partial^2 f}{\partial y^2}(1, 1) = 6$; logo, $(1, 1)$ é candidato a ponto de mínimo local.

$\frac{\partial^2 f}{\partial x^2}(-1, 1) = -6$ e $\frac{\partial^2 f}{\partial y^2}(-1, 1) = 6$; logo, $(-1, 1)$ não é extremante local. O mesmo acontece com o ponto $(1, -1)$. (Interprete geometricamente.)

$\frac{\partial^2 f}{\partial x^2}(-1, -1) = -6$ e $\frac{\partial^2 f}{\partial y^2}(-1, -1) = -6$; logo, $(-1, -1)$ é candidato a ponto de máximo local.

Seja (x_0, y_0) um ponto crítico de $f(x, y)$. Sejam $g(x) = f(x, y_0)$ e $h(y) = (x_0, y)$. Observemos que se x_0 não for extremante local de g, então (x_0, y_0) não será extremante local de f. Da mesma forma, se y_0 não for extremante local de h, então (x_0, y_0) não será extremante local de f. (Verifique.)

Exercícios 16.2

Selecione os candidatos a extremantes locais, sendo $f(x, y) =$

1. $2x^2 + y^2 - 2xy + x - y$.
2. $x^2 - y^2 + 3xy - x + y$.
3. $x^3 - y^2 + xy + 5$.
4. $x^3 + y^3 - xy$.
5. $x^4 + y^4 + 4x + 4y$.
6. $x^5 + y^5 - 5x - 5y$.

16.3 Uma Condição Suficiente para um Ponto Crítico Ser Extremante Local

Seja $f(x, y)$ de classe C^2. A função H dada por

$$H(x, y) = \begin{vmatrix} \dfrac{\partial^2 f}{\partial x^2}(x, y) & \dfrac{\partial^2 f}{\partial x \, \partial y}(x, y) \\ \dfrac{\partial^2 f}{\partial x \, \partial y}(x, y) & \dfrac{\partial^2 f}{\partial y^2}(x, y) \end{vmatrix}$$

denomina-se *hessiano* de f. Observe que

$$H(x, y) = \dfrac{\partial^2 f}{\partial x^2}(x, y) \, \dfrac{\partial^2 f}{\partial y^2}(x, y) - \left[\dfrac{\partial^2 f}{\partial x \, \partial y}(x, y) \right]^2.$$

O próximo teorema fornece-nos uma condição suficiente para um ponto crítico de f ser extremante local de f.

Teorema. Sejam $f(x, y)$ de classe C^2 e (x_0, y_0) um *ponto interior* de D_f. Suponhamos que (x_0, y_0) seja ponto crítico de f. Então

a) Se $\dfrac{\partial^2 f}{\partial x^2}(x_0, y_0) > 0$ e $H(x_0, y_0) > 0$, então (x_0, y_0) será ponto de mínimo local de f.

b) Se $\dfrac{\partial^2 f}{\partial x^2}(x_0, y_0) < 0$ e $H(x_0, y_0) > 0$, então (x_0, y_0) será ponto de máximo local de f.

c) Se $H(x_0, y_0) < 0$, então (x_0, y_0) não será extremante local. Neste caso, (x_0, y_0) será ponto de sela.

d) Se $H(x_0, y_0) = 0$, nada se pode afirmar.

Demonstração

Veja Exemplos 3, 4 e 5 da Seção 16.6.

Capítulo 16

Exemplo 1 Seja $f(x,y) = x^3 + y^3 - 3x - 3y + 4$. Os pontos críticos de f são: $(1,1)$, $(1,-1)$, $(-1,1)$ e $(-1,-1)$. Temos:

$$H(x,y) = \begin{vmatrix} 6x & 0 \\ 0 & 6x \end{vmatrix} \text{ e } \frac{\partial^2 f}{\partial x^2}(x,y) = 6x.$$

Então:

$H(1,1) = 36 > 0$ e $\frac{\partial^2 f}{\partial x^2}(1,1) = 6 > 0$; logo, $(1,1)$ é *ponto de mínimo local*. Note que $(1,1)$ não é ponto de mínimo global, pois $f(-3,0) < f(1,1)$.

$H(-1,-1) = 36 > 0$ e $\frac{\partial^2 f}{\partial x^2}(-1,-1) = -6 < 0$; logo $(-1,-1)$ é *ponto de máximo local*; entretanto, $(-1,-1)$ não é ponto de máximo global, pois $f(4,0) > f(-1,-1)$. Como $H(-1,1) < 0$ e $H(1,-1) < 0$, segue que $(-1,1)$ e $(1,-1)$ não são extremantes, são *pontos de sela*.

Exemplo 2 Seja $f(x,y) = 3x^4 + 2y^4$. O único ponto crítico de f é $(0,0)$ e temos $H(0,0) = 0$; logo, o teorema não nos fornece informação sobre este ponto crítico. Trabalhando diretamente com a função verifica-se sem dificuldade que $(0,0)$ é ponto de mínimo global.

Exemplo 3 Seja $f(x,y) = x^5 + 2y^5$. O único ponto crítico é $(0,0)$ e $H(0,0) = 0$. Como $x = 0$ não é extremante local de $f(x,0) = x^5$, resulta que $(0,0)$ não é extremante local de f.

Exemplo 4 Deseja-se construir uma caixa, sem tampa, com a forma de um paralelepípedo-retângulo e com 1 m³ de volume. O material a ser utilizado nas laterais custa o triplo do que será utilizado no fundo. Determine as dimensões da caixa que minimiza o custo do material.

Solução

$$abc = 1 \text{ ou } c = \frac{1}{ab}.$$

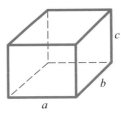

O problema consiste em minimizar

$$f(a,b) = 3(2ac + 2bc) + ab, \text{ em que } c = \frac{1}{ab},$$

ou

$$f(a,b) = \frac{6}{b} + \frac{6}{a} + ab, a > 0 \text{ e } b > 0.$$

Temos

$$\frac{\partial f}{\partial a} = -\frac{6}{a^2} + b \text{ e } \frac{\partial f}{\partial b} = -\frac{6}{b^2} + a.$$

$$\begin{cases} -\dfrac{6}{a^2} + b = 0 \\ -\dfrac{6}{b^2} + a = 0 \end{cases} \Leftrightarrow \begin{cases} a^2 b = 6 \\ ab^2 = 6 \end{cases}$$

$$a^2 b = ab^2 \Leftrightarrow a = b.$$

Assim, $(a,b) = \left(\sqrt[3]{6}, \sqrt[3]{6}\right)$ é o único ponto crítico de f. Como $H\left(\sqrt[3]{6}, \sqrt[3]{6}\right) > 0$ e

$$\frac{\partial^2 f}{\partial a^2}\left(\sqrt[3]{6}, \sqrt[3]{6}\right) > 0$$

(verifique) resulta que $\left(\sqrt[3]{6}, \sqrt[3]{6}\right)$ é ponto de mínimo local. Pela natureza do problema, é razoável esperar que este ponto seja de mínimo global. As dimensões que minimizam o custo são: $a = \sqrt[3]{6}$, $b = \sqrt[3]{6}$ e $c = \dfrac{\sqrt[3]{6}}{6}$. (Uma forma elegante de justificar que $\left(\sqrt[3]{6}, \sqrt[3]{6}\right)$ é ponto de mínimo global é a seguinte: para cada $a > 0$, seja $h(a)$ o valor mínimo de $g(b) = \dfrac{6}{a} + \dfrac{6}{b} + ab$, $b > 0$; verifique, então, que o valor mínimo de $h(a)$ é $f\left(\sqrt[3]{6}, \sqrt[3]{6}\right)$. Descreva geometricamente este processo.)

Exercícios 16.3

1. Estude com relação a máximos e mínimos locais a função $f(x, y) =$

   a) $x^2 + 3xy + 4y^2 - 6x + 2y$
   b) $x^2 + y^3 + xy - 3x - 4y + 5$
   c) $x^3 + 2xy + y^2 - 5x$
   d) $-x^2 + y^2 + 2xy + 4x - 2y$
   e) $x^3 - 3x^2 y + 27y$
   f) $x^2 - 4xy + 4y^2 - x + 3y + 1$
   g) $\sqrt[3]{x^2 + 2xy + 4y^2 - 6x - 12y}$
   h) $x^4 + y^4 - 2x^2 - 2y^2$
   i) $x^4 + xy + y^2 - 6x - 5y$
   j) $x^4 + y^4 + 4x + 4y$
   l) $x^5 + y^5 - 5x - 5y$
   m) $\dfrac{1}{x^2} + \dfrac{1}{y} + xy$, $x > 0$ e $y > 0$

2. Seja $f(x, y) = ax^2 + by^2 + cxy + dx + ey + l$, em que a, b, c, d, e e l são constantes. Prove que se (x_0, y_0) for extremante local de f, então será extremante global.

   (*Sugestão*: Observe que o gráfico de $g(t) = f(x_0 + ht, y_0 + kt)$ (h e k constantes) é uma parábola.)

3. Estude com relação a extremantes globais a função $f(x, y) =$

   a) $x^2 + 2xy + 2y^2 - x + 2y$
   b) $x^2 - y^2 - 3xy + x + 4y$
   c) $x + 2y - 2xy - x^2 - 3y^2$
   d) $3x^2 + y^2 + xy - 2x - 2y$
   e) $x^2 + 2y^2 + 3xy + 2x + 2y$
   f) $x^2 + y^2 - 2x - 4y$

   (*Sugestão*: Utilize o Exercício 2.)

Capítulo 16

4. Determine o ponto do plano $x + 2y - z = 4$ que se encontra mais próximo da origem.

5. *Método dos mínimos quadrados.* Dados n pares de números $(a_1, b_1), (a_2, b_2), \ldots, (a_n, b_n)$, com $n \geq 3$, em geral não existirá uma função afim $f(x) = \alpha x + \beta$ cujo gráfico passe por todos os n pontos. Entretanto, podemos determinar f de modo que a soma dos quadrados dos erros $f(a_i) - b_i$ seja mínima. Pois bem, determine α e β para que a soma

$$E(\alpha, \beta) = \sum_{i=1}^{n} \left[f(a_i) - b_i \right]^2$$

seja mínima.

6. Determine, pelo método dos mínimos quadrados, a reta que melhor se ajusta aos dados:
    a) $(1, 3), (2, 7)$ e $(3, 8)$
    b) $(0, 1), (1, 3), (2, 3)$ e $(3, 4)$

7. Determinado produto apresenta uma demanda y (em milhares) quando o preço, por unidade, é x (em R\$). Foram observados os seguintes dados:

x	y
5	100
6	98
7	95
8	94

A tabela nos diz que ao preço unitário de 5 reais a demanda foi de 100.000 unidades; ao preço unitário de 6 reais a demanda foi de 98.000 unidades etc.

a) Determine, pelo método dos mínimos quadrados, a reta que melhor se ajusta aos dados observados.
b) Utilizando a reta encontrada no item *a*), faça uma previsão para a demanda quando o preço, por unidade, for 10 reais.

8. Considere as retas reversas r e s de equações

$$(x, y, z) = (0, 0, 2) + \lambda(1, 2, 0), \lambda \in \mathbb{R}$$

e

$$(x, y, z) = (0, 0, 4) + \mu(1, 1, 1), \mu \in \mathbb{R}$$

respectivamente. Determine P e Q, com $P \in r$ e $Q \in s$, de modo que a distância de P a Q seja a menor possível.

9. Duas partículas P_1 e P_2 deslocam-se no espaço com velocidades constantes $\vec{v}_1 = (1, 1, 0)$ e $\vec{v}_2 = (0, 1, 1)$, respectivamente. No instante $t = 0$ a P_1 encontra-se na posição $(1, 1, 3)$. Sabe-se que a trajetória descrita por P_2 passa pelo ponto $(1, 1, 0)$. Qual deverá ser a posição de P_2 no instante $t = 0$ para que a distância mínima entre elas seja a menor possível?

10. Determinada empresa produz dois produtos cujas quantidades são indicadas por x e y. Tais produtos são oferecidos ao mercado consumidor a preços unitários p_1 e p_2, respectivamente, que dependem de x e y conforme equações: $p_1 = 120 - 2x$ e $p_2 = 200 - y$. O custo total da empresa para produzir e vender quantidades x e y dos produtos é dado por $C = x^2 + 2y^2 + 2xy$. Admitindo que toda produção da empresa seja absorvida pelo mercado, determine a produção que maximiza o lucro.

Máximos e Mínimos

11. Para produzir determinado produto cuja quantidade é representada por z, uma empresa utiliza dois fatores de produção (insumos) cujas quantidades serão indicadas por x e y. Os preços unitários dos fatores de produção são, respectivamente, 2 e 1. O produto será oferecido ao mercado consumidor a um preço unitário igual a 5. A função de produção da empresa é dada por $z = 900 - x^2 - y^2 + 32x + 41y$. Determine a produção que maximiza o lucro.

12. Considere o sistema de partículas $P_1, P_2, ..., P_n$, localizadas nos pontos $(x_1, y_1), (x_2, y_2), ..., (x_n, y_n)$, e de massas $m_1, m_2, ..., m_n$. Seja $N = (x, y)$. Determine N para que o momento de inércia do sistema, em relação a N, seja mínimo. Conclua que o N encontrado é o centro de massa do sistema.

    (*Observação.* O momento de inércia de P_i em relação a N é o produto de m_i pelo quadrado da distância de P_i a N; o momento de inércia do sistema em relação a N é a soma dos momentos de inércia, em relação a N, das partículas que compõem o sistema.)

13. Determine o ponto do plano $3x + 2y + z = 12$ cuja soma dos quadrados das distâncias a $(0, 0, 0)$ e $(1, 1, 1)$ seja mínima.

14. Considere a função $f(x, y) = 1 - x^2 - y^2$, $x \geq 0$ e $y \geq 0$. Determine o plano tangente ao gráfico de f que forma com os planos coordenados tetraedro de volume mínimo.

15. Seja $f(x, y, z)$ de classe C^2 e seja (x_0, y_0, z_0) um ponto interior de D_f. Suponhamos que (x_0, y_0, z_0) seja ponto crítico de f. Sejam $H(x, y, z)$ e $H_1(x, y, z)$ dadas por

$$H = \begin{vmatrix} \dfrac{\partial^2 f}{\partial x^2} & \dfrac{\partial^2 f}{\partial x\, \partial y} & \dfrac{\partial^2 f}{\partial x\, \partial z} \\ \dfrac{\partial^2 f}{\partial x\, \partial y} & \dfrac{\partial^2 f}{\partial y^2} & \dfrac{\partial^2 f}{\partial y\, \partial z} \\ \dfrac{\partial^2 f}{\partial x\, \partial z} & \dfrac{\partial^2 f}{\partial y\, \partial z} & \dfrac{\partial^2 f}{\partial z^2} \end{vmatrix} \quad \text{e} \quad H_1 = \begin{vmatrix} \dfrac{\partial^2 f}{\partial x^2} & \dfrac{\partial^2 f}{\partial x\, \partial y} \\ \dfrac{\partial^2 f}{\partial x\, \partial y} & \dfrac{\partial^2 f}{\partial y^2} \end{vmatrix}$$

Pode ser provado (veja 16.6) que:

(i) se $\dfrac{\partial^2 f}{\partial x^2}(x_0, y_0, z_0) > 0$, $H_1(x_0, y_0, z_0) > 0$ e $H(x_0, y_0, z_0) > 0$, então (x_0, y_0, z_0) será ponto de mínimo local.

(ii) se $\dfrac{\partial^2 f}{\partial x^2}(x_0, y_0, z_0) < 0$, $H_1(x_0, y_0, z_0) > 0$ e $H(x_0, y_0, z_0) < 0$, então (x_0, y_0, z_0) será ponto de máximo local.

Estude com relação a máximos e mínimos locais a função $f(x, y, z) =$

a) $x^2 + 5y^2 + 2z^2 + 4xy - 2x - 4y - 8z + 2$.
b) $x^3 + y^3 + z^3 - 3x - 3y - 3z + 2$.
c) $x^3 + 2xy + y^2 + z^2 - 5x - 4z$.
d) $x^2 - y^2 + 4z^2 + 2xz - 4yz - 2x - 6z$.

16. Seja $f(x, y, z)$ de classe C^2 e seja (x_0, y_0, z_0) ponto interior de D_f. Suponha que (x_0, y_0, z_0) seja ponto crítico de f. Prove:

a) $\dfrac{\partial^2 f}{\partial x^2}(x_0, y_0, z_0) \geq 0$, $\dfrac{\partial^2 f}{\partial z^2}(x_0, y_0, z_0) \geq 0$ e $\dfrac{\partial^2 f}{\partial z^2}(x_0, y_0, z_0) \geq 0$ é uma condição necessária para o ponto crítico (x_0, y_0, z_0) ser ponto de mínimo local de f.

b) $\dfrac{\partial^2 f}{\partial x^2}(x_0, y_0, z_0) \leq 0$, $\dfrac{\partial^2 f}{\partial y^2}(x_0, y_0, z_0) \leq 0$ e $\dfrac{\partial^2 f}{\partial z^2}(x_0, y_0, z_0) \leq 0$ é uma condição necessária para o ponto crítico (x_0, y_0, z_0) ser ponto de máximo local de f.

17. A função $f(x, y, z) = x^2 + y^2 - z^2 - 5x + 2y - z + 8$ admite extremante local? Por quê?

18. Seja $f(x, y)$ definida e de classe C^2 no aberto A de $\mathbb{R}^2$. Suponha que, para todo $x \in A$,

$$\dfrac{\partial^2 f}{\partial x^2}(x, y) + \dfrac{\partial^2 f}{\partial y^2}(x, y) + 2\dfrac{\partial f}{\partial x}(x, y) + 3\dfrac{\partial f}{\partial y}(x, y) > 0.$$

Prove que f não admite ponto de máximo local.

19. Seja $f(x, y) = x^2(y^4 - x^2)$ e considere, para cada $\vec{v} = (h, k)$, a função $g_{\vec{v}}(t) = f(ht, kt)$ (observe que $g_{\vec{v}}$ fornece os valores de f sobre a reta $(x, y) = t(h, k)$). Verifique que $t = 0$ é ponto de máximo local de cada $g_{\vec{v}}$ mas que $(0, 0)$ não é ponto de máximo local de f.

20. Seja $f(x, y)$ uma função que admita derivadas parciais em todo $\mathbb{R}^2$. Suponha que f admita um único ponto crítico (x_0, y_0) e que este ponto crítico seja ponto de máximo local. Pode-se concluir que (x_0, y_0) é ponto de máximo global?

16.4 Máximos e Mínimos sobre Conjunto Compacto

Nas seções anteriores determinamos condições necessárias e condições suficientes para que um ponto de D_f seja um extremante local de f. Entretanto, para muitos problemas que ocorrem na prática é importante determinar os extremantes em um subconjunto A de D_f. O teorema de Weierstrass, que é o próximo teorema a ser enunciado, fornece-nos condições suficientes para a existência de tais extremantes.

Para enunciar o teorema de Weierstrass precisaremos antes definir *conjunto compacto*.

Seja A um subconjunto do $\mathbb{R}^2$; dizemos que A é um *conjunto limitado* se A estiver contido em alguma bola aberta de centro na origem. Dizemos, por outro lado, que A é um *conjunto fechado* se o seu complementar $\{(x, y) \in \mathbb{R}^2 \mid (x, y) \notin A\}$ for um conjunto aberto. Pois bem, dizemos que A é um *conjunto compacto* se A for fechado e limitado.

Exemplo 1 Toda bola fechada A de centro (x_0, y_0) e raio $r > 0$, $A = \{(x, y) \in \mathbb{R}^2 \mid \|(x, y) - (x_0, y_0)\| \leq r\}$ é um conjunto compacto, pois é limitado e fechado.

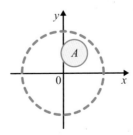

A é um conjunto limitado e seu complementar é um conjunto aberto.

Exemplo 2 $A = \{(x, y) \in \mathbb{R}^2 \mid y \geq x^2\}$ é um conjunto fechado, mas não limitado, logo, A não é compacto.

Exemplo 3 $A = \{(x, y) \in \mathbb{R}^2 \mid x^2 + 4y^2 = 1\}$ é um conjunto limitado e fechado, logo compacto.

O teorema de Weierstrass, que enunciaremos a seguir (para demonstração veja Exercícios 9 a 12), conta-nos que se f for contínua no compacto A, então f assumirá em A valor máximo e valor mínimo.

Teorema (de Weierstrass). Se $f(x, y)$ for contínua no compacto A, então existirão pontos (x_1, y_1) e (x_2, y_2) em A tais que, para todo (x, y) em A,

$$f(x_1, y_1) \leq f(x, y) \leq f(x_2, y_2).$$

O teorema de Weierstrass garante-nos que se f for *contínua em A e A compacto*, então *existirão* pontos (x_1, y_1) e (x_2, y_2) em A tais que $f(x_1, y_1)$ é o *valor mínimo* e $f(x_2, y_2)$ é o *valor máximo* de f em A. Resta-nos, agora, o problema de determinar tais pontos. Suponhamos que f admita derivadas parciais nos pontos interiores de A. Sabemos, então, que entre os pontos interiores de A os únicos com possibilidades de serem extremantes são os pontos críticos: a nossa primeira tarefa consiste, então, em determinar os pontos críticos de f que estão no interior de A. Em seguida, procuramos determinar os valores máximo e mínimo de f na fronteira de A. Comparamos, então, os valores que f assume nos pontos críticos com o valor máximo de f na fronteira de A: o maior destes valores será o valor máximo de f em A. De modo análogo, determina-se o valor mínimo.

Exemplo 1 Determine os extremantes de

$$f(x, y) = x^3 + y^3 - 3x - 3y \text{ em } A = \{(x, y) \in \mathbb{R}^2 \mid 0 \leq x \leq 2 \text{ e } |y| \leq 2\}.$$

Solução

Como f é contínua e A compacto, vamos proceder como dissemos anteriormente.

Pontos críticos de f no interior de A

$$\frac{\partial f}{\partial x}(x, y) = 3x^2 - 3 \text{ e } \frac{\partial f}{\partial y}(x, y) = 3y^2 - 3.$$

As soluções do sistema

$$\begin{cases} 3x^2 - 3 = 0 \\ 3y^2 - 3 = 0 \end{cases}$$

são: $(1, 1), (1, -1), (-1, 1)$ e $(-1, -1)$. Segue que $(1, 1)$ e $(1, -1)$ são os únicos pontos críticos no interior de A. Temos

$$f(1, 1) = -4 \text{ e } f(1, -1) = 0.$$

Análise dos pontos de fronteira

$$g(y) = f(2, y) = y^3 - 3y + 2, -2 \leq y \leq 2,$$

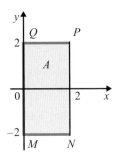

fornece-nos os valores que f assume no segmento NP.

$$g'(y) = 3y^2 - 3$$

$g(-2) = 0$, $g(-1) = 4$, $g(1) = 0$ e $g(2) = 4$.

Assim, o valor máximo de f no segmento NP é 4 e o valor mínimo é 0. O valor máximo é atingido nos pontos $(2, -1)$ e $(2, 2)$:

$$f(2, -1) = 4 \text{ e } f(2, 2) = 4.$$

O valor mínimo é atingido nos pontos $(2, -2)$ e $(2, 1)$:

$$f(2, -2) = 0 \text{ e } f(2, 1) = 0.$$

Raciocinando de forma análoga sobre os segmentos PQ, MQ e MN, concluímos que o valor máximo de f sobre a fronteira é 4 e este valor é atingido nos pontos $(2, -1)$ e $(2, 2)$; o valor mínimo de f sobre a fronteira de A é -4 e este valor é atingido no ponto $(1, -2)$.

Conclusão. Comparando os valores que f assume nos pontos críticos com os valores máximo e mínimo de f na fronteira resulta: o *valor máximo* de f em A é 4 e é atingido nos pontos $(2, -1)$ e $(2, 2)$; o *valor mínimo* de f em A é -4 e é atingido nos pontos $(1, 1)$ e $(1, -2)$.

Exemplo 2 Determine os extremantes de $f(x, y) = xy$ em $A = \{(x, y) \in \mathbb{R}^2 \mid x^2 + y^2 \leq 1\}$.

Solução

f é contínua e A compacto; logo, f assume em A valor máximo e valor mínimo. O único ponto crítico no interior de A é $(0, 0)$, e este ponto crítico não é extremante (verifique). Segue que os valores máximo e mínimo de f, em A, são atingidos na fronteira de A. Os valores de f na fronteira de A são fornecidos pela função

$$F(t) = f(\cos t, \text{sen } t) = \frac{1}{2} \text{sen } 2t, \ 0 \leq t \leq 2\pi.$$

F atinge o valor máximo em $t = \dfrac{\pi}{4}$ e $t = \dfrac{5\pi}{4}$; atinge o valor mínimo em $t = \dfrac{3\pi}{4}$ e $t = \dfrac{7\pi}{4}$.

Segue que $\left(\dfrac{\sqrt{2}}{2}, \dfrac{\sqrt{2}}{2}\right)$ e $\left(-\dfrac{\sqrt{2}}{2}, -\dfrac{\sqrt{2}}{2}\right)$ são os *pontos de máximo* de f em A; $\left(-\dfrac{\sqrt{2}}{2}, \dfrac{\sqrt{2}}{2}\right)$

e $\left(\dfrac{\sqrt{2}}{2}, -\dfrac{\sqrt{2}}{2}\right)$ são os *pontos de mínimo* de f em A. O *valor máximo* de f em A é $\dfrac{1}{2}$, e o valor mínimo, $-\dfrac{1}{2}$. A figura seguinte, na qual estão desenhadas algumas curvas de nível de f, fornece-nos uma visão geométrica do problema:

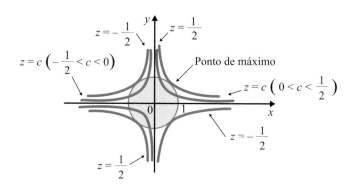

Exemplo 3 Determine os extremantes de $f(x, y) = 2x + y$ em A dado por $x \geq 0$, $y \geq 0$, $x + y \leq 4$ e $3x + y \leq 6$.

Solução

f assume em A valor máximo e valor mínimo, pois f é contínua e A, compacto. Como f não admite ponto crítico, os valores máximo e mínimo são atingidos na fronteira de A.

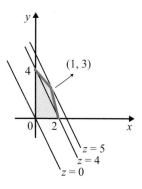

Capítulo 16

Como f é uma função afim e a fronteira de A é formada por segmentos de retas (A é um polígono), resulta que entre os vértices de A existe pelo menos um ponto de máximo e pelo menos um ponto de mínimo. Calculando os valores de f nos vértices encontramos:

$$f(1, 3) = 5 \text{ valor máximo e } f(0, 0) = 0 \text{ valor mínimo.}$$

Exercícios 16.4

1. Estude a função dada com relação a máximo e mínimo no conjunto dado.

   a) $f(x, y) = 3x - y$ no conjunto A de todos (x, y) tais que $x \geq 0$, $y \geq 0$, $y - x \leq 3$, $x + y \leq 4$ e $3x + y \leq 6$.

   b) $f(x, y) = 3x - y$ em $A = \{(x, y) \in \mathbb{R}^2 \mid x^2 + y^2 < 1\}$.

   c) $f(x, y) = x^2 + 3xy - 3x$ em $A = \{(x, y) \in \mathbb{R}^2 \mid x \geq 0, y \geq 0 \text{ e } x + y \leq 1\}$.

   d) $f(x, y) = xy$ em $A = \{(x, y) \in \mathbb{R}^2 \mid x \geq 0, y \geq 0 \text{ e } 2x + y \leq 5\}$.

   e) $f(x, y) = y^2 - x^2$ em $A = \{(x, y) \in \mathbb{R}^2 \mid x^2 + y^2 \leq 4\}$.

   f) $f(x, y) = x^2 - 2xy + 2y^2$ em $A = \{(x, y) \in \mathbb{R}^2 \mid |x| + |y| \leq 1\}$.

2. Determine (x, y), com $x^2 + 4y^2 \leq 1$, que maximiza a soma $2x + y$.

3. Suponha que $T(x, y) = 4 - x^2 - y^2$ represente uma distribuição de temperatura no plano. Seja $A = \{(x, y) \in \mathbb{R}^2 \mid x \geq 0, \ y \geq x \text{ e } 2y + x \leq 4\}$. Determine o ponto de A de menor temperatura.

4. Determine o valor máximo de $f(x, y) = x + 5y$ em que x e y estão sujeitos às restrições:

$$5x + 6y \leq 30, \ 3x + 2y \leq 12, \ x \geq 0 \text{ e } y \geq 0.$$

5. Uma determinada empresa está interessada em maximizar o lucro mensal proveniente de dois de seus produtos, designados I e II. Para fabricar estes produtos ela utiliza um tipo de máquina que tem uma disponibilidade de 200 máquinas-hora por mês e um tipo de mão de obra com uma disponibilidade de 240 homens-hora por mês. Para se produzir uma unidade do produto I utilizam-se 5 horas de máquina e 10 horas de mão de obra, enquanto para o produto II utilizam-se 4 horas de máquina e 4 horas de mão de obra. Espera-se uma demanda de 20 unidades por mês do produto I e 45 do produto II. Calcula-se um lucro, por unidade, de R$ 10,00 para o produto I e R$ 6,00 para o II. Determine as quantidades de cada produto que deverão ser fabricadas por mês, para o lucro mensal ser máximo.

6. Determine (x, y) que maximiza (minimiza) a função $f(x, y) = x^2 + 2y^2$, com x e y sujeitos às restrições: $y = 1 - 2x$, $0 \leq x \leq \dfrac{1}{2}$.

7. Dê exemplo de uma função contínua num conjunto limitado $A \subset \mathbb{R}^2$, mas que não assuma em A valor máximo.

8. Considere a *forma quadrática* $Q(x, y) = ax^2 + 2bxy + cy^2$. Sejam $Q(x_1, y_1)$ e $Q(x_2, y_2)$ os valores mínimo e máximo de Q em $A = \{(x, y) \in \mathbb{R}^2 \mid x^2 + y^2 = 1\}$. Prove:

   (i) se $Q(x_1, y_1) > 0$, então $Q(x, y) > 0$ para todo $(x, y) \neq (0, 0)$.

   (ii) se $Q(x_2, y_2) < 0$ então $Q(x, y) < 0$ para todo $(x, y) \neq (0, 0)$.

9. Suponha A um subconjunto fechado do $\mathbb{R}^2$ e (x_0, y_0) um ponto de acumulação de A. Prove que $(x_0, y_0) \in A$.

10. Prove que se $f(x, y)$ for contínua em $(x_0, y_0) \in D_f$, então f será localmente limitada em (x_0, y_0) (*f localmente limitada* em (x_0, y_0) significa que existem α e β e uma bola aberta B de centro (x_0, y_0) tais que $\alpha < f(x, y) < \beta$ para todo (x, y) em $B \cap D_f$).

11. Seja $R_1, R_2, \ldots, R_n, \ldots$ uma sequência de retângulos em $\mathbb{R}^2$, em que
$R_n = \{(x, y) \in \mathbb{R}^2 \mid a_n \leq x \leq c_n, \overline{a}_n \leq y \leq b_n\}$, tais que $R_1 \supset R_2 \supset \ldots \supset R_n \supset \ldots$; suponha que $d_n = \|(a_n, \overline{a}_n) - (c_n, b_n)\|$ tenda a zero quando $n \to +\infty$. Nestas condições, prove que

$$R_1 \cap R_2 \cap \ldots \cap R_n \cap \ldots = (\overline{x}, \overline{y})$$

em que $\overline{x}$ e $\overline{y}$ são os únicos reais tais que

$$a_n \leq \overline{x} \leq c_n \text{ e } \overline{a}_n \leq \overline{y} \leq b_n$$

para todo $n \in \mathbb{N}$, $n \neq 0$.

12. Seja A um subconjunto fechado e limitado do $\mathbb{R}^2$ e seja $f: A \to \mathbb{R}$ contínua. Prove que f é limitada em A.

    (*Sugestão*: Suponha que f não seja limitada e construa uma sequência de retângulos como a do Exercício 11, tal que f não seja limitada em $A \cap R_n$, para $n = 1, 2, \ldots$; conclua que f não será localmente limitada em $(\overline{x}, \overline{y}) = R_1 \cap R_2 \cap \ldots$, o que contradiz a hipótese de f ser contínua em $(\overline{x}, \overline{y})$.)

13. (*Teorema de Weierstrass*.) Seja $A \subset \mathbb{R}^2$, A compacto, e seja $f: A \to \mathbb{R}$ contínua. Prove que f assume em A valor máximo e valor mínimo.

    (*Sugestão*: Veja Apêndice B.4, Vol. 1.)

16.5 O Método dos Multiplicadores de Lagrange para Determinação de Candidatos a Extremantes Locais Condicionados

O objetivo desta seção é o estudo de máximos e mínimos de uma função sobre conjuntos do tipo:

$$\{(x, y) \mid g(x, y) = 0\}, \{(x, y, z) \mid g(x, y, z) = 0\}$$

e

$$\{(x, y, z) \mid g(x, y, z) = 0 \text{ e } h(x, y, z) = 0\}.$$

Problema 1 Seja $f(x, y)$ diferenciável no aberto A e seja $B = \{(x, y) \in A \mid g(x, y) = 0\}$, em que g é suposta de classe C^1 em A; suporemos, também, $\nabla g(x, y) \neq (0, 0)$ em B. Estamos interessados em determinar uma condição necessária para que $(x_0, y_0) \in B$ seja um extremante local da f em B. A figura que apresentamos a seguir, onde estão desenhadas algumas curvas de nível de f, ajudar-nos-á a chegar, geometricamente, a tal condição:

$$\boxed{z = f(x, y)}$$

Capítulo 16

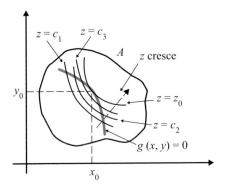

Para efeito de raciocínio, suponhamos $\nabla f(x_0, y_0) \neq \vec{0}$ e que z cresce no sentido indicado na figura ($c_1 < c_2 < c_3 < z_0$). Vamos então pensar geometricamente: se (x_0, y_0) é um extremante local, é razoável esperar que a curva de nível de f que passa por este ponto seja "tangente", neste ponto, à *restrição* $g(x, y) = 0$ isto é, os vetores $\nabla f(x_0, y_0)$ e $\nabla g(x_0, y_0)$ devem ser paralelos e como $\nabla g(x_0, y_0) \neq (0,0)$ deverá existir um λ_0 tal que

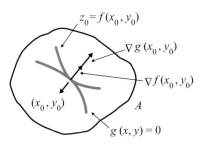

$$\nabla f(x_0, y_0) = \lambda_0 \nabla g(x_0, y_0).$$

Geometricamente, chegamos à seguinte condição necessária: *uma condição necessária para que $(x_0, y_0) \in B$ seja um extremante local de f em B é que (x_0, y_0) torne compatível o sistema*

$$\begin{cases} \nabla f(x, y) = \lambda \nabla g(x, y) \\ g(x, y) = 0 \end{cases}$$

Este processo de se determinar candidatos a extremantes locais é conhecido como *método dos multiplicadores de Lagrange*; os λ que tornem tal sistema compatível denominam-se *multiplicadores de Lagrange* para o problema em questão.

Teorema 1. Seja $f(x, y)$ diferenciável no aberto A e seja $B = \{(x, y) \in A \mid g(x, y) = 0\}$, em que g é suposta de classe C^1 em A, e $\nabla g(x, y) \neq (0,0)$, para todo $(x, y) \in B$. Uma condição necessária para que $(x_0, y_0) \in B$ seja extremante local de f em B é que exista um real λ_0 tal que

$$\nabla f(x_0, y_0) = \lambda_0 \nabla g(x_0, y_0).$$

Demonstração

Suponhamos que $(x_0, y_0) \in B$ seja um ponto de máximo local de f em B; isto significa que existe uma bola aberta V de centro (x_0, y_0) tal que

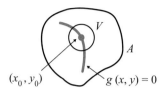

$$f(x, y) \leq f(x_0, y_0)$$

para todo $(x, y) \in B \cap V$. $((x, y) \in B \cap V \Leftrightarrow g(x, y) = 0$ e $(x, y) \in V)$.

Consideremos, agora, uma curva γ diferenciável num intervalo aberto I tal que $\gamma(t_0) = (x_0, y_0)$, $t_0 \in I$, $\gamma'(t_0) \neq \vec{0}$ e $g(\gamma(t)) = 0$, para todo $t \in I$ (a existência de uma tal curva é garantida pelo teorema das funções implícitas). Da continuidade de γ segue que existe $\delta > 0$ tal que

$$t \in]t_0 - \delta, t_0 + \delta[\Rightarrow \gamma(t) \in B \cap V.$$

Daí,

$$f(\gamma(t)) \leq f(\gamma(t_0))$$

para todo $t \in]t_0 - \delta, t_0 + \delta[$; assim, t_0 é ponto de máximo local de $F(t) = f(\gamma(t))$ e como t_0 é ponto interior a I, resulta $F'(t_0) = 0$, ou seja,

① $$\nabla f(\gamma(t_0)) \cdot \gamma'(t_0) = 0.$$

Por outro lado, de $g(\gamma(t)) = 0$ em I resulta

② $$\nabla g(\gamma(t_0)) \cdot \gamma'(t_0) = 0.$$

Tendo em vista que $\nabla g(\gamma(t_0)) \neq \vec{0}$, segue de ① e ② que existe λ_0 tal que

$$\nabla f(\gamma(t_0)) = \lambda_0 \nabla g(\gamma(t_0)).$$
∎

Então, sendo $f(x, y)$ diferenciável no aberto A e $B = \{(x, y) \in A \mid g(x, y) = 0\}$, em que g é suposta de classe C^1 em A e $\nabla g(x, y) \neq (0, 0)$ em B, os candidatos a extremantes locais de f em B são os $(x, y) \in A$ que tornam compatível o sistema

$$\begin{cases} \nabla f(x, y) = \lambda \nabla g(x, y) \\ g(x, y) = 0 \end{cases}$$

Estabelecemos assim uma condição necessária para um ponto (x_0, y_0) ser um extremante local de f em B. Trabalhando diretamente com a função o aluno deverá decidir quais dos candidatos encontrados são realmente extremantes locais.

> **Observação.** Se no teorema 1 acrescentarmos as hipóteses f de classe C^1 e $\nabla f(x_0, y_0) \neq (0, 0)$, então poderemos afirmar que a curva de nível de f que passa pelo ponto (x_0, y_0) tangencia, neste ponto, a restrição $g(x, y) = 0$. Entretanto, nada podemos afirmar com relação à tangência se $\nabla f(x_0, y_0) = (0, 0)$ (veja Exercícios 1 (f) e 1 (g)).

Capítulo 16

Exemplo 1 Determine os extremantes de $f(x,y) = 3x + 2y$ com a restrição $x^2 + y^2 = 1$.

Solução

Seja $g(x,y) = x^2 + y^2 - 1$; o que queremos são os extremantes de f em $B = \{(x,y) \in \mathbb{R}^2 \mid g(x,y) = 0\}$. Como g é de classe C^1 e $\nabla g(x,y) = (2x, 2y) \neq (0,0)$ em B, resulta que os candidatos a extremantes locais são os (x,y) que tornam compatível o sistema

$$\begin{cases} \nabla f(x,y) = \lambda \nabla g(x,y) \\ g(x,y) = 0 \end{cases}$$

ou

$$\begin{cases} (3,2) = \lambda(2x, 2y) \\ x^2 + y^2 = 1 \end{cases}$$

que é equivalente a

$$\begin{cases} 3 = 2\lambda x \\ 2 = 2\lambda y \\ x^2 + y^2 = 1. \end{cases}$$

Como $\lambda \neq 0$, das duas primeiras equações resultam

$$x = \frac{3}{2\lambda} \text{ e } y = \frac{1}{\lambda}.$$

Substituindo estes valores em $x^2 + y^2 = 1$, vem

$$\frac{9}{4\lambda^2} + \frac{1}{\lambda^2} = 1 \text{ ou } \lambda = \pm\frac{\sqrt{13}}{2}.$$

Segue que $\left(\frac{3\sqrt{13}}{13}, \frac{2\sqrt{13}}{13}\right)$ e $\left(-\frac{3\sqrt{13}}{13}, -\frac{2\sqrt{13}}{13}\right)$ são os candidatos a extremantes locais. Como B é compacto e $f\left(\frac{3\sqrt{13}}{13}, \frac{2\sqrt{13}}{13}\right) > f\left(-\frac{3\sqrt{13}}{13}, -\frac{2\sqrt{13}}{13}\right)$, resulta que $\left(\frac{3\sqrt{13}}{13}, \frac{2\sqrt{13}}{13}\right)$ é ponto de máximo e $\left(-\frac{3\sqrt{13}}{13}, -\frac{2\sqrt{13}}{13}\right)$ é ponto de mínimo de f em B. (Interprete geometricamente.)

Exemplo 2 Estude, com relação a máximo e mínimo, a função $f(x,y) = y + x^3$ com a restrição $y - x^3 = 0$.

Solução

$$g(x,y) = y - x^3 \text{ e } B = \{(x,y) \in \mathbb{R}^2 \mid g(x,y) = 0\}.$$

Como g é de classe C^1 e $\nabla g(x,y) = (-3x^2, 1) \neq (0,0)$ em B, resulta que os candidatos a extremantes locais são os (x,y) que tornam compatível o sistema

$$\begin{cases} \nabla f(x,y) = \lambda \nabla g(x,y) \\ g(x,y) = 0 \end{cases}$$

ou

$$\begin{cases} (3x^2, 1) = \lambda(-3x^2, 1) \\ y - x^3 = 0. \end{cases}$$

O único candidato é $(0, 0)$ que não é extremante de f em B, pois $f(x, y) > 0$ para $x > 0$ e $y > 0$ e $f(x, y) < 0$ para $x < 0$ e $y < 0$.

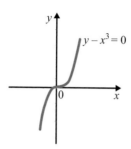

Exemplo 3 Encontre o ponto da curva $xy = 1$, $x > 0$ e $y > 0$ que se encontra mais próximo da origem.

Solução

Trata-se aqui de se determinar o mínimo de $f(x, y) = x^2 + y^2$ com a restrição $xy = 1$ ($f(x, y)$ é o quadrado da distância de (x, y) a $(0, 0)$).

$$\begin{cases} \nabla f(x,y) = \lambda \nabla g(x,y) \\ g(x,y) = 0 \end{cases} \Leftrightarrow \begin{cases} (2x, 2y) = \lambda(y, x) \\ xy - 1 = 0 \end{cases}$$

O único candidato é $(1, 1)$ e, por inspeção, verifica-se que $(1, 1)$ é ponto de mínimo. Assim, $(1, 1)$ é o ponto da curva $xy = 1$, $x > 0$ e $y > 0$ que se encontra mais próximo da origem.

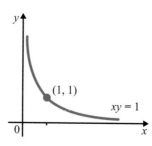

Exemplo 4 Determine a reta tangente à curva $x^2 + \dfrac{y^2}{4} = 1$, $x > 0$ e $y > 0$ que forma com os eixos triângulo de área mínima.

Capítulo 16

Solução

Seja $(a,b)(a > 0$ e $b > 0)$ um ponto da elipse $x^2 + \frac{y^2}{4} = 1$. A equação da reta tangente em (a, b) é:

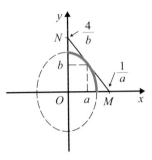

$$\left(2a, \frac{b}{2}\right) \cdot [(x,y) - (a,b)] = 0$$

ou

$$ax + \frac{by}{4} = 1.$$

A área do triângulo OMN é: $A = \frac{2}{ab}$. O problema consiste em minimizar $A = \frac{2}{ab}$ com a restrição $a^2 + \frac{b^2}{4} = 1$.

$$\begin{cases} \left(-\frac{2}{a^2 b}, -\frac{2}{ab^2}\right) = \lambda\left(2a, \frac{b}{2}\right) \\ a^2 + \frac{b^2}{4} = 1 \end{cases} \text{ ou } \begin{cases} -\frac{1}{a^3 b} = \lambda \\ -\frac{4}{ab^3} = \lambda \\ a^2 + \frac{b^2}{4} = 1 \end{cases}$$

Das duas primeiras equações segue $b = 2a$. Substituindo na última equação obtemos $a = \frac{\sqrt{2}}{2}$.

A equação da reta que resolve o problema é:

$$2x + y = 2\sqrt{2}.$$

Problema 2 Seja $f(x, y, z)$ diferenciável no aberto $A \subset \mathbb{R}^3$ e seja $B = \{(x, y, z) \in A \mid g(x, y, z) = 0\}$, em que g é suposta de classe C^1 em A e $\nabla g(x, y, z) \neq (0, 0, 0)$ em B. Qual uma *condição necessária* para que $(x_0, y_0, z_0) \in B$ seja extremante local da f em B? Raciocinando geometricamente, como no Problema 1, chega-se à condição: a *condição necessária* para $(x_0, y_0, z_0) \in B$ ser extremante local de f em B é que exista λ_0 tal que

$$\nabla f(x_0, y_0, z_0) = \lambda_0 \nabla g(x_0, y_0, z_0).$$

Máximos e Mínimos

Deixamos para o leitor a prova desta afirmação. Deste modo, os candidatos a extremantes locais de f em B são os $(x, y, z) \in A$ que tornam compatível o sistema

$$\begin{cases} \nabla f(x,y,z) = \lambda \nabla g(x,y,z) \\ g(x,y,z) = 0 \end{cases}$$

Exemplo 5 Determine o ponto do elipsoide $x^2 + 2y^2 + 3z^2 = 1$ cuja soma das coordenadas seja máxima.

Solução

Queremos maximizar $f(x,y,z) = x+y+z$ com a restrição $x^2 + 2y^2 + 3z^2 = 1$.

$$\begin{cases} \nabla f(x,y,z) = \lambda \nabla g(x,y,z) \\ g(x,y,z) = 0 \end{cases} \Leftrightarrow \begin{cases} (1,1,1) = \lambda(2x, 4y, 6z) \\ \underbrace{x^2 + 2y^2 + 3z^2 - 1}_{g(x,y,z)} = 0. \end{cases}$$

Como λ deve ser diferente de zero, da 1ª equação tiramos: $x = \dfrac{1}{2\lambda}$, $y = \dfrac{1}{4\lambda}$ e $z = \dfrac{1}{6\lambda}$. Substituindo na última equação obtemos:

$$\frac{1}{4\lambda^2} + \frac{1}{16\lambda^2} + \frac{3}{36\lambda^2} = 1 \text{ ou } \lambda = \pm\sqrt{\frac{11}{24}}.$$

Os candidatos a extremantes são:

$$X_1 = \left(\frac{1}{2}\sqrt{\frac{11}{24}}, \frac{1}{4}\sqrt{\frac{11}{24}}, \frac{1}{6}\sqrt{\frac{11}{24}}\right) \text{ e } X_2 = \left(-\frac{1}{2}\sqrt{\frac{11}{24}}, -\frac{1}{4}\sqrt{\frac{11}{24}}, -\frac{1}{6}\sqrt{\frac{11}{24}}\right).$$

Da compacidade de B, da continuidade de f e de $f(X_1) > f(X_2)$ segue que o ponto procurado é

$$\left(\frac{1}{2}\sqrt{\frac{11}{24}}, \frac{1}{4}\sqrt{\frac{11}{24}}, \frac{1}{6}\sqrt{\frac{11}{24}}\right)$$

O próximo teorema fornece-nos uma condição necessária para (x_0, y_0, z_0) ser um extremante local de $f(x, y, z)$ com as restrições $g(x, y, z) = 0$ e $h(x, y, z) = 0$. Para a demonstração de tal teorema vamos precisar do seguinte resultado (cuja prova fica para o leitor): sejam $\vec{u}, \vec{v}, \vec{w}$ e $\vec{c} \neq \vec{0}$ vetores do $\mathbb{R}^3$ tais que $\vec{u} \wedge \vec{v} \neq \vec{0}, \vec{u} \cdot \vec{c} = 0, \vec{v} \cdot \vec{c} = 0$ e $\vec{w} \cdot \vec{c} = 0$; então existem reais λ_1 e λ_2 tais que $\vec{w} = \lambda_1 \vec{u} + \lambda_2 \vec{v}$.

Teorema 2. Seja $f(x, y, z)$ diferenciável no aberto $A \subset \mathbb{R}^3$ e seja $B = \{(x, y, z) \in A \mid g(x, y, z) = 0 \text{ e } h(x, y, z) = 0\}$, em que g e h são supostas de classe C^1 em A e $\nabla g(x, y, z) \wedge \nabla h(x, y, z) \neq \vec{0}$ em B. Nestas condições, uma condição necessária para que $(x_0, y_0, z_0) \in B$ seja extremante local de f em B é que existam reais λ_1 e λ_2 tais que

$$\nabla f(x_0, y_0, z_0) = \lambda_1 \nabla g(x_0, y_0, z_0) + \lambda_2 \nabla h(x_0, y_0, z_0).$$

Capítulo 16

Demonstração

Suponhamos que (x_0, y_0, z_0) seja ponto de máximo local de f em B, o que significa que existe uma bola aberta V de centro (x_0, y_0, z_0) tal que, para todo $(x, y, z) \in B \cap V$,

$$f(x, y, z) \leq f(x_0, y_0, z_0)$$

(como A é aberto, podemos supor $V \subset A$). Consideremos uma curva diferenciável $\gamma : I \to \mathbb{R}^3$, I intervalo aberto, tal que $\gamma(t_0) = (x_0, y_0, z_0)$, $\gamma'(t_0) \neq \vec{0}$ e $\gamma(t) \in B$ para todo t em I (a existência de uma tal curva é garantida pelo teorema das funções implícitas). Da continuidade de γ, segue que existe $\delta > 0$ tal que

$$t \in]t_0 - \delta, t_0 + \delta[\Rightarrow \gamma(t) \in B \cap V.$$

Assim, para todo $t \in]t_0 - \delta, t_0 + \delta[$ tem-se

$$f(\gamma(t)) \leq f(\gamma(t_0)).$$

Logo, t_0 é ponto de máximo local de $F(t) = f(\gamma(t))$ e daí $F'(t_0) = 0$, ou seja,

① $$\nabla f(\gamma(t_0)) \cdot \gamma'(t_0) = 0.$$

Por outro lado, de $\gamma(t) \in B$ para todo $t \in I$ segue que

$$g(\gamma(t)) = 0 \text{ e } h(\gamma(t)) = 0,$$

para todo t em I; daí

② $$\nabla g(\gamma(t_0)) \cdot \gamma'(t_0) = 0 \text{ e } \nabla h(\gamma(t_0)) \cdot \gamma'(t_0) = 0.$$

De ① e ②, tendo em vista que $\gamma'(t_0) \neq \vec{0}$ e $\nabla g(\gamma(t_0)) \wedge \nabla h(\gamma(t_0)) \neq \vec{0}$, resulta que existem reais λ_1 e λ_2 tais que

$$\nabla f(\gamma(t_0)) = \lambda_1 \nabla g(\gamma(t_0)) + \lambda_2 \nabla h(\gamma(t_0)).$$

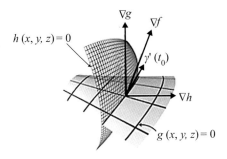

Exemplo 6 Determine os pontos mais afastados da origem e cujas coordenadas estão sujeitas às restrições $x^2 + 4y^2 + z^2 = 4$ e $x + y + z = 1$.

Máximos e Mínimos

Solução

Trata-se de determinar os pontos que maximizam a função $f(x, y, z) = x^2 + y^2 + z^2$ ($f(x, y, z)$ é o quadrado da distância de (x, y, z) a $(0, 0, 0)$) com as restrições $g(x, y, z) = 0$ e $h(x, y, z) = 0$, em que $g(x, y, z) = x + y + z - 1$ e $h(x, y, z) = x^2 + 4y^2 + z^2 - 4$. Temos:

$$\nabla g(x,y,z) \wedge \nabla h(x,y,z) = \begin{vmatrix} \vec{i} & \vec{j} & \vec{k} \\ 1 & 1 & 1 \\ 2x & 8y & 2z \end{vmatrix} \neq \vec{0} \text{ em } B$$

(verifique). Estamos indicando por B o conjunto $\{(x, y, z) \mid x + y + z = 1 \text{ e } x^2 + 4y^2 + z^2 = 4\}$. Observe que B é compacto. Os candidatos a extremantes locais são os (x, y, z) que tornam compatível o sistema

$$\begin{cases} \nabla f(x, y, z) = \lambda \nabla g(x, y, z) + \mu \nabla h(x, y, z) \\ g(x, y, z) = 0 \\ h(x, y, z) = 0. \end{cases}$$

$$\begin{cases} 2x = \lambda + 2\mu x \\ 2y = \lambda + 8\mu y \\ 2z = \lambda + 2\mu z \\ x + y + z = 1 \\ x^2 + 4y^2 + z^2 = 4 \end{cases} \Leftrightarrow \begin{cases} 2x(1-\mu) = \lambda & \text{①} \\ 2y(1-8\mu) = \lambda & \text{②} \\ 2z(1-\mu) = \lambda & \text{③} \\ x + y + z = 1 & \text{④} \\ x^2 + 4y^2 + z^2 = 4 & \text{⑤} \end{cases}$$

De ① e ③ segue

$$2x(1-\mu) = 2z(1-\mu).$$

Para $\mu \neq 1$, $x = z$. Substituindo em ④ e ⑤

$$\begin{cases} 2x + y = 1 \\ 2x^2 + 4y^2 = 4 \end{cases} \text{ou} \begin{cases} y = 1 - 2x \\ x^2 + 2y^2 = 2. \end{cases}$$

$$x^2 + 2(1-2x)^2 = 2 \Leftrightarrow 9x^2 - 8x = 0 \Leftrightarrow x = 0 \text{ ou } x = \frac{8}{9}.$$

Temos, então os candidatos: $(0, 1, 0)$ e $\left(\dfrac{8}{9}, -\dfrac{7}{9}, \dfrac{8}{9}\right)$. Para $\mu = 1$, teremos $\lambda = 0$. Segue de ② que $y = 0$: substituindo em ④ e ⑤

$$\begin{cases} x + z = 1 \\ x^2 + z^2 = 4 \end{cases}$$

$$x^2 + (1-x)^2 = 4 \Leftrightarrow 2x^2 - 2x - 3 = 0 \Leftrightarrow x = \frac{1 \pm \sqrt{7}}{2}.$$

Segue que $\left(\dfrac{1+\sqrt{7}}{2}, 0, \dfrac{1-\sqrt{7}}{2}\right)$ e $\left(\dfrac{1-\sqrt{7}}{2}, 0, \dfrac{1+\sqrt{7}}{2}\right)$ são outros candidatos a extremantes.

Como f é contínua e B compacto, basta comparar os valores de f nos pontos encontrados:

$$f(0, 1, 0) = 1, \; f\left(\dfrac{8}{9}, -\dfrac{7}{9}, \dfrac{8}{9}\right) = \dfrac{171}{81},$$

$$f\left(\dfrac{1-\sqrt{7}}{2}, 0, \dfrac{1+\sqrt{7}}{2}\right) = 4 = f\left(\dfrac{1+\sqrt{7}}{2}, 0, \dfrac{1-\sqrt{7}}{2}\right).$$

Conclusão. $\left(\dfrac{1-\sqrt{7}}{2}, 0, \dfrac{1+\sqrt{7}}{2}\right)$ e $\left(\dfrac{1+\sqrt{7}}{2}, 0, \dfrac{1-\sqrt{7}}{2}\right)$ são os pontos mais afastados da origem. Por outro lado, $(0, 1, 0)$ é o mais próximo da origem.

Exercícios 16.5

1. Estude com relação a máximos e mínimos a função dada com as restrições dadas.

   a) $f(x, y) = 3x + y$ e $x^2 + 2y^2 = 1$
   b) $f(x, y) = 3x + y$ e $x^2 + 2y^2 \leq 1$
   c) $f(x, y) = x^2 + 2y^2$ e $3x + y = 1$
   d) $f(x, y) = x^2 + 4y^2$ e $xy = 1$, $x > 0$ e $y > 0$
   e) $f(x, y) = xy$ e $x^2 + 4y^2 = 8$
   f) $f(x, y) = x^2 + 2xy + y^2$ e $x + 2y - 1 = 0$
   g) $f(x, y) = x^2 - 2xy + y^2$ e $x^2 + y^2 = 1$
   h) $f(x, y) = x^2 - 2y^2$ e $x^2 + y^2 - 2x = 0$
   i) $f(x, y) = x^3 + y^3 - 3x - 3y$ e $x + 2y = 3$
   j) $f(x, y) = x^2 + 2xy + 3y^2$ e $x^2 + 2y^2 = 1$

2. Determine a curva de nível de $f(x, y) = x^2 + 16y^2$ que seja tangente à curva $xy = 1$, $x > 0$ e $y > 0$. Qual o ponto de tangência?

3. Determine o ponto da reta $x + 2y = 1$ cujo produto das coordenadas seja máximo.

4. Determine o ponto da parábola $y = x^2$ mais próximo de $(14, 1)$.

5. Determine o ponto do elipsoide $x^2 + 4y^2 + z^2 = 1$ que maximiza a soma $x + 2y + z$.

6. Determine a superfície de nível da função $f(x, y, z) = x^2 + y^2 + 2z^2$ que seja tangente ao plano $x + 2y + 3z = 4$. Qual o ponto de tangência?

7. Ache o valor máximo e o valor mínimo da função $f(x, y, z) = x + 2y + z$ com a restrição $x^2 + 2y^2 + z^2 = 4$.

8. Determine o ponto do plano $x + 2y - 3z = 4$ mais próximo da origem.

9. Determine o ponto da reta
$$\begin{cases} x + 2y + z = 1 \\ 2x + y + z = 4 \end{cases}$$
que se encontra mais próximo da origem.

10. Maximize $f(x, y, z) = x + 2y + 3z$ sujeita às restrições $x^2 + y^2 + z^2 = 4$ e $x + y + z = 1$.

11. Encontre os pontos da elipse $x^2 + xy + y^2 = 3$ (de centro na origem) mais próximos e os mais afastados da origem. Desenhe a elipse.

Máximos e Mínimos

12. Encontre o ponto da curva $x^2 - 2xy + y^2 - 2x - 2y + 1 = 0$ mais próximo da origem.

13. Encontre os pontos da curva $x^2 - 6xy - 7y^2 + 80 = 0$ mais próximos da origem. Desenhe a curva.

14. Determine o ponto da superfície $xyz = 1$, $x > 0$ e $y > 0$ que se encontra mais próximo da origem.

15. Pede-se determinar três números positivos cuja soma seja 36 e cujo produto seja máximo.

16. Determine, entre os triângulos de mesmo perímetro, o de área máxima.

    (*Sugestão*: Utilize a fórmula $A = \sqrt{p(p-a)(p-b)(p-c)}$ que fornece a área do triângulo em função dos lados *a*, *b* e *c*, em que *p* é o semiperímetro.)

17. Verifique que $\left(\dfrac{c}{3}\right)^3$ é o valor máximo de xyz, $x \geq 0$, $y \geq 0$, e $z \geq 0$, com a restrição $x + y + z = c$ ($c > 0$). Conclua que a média geométrica de três números positivos é sempre menor ou igual à média aritmética destes números.

18. Determine, entre os paralelepípedos-retângulos de mesmo volume, o de área máxima.

19. Deseja-se construir uma caixa, sem tampa, com 1 m³ de volume e com a forma de um paralelepípedo-retângulo. O material a ser utilizado na confecção do fundo custa o dobro do que será utilizado nas laterais. Determinar as dimensões da caixa que minimiza o custo do material.

20. Deseja-se construir um paralelepípedo-retângulo com área total 100 cm². Determine as dimensões para o volume ser máximo.

21. Determine o paralelepípedo-retângulo de volume máximo, com arestas paralelas aos eixos, inscrito no elipsoide
$$\frac{x^2}{4} + \frac{y^2}{9} + \frac{z^2}{16} = 1.$$

22. Determine o paralelepípedo-retângulo de volume máximo, com três de suas faces nos planos coordenados, contido no tetraedro $\{(x, y, z) \in \mathbb{R}^3 \mid x + 2y + 3z \leq 12,\ x \geq 0,\ y \geq 0\ \text{e}\ z \geq 0\}$.

23. A temperatura T em qualquer ponto (x, y, z) do espaço é dada por $T = 100x^2 yz$. Determine a temperatura máxima sobre a esfera $x^2 + y^2 + z^2 \leq 4$. Qual a temperatura mínima?

24. Determine o plano tangente à superfície $\dfrac{x^2}{4} + \dfrac{y^2}{9} + \dfrac{z^2}{16} = 1$, $x > 0$, $y > 0$ e $z > 0$, que forma com os planos coordenados tetraedro de volume mínimo.

25. Determine P na elipse $x^2 + 2y^2 = 6$ e Q na reta $x + y = 4$ de modo que a distância de P a Q seja a menor possível.

26. Considere a forma quadrática $Q(x, y) = ax^2 + 2bxy + cy^2$ em que *a*, *b*, *c* são constantes não simultaneamente nulas. Seja $g(x, y) = x^2 + y^2 - 1$. Suponha que (x_0, y_0, λ_0) seja solução do sistema
$$\begin{cases} \nabla Q(x, y) = \lambda \nabla g(x, y) \\ x^2 + y^2 = 1. \end{cases}$$

    Prove que $Q(x_0, y_0) = \lambda_0$.

    (*Sugestão*: Como Q é homogênea de grau 2, utilize a relação de Euler. Veja Exercício 26 da Seção 12.1.)

Capítulo 16

27. Sejam $Q(x, y)$ e $g(x, y)$ como no exercício anterior. Suponha que os multiplicadores de Lagrange associados ao problema

$$\begin{cases} \nabla Q(x,y) = \lambda \nabla g(x,y) \\ x^2 + y^2 = 1. \end{cases}$$

sejam estritamente positivos. Prove que $Q(x, y) > 0$, para todo $(x, y) \neq (0, 0)$.

(*Sugestão*: Utilize o Exercício 26.)

28. Prove que os multiplicadores de Lagrange associados ao problema do exercício anterior são as raízes da equação

$$\begin{vmatrix} a-\lambda & b \\ b & c-\lambda \end{vmatrix} = 0.$$

29. Sejam $Q(x, y)$ e $g(x, y)$ como no Exercício 26. Sejam λ_1 e λ_2, $\lambda_1 \leq \lambda_2$, as raízes da equação

$$\begin{vmatrix} a-\lambda & b \\ b & c-\lambda \end{vmatrix} = 0.$$

Prove que λ_1 e λ_2 são, respectivamente, os valores mínimo e máximo de Q sobre a circunferência $x^2 + y^2 = 1$.

16.6 Exemplos Complementares

Exemplo 1 Seja $f(x, y)$ de classe C^2 num aberto A do $\mathbb{R}^2$. Suponha que $(x_0, y_0) \in A$ seja um ponto crítico de f. Prove que uma condição necessária para (x_0, y_0) ser um ponto de mínimo local de f é que

$$\frac{\partial^2 f}{\partial x^2}(x_0, y_0)h^2 + 2\frac{\partial^2 f}{\partial x\, \partial y}(x_0, y_0)hk + \frac{\partial^2 f}{\partial y^2}(x_0, y_0)k^2 \geq 0$$

para todo (h, k).

Solução

Seja $\vec{v} = (h, k) \neq (0, 0)$ e consideremos a função

$$g_{\vec{v}}(t) = f(x_0 + ht, y_0 + kt).$$

Suponhamos que (x_0, y_0) seja ponto de mínimo local de f; então $t = 0$ será ponto de mínimo local de $g_{\vec{v}}$ e, portanto, deveremos ter necessariamente $g_{\vec{v}}''(0) \geq 0$. Como

$$g_{\vec{v}}''(0) = \frac{\partial^2 f}{\partial x^2}(x_0, y_0)h^2 + 2\frac{\partial^2 f}{\partial x\, \partial y}(x_0, y_0)hk + \frac{\partial^2 f}{\partial y^2}(x_0, y_0)k^2$$

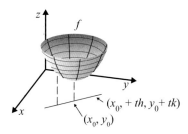

(verifique) resulta que

$$\frac{\partial^2 f}{\partial x^2}(x_0, y_0)h^2 + 2\frac{\partial^2 f}{\partial x\, \partial y}(x_0, y_0)hk + \frac{\partial^2 f}{\partial y^2}(x_0, y_0)k^2 \geq 0$$

para todo (h, k), é uma condição necessária para (x_0, y_0) ser ponto de mínimo local de f.

Observação. Note que $g_{\vec{v}}$ fornece os valores que f assume sobre o trecho da reta $(x, y) = (x_0, y_0) + t(h, k)$ contido em D_f.

Exemplo 2 Considere a *forma quadrática*

$$Q(h, k) = ah^2 + 2bhk + ck^2$$

em que a, b e c são constantes. Suponha $a \neq 0$. Verifique que

$$Q(h, k) = a\left(h + \frac{b}{a}k\right)^2 + \frac{\begin{vmatrix} a & b \\ b & c \end{vmatrix}}{a}k^2.$$

Solução

$$ah^2 + 2bhk + ck^2 = a\left[h^2 + 2\frac{b}{a}hk + \frac{c}{a}k^2\right]$$

$$= a\left[h^2 + \frac{2b}{a}hk + \frac{b^2}{a^2}k^2 - \frac{b^2}{a^2}k^2 + \frac{c}{a}k^2\right]$$

$$= a\left[\left(h + \frac{b}{a}k\right)^2 + \frac{ac - b^2}{a^2}k^2\right],$$

ou seja,

$$Q(h, k) = a\left(h + \frac{b}{a}k\right)^2 + \frac{\begin{vmatrix} a & b \\ b & c \end{vmatrix}}{a}k^2.$$

Exemplo 3 Considere a forma quadrática

$$Q(h, k) = ah^2 + 2bhk + ck^2.$$

Prove:

(i) se $a > 0$ e $\begin{vmatrix} a & b \\ b & c \end{vmatrix} > 0$, então $Q(h, k) > 0$, para todo $(h, k) \neq (0, 0)$.

(ii) se $\begin{vmatrix} a & b \\ b & c \end{vmatrix} < 0$, então existem (h_1, k_1) e (h_2, k_2) tais que $Q(h_1, k_1) < 0$ e $Q(h_2, k_2) > 0$.

Solução

Pelo Exemplo 2, sendo $a \neq 0$,

$$Q(h,k) = a\left(h + \frac{b}{a}k\right)^2 + \frac{\begin{vmatrix} a & b \\ b & c \end{vmatrix}}{a}k^2.$$

(i) imediata.

(ii) se $a = 0$, teremos necessariamente $b \neq 0$; neste caso, existe α tal que $Q(\alpha, 1)$ e $Q(\alpha, -1)$ terão sinais contrários. (Verifique.) Se $a \neq 0$, $Q(1, 0)$ e $Q\left(\frac{b}{a}, -1\right)$ terão sinais contrários

$$\left(Q(1,0) = a \text{ e } Q\left(\frac{b}{a}, -1\right) = \frac{\begin{vmatrix} a & b \\ b & c \end{vmatrix}}{a}\right).$$

Exemplo 4 Seja $f(x, y)$ de classe C^2 num aberto A do $\mathbb{R}^2$ e seja $(x_0, y_0) \in A$ um ponto crítico de f. Prove que se

$$H(x_0, y_0) = \begin{vmatrix} \dfrac{\partial^2 f}{\partial x^2}(x_0, y_0) & \dfrac{\partial^2 f}{\partial x\, \partial y}(x_0, y_0) \\ \dfrac{\partial^2 f}{\partial x\, \partial y}(x_0, y_0) & \dfrac{\partial^2 f}{\partial y^2}(x_0, y_0) \end{vmatrix} < 0$$

então (x_0, y_0) não é extremante local de f.

Solução

Seja

$$g_{\vec{v}}(t) = f(x_0 + ht, y_0 + kt) \quad (\vec{v} = (h, k)).$$

Pela regra da cadeia,

$$g_{\vec{v}}''(0) = \frac{\partial^2 f}{\partial x^2}(x_0, y_0)h^2 + 2\frac{\partial^2 f}{\partial x\, \partial y}(x_0, y_0)hk + \frac{\partial^2 f}{\partial y^2}(x_0, y_0)k^2.$$

Pelo Exemplo 3 (ii)

$$\left(a = \frac{\partial^2 f}{\partial x^2}(x_0, y_0), b = \frac{\partial^2 f}{\partial x\, \partial y}(x_0, y_0) \text{ e } c = \frac{\partial^2 f}{\partial y^2}(x_0, y_0)\right) \text{ existem}$$

$$\vec{v}_1 = (h_1, k_1) \quad \text{e} \quad \vec{v}_2 = (h_2, k_2)$$

tais que

$$g_{\vec{v}_1}''(0) < 0 \quad \text{e} \quad g_{\vec{v}_2}''(0) > 0.$$

Assim, $t = 0$ é ponto de máximo local de $g_{\vec{v}_1}(t)$ e ponto de mínimo local de $g_{\vec{v}_2}(t)$. Logo, (x_0, y_0) não é extremante local de f.

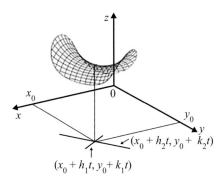

Seja $(x_0, y_0) \in D_f$ um ponto crítico de f. Dizemos que (x_0, y_0) é *ponto de sela* de f se em toda bola aberta de centro (x_0, y_0) existirem pontos (x_1, y_1) e (x_2, y_2) com $f(x_1, y_1) < f(x_0, y_0)$ e $f(x_2, y_2) < f(x_0, y_0)$.

Seja $f(x, y)$ de classe C^2 num aberto A de $\mathbb{R}^2$ e seja $(x_0, y_0) \in A$ um ponto crítico de f. Segue do Exemplo 4 que se $H(x_0, y_0) < 0$, então (x_0, y_0) será ponto de sela de f (verifique).

Exemplo 5 Sejam $f(x, y)$ de classe C^2 e (x_0, y_0) um ponto interior de D_f. Suponha que (x_0, y_0) seja ponto crítico de f. Prove:

a) Se $\dfrac{\partial^2 f}{\partial x^2}(x_0, y_0) > 0$ e $H(x_0, y_0) > 0$, então (x_0, y_0) será ponto de mínimo local de f.

b) Se $\dfrac{\partial^2 f}{\partial x^2}(x_0, y_0) < 0$ e $H(x_0, y_0) > 0$, então (x_0, y_0) será ponto de máximo local de f.

Solução

a) Da hipótese e da continuidade das funções

$$\frac{\partial^2 f}{\partial x^2}(x, y) \text{ e } H(x, y) = \begin{vmatrix} \dfrac{\partial^2 f}{\partial x^2}(x, y) & \dfrac{\partial^2 f}{\partial x \, \partial y}(x, y) \\ \dfrac{\partial^2 f}{\partial x \, \partial y}(x, y) & \dfrac{\partial^2 f}{\partial y^2}(x, y) \end{vmatrix}$$

segue, pelo teorema da conservação do sinal, que existe uma bola aberta B de centro (x_0, y_0) (podemos supor $B \subset D_f$, pois (x_0, y_0) é ponto interior de D_f) tal que, para todo (x, y) em B,

$$\frac{\partial^2 f}{\partial x^2}(x, y) > 0 \text{ e } H(x, y) > 0.$$

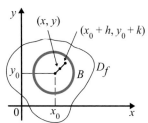

Capítulo 16

Pela fórmula de Taylor, com resto de Lagrange (veja teorema da Seção 15.4), para todo (h, k), com $(x_0 + h, y_0 + k) \in B$, existe $(\bar{x}, \bar{y})$ interno ao segmento de extremidades (x_0, y_0) e $(x_0 + h, y_0 + k)$ tal que

$$f(x_0 + h, y_0 + k) - f(x_0, y_0) = \frac{1}{2}\left[\frac{\partial^2 f}{\partial x^2}(\bar{x}, \bar{y})h^2 + 2\frac{\partial^2 f}{\partial x \partial y}(\bar{x}, \bar{y})hk + \frac{\partial^2 f}{\partial y^2}(\bar{x}, \bar{y})k^2\right]$$

$\left[\text{lembre-se de que } \dfrac{\partial f}{\partial x}(x_0, y_0) = 0 = \dfrac{\partial f}{\partial y}(x_0, y_0), \text{pois } (x_0, y_0) \text{ é ponto crítico de } f\right].$

Como $(\bar{x}, \bar{y}) \in B$,

$$\frac{\partial^2 f}{\partial x^2}(\bar{x}, \bar{y}) > 0 \text{ e } H(\bar{x}, \bar{y}) = \begin{vmatrix} \dfrac{\partial^2 f}{\partial x^2}(\bar{x}, \bar{y}) & \dfrac{\partial^2 f}{\partial x \partial y}(\bar{x}, \bar{y}) \\ \dfrac{\partial^2 f}{\partial x \partial y}(\bar{x}, \bar{y}) & \dfrac{\partial^2 f}{\partial y^2}(\bar{x}, \bar{y}) \end{vmatrix} > 0;$$

tendo em vista o Exemplo 3, para todo $(h, k) \neq (0, 0)$, com $(x_0 + h, y_0 + k) \in B$,

$$f(x_0 + h, y_0 + k) - f(x_0, y_0) > 0,$$

ou seja,

$$f(x, y) > f(x_0, y_0)$$

para todo (x, y) em B, com $(x, y) \neq (x_0, y_0)$. Portanto (x_0, y_0) é ponto de mínimo local de f.

b) Fica a seu cargo. [Basta verificar que (x_0, y_0) é ponto de mínimo local de $g(x, y) = -f(x, y)$.]

Exemplo 6 Sejam $\alpha, \beta, \gamma, \delta, \epsilon$ e φ números reais dados. Considere a *forma quadrática*

$$Q(r, s, t) = \alpha r^2 + \beta s^2 + \gamma t^2 + 2\delta rs + 2\epsilon rt + 2\varphi st.$$

Supondo $\alpha \neq 0$, verifique que

$$Q(r, s, t) = \alpha\left[r + \frac{\delta}{\alpha}s + \frac{\epsilon}{\alpha}t\right]^2 + \frac{\begin{vmatrix}\alpha & \delta \\ \delta & \beta\end{vmatrix}}{\alpha}\left[s + \frac{\begin{vmatrix}\alpha & \epsilon \\ \delta & \varphi\end{vmatrix}}{\begin{vmatrix}\alpha & \delta \\ \delta & \beta\end{vmatrix}}t\right]^2 + \frac{\begin{vmatrix}\alpha & \delta & \epsilon \\ \delta & \beta & \varphi \\ \epsilon & \varphi & \gamma\end{vmatrix}}{\begin{vmatrix}\alpha & \delta \\ \delta & \beta\end{vmatrix}}t^2.$$

Solução

$$Q(r, s, t) = \alpha\left[r^2 + \frac{\beta}{\alpha}s^2 + \frac{\gamma}{\alpha}t^2 + \frac{2\delta}{\alpha}rs + \frac{2\epsilon}{\alpha}rt + \frac{2\varphi}{\alpha}st\right]$$

$$= \alpha\left[r^2 + \frac{\delta^2}{\alpha^2}s^2 + \frac{\epsilon^2}{\alpha^2}t^2 + \frac{2\delta}{\alpha}rs + \frac{2\epsilon}{\alpha}rt\right.$$

$$\left. + \frac{2\epsilon\delta}{\alpha^2}st - \frac{\delta^2}{\alpha^2}s^2 - \frac{\epsilon^2}{\alpha^2}t^2 - \frac{2\epsilon\delta}{\alpha^2}st + \frac{2\varphi}{\alpha}st + \frac{\beta}{\alpha}s^2 + \frac{\gamma}{\alpha}t^2\right].$$

Assim,

$$Q(r,s,t) = \alpha\left[\left(r + \frac{\delta}{\alpha}s + \frac{\epsilon}{\alpha}t\right)^2 + \frac{\alpha\beta - \delta^2}{\alpha^2}s^2 + \frac{\alpha\gamma - \epsilon^2}{\alpha^2}t^2 + \frac{2(\alpha\varphi - \epsilon\delta)}{\alpha^2}st\right]$$

$$= \alpha\left(r + \frac{\delta}{\alpha}s + \frac{\epsilon}{\alpha}t\right)^2 + \underbrace{\frac{\begin{vmatrix}\alpha & \delta \\ \delta & \beta\end{vmatrix}}{\alpha}s^2 + \frac{\begin{vmatrix}\alpha & \epsilon \\ \epsilon & \gamma\end{vmatrix}}{\alpha}t^2 + \frac{2\begin{vmatrix}\alpha & \epsilon \\ \delta & \varphi\end{vmatrix}}{\alpha}st.}_{\overline{Q}(s,t)}$$

Supondo $\begin{vmatrix}\alpha & \delta \\ \delta & \beta\end{vmatrix} \neq 0$,

$$\overline{Q}(s,t) = \frac{\begin{vmatrix}\alpha & \delta \\ \delta & \beta\end{vmatrix}}{\alpha}\left[s^2 + \frac{\begin{vmatrix}\alpha & \epsilon \\ \epsilon & \gamma\end{vmatrix}}{\begin{vmatrix}\alpha & \delta \\ \delta & \beta\end{vmatrix}}t^2 + \frac{2\begin{vmatrix}\alpha & \epsilon \\ \delta & \varphi\end{vmatrix}}{\begin{vmatrix}\alpha & \delta \\ \delta & \beta\end{vmatrix}}st\right]$$

$$= \frac{\begin{vmatrix}\alpha & \delta \\ \delta & \beta\end{vmatrix}}{\alpha}\left[s^2 + 2\frac{\begin{vmatrix}\alpha & \epsilon \\ \delta & \varphi\end{vmatrix}}{\begin{vmatrix}\alpha & \delta \\ \delta & \beta\end{vmatrix}}st + \frac{\begin{vmatrix}\alpha & \epsilon \\ \delta & \varphi\end{vmatrix}^2}{\begin{vmatrix}\alpha & \delta \\ \delta & \beta\end{vmatrix}^2}t^2 - \frac{\begin{vmatrix}\alpha & \epsilon \\ \delta & \varphi\end{vmatrix}^2}{\begin{vmatrix}\alpha & \delta \\ \delta & \beta\end{vmatrix}^2}t^2 + \frac{\begin{vmatrix}\alpha & \epsilon \\ \epsilon & \gamma\end{vmatrix}}{\begin{vmatrix}\alpha & \delta \\ \delta & \beta\end{vmatrix}}t^2\right]$$

$$= \frac{\begin{vmatrix}\alpha & \delta \\ \delta & \beta\end{vmatrix}}{\alpha}\left[\left(s + \frac{\begin{vmatrix}\alpha & \epsilon \\ \delta & \varphi\end{vmatrix}}{\begin{vmatrix}\alpha & \delta \\ \delta & \beta\end{vmatrix}}t\right)^2 + \frac{\begin{vmatrix}\alpha & \delta \\ \delta & \beta\end{vmatrix}\begin{vmatrix}\alpha & \epsilon \\ \epsilon & \gamma\end{vmatrix} - \begin{vmatrix}\alpha & \epsilon \\ \delta & \varphi\end{vmatrix}^2}{\begin{vmatrix}\alpha & \delta \\ \delta & \beta\end{vmatrix}^2}t^2\right].$$

Como,

$$\begin{vmatrix}\alpha & \delta \\ \delta & \beta\end{vmatrix}\begin{vmatrix}\alpha & \varepsilon \\ \varepsilon & \gamma\end{vmatrix} - \begin{vmatrix}\alpha & \varepsilon \\ \delta & \varphi\end{vmatrix}^2 = \alpha\begin{vmatrix}\alpha & \delta & \varepsilon \\ \delta & \beta & \varphi \\ \varepsilon & \varphi & \gamma\end{vmatrix} \quad \text{(verifique)}$$

resulta

$$Q(r,s,t) = \alpha\left(r + \frac{\delta}{\alpha}s + \frac{\varepsilon}{\alpha}t\right)^2 + \frac{\begin{vmatrix}\alpha & \delta \\ \delta & \beta\end{vmatrix}}{\alpha}\left(s + \frac{\begin{vmatrix}\alpha & \varepsilon \\ \delta & \varphi\end{vmatrix}}{\begin{vmatrix}\alpha & \delta \\ \delta & \beta\end{vmatrix}}t\right)^2 + \frac{\begin{vmatrix}\alpha & \delta & \varepsilon \\ \delta & \beta & \varphi \\ \varepsilon & \varphi & \gamma\end{vmatrix}}{\begin{vmatrix}\alpha & \delta \\ \delta & \beta\end{vmatrix}}t^2.$$

Exemplo 7 Considere a forma quadrática

$$Q(r,s,t) = \alpha r^2 + \beta s^2 + \gamma t^2 + 2\delta rs + 2\epsilon rt + 2\varphi st.$$

Verifique:

a) Se $\begin{vmatrix} \alpha & \delta & \epsilon \\ \delta & \beta & \varphi \\ \epsilon & \varphi & \gamma \end{vmatrix} > 0$, $\begin{vmatrix} \alpha & \delta \\ \delta & \beta \end{vmatrix} > 0$ e $\alpha > 0$, então

$$Q(r, s, t) > 0, \text{ para todo } (r, s, t) \neq (0, 0, 0).$$

b) Se $\begin{vmatrix} \alpha & \delta & \epsilon \\ \delta & \beta & \varphi \\ \epsilon & \varphi & \gamma \end{vmatrix} < 0$, $\begin{vmatrix} \alpha & \delta \\ \delta & \beta \end{vmatrix} > 0$ e $\alpha < 0$, então

$$Q(r, s, t) < 0, \text{ para todo } (r, s, t) \neq (0, 0, 0).$$

c) Se $\begin{vmatrix} \alpha & \delta \\ \delta & \beta \end{vmatrix} < 0$ e $\alpha > 0$, então existem (r_1, s_1, t_1) e (r_2, s_2, t_2) tais que $Q(r_1, s_1, t_1) < 0$ e $Q(r_2, s_2, t_2) > 0$.

Solução

a) e b) são consequências imediatas do Exemplo 6.

c) $Q(1, 0, 0) = \alpha$ e $Q\left(\dfrac{\delta}{\alpha}, -1, 0\right) = \dfrac{\begin{vmatrix} \alpha & \delta \\ \delta & \beta \end{vmatrix}}{\alpha}$; assim, $Q(1, 0, 0)$ e $Q\left(\dfrac{\delta}{\alpha}, -1, 0\right)$ têm sinais contrários. [Sugerimos ao leitor determinar outras situações que levam à existência de (r_1, s_1, t_1) e (r_2, s_2, t_2) com $Q(r_1, s_1, t_1) < 0$ e $Q(r_2, s_2, t_2) > 0$.]

Deixamos a cargo do leitor a demonstração do resultado que aparece no Exercício 15 da Seção 16.3.
(*Sugestão:* Proceda como no Exemplo 5.)

17

Mínimos Quadrados: Solução LSQ de um Sistema Linear. Aplicações ao Ajuste de Curvas

17.1 Teorema de Pitágoras

Teorema de Pitágoras. Sejam A, B e C três pontos do $\mathbb{R}^n$, e consideremos os vetores $\vec{a} = B - C$, $\vec{b} = C - A$ e $\vec{c} = B - A$. Suponhamos que os vetores $\vec{b}$ e $\vec{c}$ sejam ortogonais, isto é, que o produto escalar $\vec{b} \cdot \vec{c} = 0$. Nessas condições, tem-se

$$\|\vec{a}\|^2 = \|\vec{b}\|^2 + \|\vec{c}\|^2.$$

De fato, observando que $\vec{a} = \vec{c} - \vec{b}$ e, para todo $\vec{v}$, $\|\vec{v}\|^2 = \vec{v} \cdot \vec{v}$, e lembrando, ainda, das propriedades do produto escalar, vem

$$\|\vec{a}\|^2 = \vec{a} \cdot \vec{a} = (\vec{c} - \vec{b}) \cdot (\vec{c} - \vec{b}) = \vec{c} \cdot \vec{c} - 2\,\vec{b} \cdot \vec{c} + \vec{b} \cdot \vec{b}.$$

E, portanto, tem-se a relação de Pitágoras

$$\|\vec{a}\|^2 = \|\vec{b}\|^2 + \|\vec{c}\|^2.$$

Uma consequência importante do teorema de Pitágoras e que será utilizada logo é a seguinte:

Sejam A, B dois pontos do $\mathbb{R}^n$ e seja Ω o conjunto, contendo A, de todos os pontos C de $\mathbb{R}^n$ tais que $C - A$ seja ortogonal a $B - A$. Nestas condições, para todo C em Ω,

$$\|B - A\| \leq \|B - C\|$$

ou seja, para todo C em Ω, a distância de B a A é menor ou igual à distância de B a C.

De fato, pelo teorema de Pitágoras,

$$\|B - C\|^2 = \|B - A\|^2 + \|C - A\|^2.$$

Como $\|C - A\|^2 \geq 0$, resulta $\|B - C\|^2 \geq \|B - A\|^2$ e, portanto,

$$\|B - A\| \leq \|B - C\|.$$

Observação. Lembre-se de que, sendo X e Y dois pontos do $\mathbb{R}^n$, a *distância* de X a Y é $\|X - Y\|$. Assim, se Ω for uma reta ou um plano em $\mathbb{R}^3$ (ou no $\mathbb{R}^n$), então $\|B - A\|$ será a distância de B a Ω.

17.2 Solução LSQ de um Sistema Linear com Uma Incógnita

Vamos começar considerando um sistema linear S, no plano, com uma incógnita.

$$S : \begin{cases} a_{11}t = b_1 \\ a_{21}t = b_2. \end{cases}$$

Esse sistema, no sentido habitual, poderá ter solução ou não. Terá solução se o ponto $B = (b_1, b_2)$ pertencer à reta r, dada, em forma paramétrica, por

$$r : \begin{cases} x = a_{11}t \\ y = a_{21}t. \end{cases}$$

Se o ponto $B = (b_1, b_2)$ não pertencer à reta r, o sistema S não admitirá solução, no sentido habitual, mas admitirá *solução LSQ* ou *solução dos mínimos quadrados*.

Definição (de solução LSQ). Dizemos que t_0 é uma *solução LSQ* ou *solução dos mínimos quadrados* do sistema linear S se $t = t_0$ tornar *mínima* a distância do ponto $B = (b_1, b_2)$ ao ponto $X = (a_{11}t, a_{21}t)$, t real.

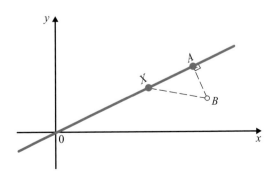

Mínimos Quadrados: Solução LSQ de um Sistema Linear. Aplicações ao Ajuste de Curvas

Consideremos os pontos $A = (a_{11}t_0, a_{21}t_0)$, $B = (b_1, b_2)$ e $X = (a_{11}t, a_{21}t)$. Pensando geometricamente, t_0 será uma *solução LSQ* do sistema linear S se o vetor $B - A$ for ortogonal à reta r ou, de forma equivalente, se $B - A$ for ortogonal ao vetor $X - A$, ou seja, se

$$(B - A) \cdot (X - A) = 0.$$

De fato, se para $t = t_0$ o vetor $B - A$ for ortogonal a $X - A$, pelo que vimos na seção anterior, teremos, para todo t,

$$\| B - A \| \leq \| B - X \|$$

e, portanto, A é o ponto da reta r que se encontra mais próximo de B.

Observe: se $t = t_0$ for solução do sistema S no sentido habitual, será, também, solução no sentido *LSQ*. Você concorda?

Vejamos como achar rapidamente a *solução LSQ* do sistema S. Primeiro devemos escrever o sistema S em forma vetorial. A seguir, em vez de representar um vetor em linha, vamos representá-lo em coluna, usando colchetes. Façamos

$$\vec{v_1} = \begin{bmatrix} a_{11} \\ a_{21} \end{bmatrix} \quad \text{e} \quad \vec{b} = \begin{bmatrix} b_1 \\ b_2 \end{bmatrix}.$$

Assim, o sistema S poderá ser reescrito na forma

$$S : \{ t \, \vec{v_1} = \vec{b}.$$

Como $X - A$ é paralelo a $\vec{v_1}$, pois $\vec{v_1}$ é o vetor diretor da reta r, deveremos ter então $\vec{b} - t_0 \vec{v_1}$ ortogonal a $\vec{v_1}$, ou seja,

$$(\vec{b} - t_0 \vec{v_1}) \cdot \vec{v_1} = 0.$$

Tendo em vista a distributividade do produto escalar em relação à adição, resulta

$$t_0 \vec{v_1} \cdot \vec{v_1} = \vec{b} \cdot \vec{v_1}$$

e, portanto,

$$t_0 = \frac{\vec{b} \cdot \vec{v_1}}{\vec{v_1} \cdot \vec{v_1}}.$$

Nada muda se S for um sistema linear com uma incógnita no $\mathbb{R}^n$. Vamos resumir o que fizemos anteriormente supondo S no $\mathbb{R}^n$.

Solução LSQ de um sistema linear, com uma incógnita, no $\mathbb{R}^n$.

Seja S o sistema linear

$$S : \begin{cases} a_{11}t = b_1 \\ a_{21}t = b_2 \\ \dots \\ a_{n1}t = b_n \end{cases}, \quad \vec{v_1} = \begin{bmatrix} a_{11} \\ a_{21} \\ \dots \\ a_{n1} \end{bmatrix} \quad \text{e} \quad \vec{b} = \begin{bmatrix} b_1 \\ b_2 \\ \dots \\ b_n \end{bmatrix}.$$

Capítulo 17

A *solução LSQ* de S é a raiz da equação

$$(\vec{b} - t\vec{v_1}) \cdot \vec{v_1} = 0$$

e, portanto,

$$t = \frac{\vec{b} \cdot \vec{v_1}}{\vec{v_1} \cdot \vec{v_1}}.$$

Outro modo de se determinar a *solução LSQ* do sistema linear S é usando o cálculo: determina-se t que torna mínimo o quadrado da distância do ponto $B = (b_1, b_2, \ldots, b_n)$ ao ponto $X = (a_{11}t, a_{21}t, \ldots, a_{n1}t)$. Indicando por W o quadrado da distância de B a X, temos:

$$W = \sum_{k=1}^{n} (b_k - ta_{k1})^2.$$

Derivando, obtemos

$$\frac{dW}{dt} = \sum_{k=1}^{n} 2(b_k - ta_{k1})(-a_{k1}) = 2\sum_{k=1}^{n} ta_{k1}a_{k1} - 2\sum_{k=1}^{n} b_k a_{k1}.$$

Igualando a zero e lembrando que $\sum_{k=1}^{n} ta_{k1}a_{k1} = t\sum_{k=1}^{n} a_{k1}a_{k1}$, resulta

$$t = \frac{\sum_{k=1}^{n} b_k a_{k1}}{\sum_{k=1}^{n} a_{k1}a_{k1}} = \frac{\vec{b} \cdot \vec{v_1}}{\vec{v_1} \cdot \vec{v_1}}.$$

Como o gráfico de $W = W(t)$ é uma parábola com concavidade voltada para cima (de acordo?), segue que o valor de t acima torna mínimo o valor de W.

Exemplo Determine a *solução LSQ* do sistema

$$\begin{cases} 3x = 5 \\ x = 8 \\ 2x = 7. \end{cases}$$

Solução

Aqui,

$$\vec{v_1} = \begin{bmatrix} 3 \\ 1 \\ 2 \end{bmatrix} \quad \text{e} \quad \vec{b} = \begin{bmatrix} 5 \\ 8 \\ 7 \end{bmatrix}.$$

A *solução LSQ* do sistema é

$$x = \frac{\vec{b} \cdot \vec{v_1}}{\vec{v_1} \cdot \vec{v_1}} = \frac{15 + 8 + 14}{9 + 1 + 4} = \frac{37}{14}.$$

Conclusão: $x = \dfrac{37}{14}$ é a *solução LSQ* do sistema dado. (Observe que esse sistema não admite solução no sentido habitual. Observe, ainda, que, para $t = \dfrac{37}{14}$, a distância do ponto $B = (5, 8, 7)$ ao ponto $(3t, t, 2t)$ é exatamente a distância de B à reta dada, em forma paramétrica, por $x = 3t, y = t$ e $z = 2t$.)

ATENÇÃO: Na HP-48G, a solução fornecida pelo aplicativo SOLVE LINEAR SYSTEM é uma *solução LSQ*. No Apêndice B, mostramos como trabalhar nesse aplicativo.

Exercícios 17.2

1. Determine a *solução LSQ* do sistema dado.

   a) $\begin{cases} x = 3 \\ 3x = 1 \\ x = 2 \\ 2x = 3 \end{cases}$

   b) $\begin{cases} 2x = 5 \\ x = 4 \\ 4x = 1 \end{cases}$

2. Seja o ponto $P = (2, 1, 3)$ e considere a reta r dada em forma paramétrica por

$$r : \begin{cases} x = 3t \\ y = t \\ z = 2t \end{cases}$$

   Determine o ponto de r que se encontra mais próximo de P.

3. Seja o ponto $P = (1, 1, 1)$ e considere a reta r dada em forma paramétrica por

$$r : \begin{cases} x = t + 1 \\ y = 2t \\ z = t + 2 \end{cases}$$

   Determine o ponto de r que se encontra mais próximo de P.

17.3 Solução LSQ de um Sistema Linear com Duas ou Mais Incógnitas

Inicialmente, vamos considerar um sistema com duas incógnitas. Seja, então, S o sistema linear

$$S : \begin{cases} a_{11}x + a_{12}y = b_1 \\ a_{21}x + a_{22}y = b_2 \\ \quad \cdots \\ a_{n1}x + a_{n2}y = b_n \end{cases}$$

Capítulo 17

Definição (de *solução LSQ*). Dizemos que (x_0, y_0) é uma *solução LSQ* de S se $(x, y) = (x_0, y_0)$ tornar mínima a distância do ponto

$$B = \begin{bmatrix} b_1 \\ b_2 \\ \dots \\ b_n \end{bmatrix} \text{ ao ponto } X = \begin{bmatrix} a_{11}x + a_{12}y \\ a_{21}x + a_{22}y \\ \dots \\ a_{n1}x + a_{n2}y \end{bmatrix}.$$

Fazendo

$$A = \begin{bmatrix} a_{11}x_0 + a_{12}y_0 \\ a_{21}x_0 + a_{22}y_0 \\ \dots \\ a_{n1}x_0 + a_{n2}y_0 \end{bmatrix},$$

supondo que o vetor $B - A$ seja ortogonal a $X - A$ e procedendo como na seção anterior, resulta, para todo (x, y),

$$\|B - A\| \leq \|B - X\|.$$

Façamos

$$\vec{b} = \begin{bmatrix} b_1 \\ b_2 \\ \dots \\ b_n \end{bmatrix}, \vec{v_1} = \begin{bmatrix} a_{11} \\ a_{21} \\ \dots \\ a_{n1} \end{bmatrix} \text{ e } \vec{v_2} = \begin{bmatrix} a_{12} \\ a_{22} \\ \dots \\ a_{n2} \end{bmatrix}.$$

Observando que

$$X - A = (x - x_0)\vec{v_1} + (y - y_0)\vec{v_2}$$

segue, se $B - A$ for ortogonal a $\vec{v_1}$ e a $\vec{v_2}$, ou seja, se

$$\begin{cases} (B - A) \cdot \vec{v_1} = 0 \\ (B - A) \cdot \vec{v_2} = 0 \end{cases}$$

então $B - A$ será, também, ortogonal a $X - A$. Como $A = x_0\vec{v_1} + y_0\vec{v_2}$, o sistema acima poderá ser reescrito na forma

$$\begin{cases} (\vec{b} - x_0\vec{v_1} - y_0\vec{v_2}) \cdot \vec{v_1} = 0 \\ (\vec{b} - x_0\vec{v_1} - y_0\vec{v_2}) \cdot \vec{v_2} = 0 \end{cases}$$

que é equivalente a

$$\begin{cases} x_0\vec{v_1} \cdot \vec{v_1} + y_0\vec{v_2} \cdot \vec{v_1} = \vec{b} \cdot \vec{v_1} \\ x_0\vec{v_1} \cdot \vec{v_2} + y_0\vec{v_2} \cdot \vec{v_2} = \vec{b} \cdot \vec{v_2} \end{cases}.$$

Resumindo:

Solução LSQ de um sistema linear, com duas incógnitas, no $\mathbb{R}^n$. Seja S o sistema linear

$$S: \begin{cases} a_{11}x + a_{21}y = b_1 \\ a_{21}x + a_{22}y = b_2 \\ \ldots \\ a_{n1}x + a_{n2}y = b_n \end{cases}, \vec{v_1} = \begin{bmatrix} a_{11} \\ a_{21} \\ \ldots \\ a_{n1} \end{bmatrix}, \vec{v_2} = \begin{bmatrix} a_{21} \\ a_{22} \\ \ldots \\ a_{n2} \end{bmatrix} \text{ e } \vec{b} = \begin{bmatrix} b_1 \\ b_2 \\ \ldots \\ b_n \end{bmatrix}.$$

A(s) *solução(ões) LSQ* de S é(são) a(s) solução(ões) do sistema auxiliar

$$SA: \begin{cases} \vec{v_1} \cdot \vec{v_1}\,x + \vec{v_1} \cdot \vec{v_2}\,y = \vec{b} \cdot \vec{v_1} \\ \vec{v_1} \cdot \vec{v_2}\,x + \vec{v_2} \cdot \vec{v_2}\,y = \vec{b} \cdot \vec{v_2} \end{cases}$$

ATENÇÃO: Prova-se em Álgebra Linear que o sistema *SA* é sempre *compatível*, no sentido habitual. Será *compatível determinado*, ou seja, admitirá uma **única solução**, se $\vec{v_1}$ e $\vec{v_2}$ forem linearmente independentes. Será *compatível indeterminado*, ou seja, admitirá uma infinidade de soluções, se $\vec{v_1}$ e $\vec{v_2}$ forem linearmente dependentes.

MODO PRÁTICO PARA SE OBTER *SA*

Primeiro escreve-se S na forma vetorial:

$$S: \{x\vec{v_1} + y\vec{v_2} = \vec{b}.$$

Em seguida, multiplicam-se *escalarmente* os dois membros por $\vec{v_1}$ e, depois, por $\vec{v_2}$, para obter

$$SA: \begin{cases} x\vec{v_1} \cdot \vec{v_1} + y\vec{v_2} \cdot \vec{v_1} = \vec{b} \cdot \vec{v_1} \\ x\vec{v_1} \cdot \vec{v_2} + y\vec{v_2} \cdot \vec{v_2} = \vec{b} \cdot \vec{v_2}. \end{cases}$$

Outro modo de se obter a *solução LSQ* do sistema linear S é determinar, por meio do cálculo, o ponto que minimiza o quadrado da distância de B a X. Chamando de W o quadrado dessa distância, temos:

$$W = \sum_{k=1}^{n} (a_{k1}x + a_{k2}y - b_k)^2.$$

A(s) *solução(ções) LSQ* de S será(ão) então a(s) solução(ões) do sistema

$$\begin{cases} \dfrac{\partial W}{\partial x} = 0 \\ \dfrac{\partial W}{\partial y} = 0 \end{cases}$$

Capítulo 17

De $\dfrac{\partial W}{\partial x} = \sum_{k=1}^{n} 2(a_{k1}x + a_{k2}y - b_k)a_{k1}$ e $\dfrac{\partial W}{\partial y} = \sum_{k=1}^{n} 2(a_{k1}x + a_{k2}y - b_k)a_{k2}$ resulta

$$\begin{cases} x\sum_{k=1}^{n} a_{k1}^2 + y\sum_{k=1}^{n} a_{k1}a_{k2} = \sum_{k=1}^{n} b_k a_{k1} \\ x\sum_{k=1}^{n} a_{k1}a_{k2} + y\sum_{k=1}^{n} a_{k2}^2 = \sum_{k=1}^{n} b_k a_{k2} \end{cases}$$

que nada mais é do que o nosso *SA* acima.

Exemplo 1 Resolva, no sentido *LSQ*, o sistema

$$\begin{cases} x + 2y = 3 \\ 3x - y = 1 \\ x - y = 2 \\ x + 3y = 1. \end{cases}$$

Solução

Aqui

$$\vec{v_1} = \begin{bmatrix} 1 \\ 3 \\ 1 \\ 1 \end{bmatrix}, \vec{v_2} = \begin{bmatrix} 2 \\ -1 \\ -1 \\ 3 \end{bmatrix} \text{ e } \vec{b} = \begin{bmatrix} 3 \\ 1 \\ 2 \\ 1 \end{bmatrix}.$$

Temos:

$$\vec{v_1} \cdot \vec{v_1} = 12, \vec{v_2} \cdot \vec{v_1} = 1, \vec{b} \cdot \vec{v_1} = 9, \vec{v_1} \cdot \vec{v_2} = 1, \vec{v_2} \cdot \vec{v_2} = 15 \text{ e } \vec{b} \cdot \vec{v_2} = 6.$$

O nosso sistema auxiliar é então

$$SA: \begin{cases} 12x + y = 9 \\ x + 15y = 6 \end{cases}$$

cuja solução é $x = \dfrac{63}{179}$ e $y = \dfrac{129}{179}$.

Conclusão: $x = \dfrac{63}{179}$ e $y = \dfrac{129}{179}$ é, então, a *solução LSQ* do sistema dado.

Observação: Observe que, **no sentido habitual**, o sistema do exemplo acima **não** admite solução.

Exemplo 2 Considere no $\mathbb{R}^4$ o conjunto

$$\Phi = \{(u, v, w, z) \mid u = x + 2y, v = 3x - y, w = x - y, z = x + 3y, x \text{ e } y \text{ reais}\}.$$

Determine o ponto de Φ que está mais próximo de $B = (3, 1, 2, 1)$.

Solução

O ponto (u, v, w, z) de Φ que está mais próximo de B é aquele obtido com (x, y) *solução LSQ* de

$$\begin{cases} x + 2y = 3 \\ 3x - y = 1 \\ x - y = 2 \\ x + 3y = 1 \end{cases}$$

que nada mais é que o sistema do exemplo anterior. Como vimos, a *solução LSQ* desse sistema é $x = \dfrac{63}{179}$ e $y = \dfrac{129}{179}$. O ponto de Φ mais próximo de B é $\left(\dfrac{321}{179}, \dfrac{60}{179}, \dfrac{-66}{179}, \dfrac{450}{179}\right)$.

Exemplo 3 Resolva, no sentido *LSQ*, o sistema

$$S : \begin{cases} x + 2y = 2 \\ 2x + 4y = 1 \\ 3x + 6y = 1. \end{cases}$$

Solução

Temos

$$\vec{v_1} = \begin{bmatrix} 1 \\ 2 \\ 3 \end{bmatrix}, \vec{v_2} = \begin{bmatrix} 2 \\ 4 \\ 6 \end{bmatrix} \text{ e } \vec{b} = \begin{bmatrix} 2 \\ 1 \\ 1 \end{bmatrix}.$$

Observe que $\vec{v_2} = 2\vec{v_1}$, logo $\vec{v_1}$ e $\vec{v_2}$ são linearmente dependentes. O sistema admitirá infinitas *soluções LSQ*. De fato,

$$SA : \begin{cases} 14x + 28y = 7 \\ 28x + 56y = 14 \end{cases}$$

que é equivalente a

$$SA : \begin{cases} 2x + 4y = 1 \\ 2x + 4y = 1. \end{cases}$$

Conclusão: As *soluções LSQ* do sistema dado são todos os pares (x, y) tais que $2x + 4y = 1$. (Vejamos um outro modo de resolver o problema acima. Colocando o sistema S em forma vetorial, temos

$$S : \{x \vec{v_1} + y \vec{v_2} = \vec{b}.$$

Tendo em vista que $\vec{v_2} = 2\vec{v_1}$, resulta: $S : \{(x + 2y)\vec{v_1} = \vec{b}$. Fazendo $t = x + 2y$, obtemos o sistema, com uma incógnita,

$$S : \{t \vec{v_1} = \vec{b}$$

cuja *solução LSQ* é

$$t = \frac{\vec{b} \cdot \vec{v_1}}{\vec{v_1} \cdot \vec{v_1}} = \frac{7}{14} = \frac{1}{2}.$$

Então, as *soluções LSQ* de S são todos os pares (x, y) tais que $x + 2y = \frac{1}{2}$, ou seja, tais que $2x + 4y = 1$.)

Para finalizar a seção, observamos que o procedimento para se resolver um sistema, no sentido *LSQ*, com mais de duas incógnitas é análogo ao procedimento para duas variáveis. Consideremos, por exemplo, o sistema linear com três incógnitas

$$S: \begin{cases} a_{11}x + a_{12}y + a_{13}z = b_1 \\ a_{21}x + a_{22}y + a_{23}z = b_2 \\ \ldots \\ a_{n1}x + a_{n2}y + a_{n3}z = b_n. \end{cases}$$

Em forma vetorial, o sistema acima se escreve

$$S: \{x\,\vec{v_1} + y\,\vec{v_2} + z\,\vec{v_3} = \vec{b}.$$

O sistema auxiliar *SA* será, então,

$$SA: \begin{cases} x\,\vec{v_1}\cdot\vec{v_1} + y\vec{v_2}\cdot\vec{v_1} + z\vec{v_3}\cdot\vec{v_1} = \vec{b}\cdot\vec{v_1} \\ x\,\vec{v_1}\cdot\vec{v_2} + y\vec{v_2}\cdot\vec{v_2} + z\vec{v_3}\cdot\vec{v_2} = \vec{b}\cdot\vec{v_2} \\ x\,\vec{v_1}\cdot\vec{v_3} + y\vec{v_2}\cdot\vec{v_3} + z\vec{v_3}\cdot\vec{v_3} = \vec{b}\cdot\vec{v_3}. \end{cases}$$

A mesma observação é válida para o sistema *SA*. Tal sistema será sempre compatível, no sentido habitual: admitirá uma **única** solução se $\vec{v_1}$, $\vec{v_2}$ e $\vec{v_3}$ forem linearmente independentes; caso contrário, admitirá uma infinidade de soluções.

Exercícios 17.3

1. Resolva, no sentido *LSQ*, o sistema linear dado. A solução encontrada é solução no sentido habitual?

a) $\begin{cases} x + y = 2 \\ x - y = 1 \\ x + 2y = 3 \end{cases}$

b) $\begin{cases} 2x + y = 3 \\ x - y = 0 \\ x + 2y = 3 \\ 3x - 2y = 1 \end{cases}$

c) $\begin{cases} 2x + y = 4 \\ 4x + 2y = 1 \\ 6x + 3y = 4 \end{cases}$

2. Considere o plano α dado em forma paramétrica por

$$\alpha: \begin{cases} x = 2u + v \\ y = u - v \\ z = u + v. \end{cases}$$

Seja $B = (3, 0, 1)$. Determine o ponto do plano α que se encontra mais próximo de B. Qual a distância de B a α?

3. Seja α o plano do exemplo anterior. Uma partícula desloca-se sobre α, e sabe-se que no instante t a posição da partícula é dada, em forma paramétrica, por: $x = t$, $y = 2t$ e $z = z(t)$.

   a) Determine $z(t)$.
   b) Determine o instante em que a partícula se encontra mais próxima do ponto (1, 0, 2).

17.4 Ajuste de Curva: A Reta dos Mínimos Quadrados

Consideremos a tabela

x	y
x_1	y_1
x_2	y_2
x_3	y_3
...	...
x_n	y_n

Sabemos que por dois pontos distintos sempre passa uma reta. Por mais de dois pontos, só com muita sorte! Mas, de qualquer forma, vamos proceder como se houvesse uma reta passando por todos os pontos da tabela. Seja

$$\hat{y} = mx + q$$

a reta que estamos interessados em determinar. A notação $\hat{y}$, que é usual em estatística, indica que o valor $\hat{y}$ correspondente ao valor de x é apenas uma *estimativa* para o verdadeiro valor de y. Para que tal reta passe por todos os pontos, devemos ter

$$S : \begin{cases} mx_1 + q = y_1 \\ mx_2 + q = y_2 \\ \ldots \\ mx_n + q = y_n. \end{cases}$$

Definição (de reta dos mínimos quadrados). Dizemos que $\hat{y} = mx + q$ é a *reta dos mínimos quadrados* para os dados da tabela acima se (m, q) for a *solução LSQ* do sistema S.

Se os pontos da tabela forem colineares, então a reta $\hat{y} = mx + q$ passará por todos os pontos (x_i, y_i), $i = 1, 2, ..., n$. Mas, de modo geral, isso não ocorrerá. Assim, em geral, o valor $\hat{y}_i$, $\hat{y}_i = mx_i + q$, será apenas uma *estimativa* para o valor y_i da tabela (é comum referir-se a esse y_i como valor *observado*). Desse modo, quando usamos $\hat{y}_i$ para *estimar* y_i, estamos cometendo um erro E_i:

$$E_i = \hat{y} - y_i = mx_i + q - y_i, i = 1, 2, ..., n.$$

Capítulo 17

Segue que a soma W dos quadrados dos erros é

$$W = \sum_{i=1}^{n} E_i^2 = \sum_{i=1}^{n}(mx_i + q - y_i)^2.$$

Como m e q da *reta dos mínimos quadrados* $\hat{y} = mx + q$ é a *solução LSQ* do sistema S, resulta que tal reta é determinada de modo que a **soma dos quadrados dos erros seja mínima**.

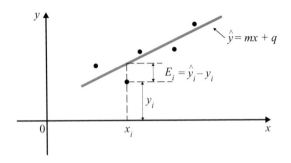

A reta dos mínimos quadrados é a reta que *minimiza a soma dos quadrados dos erros* E_i.

Exemplo Considere a tabela

x	2	4	6	8	10
y	5	4	8	6	12

a) Construa o *diagrama de dispersão*.
b) Determine a reta dos mínimos quadrados.
c) Utilizando a reta dos mínimos quadrados, *estime* os valores de y para $x = 5$ e $x = 8$.
d) Calcule as médias aritméticas $\bar{x}$ e $\bar{y}$ dos x_i e dos y_i, respectivamente.
e) Verifique que a reta dos mínimos quadrados passa pelo ponto $(\bar{x}, \bar{y})$.
f) Calcule a soma dos quadrados $(y_i - \bar{y})^2$.
g) Calcule a soma dos quadrados $(\hat{y} - \bar{y})^2$.
h) Calcule a soma dos quadrados dos erros E_i.
i) Verifique que $\sum_{i=1}^{5}(y_i - \bar{y})^2 = \sum_{i=1}^{5}(\hat{y}_i - \bar{y})^2 + \sum_{i=1}^{5}(y_i - \hat{y}_i)^2$. (Está parecendo teorema de Pitágoras, não? Veremos mais adiante que isso ocorre sempre!)
j) Justifique a afirmação: "*É razoável esperar que os $\hat{y}_i$ se concentrem mais em torno de $\bar{y}$ do que os y_i*."
k) Calcule o *coeficiente de determinação* $R^2 = \dfrac{\sum_{i=1}^{5}(\hat{y}_i - \bar{y})^2}{\sum_{i=1}^{5}(y_i - \bar{y})^2}$. (Observe que $0 \leq R^2 \leq 1$.

Observe ainda que, *quanto mais próximo* de 1 estiver o R^2, *melhor deverá ser o ajuste* da reta dos mínimos quadrados aos pontos da tabela. De acordo?)

Solução

a) O *diagrama de dispersão* é a representação gráfica dos pontos da tabela.

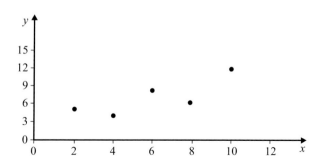

b) Seja $\hat{y} = mx + q$ a reta procurada. Temos

$$S : \begin{cases} 2m + q = 5 \\ 4m + q = 4 \\ 6m + q = 8 \\ 8m + q = 6 \\ 10m + q = 12. \end{cases}$$

Em forma vetorial, temos

$$S : \{ m\vec{v_1} + q\vec{v_2} = \vec{b}$$

em que

$$\vec{v_1} = \begin{bmatrix} 2 \\ 4 \\ 6 \\ 8 \\ 10 \end{bmatrix}, \vec{v_2} = \begin{bmatrix} 1 \\ 1 \\ 1 \\ 1 \\ 1 \end{bmatrix} \text{ e } \vec{b} = \begin{bmatrix} 5 \\ 4 \\ 8 \\ 6 \\ 12 \end{bmatrix}.$$

O sistema auxiliar é

$$SA : \begin{cases} m\vec{v_1} \cdot \vec{v_1} + q\vec{v_2} \cdot \vec{v_1} = \vec{b} \cdot \vec{v_1} \\ m\vec{v_1} \cdot \vec{v_2} + q\vec{v_2} \cdot \vec{v_2} = \vec{b} \cdot \vec{v_2} \end{cases}$$

e, portanto,

$$SA : \begin{cases} 220m + 30q = 242 \\ 30m + 5q = 35 \end{cases}.$$

Resolvendo, obtém-se $m = \dfrac{4}{5}$ e $q = \dfrac{11}{5}$.

Conclusão: A reta dos mínimos quadrados é $\hat{y} = 0{,}8x + 2{,}2$.

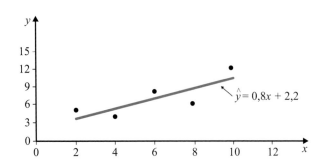

c) Para $x = 5$, $\hat{y} = 6{,}2$; para $x = 8$, $\hat{y} = 8{,}6$.

d) $x = \dfrac{\sum_{i=1}^{5} x_i}{5} = \dfrac{2+4+6+8+10}{5} = 6$ e $\bar{y} = \dfrac{\sum_{i=1}^{5} y_i}{5} = \dfrac{5+4+8+6+12}{5} = 7$.

Assim, $\bar{x} = 6$ e $\bar{y} = 7$.

e) $\hat{y} = 0{,}8x + 2{,}2$; para $x = 6$, tem-se $\hat{y} = 7$. Logo, a reta $\hat{y} = 0{,}8x + 2{,}2$ passa pelo ponto $(\bar{x}, \bar{y}) = (6, 7)$. Então, a reta dos mínimos quadrados pode ser colocada na forma $\hat{y} - 7 = 0{,}8(x - 6)$.

Para resolver os próximos itens, vamos precisar da seguinte tabela.

x_i	y_i	$\hat{y}_i$	$(y_i - 7)^2$	$(\hat{y}_i - 7)^2$	$(y_i - \hat{y}_i)^2$
2	5	3,8	4	10,24	1,44
4	4	5,4	9	2,56	1,96
6	8	7	1	0	1
8	6	8,6	1	2,56	6,76
10	12	10,2	25	10,24	3,24

f) $\sum_{i=1}^{5} (y_i - \bar{y})^2 = (5-7)^2 + (4-7)^2 + (8-7)^2 + (6-7)^2 + (12-7)^2 = 40$.

g) $\sum_{i=1}^{5} (\hat{y}_i - \bar{y})^2 = (3{,}8-7)^2 + (5{,}4-7)^2 + (7-7)^2 + (8{,}6-7)^2 + (10{,}2-7)^2$.

Assim, $\sum_{i=1}^{5} (\hat{y}_i - \bar{y})^2 = 25{,}6$.

h) $\sum_{i=1}^{5} (y_i - \hat{y}_i)^2 = 14{,}4$.

i) Pelos dados acima, $\sum_{i=1}^{5} (y_i - \bar{y})^2 = \sum_{i=1}^{5} (\hat{y}_i - \bar{y})^2 + \sum_{i=1}^{5} (y_i - \hat{y}_i)^2$.

Mínimos Quadrados: Solução LSQ de um Sistema Linear. Aplicações ao Ajuste de Curvas

j) É razoável, pois da relação anterior resulta que a soma dos quadrados dos *desvios* $\hat{y}_i - \bar{y}$ é menor ou igual à soma dos quadrados dos *desvios* $y_i - \bar{y}$, e, assim, é de se esperar que os $\hat{y}_i$ estejam mais concentrados em torno da média $\bar{y} = 7$ do que os y_i. OK?

k) $R^2 = \dfrac{\sum_{i=1}^{5}(\hat{y}_i - \bar{y})^2}{\sum_{i=1}^{5}(y_i - \bar{y})^2} = \dfrac{25,6}{40} = 0,64$. Assim, o *coeficiente de determinação* é $R^2 = 0,64$. (Pelo *coeficiente de determinação*, o ajuste pela reta dos mínimos quadrados não é lá essas coisas. Concorda?)

Para encerrar a seção, vamos explicitar as fórmulas para calcular m e q. Para isso, consideremos a tabela do início da seção.

Os coeficientes m e q da **reta dos mínimos quadrados**

$$\hat{y} = mx + q$$

são dados por

$$m = \dfrac{\sum_{k=1}^{n} x_k y_k - n\,\bar{x}\,\bar{y}}{\sum_{k=1}^{n} x_k^2 - n\,\bar{x}^2} = \dfrac{\sum_{k=1}^{n}(x_k - \bar{x})(y_k - \bar{y})}{\sum_{k=1}^{n}(x_k - \bar{x})^2}$$

e

$$q = -m\bar{x} + \bar{y}$$

em que $\bar{x}$ e $\bar{y}$ são as médias aritméticas

$$\bar{x} = \dfrac{\sum_{k=1}^{n} x_k}{n} \quad \text{e} \quad \bar{y} = \dfrac{\sum_{k=1}^{n} y_k}{n}.$$

Antes de prosseguirmos, vamos destacar uma propriedade muito importante da reta dos mínimos quadrados.

Propriedade importante da reta dos mínimos quadrados.

Substituindo

$$q = -m\bar{x} + \bar{y}$$

na reta dos mínimos quadrados, obtemos

$$\hat{y} - \bar{y} = m(x - \bar{x}).$$

A reta dos mínimos quadrados sempre passa pelo ponto $(\bar{x}, \bar{y})$.

Capítulo 17

Vamos, agora, à demonstração das fórmulas para calcular m e q

$$\vec{v_1} = \begin{bmatrix} x_1 \\ x_2 \\ \ldots \\ x_n \end{bmatrix}, \vec{v_2} = \begin{bmatrix} 1 \\ 1 \\ \ldots \\ 1 \end{bmatrix} \text{ e } \vec{b} = \begin{bmatrix} y_1 \\ y_2 \\ \ldots \\ y_n \end{bmatrix}.$$

Segue que

$$\vec{v_1} \cdot \vec{v_2} = \sum_{k=1}^{n} x_k, \quad \vec{v_2} \cdot \vec{v_2} = n \quad \text{e} \quad \vec{b} \cdot \vec{v_2} = \sum_{k=1}^{n} y_k.$$

Lembrando das fórmulas para o cálculo das médias aritméticas $\bar{x}$ e $\bar{y}$, resulta

$$\vec{v_1} \cdot \vec{v_2} = n\bar{x} \quad \text{e} \quad \vec{b} \cdot \vec{v_2} = n\bar{y}.$$

Então, o sistema auxiliar será equivalente a

$$SA : \begin{cases} m\vec{v_1} \cdot \vec{v_1} + n\bar{x}q = \vec{b} \cdot \vec{v_1} \\ n\bar{x}m + nq = n\bar{y} \end{cases}.$$

Multiplicando a segunda equação por $-\bar{x}$ e somando com a primeira, obtemos

$$m = \frac{\vec{b} \cdot \vec{v_1} - n\bar{x}\bar{y}}{\vec{v_1} \cdot \vec{v_1} - n\bar{x}^2} = \frac{\sum_{k=1}^{n} x_k y_k - n\bar{x}\bar{y}}{\sum_{k=1}^{n} x_k^2 - n\bar{x}^2}.$$

Da segunda equação de SA, obtemos

$$q = +m\bar{x} = \bar{y}.$$

Para verificar que

① $$m = \frac{\sum_{k=1}^{n} x_k y_k - n\bar{x}\bar{y}}{\sum_{k=1}^{n} x_k^2 - n\bar{x}^2} = \frac{\sum_{k=1}^{n}(x_k - \bar{x})(y_k - \bar{y})}{\sum_{k=1}^{n}(x_k - \bar{x})^2}$$

é só desenvolver o numerador e o denominador do segundo membro. Vamos lá.

$$\sum_{k=1}^{n}(x_k - \bar{x})(y_k - \bar{y}) = \sum_{k=1}^{n}(x_k y_k - x_k \bar{y} - \bar{x} y_k + \bar{x}\bar{y}).$$

De

$$\sum_{k=1}^{n} x_k \bar{y} = \bar{y} \sum_{k=1}^{n} x_k = \bar{y} n \left(\frac{\sum_{k=1}^{n} x_k}{n} \right) = n\bar{x}\bar{y},$$

$$\sum_{k=1}^{n} \bar{x} y_k = n\bar{x}\bar{y}$$

e

$$\sum_{k=1}^{n} \overline{x}\,\overline{y} = \underbrace{\overline{x}\,\overline{y} + \overline{x}\,\overline{y} + \ldots + \overline{x}\,\overline{y}}_{n \text{ parcelas}} = n\overline{x}\,\overline{y}$$

segue

$$\sum_{k=1}^{n}(x_k - \overline{x})(y_k - \overline{y}) = \sum_{k=1}^{n} x_k y_k - n\,\overline{x}\,\overline{y}.$$

Para verificar que $\sum_{k=1}^{n}(x_k - \overline{x})^2 = \sum_{k=1}^{n} x_k^2 - n\,\overline{x}^2$, basta substituir, na relação acima, y_k por x_k e $\overline{y}$ por $\overline{x}$.

Existe uma outra maneira, bastante interessante, de verificar a relação ① anterior. O caminho para essa outra maneira é lembrar que a reta dos mínimos quadrados passa pelo ponto $(\overline{x}, \overline{y})$. Seja

$$\hat{y} - \overline{y} = m(x - \overline{x})$$

a reta dos mínimos quadrados para os pontos (x_i, y_i), $i = 1, 2, \ldots, n$. Então, a reta

$$\hat{Y} = mX$$

será a reta dos mínimos quadrados para os pontos (X_i, Y_i), em que $X_i = x_i - \overline{x}$ e $Y_i = y_i - \overline{y}$, pois o que fizemos com essa mudança de variável foi apenas uma translação. Então, o coeficiente m será a *solução LSQ* do sistema

$$S : \begin{cases} (x_1 - \overline{x})m = y_1 - \overline{y} \\ (x_2 - \overline{x})m = y_2 - \overline{y} \\ \ldots \\ (x_n - \overline{x})m = y_n - \overline{y} \end{cases}$$

Sendo

$$\vec{v} = \begin{bmatrix} x_1 - \overline{x} \\ x_2 - \overline{x} \\ \ldots \\ x_n - \overline{x} \end{bmatrix} \quad \text{e} \quad \vec{b} = \begin{bmatrix} y_1 - \overline{y} \\ y_2 - \overline{y} \\ \ldots \\ y_n - \overline{y} \end{bmatrix}$$

teremos o sistema auxiliar

$$SA : \{m\,\vec{v} = \vec{b}$$

e, portanto,

$$m = \frac{\vec{b} \cdot \vec{v}}{\vec{v} \cdot \vec{v}} = \frac{\sum_{k=1}^{n}(y_k - \overline{y})(x_k - \overline{x})}{\sum_{k=1}^{n}(x_k - \overline{x})^2}.$$

O que você achou?

Capítulo 17

Exercícios 17.4

1. Considere a tabela

x	0	1	2	3	4	5
y	−1	2	1,5	3,5	3,8	4,5

a) Construa o diagrama de dispersão.
b) Determine a reta dos mínimos quadrados.
c) Determine o coeficiente de determinação R^2.

2. A tabela a seguir apresenta as vendas semanais (em toneladas) de arroz, das últimas 6 semanas, de um supermercado. (Na linha dos x, o −6 estará representando seis semanas atrás, o −5, cinco semanas atrás etc.)

x	−6	−5	−4	−3	−2	−1
y	2	2,4	1,9	1,8	2,1	2,2

(Pela tabela, há seis semanas foram vendidas 2 toneladas de arroz; há cinco semanas, 2,4 toneladas etc.)
a) Determine a reta dos mínimos quadrados.
b) Estime a venda para a semana atual ($x = 0$).
c) Determine o coeficiente de determinação R^2.

17.5 Coeficiente de Determinação. Correlação

Consideremos os pontos (x_i, y_i), $i = 1, 2, ..., n$. Seja $\hat{y} = mx + q$ a reta dos mínimos quadrados desses pontos. Nosso objetivo a seguir é mostrar que

$$\sum_{k=1}^{n}(y_k - \bar{y})^2 = \sum_{k=1}^{n}(\hat{y}_k - \bar{y})^2 + \sum_{k=1}^{n}(y_k - \hat{y}_k)^2$$

Temos, para $k = 1, 2, ..., n$,

$$(y_k - \bar{y})^2 = (y_k - \hat{y}_k + \hat{y}_k - \bar{y})^2$$

daí

$$(y_k - \bar{y})^2 = (y_k - \hat{y}_k)^2 + 2(y_k - \hat{y}_k)(\hat{y}_k - \bar{y}) + (\hat{y}_k - \bar{y})^2.$$

Para concluir a veracidade da relação acima, basta, então, mostrar que

$$\sum_{k=1}^{n}(y_k - \hat{y}_k)(\hat{y}_k - \bar{y}) = 0.$$

De $\hat{y}_k - \bar{y} = m(x_k - \bar{x})$ e de $y_k - \hat{y}_k = y_k - \bar{y} - (\hat{y}_k - \bar{y})$, segue que a relação acima é equivalente a

$$\sum_{k=1}^{n}[y_k - \bar{y} - m(x_k - \bar{x})](x_k - \bar{x}) = 0.$$

Mínimos Quadrados: Solução LSQ de um Sistema Linear. Aplicações ao Ajuste de Curvas

A seguir, vamos mostrar que essa última relação realmente se verifica. Vimos no final da seção anterior que $\hat{Y} = mX$ é a reta dos mínimos quadrados para os pontos (X_k, Y_k), em que $X_k = x_k - \bar{x}$ e $Y_k = y_k - \bar{y}$, para $k = 1, 2, 3, ..., n$. Assim, m é a *solução LSQ* do sistema

$$S : \{m\, \vec{v} = \vec{b}$$

em que

$$\vec{v} = \begin{bmatrix} x_1 - \bar{x} \\ x_2 - \bar{x} \\ ... \\ x_n - \bar{x} \end{bmatrix} \quad \text{e} \quad \vec{b} = \begin{bmatrix} y_1 - \bar{y} \\ y_2 - \bar{y} \\ ... \\ y_n - \bar{y} \end{bmatrix}.$$

Sabemos que, se m é a *solução LSQ* de S, deveremos ter

$$(\vec{b} - m\vec{v}) \cdot \vec{v} = 0$$

que é equivalente a

$$\sum_{k=1}^{n} [(y_k - \bar{y}) - m(x_k - \bar{x})](x_k - \bar{x}) = 0.$$

De acordo?

Fica provado assim o seguinte importante resultado:

Se $\hat{y} = mx + q$ é a reta dos mínimos quadrados dos pontos (x_k, y_k), $k = 1, 2, 3, ..., n$, então tem-se

$$\sum_{k=1}^{n}(y_k - \bar{y})^2 = \sum_{k=1}^{n}(\hat{y}_k - \bar{y})^2 + \sum_{k=1}^{n}(y_k - \hat{y}_k)^2.$$

Desta segue que

$$\sum_{k=1}^{n}(\hat{y}_k - \bar{y})^2 \leq \sum_{k=1}^{n}(y_k - \bar{y})^2$$

sendo que a igualdade só ocorrerá se a soma dos quadrados dos erros $E_k = y_k - \hat{y}_k$ for igual a zero, ou seja, se $y_k = \hat{y}_k$, para $k = 1, 2, ..., n$, e, portanto, se os pontos (x_k, y_k), $k = 1, 2, ..., n$, forem colineares.

Definição (de coeficiente de determinação). Sendo $\hat{y} = mx + q$ a reta dos mínimos quadrados dos pontos (x_k, y_k), $k = 1, 2, 3, ..., n$, definimos o *coeficiente de determinação* R^2 dessa reta por

$$R^2 = \frac{\sum_{k=1}^{n}(\hat{y}_k - \bar{y})^2}{\sum_{k=1}^{n}(y_k - \bar{y})^2}.$$

Do que vimos anteriormente, resulta $0 \leq R^2 \leq 1$, e, quanto mais próximo de 1 estiver R^2, mais próximo de zero estará a soma dos quadrados dos erros E_k. Portanto, *o ajuste da reta dos mínimos quadrados aos pontos* (x_k, y_k), $k = 1, 2, ..., n$, *será tanto melhor quanto mais próximo de 1 estiver* R^2.

De $\hat{y} - \bar{y} = m(x - \bar{x})$ segue, para $k = 1, 2, ..., n$, $\hat{y}_k - \bar{y} = m(x - \bar{x})$. Desse modo, o coeficiente de determinação poderá ser colocado na seguinte forma:

$$R^2 = \frac{m^2 \sum_{k=1}^{n}(x_k - \bar{x})^2}{\sum_{k=1}^{n}(y_k - \bar{y})^2}.$$

Lembrando que

$$\boxed{m = \frac{\sum_{k=1}^{n}(x_k - \bar{x})(y_k - \bar{y})}{\sum_{k=1}^{n}(x_k - \bar{x})^2}}$$

resulta

$$\boxed{R^2 = \left[\frac{\sum_{k=1}^{n}(x_k - \bar{x})(y_k - \bar{y})}{\sqrt{\sum_{k=1}^{n}(x_k - \bar{x})^2}\sqrt{\sum_{k=1}^{n}(y_k - \bar{y})^2}}\right]^2}$$

Definição (de correlação). O número

$$R = \frac{\sum_{k=1}^{n}(x_k - \bar{x})(y_k - \bar{y})}{\sqrt{\sum_{k=1}^{n}(x_k - \bar{x})^2}\sqrt{\sum_{k=1}^{n}(y_k - \bar{y})^2}}$$

denomina-se *correlação* entre os números x_k e y_k.

Das definições acima, segue que o *coeficiente de determinação* é o quadrado da *correlação*. De $R^2 \leq 1$, resulta $-1 \leq R \leq 1$. Lembrando da definição de cosseno de ângulo de dois vetores, a *correlação* entre os números x_k e y_k, $k = 1, 2, ..., n$, nada mais é do que o cosseno do ângulo formado pelos vetores de componentes

$$(x_1 - \bar{x}, x_2 - \bar{x}, ..., x_n - \bar{x}) \quad \text{e} \quad (y_1 - \bar{y}, y_2 - \bar{y}, ..., y_n - \bar{y}).$$

17.6 Plano dos Mínimos Quadrados. Ajuste Polinomial

Consideremos os pontos (x_k, y_k, z_k), $k = 1, 2, ..., n$. Dizemos que

$$\hat{z} = ax + bx + c$$

é o *plano dos mínimos quadrados* para os pontos acima se (a, b, c) for a *solução LSQ* do sistema

$$S : \begin{cases} x_1 a + y_1 b + c = z_1 \\ x_2 a + y_2 b + c = z_2 \\ \quad \cdots \\ x_n a + y_n b + c = z_n. \end{cases}$$

Da mesma forma que fizemos para a reta dos mínimos quadrados, mostra-se que o plano dos mínimos quadrados passa pelo ponto $(\bar{x}, \bar{y}, \bar{z})$, e, portanto, a equação dos planos dos mínimos quadrados pode ser colocada na forma

$$\hat{z} - \bar{z} = a(x - \bar{x}) + b(y - \bar{y}).$$

Prova-se, ainda, que é válida a relação

$$\sum_{k=1}^{n} (z_k - \bar{z})^2 = \sum_{k=1}^{n} (\hat{z}_k - \bar{z})^2 + \sum_{k=1}^{n} (z_k - \hat{z}_k)^2.$$

De maneira análoga, define-se, então, o *coeficiente de determinação* R^2:

$$R^2 = \frac{\sum_{k=1}^{n} (\hat{z}_k - \bar{z})^2}{\sum_{k=1}^{n} (z_k - \bar{z})^2}.$$

Deixamos para o leitor provar o que dissemos acima e generalizar para p variáveis.

Consideremos, agora, os pontos do plano (x_k, y_k), $k = 1, 2, ..., n$. Suponhamos que o diagrama de dispersão desses pontos tenha a "cara" de uma parábola. Então, a ideia é procurar ajustar aos pontos uma função do tipo $\hat{y} = ax^2 + bx + c$. Isso nos levará ao sistema

$$S : \begin{cases} x_1^2 a + x_1 b + c = y_1 \\ x_2^2 a + x_2 b + c = y_2 \\ \quad \cdots \\ x_n^2 a + x_n b + c = y_n. \end{cases}$$

Se considerarmos os pontos do $\mathbb{R}^3$ (x_k^2, x_k, y_k), $k = 1, 2, ..., n$, o problema é exatamente o mesmo que vimos anteriormente. Para esse ajuste, o *coeficiente de determinação* será

$$R^2 = \frac{\sum_{k=1}^{n} (\hat{y}_k - \bar{y})^2}{\sum_{k=1}^{n} (y_k - \bar{y})^2}.$$

No Apêndice B, veremos como lidar com esses problemas na HP-48G e no EXCEL.

A APÊNDICE

Funções de uma Variável Real a Valores Complexos

A.1 Funções de uma Variável Real a Valores Complexos

Uma função de *uma variável real a valores complexos* é uma função cujo domínio é um subconjunto de $\mathbb{R}$ e cujo contradomínio é $\mathbb{C}$.

Exemplo 1 Considere a função f dada por $f(t) = t^2 + i \cos t$.

a) Qual o domínio?

b) Calcule $f(0)$ e $f\left(\dfrac{\pi}{2}\right)$.

Solução

a) O domínio de f é $\mathbb{R}$.

b) $f(0) = i$ e $f\left(\dfrac{\pi}{2}\right) = \left(\dfrac{\pi}{2}\right)^2$.

Exemplo 2 Seja f dada por $f(t) = \cos t + i \operatorname{sen} t$. Desenhe a imagem de f.

Solução

Para cada t, $f(t)$ identifica-se com o ponto $(\cos t, \operatorname{sen} t)$. A imagem de f é a circunferência de centro na origem e raio 1:

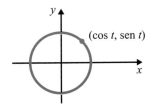

Funções de uma Variável Real a Valores Complexos

Seja $f : A \to \mathbb{C}$, $A \subset \mathbb{R}$, uma função de uma variável real a valores complexos; então existem, e são únicas, duas funções $f_1(t)$ e $f_2(t)$, definidas em A e a valores reais, tais que $f(t) = f_1(t) + if_2(t)$, para todo $t \in A$. Pois bem, diremos que f é *contínua* em $t_0 \in A$ se e somente se f_1 e f_2 forem contínuas em t_0. Diremos, ainda, que f é *derivável* em t_0 se e somente se f_1 e f_2 forem deriváveis em t_0. Sendo f derivável em t_0, definimos a *derivada* de f em t_0 por

$$f'(t_0) = f_1'(t_0) + i f_2'(t_0).$$

Seja $f : A \to \mathbb{C}$, $A \subset \mathbb{R}$; dizemos que $F : A \to \mathbb{C}$ é uma *primitiva* de f se $F'(t) = f(t)$, para todo $t \in A$. A notação $\int f(t)dt$ será usada para indicar a família das primitivas de f.

Teorema. Seja $f : I \to \mathbb{C}$, em que I é um intervalo em $\mathbb{R}$. Se $f'(t) = 0$, para todo $t \in I$, então existe uma constante complexa k tal que $f(t) = k$, para todo t em I.

Demonstração

Seja $f(t) = f_1(t) + if_2(t)$. Segue da hipótese que $f_1'(t) = 0$ e $f_2'(t) = 0$ em I; assim, existem constantes reais k_1 e k_2 tais que, para todo $t \in I$,

$$f_1(t) = k_1 \quad \text{e} \quad f_2(t) = k_2.$$

Portanto, para todo $t \in I$,

$$f(t) = k_1 + ik_2. \qquad \blacksquare$$

Como consequência deste teorema resulta que se $f : I \to \mathbb{C}$ e $g : I \to \mathbb{C}$, I intervalo, forem tais que $f'(t) = g'(t)$ em I, então existirá uma constante complexa k tal que, para todo t em I,

$$g(t) = f(t) + k.$$

De fato, pela hipótese, para todo t em I,

$$[g(t) - f(t)]' = 0$$

e, pelo teorema acima, existe uma constante k tal que, para todo t em I,

$$g(t) - f(t) = k.$$

Exemplo 3 Seja $f(t) = \cos t + i \operatorname{sen} t$.

a) Calcule $f'(t)$.
b) Verifique que $f'(t) = if(t)$.

Solução

a) $f'(t) = [\cos t, i \operatorname{sen} t]' = -\operatorname{sen} t + i \cos t$.
b) $f'(t) = i^2 \operatorname{sen} t + i \cos t = i(\cos t + i \operatorname{sen} t) = if(t)$.

Apêndice A

Exemplo 4 Seja $u(t) = e^{\alpha t}(\cos \beta t + i \operatorname{sen} \beta t)$ em que α e β são constantes reais. Seja $\lambda = \alpha + i\beta$. Verifique que

$$\frac{du}{dt} = \lambda u.$$

Solução

$$\frac{du}{dt} = \alpha\, e^{\alpha t}\left[\cos \beta t + i \operatorname{sen} \beta t\right] + e^{\alpha t}\left[-\beta \operatorname{sen} \beta t + i\beta \cos \beta t\right]$$

$$= \alpha e^{\alpha t}\left[\cos \beta t + i \operatorname{sen} \beta t\right] + \beta i e^{\alpha t}\left[\cos \beta t + i \operatorname{sen} \beta t\right]$$

$$= (\alpha + i\beta) e^{\alpha t}\left[\cos \beta t, i \operatorname{sen} \beta t\right].$$

Portanto, $\dfrac{du}{dt} = \lambda u.$

Exercício

Sejam f e g duas funções a valores complexos, definidas e deriváveis num intervalo I. Prove que, para todo t em I, tem-se:

a) $[f(t) + g(t)]' = f'(t) + g'(t).$

b) $[kf(t)]' = kf'(t)$, em que k é uma constante complexa.

c) $[f(t)g(t)]' = f'(t)g(t) + f(t)g'(t).$

d) $\left[\dfrac{f(t)}{g(t)}\right]' = \dfrac{f'(t)g(t) - f(t)g'(t)}{[g(t)]^2}$ em todo $t \in I$, com $g(t) \neq 0.$

A.2 Definição de $e^{\lambda t}$, com λ Complexo

Seja λ um número real; já vimos que $u(t) = e^{\lambda t}$ é a *única* função definida em $\mathbb{R}$ e que é solução do problema.

$$\begin{cases} \dfrac{du}{dt} = \lambda u \\ u(0) = 1. \end{cases}$$

Suponhamos, agora, $\lambda = \alpha + i\beta$, em que α e β são constantes reais. Vamos mostrar a seguir que

$$u(t) = e^{\alpha t}(\cos \beta t, i \operatorname{sen} \beta t)$$

é a *única* função de $\mathbb{R}$ em $\mathbb{C}$ que é a solução do problema

①
$$\begin{cases} \dfrac{du}{dt} = \lambda u \\ u(0) = 1. \end{cases}$$

De fato, $u(0) = 1$. Pelo Exemplo 4 da seção anterior, $\dfrac{du}{dt} = \lambda u$. Deste modo a função $u(t) = e^{\alpha t}(\cos \beta t + i \operatorname{sen} \beta t)$ é a solução de ①. Como $|u(t)| = e^{\alpha t}$ segue que $u(t) \neq 0$ em $\mathbb{R}$. Suponhamos, agora, que $v = v(t)$, $t \in \mathbb{R}$, seja, também, solução de ①, isto é:

$$\begin{cases} v'(t) = \lambda v(t), \text{ para todo } t, \text{ e} \\ v(0) = 1 \end{cases}$$

Vamos mostrar que $v(t) = u(t)$ em $\mathbb{R}$. Temos:

$$\left[\dfrac{v(t)}{u(t)}\right]' = \dfrac{v'(t)u(t) - v(t)u'(t)}{[u(t)]^2} = \dfrac{\lambda v(t)u(t) - \lambda v(t)u(t)}{[u(t)]^2} = 0.$$

Assim, existe uma constante complexa k tal que, para todo t em $\mathbb{R}$,

$$\dfrac{v(t)}{u(t)} = k.$$

Como $v(0) = u(0) = 1$, resulta $k = 1$. Portanto,

$$v(t) = u(t) \text{ em } \mathbb{R}.$$

Fica provado que $u(t) = e^{\alpha t}(\cos \beta t + i \operatorname{sen} \beta t)$ é a *única* função de $\mathbb{R}$ em $\mathbb{C}$ satisfazendo ①. Nada mais natural do que a seguinte definição.

Definição. Seja $\lambda = \alpha + i\beta$, com α e β reais. Definimos

$$e^{\lambda t} = e^{(\alpha + i\beta)t} = e^{\alpha t}(\cos \beta t + i \operatorname{sen} \beta t) \qquad \text{(relação de Euler)}$$

para todo t real.

Fazendo $t = 1$ na definição acima resulta:

$$\boxed{e^{\alpha + i\beta} = e^{\alpha}(\cos \beta + i \operatorname{sen} \beta).}$$

Se $\alpha = 0$

$$\boxed{e^{i\beta} = \cos \beta + i \operatorname{sen} \beta.}$$

Seja $z = e^{\alpha + i\beta}$. Observe que $|z| = e^{\alpha}$ e que β é um argumento de z:

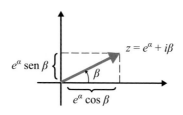

Apêndice A

Seja λ uma constante complexa. Do que vimos anteriormente resulta:

$$\boxed{\left[e^{\lambda t}\right]' = \lambda e^{\lambda t}, \text{ para todo } t \text{ real.}}$$

O próximo exemplo mostra-nos que a propriedade

$$e^{\lambda_1 + \lambda_2} = e^{\lambda_1} \cdot e^{\lambda_2}$$

é válida em $\mathbb{C}$.

Exemplo 1 Sejam λ_1 e λ_2 complexos dados. Mostre que

$$e^{\lambda_1 + \lambda_2} = e^{\lambda_1} \cdot e^{\lambda_2}.$$

Solução

$u(t) = e^{(\lambda_1 + \lambda_2)t}$ é a única função de $\mathbb{R}$ em $\mathbb{C}$ que satisfaz o problema

② $$\begin{cases} \dfrac{du}{dt} = (\lambda_1 + \lambda_2)u \\ u(0) = 1. \end{cases}$$

Por outro lado, $v(t) = e^{\lambda_1 t} e^{\lambda_2 t}$, $t \in \mathbb{R}$, também satisfaz ② (verifique). Portanto, para todo t real,

$$e^{(\lambda_1 + \lambda_2)t} = e^{\lambda_1 t} e^{\lambda_2 t}.$$

Em particular, para $t = 1$,

$$e^{\lambda_1 + \lambda_2} = e^{\lambda_1} \cdot e^{\lambda_2}.$$

Exemplo 2 Verifique que, para todo t real,

$$\cos t = \frac{e^{it} + e^{-it}}{2} \text{ e } \operatorname{sen} t = \frac{e^{it} - e^{-it}}{2i}.$$

Solução

① $$e^{it} = \cos t + i \operatorname{sen} t.$$

$$e^{-it} = \cos(-t) + i \operatorname{sen}(-t)$$

ou seja,

② $$e^{-it} = \cos t - i \operatorname{sen} t.$$

Somando membro a membro ① e ② resulta

$$\cos t = \frac{e^{it} + e^{-it}}{2}.$$

Subtraindo membro a membro ① e ② resulta

$$\operatorname{sen} t = \frac{e^{it} - e^{-it}}{2i}.$$

Funções de uma Variável Real a Valores Complexos

Sendo $\lambda \neq 0$ uma constante complexa, de $(e^{\lambda t})' = \lambda e^{\lambda t}$ segue

$$\int e^{\lambda t} dt = \frac{1}{\lambda} e^{\lambda t} + k.$$

Exemplo 3 Calcule:

a) $\int e^{it} dt$

b) $\int e^{t} \cos t \, dt.$

Solução

a) $\int e^{it} dt = \frac{1}{i} e^{it} + k.$

b) $\int e^{it} \cos t \, dt = \int e^{t} \left[\frac{e^{it} + e^{-it}}{2} \right] dt = \frac{1}{2} \int \left[e^{(1+i)t} + e^{(1-i)t} \right] dt$

$$= \frac{1}{2} \left[\frac{e^{(1+i)t}}{1+i} + \frac{e^{(1-i)t}}{1-i} \right] + k.$$

Ou seja,

$$\int e^{t} \cos t \, dt = \frac{1}{2} e^{t} \left[\frac{e^{it}}{1+i} + \frac{e^{-it}}{1-i} \right] + k.$$

Como $e^{it} = \cos t + i \operatorname{sen} t$ e $e^{-it} = \cos t - i \operatorname{sen} t$, resulta:

$$\int e^{t} \cos t \, dt = \frac{1}{2} e^{t} \left[\frac{\cos t + i \operatorname{sen} t}{1+i} + \frac{\cos t - i \operatorname{sen} t}{1-i} \right] + k = \frac{1}{2} e^{t} [\cos t, \operatorname{sen} t] + k,$$

pois

$$\frac{\cos t + i \operatorname{sen} t}{1+i} + \frac{\cos t - i \operatorname{sen} t}{1-i} = \cos t + \operatorname{sen} t \text{ (verifique).}$$

Exemplo 4 Mostre que

$$\cos 3\theta = \cos^{3} \theta - 3\cos \theta \operatorname{sen}^{2} \theta \text{ e } \operatorname{sen} 3\theta = 3\cos^{2} \theta \operatorname{sen} \theta - \operatorname{sen}^{3} \theta.$$

Solução

$$e^{i\theta} = \cos \theta + i \operatorname{sen} \theta.$$

Por outro lado,

$$(e^{i\theta})^{3} = e^{i\theta} \cdot e^{i\theta} \cdot e^{i\theta} \cdot = e^{3i\theta}.$$

Segue que

$$e^{3i\theta} = (\cos \theta + i \operatorname{sen} \theta)^{3}.$$

Apêndice A

Temos, também,

$$e^{3i\theta} = \cos 3\theta + i \operatorname{sen} 3\theta.$$

Assim,

③ $\qquad (\cos \theta + i \operatorname{sen} \theta)^3 = \cos 3\theta + i \operatorname{sen} 3\theta.$

Temos:

$$(\cos \theta + i \operatorname{sen} \theta)^3 = \cos^3 \theta + 3\cos^2 \theta (i \operatorname{sen} \theta) + 3\cos \theta (i \operatorname{sen} \theta)^2 + (i \operatorname{sen} \theta)^3,$$

ou seja,

④ $\qquad (\cos \theta + i \operatorname{sen} \theta)^3 = \cos^3 \theta - 3\cos \theta \operatorname{sen}^2 \theta + i \, [3\cos^2 \theta \operatorname{sen} \theta - \operatorname{sen}^3 \theta].$

De ③ e ④ resulta:

$$\cos 3\theta = \cos^3 \theta - 3\cos \theta \operatorname{sen}^2 \theta$$

e

$$\operatorname{sen} 3\theta = 3\cos^2 \theta \operatorname{sen} \theta - \operatorname{sen}^3 \theta.$$

Exemplo 5 Sejam $z = e^{\alpha+i\beta}$, com $0 < \beta < \dfrac{\pi}{2}$, e θ um real com $0 < \theta < \dfrac{\pi}{2}$. Represente geometricamente z e $ze^{i\theta}$.

Solução
Para fixar o raciocínio, vamos supor $\dfrac{\pi}{2} < \theta + \beta < \pi$. Seja $z_1 = ze^{i\theta}$. Temos: $z_1 = e^{\alpha + i(\theta+\beta)}$.

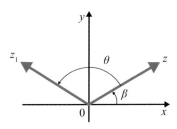

Os módulos de z e z_1 são iguais a e^α. O vetor 0_{z1} é obtido de 0_z por uma rotação de θ radiano, no sentido anti-horário.

Exemplo 6 Sejam z_1 e z_2 dois números complexos com argumentos β_1 e β_2, respectivamente. Seja $z = z_1 \cdot z_2$.

a) Verifique que $|z| = |z_1| \, |z_2|$.
b) Mostre que $\beta_1 + \beta_2$ é um argumento de z.

Solução

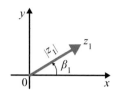 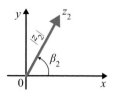

$$z_1 = |z_1|(\cos \beta_1 + i \operatorname{sen} \beta_1) \qquad z_2 = |z_2|(\cos \beta_2 + i \operatorname{sen} \beta_2)$$

Como $e^{i\beta_1} = \cos \beta_1 + i \operatorname{sen} \beta_1$ e $e^{i\beta_2} = \cos \beta_2 + i \operatorname{sen} \beta_2$, resulta:

$$z_1 = |z_1| e^{i\beta_1} \quad \text{e} \quad z_2 = |z_2| e^{i\beta_2}.$$

Portanto,

$$z = |z_1||z_2| e^{i(\beta_1+\beta_2)}$$

ou seja,

$$z = |z_1||z_2|[\cos (\beta_1+\beta_2) + i \operatorname{sen} (\beta_1+\beta_2)].$$

Portanto,

a) $|z| = |z_1||z_2|$ \qquad *b)* $\beta_1 + \beta_2$ é um argumento de z.

Sejam a um *número complexo* dado e $f : I \to \mathbb{C}$ uma função contínua dada, em que I é um intervalo de $\mathbb{R}$. Consideremos a equação diferencial linear, de 1ª ordem, com coeficiente constante,

$$\frac{dx}{dt} + ax = f(t).$$

Procedendo exatamente como na Seção 5.1 obtemos a solução geral

$$x = ke^{-at} + e^{-at} \int e^{at} f(t) dt \; (k \in \mathbb{C}).$$

(Verifique.)

Exemplo 7 Resolva as equações:

a) $\dfrac{du}{dt} - iu = 0$ \qquad *b)* $\dfrac{dx}{dt} + ix = k_1 e^{it}$ (k_1 constante)

Solução

a) Pela fórmula acima,

$$u = ke^{it} \; (k \in \mathbb{C}).$$

b) $x = ke^{-it} + e^{-it} \int e^{it} k_1 e^{it} dt = ke^{-it} + k_1 e^{-it} \int e^{2it} dt.$

Ou seja,

$$x = ke^{-it} + k_1 e^{-it} \frac{e^{2it}}{2i}$$

ou ainda,

$$x = ke^{-it} + \frac{k_1}{2i} e^{it} \ (k \in \mathbb{C}).$$

Exemplo 8 Mostre que

$$x = Ae^{it} + Be^{-it} \ (A, B \in \mathbb{C})$$

é a solução geral de $\frac{d^2 x}{dt^2} + x = 0$.

Solução

$\frac{d^2 x}{dt^2} + x = 0$ é equivalente a

$$\frac{d}{dt}\left[\frac{dx}{dt} + ix\right] - i\left[\frac{dx}{dt} + ix\right] = 0 \text{ (verifique)}.$$

Fazendo $u = \frac{dx}{dt} + ix$ obtemos

$$\frac{du}{dt} - iu = 0$$

cuja solução geral é $u = k_1 e^{it}$. Assim,

$$\frac{dx}{dt} + ix = k_1 e^{it}$$

cuja solução geral é:

$$x = ke^{-it} + \frac{k_1}{2i} e^{it} \ (k, k_1 \in \mathbb{C}).$$

Fazendo $A = \frac{k_1}{2i}$ e $B = k$ obtemos:

$$x = Ae^{it} + Be^{-it} (A, B \in \mathbb{C}).$$

[Observe que i e $-i$ são as raízes da equação característica da equação dada.] Fazendo na solução acima, $e^{it} = \cos t + i \operatorname{sen} t$ e $e^{-it} = \cos t - i \operatorname{sen} t$ obtemos:

$$x = A(\cos t + i \operatorname{sen} t) + B(\cos t - i \operatorname{sen} t) = \underbrace{(A+B)}_{A_1}\cos t + \underbrace{(Ai - Bi)}_{B_1}\operatorname{sen} t,$$

ou seja,

$$x = A_1 \cos t + B_1 \operatorname{sen} t \ (A_1, B_1 \in \mathbb{C}).$$

A.3 Equações Diferenciais Lineares, Homogêneas, de 2ª Ordem, com Coeficientes Constantes

Consideremos a equação

① $$\frac{d^2x}{dt^2} + a_1 \frac{dx}{dt} + a_2 x = 0$$

em que a_1 e a_2 são números complexos dados. Sejam λ_1 e λ_2 ($\lambda_1, \lambda_2 \in \mathbb{C}$) as raízes da equação característica de ①. Procedendo exatamente como na demonstração do teorema da Seção 5.2, obtemos os seguintes resultados:

a) se $\lambda_1 \neq \lambda_2$, a solução geral de ① será

$$x = A_1 e^{\lambda_1 t} + B_1 e^{\lambda_2 t} \quad (A_1, B_1 \in \mathbb{C})$$

b) se $\lambda_1 = \lambda_2$, a solução geral de ① será

$$x = A_1 e^{\lambda_1 t} + B_1 \, t \, e^{\lambda_2 t} \quad (A_1, B_1 \in \mathbb{C}).$$

Exemplo Resolva a equação $\ddot{x} + 2\dot{x} + 2x = 0$.

Solução

$$\lambda^2 + 2\lambda + 2 = 0 \Leftrightarrow \lambda = -1 + i \text{ ou } \lambda = -1 - i.$$

A solução geral é:

$$x = A_1 e^{(-1+i)t} + B_1 e^{(-1-i)t}$$

ou

$$x = e^{-t}[A_1 e^{it} + B_1 e^{-it}](A_1, B_1 \in \mathbb{C}).$$

Lembrando que $e^{it} = \cos t + i \operatorname{sen} t$ e $e^{-it} = \cos t - i \operatorname{sen} t$, resulta

$$x = e^{-t}[\underbrace{(A_1 + B_1)}_{A} \cos t + \underbrace{(iA_1 - iB_1)}_{B} \operatorname{sen} t],$$

ou seja,

$$\boxed{x = e^{-t}[A \cos t + B \operatorname{sen} t](A, B \in \mathbb{C}).}$$

Observação. Se a_1 e a_2 forem *reais* e se as raízes da equação $\lambda^2 + a_1\lambda + a_2 = 0$ forem complexas, então tais raízes serão números complexos conjugados: $\lambda = \alpha + i\beta$. Assim, a solução geral de

$$\frac{d^2x}{dt^2} + a_1 \frac{dx}{dt} + a_2 x = 0$$

será

$$x = A_1 e^{(\alpha+i\beta)t} + B_1 e^{(\alpha-i\beta)t}$$

ou

$$x = e^{\alpha t}[A_1 e^{i\beta t} + B_1 e^{-i\beta t}] \quad (A_1, B_1 \in \mathbb{C}).$$

Como $e^{i\beta t} = \cos \beta t + i \sen \beta t$ e $e^{-i\beta t} = \cos \beta t - i \sen \beta t$ resulta:

$$x = e^{\alpha t}[(A_1 + B_1)\cos \beta t + (iA_1 - iB_1) \sen \beta t]$$

ou

$$x = e^{\alpha t}[A \cos \beta t + B \sen \beta t] \ (A, B, \in \mathbb{C}).$$

A.4 Equações Diferenciais Lineares, de 3ª Ordem, com Coeficientes Constantes

Consideremos, inicialmente, a equação homogênea

(I) $$\frac{d^3 x}{dt^3} + a_1 \frac{d^2 x}{dt^2} + a_2 \frac{dx}{dt} + a_3 x = 0$$

em que a_1, a_2, a_3 são constantes dadas. Sejam λ_1, λ_2 e λ_3 as raízes da equação característica $\lambda^3 + a_1 \lambda^2 + a_2 \lambda + a_3 = 0$. Temos:

$$\begin{cases} \lambda_1 + \lambda_2 + \lambda_3 = -a_1 \\ \lambda_1 \lambda_2 + \lambda_1 \lambda_3 + \lambda_2 \lambda_3 = a_2 \text{ (relações de Girard)}. \\ \lambda_1 \lambda_2 \lambda_3 = -a_3 \end{cases}$$

Substituindo em (I) obtemos:

$$\frac{d^3 x}{dt^3} - (\lambda_1 + \lambda_2 + \lambda_3)\frac{d^2 x}{dt^2} + (\lambda_1 \lambda_2 + \lambda_1 \lambda_3 + \lambda_2 \lambda_3)\frac{dx}{dt} - \lambda_1 \lambda_2 \lambda_3 x = 0$$

que é equivalente a:

$$\frac{d^2}{dt^2}\underbrace{\left[\frac{dx}{dt} - \lambda_3 x\right]}_{u} - (\lambda_1 + \lambda_2)\frac{d}{dt}\underbrace{\left[\frac{dx}{dt} - \lambda_3 x\right]}_{u} + \lambda_1 \lambda_2 \underbrace{\left[\frac{dx}{dt} - \lambda_3 x\right]}_{u} = 0.$$

Segue que $x = x(t), t \in \mathbb{R}$, será solução de (I) se e somente se $u = \frac{dx}{dt} - \lambda_3 x$ for solução da equação linear de 2ª ordem

$$\frac{d^2 u}{dt^2} - (\lambda_1 + \lambda_2)\frac{du}{dt} + \lambda_1 \lambda_2 u = 0.$$

Portanto, $x = x(t)$ será solução de (I) se e somente se

$$\frac{dx}{dt} - \lambda_3 x = A_1 e^{\lambda_1 t} + B_1 e^{\lambda_2 t} \text{ se } \lambda_1 \neq \lambda_2$$

ou

$$\frac{dx}{dt} - \lambda_3 x = A_1 e^{\lambda_1 t} + B_1 t e^{\lambda_1 t} \text{ se } \lambda_1 = \lambda_2.$$

Deixamos a seu cargo concluir que a solução geral de (I) será:

$$x = A e^{\lambda_1 t} + B e^{\lambda_2 t} + C e^{\lambda_3 t} \text{ se } \lambda_i \neq \lambda_j \text{ para } i \neq j,$$

ou

$$x = A e^{\lambda_1 t} + B t e^{\lambda_1 t} + C e^{\lambda_3 t} \text{ se } \lambda_1 = \lambda_2 \neq \lambda_3,$$

ou

$$x = A e^{\lambda_1 t} + B t e^{\lambda_1 t} + C t^2 e^{\lambda_1 t} \text{ se } \lambda_1 = \lambda_2 = \lambda_3.$$

As equações lineares de 3ª ordem, não homogêneas, com coeficientes constantes, são tratadas do mesmo modo que as de 2ª ordem. Fica a seu cargo estender os resultados até aqui obtidos para equações lineares, com coeficientes constantes, de ordem $n > 3$.

APÊNDICE B

Uso da HP-48G, do EXCEL e do MATHCAD[1]

B.1 As Funções *UTPN*, *NMVX* e *NMVA*

A função *UTPN* é uma função da calculadora e que se utiliza para cálculo de probabilidade na distribuição normal $N(\mu, \sigma^2)$. Esta função é dada por

$$UTPN = UTPN(\mu, \sigma^2, x) = P(X \geq x).$$

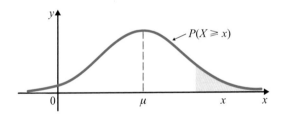

$$UTPN(\mu, \sigma^2, x) = \frac{1}{\sigma\sqrt{2\pi}} \int_x^{+\infty} e^{-(x-\mu)^2/2\sigma^2} dx.$$

Para acessar *UTPN*, digite:

MTH NXT (para virar página do menu) **PROB** (no menu, tecla branca da letra A) **NXT** (para virar página do menu).

Pronto. Viu *UTPN* no retângulo dentro do visor e correspondente à tecla branca da letra C? Para ativar *UTPN*, é só pressionar a tecla branca da letra C.

---

[1] Os programas ilustrados neste apêndice não estão cobertos por nenhum tipo de garantia, por parte do autor ou da editora, no que diz respeito à sua adequação para comercialização ou utilização com qualquer propósito específico. Os programas são apresentados somente a título de ilustração, e todos os riscos decorrentes de deficiências em sua qualidade e desempenho serão inteiramente por conta do usuário.

Vejamos agora como utilizar *UTPN*. Cálculos com *UTPN* são realizados no ambiente HOME.

Exemplo 1 Seja X uma variável aleatória com distribuição normal $N(6, 4)$, ou seja, com média $\mu = 6$ e variância $\sigma^2 = 4$. Calcule.

a) $P(X \geq 5)$ *b)* $P(X \geq 8)$ *c)* $P(5 \leq X \leq 8)$.

Solução

Entre no ambiente HOME. Caso não esteja nesse diretório, é só ir pressionando a tecla ON que você acabará chegando nele.

a) Entre com 6, 4 e 5, nesta ordem, ou seja, digite:

6 ENTER 4 ENTER 5 ENTER

Desse modo, o 6 estará no nível 3, o 4 no nível 2, e o 5 no nível 1. Agora, é só pressionar a tecla branca da letra C para ativar *UTPN*. No nível 1, aparecerá o valor da probabilidade: 0,69146. Assim, $P(X \geq 5) = 0,69146$.

b) Entre com 6, 4 e 8, nessa ordem, e pressione *UTPN* para obter 0,15865. Assim, $P(X \geq 8) = 0,15865$.

c) $P(5 \leq X \leq 8) = P(X \geq 5) - P(X \geq 8) = 0,53280$.

Exemplo 2 Considere a variável aleatória X com distribuição normal $N(6, 4)$. Calcule $P(\mu - \sigma \leq X \leq \mu + \sigma)$.

Solução

$\mu = 6$ e de $\sigma^2 = 4$ segue $\sigma = 2$. O que queremos é $P(4 \leq X \leq 8)$. Temos

$$P(4 \leq X \leq 8) = P(X \geq 4) - P(X \geq 8).$$

Procedendo como no exemplo anterior, obtém-se

$$P(X \geq 4) = 0,84134 \quad \text{e} \quad P(X \geq 8) = 0,15865.$$

Assim, $P(4 \leq X \leq 8) = 0,68268$. (Esse resultado já é nosso conhecido, lembra-se? Esqueceu? Volte para o Cap. 4.)

O que é muito importante em estatística é **determinar o valor de x** quando se conhecem μ, σ^2 e $P(X \geq x)$. Na HP-48G não existe função que realize esse cálculo diretamente. Entretanto, podemos criar uma função que nos permitirá realizar essa tarefa. Tal função será representada pela variável *NMVX* (que lembra: normal, média, variância e x):

$$NMVX = NMVX(M, V, X).$$

Essa função fará o que a *UTPN* faz, e com uma vantagem: a calculadora **não** reconhece *UTPN* (M, V, X) como uma expressão nas variáveis M, V e X, mas reconhecerá *NMVX* (M, V, X) como tal. Esse fato nos permitirá criar a equação

$$NMVX(M, V, X) = \alpha$$

e resolvê-la no **SOLVE EQUATION** quando houver apenas uma variável desconhecida: se forem conhecidas M, V e α, determinamos X.

Vamos então criar tal função. Na verdade, o que faremos é criar um programa e armazená-lo na variável *NMVX*. Estando no ambiente HOME, entre no nível 1 com o programa (tecle α para escrever)

$$<< \rightarrow M\ V\ X << M\ V\ X\ UTPN >> >>$$

ATENÇÃO. << >> é a função roxa na tecla menos (−); → é a função verde na tecla **0**. Localizou? Observamos que entre →, *M*, *V* e *X* deve haver um espaço.

Agora, digite: *NMVX*. Em seguida, pressione a tecla **STO** para armazenar o programa na variável *NMVX*.
Vamos destacar no quadro a seguir o que fizemos para criar a variável *NMVX*.

Criando a variável *NMVX*

Nível 1: $<< \rightarrow M\ V\ X << M\ V\ X\ UTPN >> >>$

Digite: *NMVX* e pressione **STO**

Pronto. A variável *NMVX* já está na memória da calculadora e pronta para ser usada. Para localizá-la, pressione a tecla **VAR** (VAR = VARIÁVEIS) para abrir o menu das variáveis. Agora, tente localizar tal variável no menu dentro do visor; se for necessário, pressione **NXT** para virar a página do menu. Localizou? Está, então, criada a função

$$NMVX = NMVX\,(M, V, X).$$

Caso você queira visualizar o programa ou corrigir algum engano que porventura tenha ocorrido, pressione **MEMORY** (função verde na tecla **VAR**), e, na caixa de diálogo que se abre, leve a barra de destaque para cima da variável *NMVX* e em seguida pressione EDIT no menu do aplicativo (tecla branca da letra A); pressione novamente EDIT no menu do aplicativo que se abre. Visualize o programa ou faça a correção. Para confirmar a correção, pressione **ENTER** três vezes. Pronto, você está de volta ao ambiente HOME, com as correções confirmadas. Para visualizar o que está armazenado numa variável, ou para fazer correção, proceda sempre da mesma maneira.

Corrigindo ou visualizando o conteúdo de uma variável

Pressione **MEMORY** (função verde da tecla **VAR**), pressione EDIT (no menu, tecla branca da letra A), pressione novamente EDIT (no menu), faça as correções ou apenas visualize o conteúdo, e em seguida pressione **ENTER** três vezes para confirmar as correções e voltar para HOME.

Para testar o programa, ou a função que acabamos de criar, vamos calcular $P(X \geq 5)$, em que *X* é a variável aleatória do Exemplo 1, $X: N(6, 4)$. Primeiro, precisamos localizar a variável no menu VAR. Para isso, pressione a tecla **VAR** e localize a variável. Vamos em frente. Antes lembramos que **pressionar** *NMVX* significa pressionar a tecla branca correspondente ao retângulo onde está alojada a variável. OK? Vamos então ao cálculo da probabilidade:

> entre com 6, 4 e 5 e pressione *NMVX*

O resultado obtido concorda com aquele do Exemplo 1? Se concorda é porque está tudo certo. Se não concorda, reveja o programa, como descrito anteriormente, verifique onde está o erro, corrija-o e faça novamente o teste.

No próximo exemplo, veremos como determinar o valor de x quando são conhecidas a média, a variância e a probabilidade $P(X \geq x)$.

ATENÇÃO. MUITA ATENÇÃO. Se a sua calculadora estiver configurada de modo que o **ponto** seja o **separador decimal** (por exemplo, 5.3 é cinco inteiros e 3 décimos), então o **ponto** da calculadora é realmente **ponto** e a **vírgula** é realmente **vírgula**. Se no entanto sua calculadora estiver configurada de modo que o separador decimal seja a **vírgula** (por exemplo, 5,3 é 5 inteiros e 3 décimos), então quando você pressionar o **ponto** aparecerá **vírgula** e quando pressionar a **vírgula** aparecerá **ponto-e-vírgula**. **MORAL DA HISTÓRIA:** Se o **ponto** for o separador decimal, teremos

$$NMVX = NMVX\,(M, V, X);$$

se a **vírgula** for o separador decimal, teremos

$$NMVX = NMVX\,(M;\,V;\,X).$$

Exemplo 3 Sendo X uma variável com distribuição normal $N(6, 4)$, resolva a equação $P(X \geq x) = 0{,}2$.

Solução

Sabemos que

$$NMVX\,(6, 4, x) = P(X \geq x).$$

Então o que precisamos é resolver a equação

$$NMVX\,(6, 4, X) = 0{,}2$$

(Trocamos o x minúsculo pelo maiúsculo simplesmente porque é mais fácil digitar letra maiúscula do que minúscula.) Agora, entre no **SOLVE EQUATION** (para isso pressione **SOLVE** na tecla 7 e escolha a opção **Solve equation**), entre com a equação no campo de EQ, entre com a *estimativa* 6 no campo da variável X, traga a barra de destaque para o campo da variável X e pressione **SOLVE** (último retângulo da direita do menu do aplicativo) para obter $X: 7{,}68324$.

Outro modo, e muito rápido, para determinar X é por meio do programa que criaremos a seguir e que será armazenado na variável *NMVA*. Sendo dados $M(M = \mu)$, $V(V = \sigma^2)$ e $A(A = P(X \geq x))$, tal programa resolve a equação $NMVX\,(M, V, X) = A$ na variável X e com a *estimativa* M para X.

Apêndice B

Criação do programa *NMVA*

Nível 1: $\ll \rightarrow MVA \ll \text{'}NMVX(M,V,X) = A\text{'}$
$\text{'}X\text{'} M \text{ROOT} \gg \gg$

Digite: *NMVA* e pressione **STO**

Para testar o programa, vamos resolver a equação do Exemplo 3, onde são conhecidos $M = 6$, $V = 4$ e $A = 0{,}2$ (em estatística, em vez de A utiliza-se com frequência a letra grega α). Primeiro localize *NMVA*: pressione **VAR** e procure por *NMVA* no menu das variáveis; se necessário, pressione **NXT** para virar a página do menu. Vamos ao cálculo de X.

Utilizando *NMVA* para calcular X

Digite: 6 **ENTER** 4 **ENTER** 0,2
Em seguida, pressione *NMVA* no menu das variáveis

O valor obtido para X deverá ser o mesmo do Exemplo 3: $X = 7{,}68324$. Se foi este o resultado que você obteve, o seu programa passou no teste e está pronto para ser usado.

Com a função *NMVX* e com o programa *NMVA*, você resolverá os cálculos mais frequentes, relativos à distribuição normal, **sem sair do ambiente HOME**. Gostou? Espero que sim!

Exemplo 4 Seja X uma variável aleatória com média 10, desvio padrão 3 e distribuição normal.

a) Calcule $P(7 \leqslant X \leqslant 12)$.
b) Determine x para que se tenha $P(X \geqslant x) = 10\%$.

Solução

Aqui $\mu = 10$ e $\sigma^2 = 9$; logo, $M = 10$ e $V = 9$.

a) $P(7 \leqslant X \leqslant 12) = P(X \geqslant 7) - P(X \leqslant 12)$. Para calcular $P(X \geqslant 7)$, entre com 10, 9 e 7 e pressione $NMVX : P(X \geqslant 7) = 0{,}84134$. Para o cálculo de $P(X \geqslant 12)$, entre com 10, 9 e 7 e pressione $NMVX : P(X \geqslant 12) = 0{,}25249$. Portanto,

$$P(7 \leqslant X \leqslant 12) = 0{,}58885.$$

b) Precisamos resolver a equação $NMVX(10, 9, X) = 0{,}1$. Para resolvê-la, entre com 10, 9 e 0,1 e pressione *NMVA* para obter: $X = 13{,}84465$. (Caso você queira verificar esse valor de X é só entrar com 10, 9 e 13,84465, pressionar *NMVX* e verificar se o valor obtido é 0,1. OK?)

Outro tipo de equação que você terá que resolver em estatística é do tipo da do próximo exemplo.

Exemplo 5 Considere as variáveis aleatórias, com distribuições normais, $X : N(100, 25)$ e $Y : N(115, 36)$.

a) Determine x de modo que

$$P(X \geqslant x) = P(Y \leqslant x).$$

b) Sendo *x* a solução da equação anterior, calcule $P(X \geq x)$ e $P(Y \leq x)$.

Solução

a) Sabemos que

$$P(Y \leq x) = 1 - P(Y \geq x).$$

Desse modo, a equação que temos para resolver é

$$NMVX(100, 25, X) = 1 - NMVX(115, 36, X).$$

Essa equação deverá ser resolvida no **SOLVE EQUATION**; a estimativa para a variável *X* tanto pode ser 100 ou 115. Resolvendo, obtém-se $X = 106,818$. **Conclusão:** $x = 106,818$.

b) Para calcular $P(X \geq 106,818)$, entre com 100, 25, 106,818 e pressione *NMVX* para obter $8,63410207151E - 2$. **Este $E-2$ no final do número significa que a vírgula deverá ir duas casas para a esquerda.** Assim, $P(X \geq 106,818) = 0,08634 = 8,634\%$. Como $x = 106,818$ foi calculado de modo que $P(X \geq x) = P(Y \leq x)$, resulta $P(Y \leq 106,818) = 0,08634$. Assim,

$$P(X \geq 106,818) = P(Y \leq 106,818) = 0,08634 = 8,634\%.$$

B.2 As Funções *UTPC*, *C2NX* e *C2NA*

Sendo *X* a variável aleatória com distribuição $\chi^2(n)$, qui-quadrado com *n* graus de liberdade, *UTPC* calcula a probabilidade $P(X \geq x)$.

> **Cálculo de $P(X \geq x)$, em que $X: \chi^2(n)$**
>
> Entre com *n* e *x* e pressione *UTPC*

Exemplo 1 Sendo *X* uma variável aleatória com distribuição qui-quadrado, com 10 graus de liberdade, calcule.

a) $P(X \geq 5)$ b) $P(X \geq 1)$ c) $P(1 \leq X \leq 5)$

Solução

a) Para o cálculo de $P(X \geq 5)$, entre com 10, 5 e pressione *UTPC* para obter 0,89117. Assim, $P(X \geq 5) = 0,89117$.
b) Entre com 10, 1 e pressione *UTPC* : $P(X \geq 1) = 0,99982$.
c) $P(1 \leq X \leq 5) = P(X \geq 1) - P(X \geq 5) = 0,10865$

A seguir, vamos criar a função *C2NX*, que é equivalente a *NVMX* da seção anterior.

> **Criando a variável *C2NX***
>
> **Nível 1:** $\ll \rightarrow N X \ll N X UTPC \gg \gg$

Digite: *C2NX* e pressione **STO**

Apêndice B

Na variável *C2NX*, *C2* lembra qui-quadrado e *N* número de graus de liberdade. Sendo *X* uma distribuição qui-quadrado com *n* graus de liberdade, para o cálculo de $P(X \geq x)$, proceda da seguinte forma: entre com *n*, *x* e pressione *C2NX* no menu das variáveis.

A seguir, vamos criar o programa *C2NA* que resolve a equação

$$C2NX(n, x) = \alpha.$$

Criação do programa C2NA

Nível 1: $<< \rightarrow N A\ <<\ 'C2NX(N, X) = A\ '$
$'X'\ 10\ \text{ROOT} >>\ >>$

Digite: *C2NA* e pressione **STO**

Exemplo 2 Sendo *X* uma qui-quadrado com 12 graus de liberdade, determine *x*, tal que $P(X \geq x) = 5\%$.

Solução

Como $C2NX(N, x) = P(X \geq x)$, precisamos resolver a equação

$$C2NX(12, x) = 0{,}05.$$

Entre com 12 e 0,05 e pressione *C2NA* para obter 21,02607. Assim, $x = 21{,}02607$.

B.3 As Funções *UTPT*, *TNX* e *TNA*

Se a variável aleatória *X* tem distribuição *t* de Student, com *n* graus de liberdade, a probabilidade $P(X \geq x)$ é calculada com a função *UTPT*: é só entrar com *n*, *x* e pressionar *UTPT*. A função *TNX* e o programa *TNA* são equivalentes a *NMVX* e *NMVA*, respectivamente.

Cálculo de $P(X \geq x)$, em que *X*: *t* (*n*)

Entre com *n* e *x* e pressione *UTPT*

A seguir, vamos criar a função *TNX*.

Criando a variável *TNX*

Nível 1: $<< \rightarrow N X\ <<\ N X\ \text{UTPT} >>\ >>$

Digite: *TNX* e pressione **STO**

Da mesma forma, vamos criar o programa *TNA* que resolve a equação

$$TNX(n, x) = \alpha.$$

Criação do programa *TNA*

Nível 1: $<< \to N\ A\ <<\ 'TNX(N, X) = A\ '$
$'X'\ 10\ ROOT >>\ >>$

Digite: *TNA* e pressione **STO**

B.4 As Funções *UTPF*, *FNNX* e *FNNA*

Se a variável aleatória X tem distribuição F, com graus de liberdade n_1 e n_2, a probabilidade $P(X \geq x)$ calcula-se com a função *UTPF*.

Cálculo de $P(X \geq x)$, em que X: $F(n_1, n_2)$

Entre com n_1, n_2, x e pressione *UTPF*

A função *FNNX* e o programa *FNNA* são criados da mesma maneira que *NMVX* e *NMVA*.

Criando a variável *FNNX*

Nível 1: $<< \to N1\ N2\ X\ << N1\ N2\ X\ UTPF >>\ >>$

Digite: *FNNX* e pressione **STO**

Criação do programa *FNNA*

Nível 1: $<< \to N1\ N2\ A\ <<\ 'FNNX(N1, N2, X) = A\ '$
$'X'\ 10\ ROOT >>\ >>$

Digite: *FNNA* e pressione **STO**

B.5 Menu Personalizado

Se você quiser poderá criar um **menu personalizado** que contenha as variáveis que você mais vai usar. Esse menu será armazenado na variável *CST*. Para chamar esse menu personalizado, é só pressionar a tecla **CST**. Vamos, então, à criação do **menu personalizado**, contendo as variáveis que acabamos de criar. Pode-se criar um menu personalizado em cada diretório que você abrir.

Criando um menu personalizado

Nível 1: {NMVX NMVA C2NX C2NA
TNX TNA FNNX FNNA}

Digite *CST* e pressione **STO**

Apêndice B

Pronto. Está criado o menu personalizado. Para chamá-lo, é só pressionar a tecla **CST**. (**ATENÇÃO**. As chaves { } são a função roxa da tecla +. Achou?) Se você estiver no **SOLVE EQUATION**, para chamá-lo proceda do mesmo modo como para chamar o menu **VAR**: leve a barra de destaque para o campo de EQ, entre com ' ' e, em seguida, pressione a tecla **CST**.

Para ampliar o menu personalizado ou suprimir alguma variável, proceda assim: pressione **MEMORY** (função verde da tecla **VAR**), leve a barra de destaque para cima da variável *CST*, pressione EDIT no menu do aplicativo (tecla branca da letra A), pressione novamente EDIT (no menu), inclua a nova variável (sempre com espaço entre as variáveis) ou exclua a variável que não mais interessa, e para confirmar as alterações pressione **ENTER** três vezes. Pronto, você está de volta ao ambiente HOME, com as inclusões ou exclusões realizadas.

B.6 Resolvendo Sistema Linear no Solve System

A solução de um sistema linear calculada no aplicativo **SOLVE SYSTEM** é uma *solução LSQ*. Se houver mais de uma solução, o aplicativo fornecerá **apenas** a de menor norma. Como sabemos, se o sistema admitir solução no sentido habitual, a *solução LSQ* será a solução do sistema.

Para entrar no aplicativo **SOLVE SYSTEM**, pressione **SOLVE** (função verde da tecla 7) e, na caixa de diálogo que se abre, escolha a quarta opção, que é **Solve linear system**.

No campo da variável A, devemos entrar com a matriz dos coeficientes das variáveis. No campo da variável B, devemos entrar com a matriz dos termos independentes.

Exemplo 1 Resolva o sistema

$$\begin{cases} 2x + 3y = 5 \\ x + 2y = 3. \end{cases}$$

Solução

Aqui a matriz A dos coeficientes e a matriz B dos termos independentes são

$$A = \begin{bmatrix} 2 & 3 \\ 1 & 2 \end{bmatrix} \text{ e } B = \begin{bmatrix} 5 \\ 3 \end{bmatrix}.$$

Como o determinante

$$\begin{vmatrix} 2 & 3 \\ 1 & 2 \end{vmatrix} = 1$$

segue que o sistema é compatível, no sentido habitual, e admite uma única solução. Vamos então à determinação da solução. Para entrar com a matriz A, proceda assim: leve a barra de destaque para o campo da variável A; pressione EDIT no menu do aplicativo (retângulo correspondente à tecla branca da letra A) para abrir o "escrevedor de matrizes". Digite a matriz e, em seguida, pressione **ENTER** para mandar a matriz para o campo da variável A. Agora, leve a barra de destaque para o campo da variável B, pressione EDIT, digite a matriz dos termos independentes e pressione **ENTER** para mandá-la para o campo de B. Leve a barra de destaque para o campo de X e pressione **SOLVE** (último retângulo da direita e correspondente à tecla branca da letra F) para obter a solução X : [[1] [1]], ou seja, $x = 1$ **e** $y = 1$.

Conclusão: A solução, no sentido habitual, do sistema é $x = 1$ **e** $y = 1$.

Observação

$$X : [\,[1]\,[1]\,] = \begin{bmatrix} 1 \\ 1 \end{bmatrix}.$$

Exemplo 2   Resolva o sistema linear

$$\begin{cases} x + y = 2 \\ 2x - y = 1 \\ 2x + y = 4. \end{cases}$$

Solução

Observe que $x = 1$ e $y = 1$ é solução do sistema formado pelas duas primeiras equações, mas não da terceira. Logo, o sistema não admite solução no sentido habitual, mas admite uma única *solução LSQ*, pois,

$$\vec{v}_1 = \begin{bmatrix} 1 \\ 2 \\ 2 \end{bmatrix} \quad \text{e} \quad \vec{v}_2 = \begin{bmatrix} 1 \\ -1 \\ 1 \end{bmatrix}$$

são linearmente independentes. Aqui a matriz A dos coeficientes das variáveis e a matriz B dos termos independentes são dadas por

$$A = \begin{bmatrix} 1 & 1 \\ 2 & -1 \\ 2 & 1 \end{bmatrix} \quad \text{e} \quad B = \begin{bmatrix} 2 \\ 1 \\ 4 \end{bmatrix}.$$

Procedendo como no exemplo anterior, obtemos a *solução LSQ*: $x = \dfrac{31}{26}$ e $y = \dfrac{33}{26}$.

(**ATENÇÃO**. O resultado apresentado pela calculadora foi

[[1,19230769231]
[1,26923076923]]].

Logo a seguir mostraremos qual a **mágica** para transformar esses números em $x = \dfrac{31}{26}$ e $y = \dfrac{33}{26}$.

Observação. O sistema SA associado ao sistema anterior é

$$SA : \begin{cases} \vec{v}_1 \cdot \vec{v}_1\, x + \vec{v}_2 \cdot \vec{v}_1\, y = \vec{b} \cdot \vec{v}_1 \\ \vec{v}_1 \cdot \vec{v}_2\, x + \vec{v}_2 \cdot \vec{v}_2\, y = \vec{b} \cdot \vec{v}_2 \end{cases}$$

e, portanto,

$$SA : \begin{cases} 9x + y = 12 \\ x + 3y = 5 \end{cases}$$

cuja solução é $x = \dfrac{31}{26}$ e $y = \dfrac{33}{26}$. (Não é esta a **mágica**, até que poderia ser! A **mágica** será mostrada a seguir.)

Apêndice B

Qual a **mágica** que transforma

$$[\,[1{,}19230769231]$$
$$[1{,}26923076923]\,]$$

em $x = \dfrac{31}{26}$ e $y = \dfrac{33}{26}$? Quando se resolve um sistema no **SOLVE SYSTEM**, a solução encontrada é automaticamente enviada para o nível 1, lá no ambiente HOME. Então, pressionando **ON** para voltar para o HOME, no nível 1, você encontrará a solução:

Nível 1: Soluções:

$$[\,[1{,}19230769231]$$
$$[1{,}26923076923]\,]$$

Bem. Para realizar a **mágica**, primeiro teremos que desfazer a matriz anterior, **sem mexer nos números, OK**!!! Para desfazer a matriz, proceda da seguinte maneira: pressione **EDIT** (função roxa da tecla +/−). Em seguida, **apague**

Soluções: e todos os colchetes (**sem mexer nos números**)

de modo que fiquem **apenas** os números, e pressione **ENTER**. Após essas operações, a situação na pilha deverá ser a seguinte:

Nível 2: 1,19230769231
Nível 1: 1,26923076923

Agora é que vem a **mágica**. Para realizar a **mágica**, pressione:

⇦ (shift roxo) **9 NXT** → Q (no menu do aplicativo)

para obter 33/26. Conseguiu? Legal! Anote esse número. Em seguida, pressione a função roxa **DROP** (na tecla ao lado de **DEL**) para deletar **apenas** o conteúdo do nível 1. Com essa operação, o conteúdo do nível 2 desce para o nível 1. Agora, é só pressionar novamente → **Q** (no menu do aplicativo) para obter 31/26. **A mágica acaba de ser realizada**!!!

B.7 Resolvendo Sistema Linear no Ambiente Home. As Funções *LSQ*, *RREF* e *COL+*

Na seção anterior, aprendemos a resolver sistemas lineares no aplicativo **SOLVE SYSTEM**. Agora, vamos aprender a resolver tais sistemas no próprio ambiente HOME. A variável *LSQ* é que nos possibilitará tal façanha: *LSQ* é uma variável reservada da calculadora, e, quando ativada, resolve sistema linear no sentido *LSQ*, ou seja, a solução que ela nos fornece é uma solução *LSQ*. Para acessar a variável *LSQ*, digite:

MTH MATR (no menu do aplicativo, tecla branca da letra B).

Pronto, *LSQ* é a variável que ocupa o último retângulo da direita do menu do aplicativo e será ativada pela tecla branca da letra F.

Uso da HP-48G, do EXCEL e do MATHCAD

Para entrar com uma matriz no ambiente HOME, é só pressionar **MATRIX** (função verde da tecla **ENTER**) para abrir o "escrevedor de matrizes". Digitada a matriz, pressione **ENTER** para mandá-la para o ambiente HOME.

Para resolver um sistema linear no ambiente HOME, primeiro entramos com a matriz B dos termos independentes e, em seguida, com a matriz A dos coeficientes das variáveis.

Resolvendo sistema linear no ambiente HOME

Primeiro entre com a matriz B dos **termos independentes**;
em seguida, com a matriz A dos **coeficientes das variáveis**.

Para **resolver o sistema**,

pressione LSQ (no menu)

ou

digite LSQ e pressione **ENTER**

Exemplo 1 Resolva o sistema linear

$$\begin{cases} 4x+3y=5 \\ x+2y=8. \end{cases}$$

Solução

Aqui

$$A = \begin{bmatrix} 4 & 3 \\ 1 & 2 \end{bmatrix} \text{ e } B = \begin{bmatrix} 5 \\ 8 \end{bmatrix}.$$

Como o determinante da matriz A é diferente de zero ($detA = 5$), o sistema admite solução única e no sentido habitual. Para determinar a solução, entre no "escrevedor de matrizes" e digite a matriz B. Após digitada, pressione **ENTER** para mandá-la para o ambiente HOME. Em seguida, repita o processo com a matriz A. Estando a matriz A no nível 1 e a B no nível 2, pressione LSQ para obter a solução [[−2,8] [5,4]], ou seja, $x = -2, 8$ e $y = 5, 4$. (**ATENÇÃO**: Se você não mexeu na matriz [[−2,8] [5,4]] e quiser passar a solução para a forma de fração ordinária, proceda como no final da seção anterior, para obter $x = -14/5$ e $y = 27/5$.)

Como prever antecipadamente se um sistema linear admite solução **única**, quer seja no sentido **habitual** ou no sentido **LSQ**? Como prever antecipadamente se um sistema linear admite **infinitas** soluções, quer seja no sentido **habitual** ou no sentido **LSQ**? Pois bem, a variável **RREF**, que é uma variável reservada da calculadora, nos possibilitará decidir antecipadamente se o sistema admite solução única ou não, quer seja no sentido **habitual** ou no sentido **LSQ**. O que faz a variável *RREF*? Quando ativada, essa variável realiza o *escalonamento* de Gauss da matriz que se encontra no nível 1.

Apêndice B

Dado um sistema linear, chamamos de *matriz completa* desse sistema a matriz obtida, acrescentando à matriz dos coeficientes das variáveis, como última coluna, a matriz dos termos independentes. Por exemplo, a matriz completa M do sistema

$$\begin{cases} 3x + y = 6 \\ x - y = 5 \\ 2x + 3y = 2 \end{cases}$$

é $M = \begin{bmatrix} 3 & 1 & 6 \\ 1 & -1 & 5 \\ 2 & 3 & 2 \end{bmatrix}$.

Sendo M a matriz completa de um sistema linear, chamaremos de *matriz escalonada* de M a matriz obtida com a aplicação da função *RREF*. A matriz escalonada da matriz completa M será indicada por ME.

Solução de sistema linear

Consideremos um sistema linear com p incógnitas e n equações.

1. Se a matriz escalonada tiver $p + 1$ colunas e for da forma

$$ME = \begin{bmatrix} 1\,0\,0\,\ldots\,0\,d_1 \\ 0\,1\,0\,\ldots\,0\,d_2 \\ \ldots \\ 0\,0\,0\,\ldots\,1\,d_p \end{bmatrix} \quad \text{ou da forma} \quad ME = \begin{bmatrix} 1\,0\,0\,\ldots\,0\,d_1 \\ 0\,1\,0\,\ldots\,0\,d_2 \\ \ldots \\ 0\,0\,0\,\ldots\,1\,d_p \\ 0\,0\,0\,\ldots\,0\,0 \end{bmatrix}$$

então $(d_1, d_2, \ldots, d_p)$ será a **única** solução, no sentido habitual, do sistema.

2. Se a matriz escalonada tiver $p + 1$ colunas e for da forma

$$ME = \begin{bmatrix} 1\,0\,0\,\ldots\,0\,0 \\ 0\,1\,0\,\ldots\,0\,0 \\ \ldots \\ 0\,0\,0\,\ldots\,1\,0 \\ 0\,0\,0\,\ldots\,0\,1 \end{bmatrix} \quad \text{ou} \quad ME = \begin{bmatrix} 1\,0\,0\,\ldots\,0\,0 \\ 0\,1\,0\,\ldots\,0\,0 \\ \ldots \\ 0\,0\,0\,\ldots\,1\,0 \\ 0\,0\,0\,\ldots\,0\,1 \\ 0\,0\,0\,\ldots\,0\,0 \end{bmatrix}$$

o sistema **não** admitirá solução no sentido habitual, mas admitirá uma **única** solução **LSQ**.

3. Se ME **não** for de nenhum dos tipos anteriores e se ME **não** possuir linha do tipo [0 0 0 … 0 1], então o sistema admitirá infinitas soluções no sentido **habitual**.

4. Se ME **não** for de nenhum dos tipos **1** e **2** e se ME possuir uma linha da forma [0 0 0 … 0 1], então o sistema **não** admitirá solução no sentido habitual, mas admitirá infinitas soluções no sentido **LSQ**.

Tudo o que está no quadro anterior, prova-se em álgebra linear. Se você já estudou álgebra linear, sugerimos provar o que acabamos de afirmar.

Acho que a essa altura você já deve estar fazendo a pergunta: e onde está essa variável *RREF*? Para encontrar *RREF*, digite:

MTH   MATR   (no menu) FACTR (no menu)

Acho, ainda, que você deve estar falando com os seus botões: e eu vou ter que guardar tudo isso na cabeça? Não. O que você precisa é guardar **pelo menos** os nomes das variáveis. Se você souber o nome da variável, para ativá-la é só digitá-la e pressionar **ENTER**. Por exemplo, se quisermos escalonar uma matriz, é só entrar com a matriz, digitar *RREF* e pressionar **ENTER**.

Como ativar uma variável da calculadora

Digite o **nome da variável** e pressione **ENTER**
ou
localize o **menu** que a contém e pressione a **tecla branca**
correspondente ao retângulo onde está a variável.

Outro modo bem mais prático para se ativar uma variável da calculadora ou uma que você tenha criado é incluí-la no **menu personalizado**.

Incluindo variáveis no menu personalizado

Abra o arquivo **MEMORY**, leve a barra de destaque para cima da variável *CST*, pressione EDIT (no menu), pressione novamente EDIT (no menu), digite as variáveis que você deseja incluir, lembrando que entre as variáveis deve haver um espaço; pressione **ENTER** três vezes para confirmar as inclusões e retornar ao ambiente HOME.

LEMBRE-SE: para chamar o **MENU PERSONALIZADO**, é só pressionar a tecla **CST**.

Para resolver um sistema linear, precisamos obrigatoriamente entrar com a matriz *B* dos termos independentes e com a matriz *A* dos coeficientes das variáveis. Agora, se quisermos antecipar como são as soluções do sistema, precisaremos, também, da matriz completa M. Só que **não** será **necessário** digitar toda a matriz *M*: **a matriz *M* poderá ser criada a partir das matrizes *A* e *B***. Vejamos como realizar essa proeza. Primeiro, para que não aconteça nenhum desastre, vamos colocar na memória as matrizes *A* e *B*.

Colocando na memória as matrizes *A* e *B*

Digite no "escrevedor de matrizes" a matriz dos termos independentes e pressione **ENTER** para mandá-la para o nível 1 da pilha. Em seguida, digite:

'*B*' **STO**

(ou *B* **STO** se você tiver **certeza** de que a variável *B* **não** consta da memória)

Proceda de modo análogo com a matriz dos coeficientes das variáveis, trocando, evidentemente, o *B* por *A*.

Apêndice B

ATENÇÃO. Quando uma variável, digamos X, já está na memória com um determinado conteúdo e queremos utilizá-la para armazenar um outro conteúdo, é só entrar no nível 1 com o novo conteúdo e digitar:

$$'X'\,\text{STO}$$

que a **substituição será automática**. Se a variável X **não consta da memória**, para armazenar um conteúdo nela é só entrar com o conteúdo no nível 1 e digitar:

$$X\,\text{STO}$$

Como fazer para colocar na pilha o conteúdo de uma variável que **não armazena programa**?

Colocando na pilha o conteúdo de uma variável que não armazena programa

Digite o **nome da variável** e pressione **ENTER**. Ou, pressione a tecla **VAR** (para abrir o menu das variáveis) e pressione a variável desejada.

Como fazer para criar a matriz M a partir das matrizes A e B? Vamos supor que as **matrizes já estão armazenadas nas variáveis A e B**. Como dissemos acima, para entrar com a matriz A na pilha é só digitar A e pressionar **ENTER**; da mesma forma para a matriz B.

Criando a matriz M a partir de A e B

Entre na pilha com as matrizes A e B, nessa ordem, e, em seguida, entre com o **número da última coluna** da matriz M (que é o número de colunas da A mais 1) de modo que a matriz A estará no nível 3, a B, no nível 2, e o número da última coluna de M, no nível 1. Agora, digite:

MTH MATR (no menu) **COL** (no menu) **COL+** (no menu).

ATENÇÃO. Inclua **COL+** no menu personalizado (**não** pode haver espaço entre **COL** e **+**).

Exemplo 2 Resolva o sistema linear

$$\begin{cases} 2x+3y-z=8 \\ x+y-z=4 \\ 2x-y+4z=-1 \\ 5x+3y+2z=11. \end{cases}$$

Solução

Aqui,

$$A=\begin{bmatrix} 2 & 3 & -1 \\ 1 & 1 & -1 \\ 2 & -1 & 4 \\ 5 & 3 & 2 \end{bmatrix},\ B=\begin{bmatrix} 8 \\ 4 \\ -1 \\ 11 \end{bmatrix}\ \text{e}\ M=\begin{bmatrix} 2 & 3 & -1 & 8 \\ 1 & 1 & -1 & 4 \\ 2 & -1 & 4 & -1 \\ 5 & 3 & 2 & 11 \end{bmatrix}.$$

Procedendo como dissemos anteriormente, digite a matriz B e armazene-a na variável B. Digite a matriz A e armazene-a na variável A. Para criar a matriz M, digite A e pressione ENTER para entrar com a matriz A na pilha; em seguida, digite B e pressione ENTER para entrar com a matriz B na pilha. Para criar a matriz M, digite:

$$4 \text{ \textbf{ENTER} COL+} \text{ (no menu ou no menu personalizado).}$$

Se tudo correu "dentro dos conformes", a matriz M deve ter aparecido no nível 1 da pilha. Apareceu? Se apareceu (se não apareceu reveja anteriormente qual o procedimento correto) a matriz M, podemos determinar a matriz escalonada ME. **Para criar ME**, digite:

$$RREF \quad \textbf{ENTER}$$

para obter a matriz escalonada,

$$ME = \begin{bmatrix} 1 & 0 & 0 & 2 \\ 0 & 1 & 0 & 1 \\ 0 & 0 & 1 & -1 \\ 0 & 0 & 0 & 0 \end{bmatrix}.$$

Assim, ME é do tipo 1 acima. Logo, o sistema é compatível e determinado, sendo $x = 2$, $y = 1$ e $z = -1$ a sua única solução, no sentido habitual.

Exemplo 3 Resolva o sistema

$$\begin{cases} 2x + 3y - z = 8 \\ x + y - z = 4 \\ 2x - y + 4z = -1 \\ 5x + 3y + 2z = 10. \end{cases}$$

Solução

Aqui

$$A = \begin{bmatrix} 2 & 3 & -1 \\ 1 & 1 & -1 \\ 2 & -1 & 4 \\ 5 & 3 & 2 \end{bmatrix}, B = \begin{bmatrix} 8 \\ 4 \\ -1 \\ 10 \end{bmatrix} \text{ e } M = \begin{bmatrix} 2 & 3 & -1 & 8 \\ 1 & 1 & -1 & 4 \\ 2 & -1 & 4 & -1 \\ 5 & 3 & 2 & 11 \end{bmatrix}.$$

A matriz A é a do exemplo anterior. A matriz B difere da matriz do exemplo anterior apenas na última linha; se você não apagou a matriz B do exemplo anterior, podemos substituir o 11 pelo 10, e para isso, digite:

$$\textbf{MEMORY} \text{ (função verde da tecla } \textbf{VAR}\text{)}$$

Agora, leve a barra de destaque para cima da variável B, pressione EDIT (no menu), pressione novamente EDIT (no menu), leve o cursor para cima do 11, pressione **DEL**, digite 10 e

Apêndice B

pressione **ENTER** três vezes. Pronto, a matriz *B* já foi alterada. Como no exemplo anterior não armazenamos a matriz *M*, será preciso criá-la, e, para isso, proceda como no exemplo anterior. Estando a matriz *M* no nível 1, digite:

RREF e pressione **ENTER**

para obter a matriz

$$ME = \begin{bmatrix} 1 & 0 & 0 & 0 \\ 0 & 1 & 0 & 0 \\ 0 & 0 & 1 & 0 \\ 0 & 0 & 0 & 1 \end{bmatrix}$$

que é do tipo 2 anterior. Assim, o sistema **não** admite solução no sentido habitual, mas admite uma **única** *solução LSQ*. Para determinar essa única solução, entre com as matrizes *B* e *A*, nessa ordem, e digite:

LSQ **ENTER**

ou

pressione *LSQ* no menu personalizado

para obter [[1,7222...] [1,13888...] [–0,8888...]] e, portanto, $x = 1{,}7222\ldots$, $y = 1{,}13888\ldots$ e $z = -0{,}8888\ldots$. Convertendo para fração ordinária, obtemos: $x = 31/18$, $y = 41/36$ e $z = -8/9$ que é a única *solução LSQ* do sistema.

Na próxima seção, vamos criar um programa que nos permitirá construir rapidamente uma matriz.

B.8 Programa para Construir Matriz: A Variável *MATR*

O objetivo desta seção é criar um programa que nos permitirá construir rapidamente uma matriz. Esse programa será armazenado na variável *MATR*. Para criar uma matriz a partir de seus elementos, vamos precisar da função → *ARRY*. Para localizar essa função, digite:

PRG TYPE (no menu)

Para informar à calculadora qual o número de linhas (*L*) e qual o número de colunas (*C*), precisaremos entrar com a **lista** {*L C*}, em que { } é a função roxa na tecla +. Já estamos em condições de construir uma matriz **sem** precisar entrar no "escrevedor de matrizes".

Exemplo 1 Entre com a matriz

$$\begin{bmatrix} 5 & 3 & 4 \\ 2 & 2 & 1 \\ 4 & 0 & 2 \\ 5 & 9 & 7 \end{bmatrix}$$

Solução

Primeiro precisamos entrar com os elementos da matriz que devem ser digitados na seguinte ordem: primeira linha, segunda linha etc. Para entrar com a primeira linha, digite:

$$5 \text{ ENTER } 3 \text{ ENTER } 4 \text{ ENTER}$$

Com a segunda linha, digite:

$$2 \text{ ENTER } 2 \text{ ENTER } 1 \text{ ENTER}$$

e assim por diante, até entrar com todas as linhas. OK?

Agora, precisamos informar à calculadora que a nossa matriz tem 4 linhas e 3 colunas. Para isso, digite a **lista**

$$\{4\ 3\}$$

e pressione **ENTER** para mandá-la para o nível 1. Agora, digite:

$$\textbf{PRG TYPE (no menu)} \rightarrow ARRY \text{ (no menu)}$$

Pronto: a sua matriz está montada.

Seguindo os passos do Exemplo 1, vamos construir um programa que facilitará mais ainda as coisas.

Programa para criar matriz

Nível 1: << ' C ' STO ' L ' STO
{L C} → ARRY >>

Digite:

MATR **STO**

ATENÇÃO. Para entrar com → *ARRY* no programa **não** é necessário digitá-la, basta pressioná-la no menu. Também, **não** é necessário digitar **STO**, basta pressionar a tecla **STO**.

Inclua a variável *MATR* em seu **menu personalizado**. No próximo exemplo, mostramos como usar o programa que acabamos de criar.

Exemplo 2   Utilize a variável *MATR* para entrar com a matriz do Exemplo 1.

Solução

Primeiro, vamos entrar com as linhas como fizemos no Exemplo 1:

$$5 \text{ ENTER } 3 \text{ ENTER } 4 \text{ ENTER}$$
$$2 \text{ ENTER } 2 \text{ ENTER } 1 \text{ ENTER}$$
$$4 \text{ ENTER } 0 \text{ ENTER } 2 \text{ ENTER}$$
$$5 \text{ ENTER } 9 \text{ ENTER } 7 \text{ ENTER}$$

Agora, precisamos entrar com o número de linhas e com o número de colunas. Então, digite:

4 ENTER 3 ENTER

Para construir a matriz, digite:

MATR **ENTER**

ou, simplesmente, pressione *MATR* no menu personalizado. Gostou?

B.9 Utilizando o Aplicativo Fit Data para Ajuste de Curva pelo Método dos Mínimos Quadrados. As Funções *Predx* e *Predy*

Para entrar no aplicativo **FIT DATA**, pressione **STAT** (função verde da tecla 5); na caixa que se abre, escolha a 3ª opção, que é **Fit data**... e pressione **ENTER**. Nesse aplicativo, você poderá, pelo método dos mínimos quadrados, ajustar aos pontos

$$(x_1, y_1), (x_2, y_2), \ldots, (x_n, y_n)$$

uma reta, $\hat{y} = mx + q$, uma exponencial, $\hat{y} = qe^{mx}$, uma logarítmica, $\hat{y} = q + m \ln x$, ou uma potência, $\hat{y} = q x^m$.

Digamos que o diagrama de dispersão dos pontos tenha o jeito do gráfico de uma função exponencial, então, em vez de ajustarmos uma reta, ajustaremos uma exponencial da forma $\hat{y} = qe^{mx}$. Aplicando ln aos dois membros de $\hat{y} = qe^{mx}$, obtemos $\ln \hat{y} = \ln q + mx$. Fazendo, então, $\hat{Y} = \ln y$ e $Q = \ln q$, teremos a reta $\hat{Y} = Q + mx$. O que a calculadora faz, sem a gente ver, é exatamente o seguinte: ajusta, pelo método dos mínimos quadrados, uma reta $\hat{Y} = Q + mx$ aos pontos

$$(x_1, \ln x_1), (x_2, \ln x_2), \ldots, (x_n, \ln x_n)$$

calcula o coeficiente de correlação desses pontos e toma $q = e^Q$. O raciocínio para os outros tipos de ajuste é análogo.

Você pode, também, solicitar à calculadora que ela retorne, entre as quatro curvas acima, à que **melhor se ajusta** (**Best fit**) aos pontos. Nesse caso, ela retornará a curva cujo R^2 estiver mais próximo de 1. (Lembre-se de que R^2 é o quadrado do coeficiente de correlação.)

Para escolher qual o tipo de ajuste que você quer, leve a barra de destaque para o campo de MODEL e, pressionando a tecla +/−, escolha a sua opção.

É no campo da variável Σ*DAT* que devemos entrar com a matriz dos pontos dados. Para entrar com a matriz, leve a barra de destaque para o campo da variável Σ*DAT* e pressione EDIT no menu do aplicativo (tecla branca da letra A) para abrir o "escrevedor de matrizes"; digitada a matriz, pressione **ENTER** para mandá-la para o campo da variável Σ*DAT*.

Tendo entrado com a matriz e escolhido o tipo de ajuste, pressione **OK** (no menu do aplicativo, tecla branca da letra F) ou simplesmente pressione **ENTER**. Automaticamente, volta-se para o ambiente HOME, e na pilha, no nível 3, estará a curva ajustada, no nível 2 a correlação, e no nível 1, a covariância. Para ler os dados que aparecem nos vários níveis, pressione a tecla que move o cursor para cima (▲) e leve o **triângulo preto** que aparece na frente do nível 1 da pilha para o nível que você deseja ler; em seguida, pressione **EDIT** (função roxa da tecla +/−). Após ter lido todos os dados, pressione **ON** para retirar do visor o tal **triângulo preto**.

Digamos que você queira ver o diagrama de dispersão e o gráfico da curva ajustada. Para isso digite:

¶ (shift roxo) 5

No menu que se abre, pressione PLOT (tecla branca da letra D) e, no novo menu, pressione SCATR (tecla branca da letra C). No visor aparecerá o diagrama de dispersão. Para fazer aparecer o gráfico da curva ajustada, pressione STATL (tecla branca da letra D). (**Observação:** SCATR = SCATTER = DISPERSÃO; PLOT = PLOTAR = ESBOÇAR.) Pressionando-se **ON**, volta-se para HOME.

Suponhamos, agora, que você queira, na curva estimada, determinar $\hat{y}$ para um dado valor de x. Para isso digite:

¶ (shift roxo) 5 FIT (no menu).

Agora, entre com o valor de x e pressione *PREDY*. Se você quiser o valor de x para um dado valor de y, entre com o valor de y e pressione *PREDX*.

Para finalizar a seção, vamos mostrar um outro modo de entrar com a matriz no campo de ΣDAT. Então, para entrar com a matriz dos pontos (x_i, y_i), $i = 1, 2, ..., n$, no campo da variável ΣDAT, proceda da seguinte maneira: estando em HOME, entre com a matriz utilizando a variável *MATR*. Em seguida, digite

'ΣDAT' STO

Desse modo, armazenamos a matriz na variável ΣDAT, e, então, ela estará no campo da variável ΣDAT quando entrarmos no aplicativo **FIT DATA**. **ATENÇÃO:** Se a variável ΣDAT estiver no menu de **VAR**, não será necessário digitar ΣDAT: basta entrar com os dois tracinhos e pressionar ΣDAT no menu das variáveis. (**ATENÇÃO:** Para digitar ΣDAT, pressione Σ (função verde da tecla **TAN**), **apague** os parênteses que aparecem na frente de Σ e digite, sem espaço e com letras maiúsculas, *DAT*.)

B.10 Ajuste Linear com Duas ou Mais Variáveis Independentes. Ajuste Polinomial

Exemplo 1 Ajuste, pelo método dos mínimos quadrados, uma função linear $\hat{z} = ax + by + c$ aos dados da tabela

x	y	z
1	3	2
4	5	8
3	2	4
5	3	6
7	2	8

Apêndice B

Solução

O sistema linear associado ao problema é

$$S : \begin{cases} a+3b+c = 2 \\ 4a+5b+c = 8 \\ 3a+2b+c = 4 \\ 5a+3b+c = 6 \\ 7a+2b+c = 8 \end{cases}$$

Aqui

$$A = \begin{bmatrix} 1 & 3 & 1 \\ 4 & 5 & 1 \\ 3 & 2 & 1 \\ 5 & 3 & 1 \\ 7 & 2 & 1 \end{bmatrix} \quad \text{e} \quad B = \begin{bmatrix} 2 \\ 8 \\ 4 \\ 6 \\ 8 \end{bmatrix}.$$

Procedendo como na Seção A2.7, obtêm-se:

$$a = \frac{32}{29}, b = \frac{30}{29} \quad \text{e} \quad c = \frac{-278}{145}$$

que é a única solução **LSQ** do sistema. **Conclusão**:

$$\hat{z} = \frac{32}{29}x + \frac{30}{29}y - \frac{278}{145}$$

é a função linear que melhor se ajusta aos dados da tabela pelo método dos mínimos quadrados.

Observação. O sistema auxiliar SA associado ao sistema S anterior é:

$$SA : \begin{cases} a\,\vec{v_1}\cdot\vec{v_1} + b\,\vec{v_2}\cdot\vec{v_1} + c\,\vec{v_3}\cdot\vec{v_1} = \vec{b}\cdot\vec{v_1} \\ a\,\vec{v_1}\cdot\vec{v_2} + b\,\vec{v_2}\cdot\vec{v_2} + c\,\vec{v_3}\cdot\vec{v_2} = \vec{b}\cdot\vec{v_2} \\ a\,\vec{v_1}\cdot\vec{v_3} + b\,\vec{v_2}\cdot\vec{v_3} + c\,\vec{v_3}\cdot\vec{v_3} = \vec{b}\cdot\vec{v_3} \end{cases}$$

em que

$$\vec{v_1} = \begin{bmatrix} 1 \\ 4 \\ 3 \\ 5 \\ 7 \end{bmatrix}, \vec{v_2} = \begin{bmatrix} 3 \\ 5 \\ 2 \\ 3 \\ 2 \end{bmatrix}, \vec{v_3} = \begin{bmatrix} 1 \\ 1 \\ 1 \\ 1 \\ 1 \end{bmatrix} \text{ e } \vec{b} = \begin{bmatrix} 2 \\ 8 \\ 4 \\ 6 \\ 8 \end{bmatrix}.$$

A título de exercício, verifique que a solução do sistema SA é de fato

$$a = \frac{32}{29}, b = \frac{30}{29} \quad \text{e} \quad c = \frac{-278}{145}.$$

ATENÇÃO. Para calcular os produtos escalares $\vec{v}_i \cdot \vec{v}_j$ e $\vec{b} \cdot \vec{v}_i$ utilize a função **DOT**, e, para acessá-la, digite: **MTH** VECTR (no menu). Por exemplo, para calcular $\vec{b} \cdot \vec{v}_i$, entre com $\vec{b}$, com $\vec{v}_i$, e pressione *DOT*.

Exemplo 2 Ajuste, pelo método dos mínimos quadrados, a função polinomial de grau dois, $\hat{y} = ax^2 + bx + c$ aos dados da tabela

x	1	3	4	7	8	10
y	8	2	5	10	16	25

Solução

O sistema linear associado ao problema é

$$S : \begin{cases} a + b + c = 8 \\ 9a + 3b + c = 2 \\ 16a + 4b + c = 5 \\ 49a + 7b + c = 10 \\ 64a + 8b + c = 16 \\ 100a + 10b + c = 25 \end{cases}$$

que admite a única solução, aproximada, **LSQ**

$$a = 0{,}50933,\ b = -3{,}53305\ \text{e}\ c = 10{,}143511.$$

Conclusão: $\hat{y} = 0{,}50933\, x^2 - 3{,}53305\, x + 10{,}143511$ é a função polinomial de grau dois que melhor se ajusta aos dados da tabela.

B.11 A Função *RSD*. Distância de Ponto a Plano. Distância de Ponto a Reta

A função *RSD* (*RSD* = RESÍDUO) é uma outra importante função da HP-48G. Para acessá-la, digite:

MTH MATR (no menu) **NXT**

O que faz a função **RSD**? Consideremos o sistema

$$S : \begin{cases} a_{11}x_1 + a_{12}x_2 + \ldots + a_{1p}x_p = b_1 \\ a_{21}x_1 + a_{22}x_2 + \ldots + a_{2p}x_p = b_2 \\ \ldots \\ a_{n1}x_1 + a_{n2}x_2 + \ldots + a_{np}x_p = b_p \end{cases}$$

e seja $(x_{10}, x_{20}, \ldots, x_{p0})$ uma ***solução LSQ*** de *S*. Pois bem, a função *RSD*, quando ativada, irá nos fornecer o vetor

Apêndice B

$$E = \begin{bmatrix} E_1 \\ E_2 \\ \ldots \\ E_n \end{bmatrix} \text{ em que } \begin{cases} E_1 = b_1 - (a_{11}x_{10} + a_{12}x_{20} + \ldots + a_{1p}x_{p0}) \\ E_2 = b_2 - (a_{21}x_{10} + a_{22}x_{20} + \ldots + a_{2p}x_{p0}) \\ \ldots \\ E_n = b_n - (a_{n1}x_{10} + a_{n2}x_{20} + \ldots + a_{np}x_{p0}) \end{cases}$$

que em notação matricial se escreve:

$$E = \begin{bmatrix} E_1 \\ E_2 \\ \ldots \\ E_n \end{bmatrix} = \begin{bmatrix} b_1 \\ b_2 \\ \ldots \\ b_n \end{bmatrix} - \begin{bmatrix} a_{11} & a_{12} & \ldots a_{1p} \\ a_{21} & a_{22} & \ldots a_{2p} \\ & \ldots & \\ a_{n1} & a_{n2} & \ldots a_{np} \end{bmatrix} \begin{bmatrix} x_{10} \\ x_{20} \\ \ldots \\ x_{p0} \end{bmatrix}.$$

Se $E_1 = E_2 = \ldots = E_n = 0$, então $(x_{10}, x_{20}, \ldots, x_{p0})$ será uma solução no **sentido habitual**. O comprimento $\|E\|$ do vetor E é exatamente a distância do ponto P ao ponto B, em que

$$P = \begin{bmatrix} a_{11}x_{10} + a_{12}x_{20} + \ldots + a_{1p}x_{p0} \\ a_{21}x_{10} + a_{22}x_{20} + \ldots + a_{2p}x_{p0} \\ \ldots \\ a_{n1}x_{10} + a_{n2}x_{20} + \ldots + a_{np}x_{p0} \end{bmatrix} \text{ e } B = \begin{bmatrix} b_1 \\ b_2 \\ \ldots \\ b_n \end{bmatrix}.$$

Na HP-48G, a função que calcula o comprimento de um vetor é a função *ABS* (*ABS* = ABSOLUTO):

$$\boxed{\|E\| = ABS(E)}$$

Para acessar a função ***ABS***, digite: **MTH REAL** (no menu) **NXT**

O problema agora é como proceder para calcular E.

Cálculo do vetor E e de ABS (E)

Sejam A a matriz dos coeficientes das variáveis e B a matriz dos termos independentes. Armazene na variável X a solução encontrada. Agora, entre com as matrizes

$$B \quad A \quad X \quad \text{(nessa ordem)}$$

Para calcular E, digite:

$$RSD \text{ ENTER}$$

ou

$$\text{pressione } RSD \text{ no menu}$$

ou ainda

$$\times - \text{ (vezes menos)}$$

Para calcular o comprimento de E digite:

$$ABS\ ENTER$$

ou

$$\text{pressione } ABS \text{ no menu.}$$

Exemplo Considere o sistema

$$S : \begin{cases} x + 2y = 4 \\ 2x - y = 5 \\ x + y = 4 \\ x - y = 2. \end{cases}$$

a) O sistema admite solução no sentido habitual? Discuta o sistema com relação ao número de soluções.
b) Resolva o sistema.
c) Dos pontos $(x+2y, 2x-y, x+y, x-y)$, x e y reais, qual está mais próximo de $(4, 5, 4, 2)$?
d) Qual a menor distância do ponto $(4, 5, 4, 2)$ aos pontos $(x+2y, 2x-y, x+y, x-y)$, x e y reais?
e) Faça "manualmente" o escalonamento de Gauss do sistema.

Solução

Aqui

$$A = \begin{bmatrix} 1 & 2 \\ 2 & -1 \\ 1 & 1 \\ 1 & -1 \end{bmatrix} \quad \text{e} \quad B = \begin{bmatrix} 4 \\ 5 \\ 4 \\ 2 \end{bmatrix}$$

a) Entre com a matriz A e armazene-a na variável A, entre com a B e armazene-a na variável B. Crie a matriz M e determine a matriz escalonada ME de M:

$$M = \begin{bmatrix} 1 & 2 & 4 \\ 2 & -1 & 5 \\ 1 & 1 & 4 \\ 1 & -1 & 2 \end{bmatrix} \quad \text{e} \quad ME = \begin{bmatrix} 1 & 0 & 0 \\ 0 & 1 & 0 \\ 0 & 0 & 1 \\ 0 & 0 & 0 \end{bmatrix}$$

Segue que o sistema não admite solução no sentido habitual. Admite uma única solução no sentido **LSQ**.

b) Entre com a matriz B, entre com a matriz A, pressione **LSQ** (no menu) ou digite **LSQ** e pressione **ENTER** para obter a solução

$$[\ [2{,}857142\ldots]\ [0{,}714285\ldots]\ ].$$

Armazene-a na variável X, ou seja, digite:

$$'X'\ STO$$

Apêndice B

Agora, entre novamente com a solução na pilha (digite X e pressione **ENTER**) e passe-a para a forma de fração ordinária para obter

$$x = \frac{20}{7} \quad \text{e} \quad y = \frac{5}{7}.$$

c) É só fazer $x = \dfrac{20}{7}$ e $y = \dfrac{5}{7}$ em $(x+2y, 2x-y, x+y, x-y)$. Assim,

$$P = \left(\frac{30}{7}, \frac{35}{7}, \frac{25}{7}, \frac{15}{7}\right) \text{ é o ponto mais próximo de } B = (4, 5, 4, 2).$$

(*Observação*. O ponto P poderia, também, ter sido obtido da seguinte maneira: entre com a matriz A, entre com a matriz X e pressione a tecla ×, ou seja, obtém-se P multiplicando-se a matriz A pela X.)

d) Primeiro, precisamos determinar o vetor coluna E. (Lembre-se de que $B - AX = B - P = E$, em que X, P e B estão sendo olhados como vetores colunas.) Para determinar E, digite:

$$B \text{ ENTER } A \text{ ENTER } X \text{ ENTER } RSD \text{ ENTER}$$

para obter

$$E = \begin{bmatrix} -0,285714\ldots \\ 0 \\ 0,428571\ldots \\ -0,142857\ldots \end{bmatrix} = \begin{bmatrix} -2/7 \\ 0 \\ 3/7 \\ -1/7 \end{bmatrix} = B - AX.$$

Para calcular o comprimento de E, digite:

$$ABS \text{ ENTER}$$

para obter $\|E\| \approx 0{,}53452$. (Observe: $\|E\| = \dfrac{\sqrt{14}}{7}$.)

e) Multiplicando-se a primeira equação do sistema S por -2 e somando-se com a 2ª; multiplicando-se a 1ª equação por -1 e somando-se com a 3ª; multiplicando-se a 1ª equação por -1 e somando com a 4ª, e, em seguida, permutando-se as posições das 2ª e 3ª equações, resulta:

$$\begin{cases} x + 2y = 4 \\ 2x - y = 5 \\ x + y = 4 \\ x - y = 2. \end{cases} \Leftrightarrow \begin{cases} x + 2y = 4 \\ -5y = -3 \\ -y = 0 \\ -3y = -2 \end{cases} \Leftrightarrow \begin{cases} x + 2y = 4 \\ -y = 0 \\ -5y = -3 \\ -3y = -2 \end{cases}$$

Multiplicando-se, agora, a 2ª equação (do 3º sistema) por -5 e somando-se com a 3ª; multiplicando-se a 2ª equação por -3 e somando-se com a 4ª, e, em seguida, dividindo-se a 3ª por -3 e a 4ª por -2, resulta:

$$\begin{cases} x+2y=4 \\ -y=0 \\ 0=-3 \\ 0=-2 \end{cases} \Leftrightarrow \begin{cases} x+2y=4 \\ y=0 \\ 0=1 \\ 0=1 \end{cases}$$

Multiplicando-se a última equação por -1 e somando-se com a 3ª, multiplicando-se a última por -4 e somando-se com a 1ª, resulta:

$$\begin{cases} x+2y=0 \\ y=0 \\ 0=0 \\ 0=1 \end{cases}$$

Multiplicando-se, agora, a 2ª equação por -2 e somando-se com a 1ª, obtém-se:

$$S: \begin{cases} x+2y=4 \\ 2x-y=5 \\ x+y=4 \\ x-y=2. \end{cases} \Leftrightarrow \begin{cases} x+2y=0 \\ y=0 \\ 0=0 \\ 0=1 \end{cases} \Leftrightarrow \begin{cases} x=0 \\ y=1 \\ 0=1 \end{cases}$$

Observe que a matriz M do último sistema é exatamente a matriz ME de S.

Para finalizar a Seção, deixamos para você a seguinte tarefa: dados um plano (uma reta) em forma paramétrica e um ponto B fora do plano (da reta), estabeleça um processo para determinar o ponto P do plano (da reta) que se encontra mais próximo de B e a distância entre B e o plano (reta).

B.12 Cálculo do Coeficiente de Determinação R^2

Suponhamos que

$$\hat{z} = ax + by + c$$

seja o plano que melhor se ajusta, pelo método dos mínimos quadrados, aos pontos (x_i, y_i, z_i), $i=1, 2, \ldots, n$. Então (a, b, c) é a **solução LSQ** do sistema

$$S: \begin{cases} x_1 a + y_1 b + c = z_1 \\ x_2 a + y_2 b + c = z_2 \\ \ldots \\ x_n a + y_n b + c = z_n \end{cases}.$$

Aqui o vetor E é dado por:

$$E = \begin{bmatrix} E_1 \\ E_2 \\ \ldots \\ E_n \end{bmatrix} \text{ em que } \begin{cases} E_1 = z_1 - (x_1 a + y_1 b + c) = z_1 - \hat{z}_1 \\ E_2 = z_2 - (x_2 a + y_2 b + c) = z_2 - \hat{z}_2 \\ \ldots \\ E_n = z_n - (x_n b + y_n b + c) = z_n - \hat{z}_n \end{cases}$$

Apêndice B

Sabemos que R^2 é dado por:

$$R^2 = \frac{\sum_{i=1}^{n}(\hat{z}_i - \overline{z})^2}{\sum_{i=1}^{n}(z_i - \overline{z})^2}.$$

Sabemos, ainda, que

$$\sum_{i=1}^{n}(z_i - \overline{z})^2 = \sum_{i=1}^{n}(\hat{z}_i - \overline{z})^2 + \sum_{i=1}^{n}(z_i - \hat{z}_i)^2.$$

Segue que R^2 poderá ser colocado na seguinte forma

$$R^2 = 1 - \frac{\sum_{i=1}^{n}(z_i - \hat{z}_i)^2}{\sum_{i=1}^{n}(z_i - \overline{z})^2}.$$

Temos, também,

$$\sum_{i=1}^{n}(z_i - \hat{z}_i)^2 = \|E\|^2 \quad \text{e} \quad \sum_{i=1}^{n}(z_i - \overline{z})^2 = \sum_{i=1}^{n}z_i^2 - n\overline{z}^2 = \|B\|^2 - n\overline{z}^2$$

em que B é a matriz coluna dos termos independentes do sistema S.

Temos, então, a seguinte fórmula prática para o cálculo do coeficiente de determinação R^2.

$$R^2 = 1 - \frac{\|E\|^2}{\|B\|^2 - n\overline{z}^2}$$

em que

$$E = \begin{bmatrix} z_1 - \hat{z}_1 \\ z_2 - \hat{z}_2 \\ \ldots \\ z_n - \hat{z}_n \end{bmatrix} \quad \text{e} \quad B = \begin{bmatrix} z_1 \\ z_2 \\ \ldots \\ z_n \end{bmatrix}$$

ATENÇÃO. Para calcular a média $\overline{z}$, proceda do seguinte modo: armazene a matriz B na variável ΣDAT e digite:

Shift roxo 5 IVAR (no menu) MEAN (no menu)

Ou, então, pressione **STAT** (função verde da tecla **5**), escolha a 1ª opção que é **Single-var...** e pressione **ENTER** (ou **OK** no menu). Entre com a matriz B no campo de ΣDAT. Em seguida, leve a barra de destaque para o campo da variável **MEAN** e pressione a tecla +/– para confirmar sua escolha (na frente de **MEAN** deverá aparecer um *vezinho*). Confirmada a escolha, pressione **ENTER**.

B.13 Programa que Retorna os Coeficientes do Ajuste e o R^2

O objetivo desta seção é criar um programa, que será armazenado na variável BAN, que retorna os coeficientes do ajuste, bem como o coeficiente de determinação R^2, a partir das matrizes B, A e do número n de pontos dados, onde B é a matriz dos termos independentes e A a matriz dos coeficientes das variáveis do sistema S associado ao problema.

Programa BAN

Nível 1: << ′N′ **STO** ′A′ **STO** ′B′ **STO** $B\ A\ LSQ$
′X′ **STO** $B\ A\ X\ RSD\ ABS\ 2\ \wedge$ ′Y′ **STO**
$B\ ABS\ 2\ \wedge$ ′U′ **STO** B ′ΣDAT′ **STO** $MEAN\ 2\ \wedge$
$N\ *$ ′V′ **STO** $1\ Y\ U\ V\ -\ /\ -$ ′$R2$′ $\rightarrow TAG\ X$ ′X′ $\rightarrow TAG$ >>

Agora, digite: ′BAN′ **STO**

Inclua a variável BAN em seu menu personalizado.

Exemplo 1 Considere a tabela

x	3	5	6	9	10	11
y	7	5	3	4	2	3

Determine a reta dos mínimos quadrados dos pontos dados e o coeficiente de determinação.

Solução

Seja $\hat{y} = mx + q$ a reta procurada. O sistema associado ao problema é

$$S : \begin{cases} 3m + q = 7 \\ 5m + q = 5 \\ 6m + q = 3 \\ 9m + q = 4 \\ 10m + q = 2 \\ 11m + q = 3 \end{cases}$$

Aqui, o número de pontos é $n = 6$,

$$A = \begin{bmatrix} 3 & 1 \\ 5 & 1 \\ 6 & 1 \\ 9 & 1 \\ 10 & 1 \\ 11 & 1 \end{bmatrix} \text{ e } B = \begin{bmatrix} 7 \\ 5 \\ 3 \\ 4 \\ 2 \\ 3 \end{bmatrix}.$$

Apêndice B

Agora, entre com a matriz B, entre com a matriz A, com 6 e pressione BAN, no menu personalizado, para obter

$$R2: 0,6701858$$
$$X: [[-0,466216][7,418919]]$$

Ou seja, $\hat{y} = -0,466216x + 7,418919$ e $R^2 = 0,6701858$. (*Sugestão*: Resolva o problema no aplicativo **FIT DATA**.)

Exemplo 2 Considere a tabela

x	2	3	4	7	2	8	5
y	3	2	6	3	2	5	8
z	7	5	7	6	5	7	10

Determine o plano $\hat{z} = ax + by + c$ dos mínimos quadrados, bem como o coeficiente de determinação R^2.

Solução

O número de pontos é $n = 7$,

$$A = \begin{bmatrix} 2 & 3 & 1 \\ 3 & 2 & 1 \\ 4 & 6 & 1 \\ 7 & 3 & 1 \\ 2 & 2 & 1 \\ 8 & 5 & 1 \\ 5 & 8 & 1 \end{bmatrix} \text{ e } B = \begin{bmatrix} 7 \\ 5 \\ 7 \\ 6 \\ 5 \\ 7 \\ 10 \end{bmatrix}.$$

Entre com B, entre com A e com 7 e, em seguida, pressione BAN para obter

$$R^2: 0,8490879$$
$$X: [[-6,34715025907E-2][0,71567357513][4,03044041451]]$$

Ou seja, $\hat{z} = -0,0634715025907x + 0,71567357513y + 4,03044041451$ e $R^2 = 0,8490879$.

B.14 Definindo Função na HP-48G

Nesta seção, vamos aprender como *definir uma função* na HP-48G. Para definir uma função, vamos utilizar a função roxa **DEF** (DEF = DEFINE = DEFINIR) na tecla **STO**. Vejamos, então, como definir, por exemplo, a função $y = x^2 + 3x + 5$.

Definindo a função $y = x^2 + 3x + 5$.

Na linha de comando, utilizando letras maiúsculas para facilitar, digite $y(x) = x^2 + 3x + 5$, em seguida, tecle ENTER; no nível 1 deveremos ter:

Nível 1: $\quad\quad\quad 'Y(X) = X \wedge 2 + 3 * X + 5 '$

Agora, pressione **DEF** (shift roxo seguido da tecla STO).

Pronto! A função já está definida. A variável Y já foi para a memória, isto é, já está ocupando um dos retângulos do *menu das variáveis*. Para visualizar a variável Y, pressione a tecla **VAR** e vá virando as páginas do menu até encontrar Y. Encontrou? Ótimo. No próximo exemplo, veremos como calcular o valor de y dado x. Para visualizar o conteúdo da variável Y ou proceder a qualquer alteração, faça como explicado anteriormente.

Exemplo 1 Sendo $y = x^2 + 3x + 5$ a função acima definida, calcule o valor de y para $x = 1, x = -2$ e $x = \dfrac{4}{5}$.

Solução

Inicialmente, localize a variável Y no menu das variáveis. Então, para calcular o valor de y, digite o valor de x e pressione a tecla branca correspondente ao retângulo ocupado pela variável Y.

$$\boxed{\text{Para } x = 1, y = ?}$$

Digite 1 e pressione Y no menu das variáveis. No nível 1, deverá aparecer 9. Assim, para $x = 1$, teremos $y = 9$.

$$\boxed{\text{Para } x = -2, y = ?}$$

Digite -2 e, em seguida, pressione Y no menu das variáveis. No nível 1, deverá aparecer 3. Assim, para $x = -2$, teremos $y = 3$.

$$\boxed{\text{Para } x = \dfrac{4}{5}, y = ?}$$

Digite: 4 ENTER $\div$ e, em seguida, pressione Y no menu das variáveis. No nível 1, deverá aparecer 8,04. Assim, para $x = \dfrac{4}{5}$, teremos $y = 8{,}04$.

Exemplo 2 Defina a função $z = x^2 - 3y^3 + 5xy$ e calcule z para os valores de x e y dados.

a) $x = 1$ e $y = 2$ *b)* $x = -5$ e $z = -6{,}2$

Apêndice B

Solução

Definindo a função

$$z = x^2 - 3y^3 + 5xy$$

Digite $z(x, y) = x^2 - 3y^3 + 5xy$ e, em seguida, pressione ENTER; no nível 1 deveremos ter:

Nível 1:   ' $Z(X, Y) = X \wedge 2 - 3 * Y \wedge 3 + 5 * X * Y$ '

Agora, pressione DEF (função roxa na tecla STO). Pronto. A função já está definida.

Agora, localize a variável Z no menu das variáveis. Lembre-se: para abrir o menu das variáveis, é só pressionar a tecla **VAR** e procurar Z, usando NXT se precisar virar a página do menu. Localizou Z? Ótimo.

a) Para calcular z, é preciso entrar com os valores de x e y, nessa ordem.
Digite: 1 **ENTER** 2 e pressione a variável Z no menu das variáveis, para obter -13, que é o valor de $z = -13$.

b) Digite: -5 **ENTER** $-6,2$ e pressione a variável Z para obter $-844,984$, que é o valor de z, ou seja, $z = -844,984$.

B.15 Ajuste de Curva, pelo Método dos Mínimos Quadrados, no EXCEL 97

Consideremos os pontos (x_k, y_k), $k = 1, 2, \ldots, n$. No EXCEL, podemos obter o ajuste linear, polinomial (até o grau 6), exponencial, logarítmico ou por uma potência. Os próximos exemplos mostram como obter tais ajustes.

Exemplo Determine, pelo método dos mínimos quadrados, a reta que melhor se ajusta aos pontos dados.

x	2	4	5	6	6,5	7	7,5	8	10
y	0	5	6,5	8	7	9	10	12	13

Solução

Nas células A1 a A9, vamos entrar com os valores de x; nas células B1 a B9 com os valores de y. Após entrar com estes valores, marcamos a matriz A1: B9. Em seguida, clicamos no ícone Assistente de gráfico, para abrir o aplicativo Assistente de gráfico.

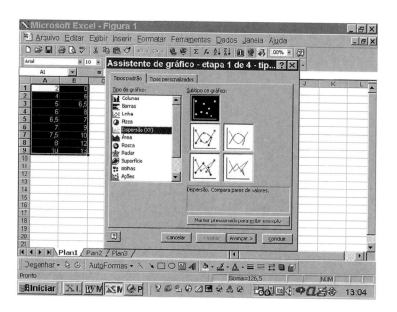

Neste Assistente de gráfico, escolhemos a opção Dispersão (XY) e, como Subtipo de gráfico, escolhemos a primeira opção, que é o diagrama de dispersão. Clicando em Concluir, obtemos o diagrama de dispersão.

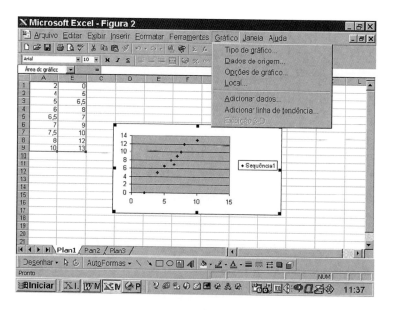

A seguir, selecione o gráfico; na barra de ferramentas, clique em Gráfico e escolha a opção Adicionar linha de tendência. (**ATENÇÃO.** O menu Gráfico só aparecerá após selecionar o gráfico. Se ao lado do menu Ferramentas aparecer a palavra Dados, é porque você não selecionou o gráfico. Para selecionar a região do gráfico, é só dar um clique logo abaixo do retângulo que envolve a palavra Sequência 1. Para desmarcar, é só clicar fora do retângulo que contém a região do gráfico.) Clicando, então, na opção Adicionar linha de tendência, aparecerá a caixa de diálogo Adicionar linha de tendência, que oferece as várias opções de ajuste. Como o nosso caso é o ajuste linear, clique no quadrado Linear. (Se o ajuste for polinomial, até o grau 6, marque o quadrado polinomial e escolha o grau na caixa ao lado.)

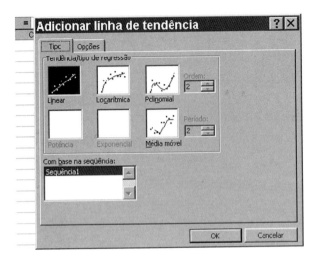

Na caixa acima, clique em opções e marque as opções: exibir equação no gráfico e exibir valor do R-quadrado no gráfico. Clique OK para obter no gráfico a equação da reta que melhor se ajusta aos pontos dados e o valor de R-quadrado.

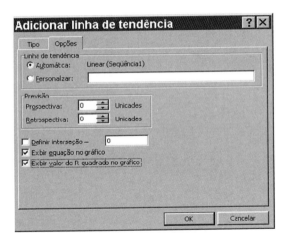

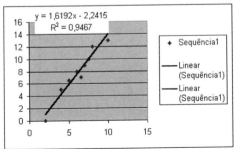

B.16 Máximos e Mínimos no EXCEL

Pontos de máximo ou mínimo de uma função são determinados, no EXCEL, no aplicativo SOLVER. Para entrar neste aplicativo, clique em Ferramentas e escolha a opção SOLVER. Caso na caixa de diálogo que se abre não apareça a palavra SOLVER, escolha, nessa mesma caixa, a opção Suplementos, marque SOLVER e pressione OK para incluí-la na caixa Ferramentas. Caso em Suplementos não apareça SOLVER é porque não foram instalados todos os aplicativos do EXCEL.

Exemplo 1 Determine o ponto de mínimo e o valor mínimo da função $z = x^2 + 3xy + 4y^2 - 4x - 13y$.

Solução

Observamos, inicialmente, que, pelo fato de se tratar de uma função polinomial de grau 2, tal função admitirá no máximo um ponto de mínimo. Por quê? Vamos representar as variáveis x e y, respectivamente, por A1 e B1. Na célula C1, vamos entrar com a expressão que queremos minimizar. Na célula C1, devemos digitar:

$$=A1\wedge 2+3*A1*B1+4*B1\wedge 2-4*A1-13*B1$$

Como o SOLVER utiliza método iterativo para buscar o ponto desejado, é preciso entrar com *estimativas* para x e para y (uma *estimativa* para o ponto de mínimo é qualquer ponto que esteja próximo desse ponto de mínimo). Vamos tentar as estimativas 0 para x e 0 para y. (Como $z(0,0) = 0$, $z(0,1) = -9$ e $z(0,2) = -10$, nesse problema as estimativas 0 para x e 2 para y seriam preferíveis. Por quê? Em todo caso, vamos tentar resolver o problema com as estimativas 0 para x e 0 para y; se não der certo, tentaremos a estimativa (0, **2**).) Entre com zero nas células A1 e B1. Agora, marque a célula C1 e, em seguida, clique em Ferramentas e escolha a opção SOLVER para abrir a caixa PARÂMETROS DO SOLVER. Na caixa que se abre, em **célula de destino**, digite C1; escolha a opção **Min**; em **células variáveis**, digite A1:B1.

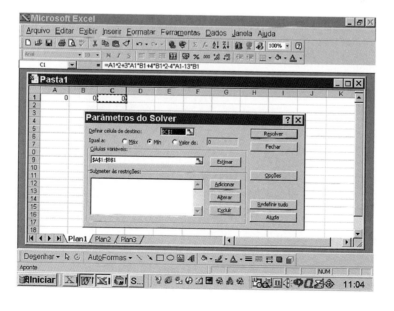

Apêndice B

Agora, clique em resolver para obter -1 em A1, 2 em B1 e -11 em C1. Assim, $(-1, 2)$ é o ponto de mínimo e $z = -11$ o valor mínimo de z. (Observe que a função dada admite no máximo um ponto de mínimo, de acordo?)

Gráfico e curvas de nível de $z = x^2 + 3xy + 4y^2 - 4x - 13y$

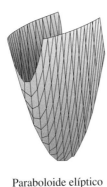

Paraboloide elíptico

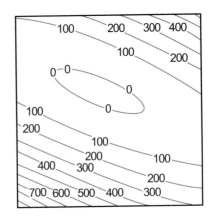

Exemplo 2 Determine os pontos de máximo e de mínimo de $z = 2x - y$ com as restrições $x \geq 0, x + y \leq 3$ e $y \geq x$.

Solução

Como o conjunto A de todos os pares (x, y) satisfazendo as restrições dadas é compacto (confira) e a função dada é contínua, resulta, pelo teorema de Weierstrass, que tal função assume em A valor máximo e valor mínimo. Tomemos A1 (A1 = x) e B1 (B1 = y) como células variáveis. Em C1, vamos entrar com a expressão que queremos maximizar ou minimizar. Em C1, digitamos:

$$= 2 * A1 - B1.$$

Em D1, digitamos:

$$= A1 + B1.$$

Vamos primeiro determinar o ponto de mínimo. Parece que o ponto de mínimo deve estar próximo (ou é o próprio) de (0, 3). Vamos então entrar com as estimativas 0 em A1 e 3 em B1. Agora, marque a célula C1 e abra o aplicativo PARÂMETROS DO SOLVER, como no exemplo anterior. Em **célula de destino**, digite C1. Escolha a opção Mín. Em **células variáveis**, digite A1:B1. Agora, clique em **Adicionar** para abrir o aplicativo **Adicionar restrição**. Em **referência de célula**, digite A1; escolha >=; em **restrição**, digite 0 (é a restrição $x \geq 0$), em seguida, clique em Adicionar. Agora, vamos entrar com a restrição $y \geq x$. Em **referência de célula**, digite B1; escolha >=; em **restrição**, digite A1, em seguida clique em Adicionar. Para entrar com a restrição $x + y \leq 3$, em **referência de célula** digite D1; escolha <=; em restrição, digite 3, em seguida, clique em Adicionar. Agora, feche o aplicativo para voltar para PARÂMETROS DO SOLVER, que deverá ter a seguinte "cara":

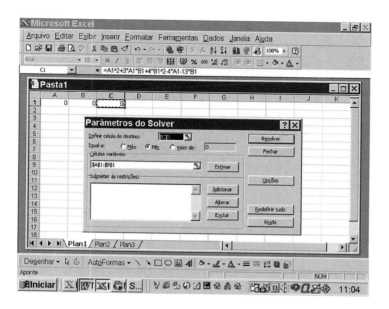

Finalmente clique em resolver, para obter 0 em A1, 3 em B1 e −3 em C1. Assim, −3 é o valor mínimo da função e que ocorre para $x = 0$ e $y = 3$. (A nossa estimativa já era o ponto de mínimo.) Vamos, agora, determinar o ponto de máximo que deverá estar próximo do ponto (3, 3); entremos, então, com as estimativas 3 em A1 e 3 em B1. Marque C1 e abra novamente o aplicativo PARÂMETROS DO SOLVER. Escolha a opção Máx. (Observe que os dados com os quais entramos anteriormente não foram apagados.) Para determinar o ponto de máximo, é só clicar em Resolver, para obter 1,5 em A1, 1,5 em B1 e 1,5 em C1. Ou seja, 1,5 é o valor máximo e que ocorre para $x = 1,5$ e $y = 1,5$. (Veja Exemplo 2, da Seção 16.1.)

Exemplo 3 Resolva o sistema

$$\begin{cases} x^2 + y = 3 \\ x^2 + 2xy + 5y^2 = 4. \end{cases}$$

Solução

Resolver o sistema é equivalente a determinar os pontos de mínimo global da função

$$f(x, y) = (x^2 + y - 3)^2 + (x^2 + 2xy + 5y^2 - 4)^2.$$

De fato, se (x_0, y_0) for solução do sistema, deveremos ter $f(x_0, y_0) = 0$, e, então, (x_0, y_0) será ponto de mínimo global de f, pois, para todo par (x, y), temos $f(x, y) \geq 0$. Reciprocamente, se (x_0, y_0) for ponto de mínimo de f e tal que $f(x_0, y_0) = 0$, então (x_0, y_0) será solução do sistema. (Você concorda?) O gráfico da primeira equação é uma parábola com concavidade voltada para baixo, intercepta o eixo y no ponto (0, 3) e o eixo x nos pontos $\left(-\sqrt{3}, 0\right)$ e $\left(\sqrt{3}, 0\right)$. O gráfico da segunda equação é uma elipse com centro na origem, intercepta o eixo x nos pontos (2, 0), (−2, 0) e o eixo y nos pontos $\left(0, 2/\sqrt{5}\right)$ e $\left(0, -2/\sqrt{5}\right)$. O sistema deverá ter 4 soluções. Estimativas para as soluções são: $\left(2, 2/\sqrt{5}\right) \approx (2, 1), \left(2, -2/\sqrt{5}\right) \approx (2, -1), \left(-2, 2/\sqrt{5}\right) \approx (-2, 1)$ e $\left(-2, -2/\sqrt{5}\right) \approx (-2, -1)$.

Apêndice B

Solução próxima de (2, 1)

Em A1, digite 2; em B1, digite 1; em C1, digite:

$$= (A1\wedge 2 + B1 - 3)\wedge 2 + (A1\wedge 2 + 2*A1*B1 + 5*B1\wedge 2 - 4)\wedge 2$$

Marque C1 e entre em PARÂMETROS DO SOLVER. Escolha a opção Mín. Em **célula de destino**, digite C1; em **células variáveis**, digite A1:B1. Clique em Resolver para obter: 1,6514 em A1, 0,2727 em B1 e $4{,}49 \cdot 10^{-11} \approx 0$ em C1. Assim, $x = 1{,}6514$ e $y = 0{,}2727$ é uma solução, com 4 casas decimais, do sistema.

Solução próxima de (2, −1)

É só digitar 2 em A1, −1 em B1, entrar em PARÂMETROS DO SOLVER e clicar em Resolver para obter a solução $x = 1{,}9557$ e $y = -0{,}8247$, com quatro casas decimais.
Deixamos a seu cargo verificar que as outras duas soluções são: $x = -1{,}4232$ e $y = 0{,}9745$; $x = -1{,}7839$ e $y = -0{,}1824$.

ATENÇÃO. Observe que nesse problema o que estamos fazendo nada mais é do que resolver a equação $f(x, y) = 0$. Então, em vez de escolher a opção Mín., poderíamos ter escolhido a opção **Valor de** e entrado com 0 no retângulo ao lado de **Valor de** e proceder como se estivéssemos determinando o ponto de mínimo. Ou seja, a opção **Valor de** é a que resolve a equação. Resolva o problema com esta opção e compare com os resultados obtidos com a opção Mín.

Determinar estimativas, em geral, não é tarefa fácil. Quando o problema de máximo ou mínimo está ligado a um problema prático, é, às vezes, possível *estimar*, com margem de erro razoável, o ponto de máximo ou de mínimo. Mas, em geral, a tarefa não é nada fácil. Se a estimativa não for boa, o aplicativo poderá não retornar valor algum! Se a função for de uma variável e definida em um intervalo limitado, a tarefa será bem mais fácil: é só construir uma tabela com a variável independente percorrendo o domínio e variando, digamos, de 1 em 1 ou de 0,5 em 0,5. Olhando para a tabela, é, então, possível determinar estimativa para o ponto de máximo ou de mínimo. Se a função for de duas variáveis, $z = f(x, y)$, e definida em um conjunto limitado, um processo para determinar estimativa é o seguinte: Considere o menor x_0 tal que a reta $x = x_0$ intercepte o domínio da função, considere a função $z = f(x_0, y)$ e construa uma tabela com y variando de 1 em 1 (ou de 0,5 em 0,5) e de modo que o ponto (x_0, y) permaneça dentro do domínio da função. Em seguida, construa a função $z = f(x_1, y)$, com $x_1 = x_0 + h$, $h > 0$ e tal que a reta $x = x_1$ intercepte o domínio da função e assim por diante. Olhando para as tabelas construídas, é possível obter boas estimativas para o ponto de máximo ou de mínimo. Bem, esse é um caminho. Faço votos que você descubra um bem melhor! No exemplo anterior, $x_0 = 0$ e $z = f(0, y) = -y$; assim, o menor valor de $z = f(0, y)$ será -3 e ocorrerá em (0, 3) e o maior será 0 e ocorrerá em (0, 0). Tomemos, agora, $x_1 = 1$; o menor valor de $z = f(x_1, y) = 2x_1 - y = 2 - y$ será -1 e ocorrerá em (1, 3), e o maior valor será 1 e ocorrerá em (1, 1) e assim por diante.

Para encerrar a seção, sugerimos ao leitor resolver ***todos*** os problemas de máximos e mínimos propostos no Cap. 16. Por favor, se alguma resposta não estiver correta, avise-me e ficarei muito grato a você.

B.17 Brincando no Mathcad

Para trabalhar no Mathcad é muito simples. A partir do programa instalado, se sua versão for o Mathcad 2000, ao abrir o programa verá a seguinte tela:[2]

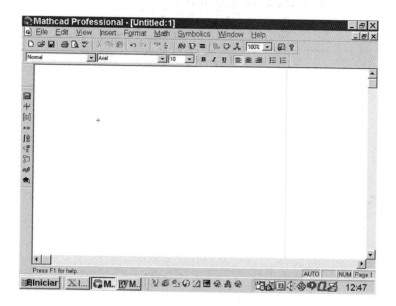

Para iniciar, clique em View, na barra de menus, em seguida, clique em Toolbars: para gráfico, escolha a opção Graph; para cálculo de derivada e integral, escolha a opção Calculus; para entrar com desigualdades, escolha Boolean etc.

Tudo o que você precisa agora é aprender a digitar expressão. Para começar, clique em algum ponto da página; no ponto clicado aparecerá uma cruzetinha vermelha. É exatamente neste ponto que a expressão a ser digitada começará. Como no Excel, todas as operações deverão ser indicadas. No Mathcad, o **separador decimal é o ponto**. Para entrar com **expocnte**, digite ^ (acento circunflexo), como no Excel, só que no Mathcad será expoente mesmo. Para entrar com **fração**, digite / (dividir). O Mathcad trabalha com dois sinais para representar o **igual**: um deles é := (para entrar com este símbolo, digite : (dois pontos)); o outro é = (para entrar com este símbolo, pressione **simultaneamente** as teclas Ctrl e = ou clique no ícone desigualdades e, em seguida, clique em =).

Quando se usa o símbolo :=

Utiliza-se := para definir o valor de uma variável. Por exemplo: para entrar com $x = 5$, digitamos $x := 5$.
Utiliza-se := quando queremos definir $f(x, y)$. Por exemplo, parar entrar com $f(x, y) = x + y$, devemos digitar: $f(x, y) := x + y$.

---

[2] Para mais detalhes sobre versões diferentes do Mathcad 2000, o leitor poderá obter informações junto aos distribuidores do produto.

Apêndice B

Quando se usa o símbolo =

Utiliza-se o símbolo = nas equações. Por exemplo, para entrar com a equação $x + y = 5$, digitamos: $x + y = 5$.

Exemplo 1 Entre com a expressão $x^2 + 5xy$.

Solução

Clique no ponto em que você quer começar a expressão. Agora, digite:

$$x \wedge 2 \text{ espaço} + 5 * x * y$$

para obter

$$\boxed{x^2 + 5 \cdot x \cdot y}$$

Clicando fora do retângulo, obtém-se: $x^2 + 5 \cdot x \cdot y$.

Observação. Digamos que você queira trocar o expoente 2 por 3: clique ao lado do 2, apague o 2 e digite 3; em seguida, clique fora do retângulo para obter $x^3 + 5 \cdot x \cdot y$. Para substituir, digamos, o 5 por 6, proceda da mesma forma: clique ao lado do 5, apague o 5, digite 6 e clique fora do retângulo.

Exemplo 2 Determine o ponto de mínimo da função

$$z = x^2 + 3xy + 4y^2 - 4x - 13y.$$

Solução

Entre com a função:

$$f(x, y) := x^2 + 3 \cdot x \cdot y + 4 \cdot y^2 - 4 \cdot x - 13 \cdot y.$$

Entre com as estimativas:

$$x := 0 \qquad y := 0$$

Agora, digite:

$$\text{Minimize } (f, x, y)$$

de modo que tenhamos

$$\boxed{\text{Minimize } (f, x, y)}$$

Digitando-se =, obtém-se o ponto de mínimo:

$$\text{Minimize } (f, x, y) = \begin{pmatrix} -1 \\ 2 \end{pmatrix}.$$

Assim, $(-1, 2)$ é o ponto de mínimo da função (que concorda com o ponto obtido no Excel).

Antes de prosseguir, observamos que, para entrar com os sinais de desigualdade, deve-se clicar no ícone em que aparecem os símbolos $\leq \neq \geq$ para abrir a caixa Boolean. Para entrar, digamos, com > é só clicar no símbolo >.

Exemplo 3 Determine o ponto de máximo de $z = 2x - y$ com as restrições $x \geq 0$, $x + y \leq 3$ e $y \geq x$.

Solução

$x = 3$ e $y = 3$ é uma estimativa para o ponto de máximo. Digite:

$$f(x, y) := 2 \cdot x - y$$

$$x := 3 \quad y := 3$$

given

$$x \geq 0 \quad x + y \leq 3 \quad y \geq x$$

$$\text{Maximize}(f, x, y) = \begin{pmatrix} 1.5 \\ 1.5 \end{pmatrix}.$$

Assim, o valor máximo da função ocorre para $x = 1,5$ e $y = 1,5$.

ATENÇÃO. É **indispensável** a palavra **given** após as estimativas e antes das restrições.

Exemplo 4 Resolva o sistema

$$\begin{cases} x^2 + y = 3 \\ x^2 + 2xy + 5y^2 = 4. \end{cases}$$

Solução

Inicialmente, observamos que este sistema é o mesmo que o da seção anterior. Vamos apenas determinar a solução próxima de (2, 1). Digite:

$$x := 2 \quad y := 1$$

given

$$x^2 + y = 3$$

$$x^2 + 2 \cdot x \cdot y + 5 \cdot y^2 = 4$$

$$\text{Find}(x, y) = \begin{pmatrix} 1.6514 \\ 0.2727 \end{pmatrix}.$$

Assim, $x = 1,6514$ e $y = 0,2727$ é a solução, com 4 casas decimais, que está próxima de (2, 1). (Caso queira mais casas decimais, clique ao lado de y, em seguida, na barra de ferramentas, clique em Format, escolha a opção Result, escolha o número de casas decimais e clique em OK.)

Apêndice B

Exemplo 5 Esboce o gráfico de $f(x,y) = x^2 + y^2$

Solução

Digite:

$$f(x,y) := x^2 + y^2.$$

Clique no ícone assinalado na figura a seguir para abrir a caixa Graph e clique na superfície verde (ou então, na barra de ferramentas, clique em Insert, clique em Graph e escolha surface plot). Em seguida, no pequeno retângulo preto situado à esquerda logo abaixo do sistema de coordenadas, digite *f*, como na figura abaixo. Para obter o gráfico, clique fora do maior retângulo que contém o sistema de coordenadas. Com o mouse, você pode colocar a figura na posição que desejar. Para outras opções, dê dois cliques em cima do gráfico e brinque à vontade.

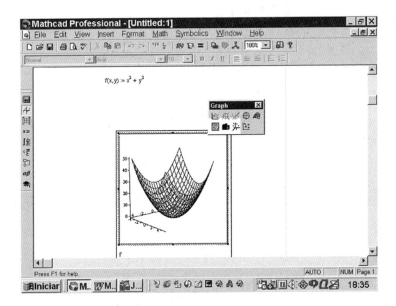

Exemplo 6 Calcule $\int_{-\infty}^{\infty} e^{-x^2} dx$.

Solução

Clique no ícone integral para abrir a caixa que contém o símbolo de integral. Entre com a integral de modo a obter

$$\int_{-\infty}^{\infty} \exp(-x^2)dx$$

Para calcular a integral, proceda da seguinte forma. Se você quiser apenas o valor numérico, digite =. Se você quiser o **valor exato**, na barra de ferramentas, clique em Symbolics, em seguida clique na opção **Simplify**. Escolhendo a segunda opção, o resultado será $\sqrt{\pi}$. (Para calcular limites, derivadas e somatórias, utilize sempre a segunda opção, e divirta-se.)

ATENÇÃO. Para entrar com o símbolo de integral definida, clique no símbolo respectivo na caixa ao lado; para entrar com o símbolo ∞, proceda da mesma forma. O ângulo que envolve a expressão é controlado pela barra de espaço: se ele estiver envolvendo somente o último x, basta ir pressionando a barra de espaço que ele acabará envolvendo toda a expressão. Para encerrar, vamos exibir alguns gráficos construídos no Mathcad.

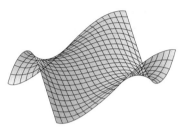

$f(x, y) = x^3 + y^3 - 2xy^2$

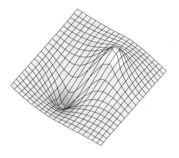

$f(x, y) = \dfrac{x - y}{x^2 + y^2 + 1}$

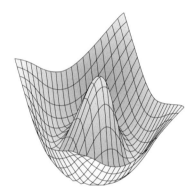

$f(x, y) = 1 - (x^2 + y^2) \exp(-0,1x^2 - 0,1y^2)$

$f(x, y) = (9 - x^2 - y^2) \exp(x^2 + y^2)$

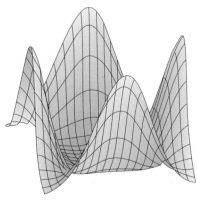

$f(x, y) = 10 - (x^8 + y^8) \exp(-0,15x^2 - 0,15y^2)$

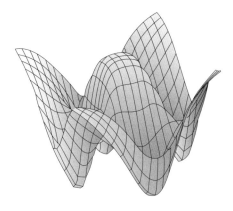

$$f(x, y) = 10 - (x^4 + y^4) \exp(-0{,}15x^2 - 0{,}15y^2)$$

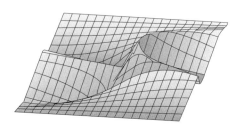

$$f(x, y) = \frac{2x^2 y}{x^4 + y^2 + 0{,}00000000000000000000000000000000000000001}$$

Referência Bibliográfica para a HP-48G

Guia do Usuário da HP-48 Série G
Hewlett-Packard
Edição 1, novembro de 1994

Respostas, Sugestões ou Soluções

Abaixo as respostas da maioria dos exercícios numerados.

CAPÍTULO 1

1.2
a) Sim, pois, é contínua.
b) Sim, pois, é contínua.
c) Sim, pois, é limitada e descontínua apenas em $x = 1$.
d) Sim, pois, é contínua em $[0, 1]$.
e) Sim, pois, é limitada e descontínua apenas em $x = 0$.
f) Não, pois, não é limitada em $\left[0, \dfrac{2}{\pi}\right]$.
g) Sim, pois, é limitada e descontínua apenas em $x = 0$.
h) Não, pois, não é limitada em $[-1, 1]$.

CAPÍTULO 2

2.1
1. a) $2 + \ln 2$ b) $\dfrac{11}{3}$ c) $\dfrac{1}{2}\ln 5$ d) 1

2. a) $\displaystyle\int_0^x f(t)\,dt = \begin{cases} \displaystyle\int_0^x 1\,dt & \text{se } 0 \leq x \leq 1 \\ \displaystyle\int_0^1 1\,dt + \int_1^x 0\,dt & \text{se } x > 1 \end{cases} = \begin{cases} x & \text{se } 0 \leq x \leq 1 \\ 1 & \text{se } x > 1 \end{cases}$

b) $\dfrac{x^3}{3} + \dfrac{1}{3}$ se $-1 \leq x \leq 1$, $2x - \dfrac{4}{3}$ se $x > 1$.

c) $\displaystyle\int_0^x f(t)\,dt = \begin{cases} \displaystyle\int_0^x t^2\,dt & \text{se } -1 \leq x \leq 1 \\ \displaystyle\int_0^1 t^2\,dt + \int_1^x 2\,dt & \text{se } x > 1 \end{cases} = \begin{cases} \dfrac{x^3}{3} & \text{se } -1 \leq x \leq 1 \\ 2x - \dfrac{5}{3} & \text{se } x > 1 \end{cases}$

d) x se $0 \leq x \leq 1$, $2x - 1$ se $1 \leq x \leq 2$ e $3x - 3$ se $x > 2$.

2.2
1. a) $F(x) = \begin{cases} 2x & \text{se } 0 \leq x \leq 1 \\ 2 + \ln & \text{se } x > 1 \end{cases}$

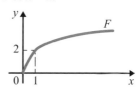

b)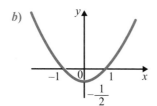

c)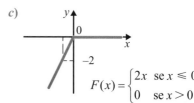

$F(x) = \begin{cases} 2x & \text{se } x \leq 0 \\ 0 & \text{se } x > 0 \end{cases}$

d)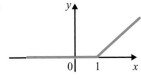

$$F(x) = \begin{cases} 0 & \text{se } x \leq 1 \\ x-1 & \text{se } x > 1 \end{cases}$$

e)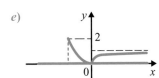

$$F(x) = \begin{cases} \dfrac{x^2}{2} & \text{se } -2 \leq x \leq 0 \\ -e^{-x}+1 & \text{se } x > 0 \end{cases}$$

f)

g)

2. a) $F(x) = \dfrac{x^2}{2}, x \in \mathbb{R}$　　b) $F'(x) = x, x \in \mathbb{R}$.

3. a) $x > 1$　　b) $x < 1$　　c) $-2 < x < 2$　　d) $x > 2$

4. a) $F(x) = \begin{cases} \dfrac{x^3}{3} & \text{se } x \leq 1; \\ \dfrac{1}{3} + 2\ln x & \text{se } x > 1 \end{cases}$　　$F'(x) = \begin{cases} x^2 & \text{se } x < 1 \\ \dfrac{2}{x} & \text{se } x > 1 \end{cases}$

b) Não: $\lim\limits_{x \to 1^-} \dfrac{F(x)-F(1)}{x-1} = 1$ e $\lim\limits_{x \to 1^+} \dfrac{F(x)-F(1)}{x-1} = 2$

5. a) $F(x) = x, x \in \mathbb{R}; F'(x) = f(x)$ para $x \neq 1$　　b) $F'(1) = 1 \neq f(1)$

2.4

1. a) $F'(x) = \dfrac{3x}{1+x^6}$　　b) $F'(x) = \text{sen } x^2$　　c) $F'(x) = -\cos x^4$

   d) $F'(x) = 2x \text{ sen } x^4$　　e) $F'(x) = 2\cos 4x^2$　　f) $F'(x) = \dfrac{3x^2}{5+x^{12}} - \dfrac{2x}{5+x^8}$

   g) $F'(x) = 3x^2 \int_1^x e^{-s^2} ds + x^3 e^{-x^2}$　　h) $F'(x) = 2x \int_0^x e^{-s^2} ds + x^2 e^{-x^2}$

   i) $F'(x) = -\text{arctg } x^3$　　j) $F'(x) = \int_0^x e^{-t^2} dt$.

2. Crescente em $]-\infty, -2]$ e em $[0, +\infty[$; decrescente em $[-2, 0]$.

3. $\varphi(x) = e^{\frac{x^2}{2}}$

4. **Sugestão.** Verifique que $[F(x) - F(-x)]' = 0$ em $[-r, r]$.

6. Integrando por partes: $\int_0^1 F(x)\, dx = \left[x \int_1^x e^{-t^2} dt \right]_0^1 - \int_0^1 x F'(x)\, dx.$

7. $\dfrac{1}{2}\left[\cos \pi^2 - 1 \right]$

Respostas, Sugestões ou Soluções

CAPÍTULO 3

3.1 1. a) $\dfrac{1}{2}$ b) 1   c) $\dfrac{1}{s}$ d) $+\infty$

e) 1   f) $\dfrac{1}{s^2}$ g) $\dfrac{1}{2}$ h) $\dfrac{\pi}{2}$

i) $\dfrac{\pi}{2s}$ j) $\dfrac{1}{3}$ l) $+\infty$ m) $\dfrac{1}{2}\ln 3$

n) $\dfrac{\pi}{4}$ o) 3   p) $\dfrac{1}{2}$ q) $\dfrac{1}{2}\ln 2$

2. $+\infty$ se $\alpha \leq 1$; $\dfrac{1}{\alpha-1}$ se $\alpha > 1$

3. a) 1   b) $-\dfrac{1}{4}$ c) $-\infty$ d) $-\dfrac{1}{2}$

e) 2   f) 2   g) $\dfrac{\pi}{2}$ h) 4

4. $m = \dfrac{1}{6}$ 5. $k = -2$ 6. $m = \dfrac{3}{2}$

9. a) $\dfrac{1}{1+s^2} + \dfrac{3s}{4+s^2}$ b) $\dfrac{3}{s^2} + \dfrac{2}{s-3} + \dfrac{1}{(s-1)^2}$

3.2 1. 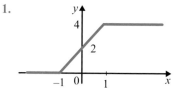   2.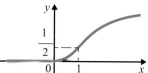

3. 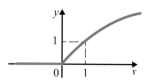   4.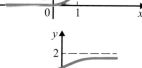

5. 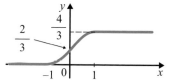   6.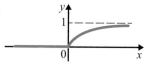

7. 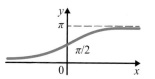   8.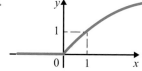

9. 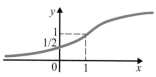   10.

Respostas, Sugestões ou Soluções

3.3
1. a) $\dfrac{3}{2}$ b) $+\infty$ c) $\dfrac{2\sqrt{26}}{3}$ d) -1

3. a) $\dfrac{\pi}{2}$ b) $2\sqrt{2}$ c) $+\infty$ d) 1

5. a) 0 b) $+\infty$

3.4
1. a) converge b) diverge c) converge
   d) converge e) converge f) converge
   g) converge h) converge i) converge
   j) converge l) converge m) converge

3. a) diverge b) converge c) converge d) diverge

6. $f(t) = \dfrac{10}{9}e^{-3t} - \dfrac{1}{9} + \dfrac{1}{3}t$

7. a) $\dfrac{12}{5}e^{2t} - \dfrac{2}{5}\cos t + \dfrac{1}{5}\operatorname{sen} t$ b) $-\dfrac{4}{3}e^{-t} + \dfrac{1}{3}e^{2t}$

CAPÍTULO 4

4.1
1. a) 2 b) $\dfrac{1}{2}$ c) $\dfrac{-6}{125}$ d) $\dfrac{2}{\pi}$

2. a) 400 b) $0{,}6$ c) $0{,}12$ d) 384

4.2
1. a) $F(x) = 0$ para $x < 0$, $F(x) = \dfrac{x}{5}$ para $0 \leqslant x \leqslant 5$ e $F(x) = 1$ para $x > 5$

   b) $F(x) = 0$ para $x \leqslant 0$ e $F(x) = 1 - e^{-x/2}$ para $x > 0$

   c) $F(x) = \dfrac{e^x}{2}$ para $x \leqslant 0$ e $F(x) = 1 - \dfrac{1}{2}e^{-x}$ para $x > 0$

2. $f(x) = \dfrac{2}{\pi(1 + 4x^2)}$, x real

3.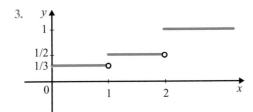

4.3
1. a) $E(X) = \dfrac{a+b}{2}$ e $Var(X) = \dfrac{(b-a)^2}{12}$

   b) $E(X) = \dfrac{1}{2}$ e $Var(X) = \dfrac{3}{4}$ c) $E(X) = 2$ e $Var(X) = 2$

4.4
3. a) $\dfrac{1}{\sqrt{2\pi}}\displaystyle\int_{-\infty}^{(x-50)/4} e^{-z^2/2}\,dz = \dfrac{1}{\sqrt{2\pi}}\displaystyle\int_{-\infty}^{(x-60)/5} e^{-z^2/2}\,dz$; logo, $x = 10$

   b) $x < 10$

4. $x = \dfrac{\mu_1\sigma_2 - \mu_2\sigma_1}{\sigma_2 - \sigma_1}$ para $\sigma_2 \neq \sigma_1$

5. $\dfrac{d\varphi}{d\mu} = \dfrac{1}{\sigma\sqrt{2\pi}}\left[e^{-(a-\mu)^2/2\sigma^2} - e^{-(b-\mu)^2/2\sigma^2}\right]$

4.5

1. $g(y) = \dfrac{f(\sqrt[3]{y})}{3\sqrt[3]{y^2}}$, $y \neq 0$.

2. $g(y) = \dfrac{f(\ln y)}{y}$ para $y > 0$ e $f(y) = 0$ para $y \leq 0$, em que $f(x) = \dfrac{e^{-(x-\mu)^2/2\sigma^2}}{\sigma\sqrt{2\pi}}$.

4.6

2. $(-0,5)! = \Gamma(1+(-0,5)) = \Gamma(0,5) = \sqrt{\pi}$

3. $\Gamma\left(\dfrac{3}{2}\right) = \Gamma\left(1+\dfrac{1}{2}\right) = \dfrac{1}{2}\Gamma\left(\dfrac{1}{2}\right) = \dfrac{1}{2}\sqrt{\pi}$; $\Gamma\left(\dfrac{5}{2}\right) = \Gamma\left(1+\dfrac{3}{2}\right) = \dfrac{3}{2}\Gamma\left(\dfrac{3}{2}\right) = \dfrac{3}{2}\cdot\dfrac{1}{2}\cdot\sqrt{\pi}$

4. $\Gamma\left(\dfrac{2n+1}{2}\right) = \dfrac{(2n-1)!}{2^{2n-1}(n-1)!}\sqrt{\pi}$

4.7

3. b) $E(X) = \int_0^{+\infty} e^{-x^\beta} dx$ e $Var(X) = \int_0^{+\infty} 2xe^{-x^\beta} dx - [E(X)]^2$

4. b) $E(X) = \dfrac{\sqrt{2\pi}}{2}$ e $Var(X) = \dfrac{4-\pi}{2}$

CAPÍTULO 5

5.1

1. a) $x = ke^{3t} - \dfrac{1}{2}e^t$ b) $x = ke^t - 2t - 3$ c) $x = ke^t - \dfrac{1}{2}\cos t + \dfrac{1}{2}\mathrm{sen}\, t$

d) $x = ke^{-2t} - \dfrac{1}{5}\cos t + \dfrac{2}{5}\mathrm{sen}\, t$ e) $x = e^{2t}[k+t]$ f) $x = ke^t - 5$

g) $x = ke^{-t} + \dfrac{1}{5}\cos 2t + \dfrac{2}{5}\mathrm{sen}\, 2t$ h) $x = ke^{-2t} + \dfrac{1}{4}$ i) $y = ke^{-3x} + \dfrac{1}{3}x - \dfrac{1}{9}$

j) $s = ke^{2t} + te^{2t}$ l) $q = ke^{-t} + \dfrac{1}{10}\cos 3t + \dfrac{3}{10}\mathrm{sen}\, 3t$

m) $y = ke^x - \dfrac{1}{2}\cos x - \dfrac{1}{2}\mathrm{sen}\, x$ n) $y = ke^{-\frac{2}{3}x} + \dfrac{1}{2}$ o) $x = ke^{-\frac{1}{2}t} + t - 2$

p) $y = ke^{2x} + \dfrac{1}{5}e^{3x}$ q) $T = ke^{3t} - \dfrac{2}{3}$

r) $y = ke^x - \dfrac{1}{10}\cos 3x + \dfrac{3}{10}\mathrm{sen}\, 3x$ s) $x = ke^{3t} + \dfrac{1}{4}e^{-t}$

2. $8p_0$, em que p_0 é a população no instante $t = 0$.

3. A equação que rege o resfriamento é $\dfrac{dT}{dt} = \alpha(T-20)$, em que α é a constante de proporcionalidade. $T(t) = 90e^{\alpha t} + 20$ em que $\alpha = \dfrac{1}{20}\ln\dfrac{2}{3}$.

Respostas, Sugestões ou Soluções

4. a) $i = \dfrac{E_0}{R}\left(1 - e^{-\frac{R}{L}t}\right)$

   b) $i = \dfrac{1}{1+576\pi^2}[264\pi\, e^{-5t} - 264\,\pi \cos 120\,\pi t + 11 \operatorname{sen} 120\,\pi t]$

5.2

1. a) $x = Ae^{3t} + Be^{-t}$ b) $x = e^t(A + Bt)$ c) $x = Ae^{2t} + Be^{-2t}$

   d) $x = A + Be^{4t}$ e) $x = Ae^{\sqrt{3}\,t} + Be^{-\sqrt{3}\,t}$ f) $x = e^{-t}(A + Bt)$

   g) $y = Ae^{2x} + Be^{-x}$ h) $y = e^{-3x}(A + Bx)$ i) $y = A + Be^{-5x}$

   j) $y = Ae^{-\sqrt{6}\,x} + Be^{\sqrt{6}\,x}$ l) $x = A + Be^{-3t}$ m) $x = A + Bt$

   n) $x = Ae^{-t} + Be^{\frac{1}{2}t}$ o) $x = A + Be^{-\frac{5}{3}t}$

2. a) $x = \dfrac{1}{3}e^{3t} + \dfrac{2}{3}e^{-3t}$ b) $x = -\dfrac{1}{2} + \dfrac{1}{2}e^{2t}$ c) $y = (1-t)e^t$

3. a) $x = Ae^{\sqrt{2}\,t} + Be^{-\sqrt{2}\,t}$ b) $x = Ae^{-2t} + Be^{-3t}$

   c) $y = A + Be^{7t}$ d) $y = e^{5t}[A + Bt]$

4. A equação que rege o movimento da partícula é: $m\ddot{x} = -2\dot{x} - x$ ou $\ddot{x} + 2\dot{x} + x = 0$, pois $m = 1$.

   a) $x(t) = e^{-t}(1+t)$. Desenhe o gráfico.   b) $x(t) = (1-t)e^{-t}$. Desenhe o gráfico.

5. $x(t) = (2-e)e^{-2t} + (2e-3)e^{-t}$

5.3

1. a) $a = -2$ e $b = 2$ b) $a = -5$ e $b = 12$ c) $a = \dfrac{3}{5}$ e $b = -\dfrac{1}{5}$

   d) $a = -\dfrac{1}{5}$ e $b = \dfrac{2}{5}$ e) $a = -4$ e $b = 0$ f) $a = -1$ e $b = 0$

   g) $a = \dfrac{10}{13}$ e $b = \dfrac{15}{13}$ h) $a = \dfrac{1}{2}$ e $b = \dfrac{1}{2}$

2. a) $\pm i$ b) $-\dfrac{1}{2} \pm \dfrac{\sqrt{3}}{2}i$ c) $-1 \pm i$ d) $-1 \pm \sqrt{2}\,i$

   e) $\pm wi$ f) $\pm 2i$ g) $-\dfrac{1}{2} \pm \dfrac{\sqrt{7}}{2}i$ h) $\pm\sqrt{5}\,i$

   i) $\pm\sqrt{2}\,i$ j) ± 2 l) $2 \pm i$

5.4

1. a) $e^{-t}(A \cos 2t + B \operatorname{sen} 2t)$ b) $A \cos \sqrt{5}\,t + B \operatorname{sen} \sqrt{5}t$

   c) $e^{-\frac{1}{2}t}\left(A \cos \dfrac{\sqrt{3}}{2}t + B \operatorname{sen} \dfrac{\sqrt{3}}{2}t\right)$ d) $Ae^{\sqrt{5}\,t} + Be^{-\sqrt{5}\,t}$

   e) $A \cos 3t + B \operatorname{sen} 3t$ f) $e^t(A \cos t + B \operatorname{sen} t)$ g) $e^{2t}(A + Bt)$

   h) $A + Be^{-5t}$ i) $e^{-3t}(A \cos t + B \operatorname{sen} t)$ j) $e^{-\frac{1}{2}t}\left[A \cos \dfrac{\sqrt{11}}{2}t + B \operatorname{sen} \dfrac{\sqrt{11}}{2}t\right]$

   l) $Ae^{5t} + Be^t$ m) $e^{3t}(A + Bt)$ n) $A \cos 2t + B \operatorname{sen} 2t$

o) $e^{-\frac{3}{2}t}\left[A\cos\frac{\sqrt{3}}{2}t + B\sen\frac{\sqrt{3}}{2}t\right]$ p) $A\cos\sqrt{a}\,t + B\sen\sqrt{a}\,t$

q) $Ae^{\sqrt{-a}\,t} + Be^{-\sqrt{-a}\,t}$ r) $e^t[A\cos\sqrt{5}\,t + B\sen\sqrt{5}\,t]$

s) $e^{-4t}[A\cos 2t + B\sen 2t]$

2. a) $x = \frac{1}{2}\sen 2t$ b) $-e^{-t}(\cos t + \sen t)$

c) $e^{-\frac{1}{2}t}\left[\cos\frac{\sqrt{7}}{2}t + \frac{3\sqrt{7}}{2}\sen\frac{\sqrt{7}}{2}t\right]$ d) $-\cos t + 2\sen t$

3. $\dot{x}(t) = -2\sen 2t - \cos 2t$

4. $x(t) = e^{-t}\sen t$

5. $f(t) = \frac{2\sqrt{3}}{3}e^{\frac{1}{2}t}\sen\frac{\sqrt{3}}{2}t$

6. $x = e^t \sen t$

7. a) $c > 2$ b) $c = 2$ c) $0 < c < 2$

5.5

1. a) $Ae^{\sqrt{3}\,t} + Be^{-\sqrt{3}\,t} - \frac{1}{12}\cos 3t$ b) $Ae^{-2t} + Bte^{-2t} + \frac{1}{2}t - \frac{1}{4}$

c) $Ae^t + Bte^t + \frac{5}{2}t^2 e^t$ d) $Ae^{-t} + Be^{-3t} + \frac{8}{15}e^{2t}$

e) $e^{-t}(A\cos t + B\sen t) + 2$ f) $A + Be^{-2t} + 2t$

g) $A\cos t + B\sen t - t\cos t$ h) $Ae^{2t} + Be^t + \frac{1}{2}t^2 + \frac{3}{2}t + \frac{7}{4}$

i) $A + Be^{3t} - \frac{1}{3}t^3 - \frac{1}{3}t^2 - \frac{2}{9}t$ j) $A\cos 3t + B\sen 3t + \frac{1}{8}\sen t + \frac{1}{4}\cos t$

l) $Ae^{-t} + Bte^{-t} - \frac{3}{25}\cos 2t + \frac{4}{25}\sen 2t$ m) $A\cos 3t + B\sen 3t - \frac{1}{6}t\cos 3t$

n) $Ae^{2t} + Be^{-2t} + \frac{1}{4}te^{2t}$ o) $Ae^{2t} + Be^{-2t} - \frac{8}{5}\cos t$

p) $A + Be^{2t} + \frac{2}{39}\cos 3t - \frac{1}{13}\sen 3t$ q) $A + Be^{2t} - e^t$

r) $A + Be^{2t} + \frac{1}{2}te^{2t}$ s) $A + Be^{2t} - \frac{5}{2}t$

2. $A\cos\omega t + B\sen\omega t - \frac{1}{2\omega}t\cos\omega t$

3. a) $\frac{2}{3}\cos 2t - \frac{1}{2}\sen 2t + \frac{1}{3}\cos t$ b) $te^{-3t}\left[1 + \frac{1}{2}t\right]$

c) $\frac{1}{4}t\sen 2t$ d) $-\frac{5}{13}\cos 2t - \frac{15}{26}\sen 2t + \frac{5}{13}e^{3t}$

4. $x_p = \frac{b}{(\omega_0^2 - \omega^2)^2 + 4\gamma^2\omega^2}[-2\gamma\omega\cos\omega t + (\omega_0^2 - \omega^2)\sen\omega t]$.

5. **Sugestão.** Considere os casos $\omega = \omega_0$ e $\omega \neq \omega_0$.

Respostas, Sugestões ou Soluções

CAPÍTULO 6

6.3

1. $(x, y) = (1, 2) + \lambda(-1, 1), \lambda \in \mathbb{R}$
2. $(x, y) = (1, -1) + \lambda(2, 1), \lambda \in \mathbb{R}$
3. $\vec{u} = (-2, 3)$
4. $(x, y) = \left(\dfrac{1}{2}, 1\right) + \lambda(-2, 3), \lambda \in \mathbb{R}$
5. a) $\vec{u} = (2, 1)$ b) $\vec{u} = (-1, 1)$ c) $\vec{u} = (5, 2)$ d) $\vec{u} = (-2, 1)$
6. a) $\vec{n} = (2, 1)$ b) $\vec{n} = (3, -1)$ c) $\vec{n} = (1, 3)$ d) $\vec{n} = (2, -3)$
7. a) $(x, y) = (2, -5) + \lambda(1, 1), \lambda \in \mathbb{R}$ b) $(x, y) = (1, -2) + \lambda(-1, 2), \lambda \in \mathbb{R}$
8. a) $(x, y) = (1, 2) + \lambda(2, 1), \lambda \in \mathbb{R}$ b) $(x, y) = (2, -2) + \lambda(1, 3), \lambda \in \mathbb{R}$
9. a) $(2, 1, 3) \cdot [(x, y, z) - (1, 1, 1)] = 0$ ou $2x + y + 3z = 6$
   b) $(-2, 1, 2) \cdot [(x, y, z) - (2, 1, -1)] = 0$ ou $2x - y - 2z = 5$
10. a) $(x, y, z) = (0, 1, -1) + \lambda(1, 2, -1), \lambda \in \mathbb{R}$
    b) $(x, y, z) = (2, 1, -1) + \lambda(2, 1, 3), \lambda \in \mathbb{R}$
12. $(x, y, z) = (1, 2, -1) + \lambda(3, 0, -3), \lambda \in \mathbb{R}$ (tal reta é paralela à direção de $\vec{u} \wedge \vec{v} = (3, 0, -3)$).
13. a) $\vec{u} \wedge \vec{v} = (5, -4, -3)$ b) $\vec{u} \wedge \vec{v} = (4, -2, 8)$
14. a) $(\vec{u} \wedge \vec{v}) \cdot [(x, y, z) - (1, 2, 1)] = 0$ ou $x - y + z = 0$
    b) $(\vec{u} \wedge \vec{v}) \cdot [(x, y, z) - (0, 1, 2)] = 0$ ou $-4x + y + 3z = 7$

6.4

2. a) $\sqrt{5}$ b) $\sqrt{14}$ c) $\sqrt{5}$ d) $\dfrac{\sqrt{13}}{6}$

3. $\|\vec{u}\| = \sqrt{u_1^2 + u_2^2 + u_3^2} \geq \sqrt{u_1^2} = |u_1|$ (veja:
$u_2^2 + u_3^2 \geq 0 \Rightarrow u_1^2 + u_2^2 + u_3^2 \geq u_1^2 \Rightarrow \sqrt{u_1^2 + u_2^2 + u_3^2} \geq \sqrt{u_1^2}$). De modo análogo, tem-se: $\|\vec{u}\| \geq |u_2|$ e $\|\vec{u}\| \geq |u_3|$.

5. a) $\|\vec{u}\| = \|(\vec{u} - \vec{v}) + \vec{v}\| \leq \|\vec{u} - \vec{v}\| + \|\vec{v}\|$, ou seja, $\|\vec{u} - \vec{v}\| \geq \|\vec{u}\| - \|\vec{v}\|$.

9. $\vec{w} = \alpha \vec{u} + \beta \vec{v} \Rightarrow \vec{u} \cdot \vec{w} = \vec{u} \cdot (\alpha \vec{u} + \beta \vec{v}) = \alpha(\vec{u} \cdot \vec{u}) + \beta(\vec{u} \cdot \vec{v}) \Rightarrow \vec{u} \cdot \vec{w} = \alpha$, pois, $\vec{u} \cdot \vec{u} = \|\vec{u}\|^2 = 1$ e $\vec{u} \cdot \vec{v} = 0$. De modo análogo, obtém-se $\vec{v} \cdot \vec{w} = \beta$.

12. Sejam α e β dois reais quaisquer tais que $\alpha \vec{u} + \beta \vec{v} = \vec{0}$. Segue que $\vec{u} \cdot (\alpha \vec{u} + \beta \vec{v}) = \vec{u} \cdot \vec{0}$; daí $\alpha(\vec{u} \cdot \vec{u}) + \beta(\vec{u} \cdot \vec{v}) = 0$ e, portanto, $\alpha = 0$. Do mesmo modo, $\vec{v} \cdot (\alpha \vec{u} + \beta \vec{v}) = \vec{v} \cdot \vec{0}$ e, portanto, $\alpha(\vec{v} \cdot \vec{u}) + \beta(\vec{v} \cdot \vec{v}) = 0$; logo, $\beta = 0$, pois, $\vec{v} \cdot \vec{u} = 0$ e $\vec{v} \cdot \vec{v} = 1$. Fica provado, assim, que quaisquer que sejam os reais α e β, $\alpha \vec{u} + \beta \vec{v} = \vec{0} \Rightarrow \alpha = \beta = 0$. Portanto, $\vec{u}$ e $\vec{v}$ são linearmente independentes.

17. $\cos \theta = \dfrac{\vec{u} \cdot \vec{v}}{\|\vec{u}\| \|\vec{v}\|}$, $0 \leq \theta \leq \pi$; $\operatorname{sen}^2 \theta = 1 - \dfrac{(\vec{u} \cdot \vec{v})^2}{\|\vec{u}\|^2 \|\vec{v}\|^2}$;

$\operatorname{sen} \theta = \dfrac{\sqrt{\|\vec{u}\|^2 \|\vec{v}\|^2 - (\vec{u} \cdot \vec{v})^2}}{\|\vec{u}\| \|\vec{v}\|} = \dfrac{\sqrt{(u_1^2 + u_2^2 + u_3^2)(v_1^2 + v_2^2 + v_3^2) - (u_1 v_1 + u_2 v_2 + u_3 v_3)^2}}{\|\vec{u}\| \|\vec{v}\|}$

$= \dfrac{\sqrt{(u_2 v_3 - u_3 v_2)^2 + (u_3 v_1 - u_1 v_3)^2 + (u_1 v_2 - u_2 v_1)^2}}{\|\vec{u}\| \|\vec{v}\|} = \dfrac{\|\vec{u} \wedge \vec{v}\|}{\|\vec{u}\| \|\vec{v}\|}$.

Respostas, Sugestões ou Soluções

6.5 1. *a*) É aberto   *b*) Não é aberto   *c*) É aberto (conjunto vazio)   *d*) Não é aberto
   e) É aberto (conjunto vazio)   *f*) É aberto   *g*) É aberto   *h*) Não é aberto

2. *a*) $\{(x,y) \in \mathbb{R}^2 \mid x^2 + y^2 \leq 1\}$ *b*) ϕ *c*) $\{(0,1)\}$
   d) $\{(x,y) \in \mathbb{R}^2 \mid x+y \geq 1\}$ *e*) $\{(x,y) \in \mathbb{R}^2 \mid x=1,\ 1 \leq y \leq 2\}$ *f*) $\mathbb{R}^2$

7. *a*) É fechado   *b*) Não é fechado   *c*) É fechado   *d*) Não é fechado
   e) É fechado   *f*) É fechado   *g*) É fechado   *h*) Não é fechado

CAPÍTULO 7

7.1 1.   2.   3.

4. 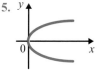   5.   6.

7. 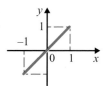   8.   9.

10. 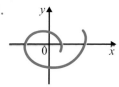   11. 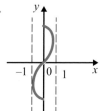   12.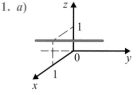

7.2 1. *a*) 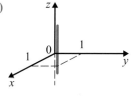   *b*) 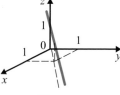   *c*)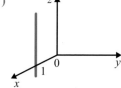

d) 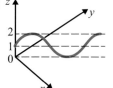   *e*) 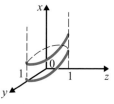   *f*)

Respostas, Sugestões ou Soluções

g) 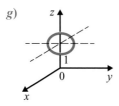   h) 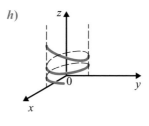   i)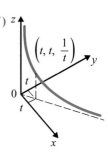

j) 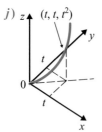   l) 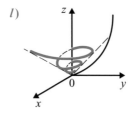   m)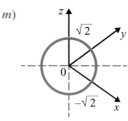

n) 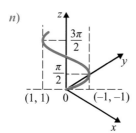   o)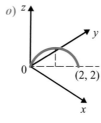

2. a) $0 < t \leq 1$ b) $\left(\ln\dfrac{3}{5}, \dfrac{3}{5}, \dfrac{4}{5}, \dfrac{9}{25}\right)$

3. a) $-\sqrt{5} < t < -1$ ou $2 \leq t < \sqrt{5}$ b) $-\sqrt{2} \leq t \leq \sqrt{2}$, $t \neq 0$

7.3
1. a) $3t + t\,\text{sen}\,t + 2t^2$ b) $(e^{-t}t, e^{-t}\text{sen}\,t, 2e^{-t})$
   c) $(t-6, \text{sen}\,t - 2t, 2 - 2t^2)$ d) $(t^2\,\text{sen}\,t - 2t, 6 - t^3, t^2 - 3\,\text{sen}\,t)$
2. $(2+t^2)\,\vec{i} + (t^3 - t)\,\vec{j} - 3t\,\vec{k}$
3. $\vec{u}(t) \cdot \vec{v}(t) = 1 + t$

7.4
1. a) $\lim\limits_{t \to 1} \vec{F}(t) = \left(\lim\limits_{t \to 1} \dfrac{\sqrt{t}-1}{t-1}, \lim\limits_{t \to 1} t^2, \lim\limits_{t \to 1} \dfrac{t-1}{t}\right) = \left(\dfrac{1}{2}, 1, 0\right)$
   b) $(3, 2, 0)$ c) $3\,\vec{i} + \dfrac{\pi}{4}\,\vec{j} + 4\,\vec{k}$

2. a) $\lim\limits_{t \to t_0} [\vec{F}(t) + \vec{G}(t)] = \left(\lim\limits_{t \to t_0} [F_1(t) + G_1(t)], \ldots, \lim\limits_{t \to t_0} [F_n(t) + G_n(t)]\right)$
   $= (a_1 + b_1, a_2 + b_2, \ldots, a_n + b_n) = \vec{a} + \vec{b}$

   b) $\lim\limits_{t \to t_0} f(t)\,\vec{F}(t) = \left(\lim\limits_{t \to t_0} f(t)\,F_1(t), \lim\limits_{t \to t_0} f(t)\,F_2(t), \ldots, \lim\limits_{t \to t_0} f(t)\,F_n(t)\right)$
   $= (La_1, La_2, \ldots, La_n) = L\,\vec{a}$

c) $\lim_{t \to t_0} \vec{F}(t) \wedge \vec{G}(t) = \lim_{t \to t_0} (F_2(t)G_3(t) - F_3(t)G_2(t), F_3(t)G_1(t) - F_1(t)G_3(t),$

$F_1(t)G_2(t) - F_2(t)G_1(t)) = (a_2b_3 - a_3b_2, a_3b_1 - a_1b_3, a_1b_2 - a_2b_1) = \vec{a} \wedge \vec{b}$

3. a) $\{t \in \mathbb{R} \mid t \geq 0\}$ b) $\{t \in \mathbb{R} \mid t \geq 1\}$

5. a) $|\vec{F}(t) \cdot \vec{G}(t)| \leq \|\vec{F}(t)\| \|\vec{G}(t)\|$ e $\lim_{t \to t_0} \underbrace{\|\vec{F}(t)\|}_{0} \underbrace{\|\vec{G}(t)\|}_{\text{limitada}} = 0$; pelo teorema do confronto, $\lim_{t \to t_0} |\vec{F}(t) \cdot \vec{G}(t)| = 0$; logo, $\lim_{t \to t_0} \vec{F}(t) \cdot \vec{G}(t) = 0$.

6. Como $\vec{F}$ é contínua em $[a, b]$, $\|\vec{F}(t)\|$ também será. Segue que $\|\vec{F}(t)\|$ é limitada em $[a, b]$, ou seja, existe $M > 0$ tal que $\|\vec{F}(t)\| \leq M$ em $[a, b]$.

7.5

1. a) $\dfrac{d\vec{F}}{dt} = \left(6t, -e^{-t}, \dfrac{2t}{1+t^2}\right)$; $\dfrac{d^2\vec{F}}{dt^2} = \left(6t, e^{-t}, \dfrac{2-2t^2}{(1+t^2)^2}\right)$

b) $\dfrac{d\vec{F}}{dt} = \dfrac{2}{3\sqrt[3]{t}}\vec{i} - 2t \operatorname{sen} t^2 \vec{j} + 3\vec{k}$; $\dfrac{d^2\vec{F}}{dt^2} = \dfrac{-2}{9t\sqrt[3]{t}}\vec{i} - (2 \operatorname{sen} t^2 + 4t^2 \cos t^2)\vec{j}$

c) $\dfrac{d\vec{F}}{dt} = 5\cos 5t\,\vec{i} - 4 \operatorname{sen} 4t\,\vec{j} + 2e^{-2t}\vec{k}$; $\dfrac{d^2\vec{F}}{dt^2} = -25 \operatorname{sen} 5t\,\vec{i} - 16\cos 4t\,\vec{j} - 4e^{-2t}\vec{k}$

2. a) $(x, y, z) = \left(\dfrac{1}{2}, \dfrac{\sqrt{3}}{2}, \dfrac{\pi}{3}\right) + \lambda\left(-\dfrac{\sqrt{3}}{2}, \dfrac{1}{2}, 1\right), \lambda \in \mathbb{R}$

b) $(x, y) = (1, 1) + \lambda(2, 1), \lambda \in \mathbb{R}$

c) $(x, y, z) = \left(\dfrac{1}{2}, \dfrac{1}{2}, 4\right) + \lambda\left(-\dfrac{1}{4}, -\dfrac{1}{4}, 4\right), \lambda \in \mathbb{R}$

d) $(x, y, z, w) = (1, 1, 1, 1) + \lambda(1, 2, 1, 2), \lambda \in \mathbb{R}$

3. Seja $F = (F_1, F_2, \ldots, F_n)$; sendo $F'(t) = \vec{0}$ em I, resulta $F_i'(t) = 0$ em I, para $i = 1, 2, \ldots, n$. Segue que existem constantes $k_1, k_2, \ldots, k_n$, tais que $F_i(t) = k_i$, para todo t em I, ($i = 1, 2, \ldots, n$). Portanto, $F(t) = k$ em I, em que $k = (k_1, k_2, \ldots, k_n)$.

4. Verifique que $\dfrac{d}{dt}\left[\vec{F}(t) \wedge \dfrac{d\vec{F}}{dt}(t)\right] = \vec{0}$ em I, e use o Exercício 3.

5. *Sugestão*: para $t \geq 0$, $\|\vec{r}(t)\| = \sqrt{t} \Leftrightarrow \vec{r}(t) \cdot \vec{r}(t) = t$.

7. a) $\vec{v}(t) = \dfrac{d\vec{r}}{dt} = \vec{i} + 2t\,\vec{j}$; $\vec{a}(t) = \dfrac{d\vec{v}}{dt} = 2\vec{j}$

b) $\vec{v}(t) = -\operatorname{sen} t\,\vec{i} + \cos t\,\vec{j} + \vec{k}$; $\vec{a}(t) = \dfrac{d\vec{v}}{dt} = -\cos t\,\vec{i} - \operatorname{sen} t\,\vec{j}$

c) $\vec{v}(t) = \dfrac{d\vec{r}}{dt} = \vec{v}_0$; $\vec{a}(t) = \dfrac{d\vec{v}}{dt} = \vec{0}$ d) $\vec{v}(t) = \vec{v}_0 + \vec{a}_0\,t$; $\vec{a}(t) = \vec{a}_0$

9. a) $\|\vec{T}(t)\| = 1$, $\vec{T}(t) \cdot \vec{T}(t) = 1$, daí $2\dfrac{d\vec{T}}{dt} \cdot \vec{T} = 0$, ou seja, $\vec{T}$ e $\dfrac{d\vec{T}}{dt}$ são ortogonais.

b) **Sugestão.** $\vec{v}(t) = v(t)\,\vec{T}(t)$.

Respostas, Sugestões ou Soluções

12. a) $\vec{r}(t) = \left(\dfrac{t^2}{2}+1\right)\vec{i}+\vec{j}+2t\,\vec{k}$

b) $\vec{r}(t) = (2-\cos t)\vec{i}+\left(\dfrac{1}{2}\operatorname{sen} 2t-1\right)\vec{j}+(2+\ln(t+1))\vec{k}$

c) $\vec{r}(t) = \dfrac{1}{2}\operatorname{arctg} 2t\,\vec{i}+(1-e^{-t})\vec{j}+(t+1)\vec{k}$

7.6

1. a) $\int_0^1 [t\,\vec{i}+e^{-t}\vec{j}]\,dt = \left[\int_0^1 t\,dt\right]\vec{i}+\left[\int_0^1 e^t\,dt\right]\vec{j} = \dfrac{1}{2}\vec{i}+(e-1)\vec{j}$

b) $\dfrac{\pi}{2}\vec{j}+2\vec{k}$ c) $3\vec{i}+2\vec{j}+\vec{k}$

2. a) $(2-e)\vec{i}+\left(e-\dfrac{3}{2}\right)\vec{j}-\dfrac{1}{2}\vec{k}$ b) $\dfrac{1}{2}+e$

3. Observe que $\vec{G}(t) = \left(\int_0^t F_1(s)\,ds, \ldots, \int_0^t F_n(s)\,ds\right)$ e aplique o teorema fundamental do cálculo.

4. a) $2\vec{i}+2\vec{j}+\dfrac{8}{3}\vec{k}$ b) $\ln 2\,\vec{i}+\dfrac{1}{3}\vec{j}+\vec{k}$

7.7

1. a) $\pi\sqrt{1+4\pi^2}+\dfrac{1}{2}\ln(2\pi+\sqrt{1+4\pi^2})$ b) $\sqrt{5}$

c) $\int_0^\pi \sqrt{1+e^{-2t}}\,dt = \int_{\operatorname{arctg} e^{-\pi}}^{\frac{\pi}{4}} \left[\dfrac{1}{\operatorname{sen}\theta}+(\cos\theta)^{-2}\operatorname{sen}\theta\right]d\theta$

$= \ln\dfrac{1+\sqrt{1+e^{-2\pi}}}{1+\sqrt{2}}+\sqrt{2}+\pi-\sqrt{1+e^{-2\pi}}$

d) $\sqrt{3}[1-e^{-1}]$ e) $\ln\dfrac{1+\sqrt{2}}{1+\sqrt{1+e^2}}+1+\sqrt{1+e^2}-\sqrt{2}$

f) 4 g) $\dfrac{e-e^{-1}}{2}$

6. a) $\vec{\delta}(s) = \left(\dfrac{2s}{\sqrt{13}}+1, \dfrac{3s}{\sqrt{13}}-1\right)$ b) $\vec{\delta}(s) = \left(2\cos\dfrac{s}{2}, 2\operatorname{sen}\dfrac{s}{2}\right)$

c) $\vec{\delta}(s) = \left(\cos\dfrac{s}{\sqrt{2}}, \operatorname{sen}\dfrac{s}{\sqrt{2}}, \dfrac{s}{\sqrt{2}}\right)$

d) $\vec{\delta}(s) = \dfrac{s+\sqrt{2}}{\sqrt{2}}\left(\cos\left(\ln\dfrac{s+\sqrt{2}}{\sqrt{2}}\right), \operatorname{sen}\left(\ln\dfrac{s+\sqrt{2}}{\sqrt{2}}\right)\right)$

CAPÍTULO 8

8.1

1. a) 1 b) $3a+2x$ c) 3 d) 2

2. a) $\{(x,y)\in\mathbb{R}^2 \mid x\neq -2y\}$ b) $\dfrac{u}{v}$

3. *a)* 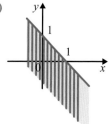   *b)*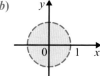

c) 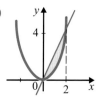   *d)*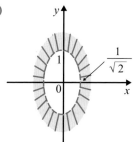

e) 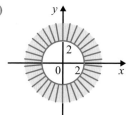   *f)* $|x|-|y| \geq 0 \Leftrightarrow -|x| \leq y \leq |x|$

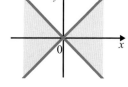

g) 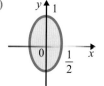   *h)*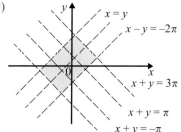

4. $f(x,y) = ax + by$, em que a e b devem ser determinados de modo que $f(1, 0) = 2$ e $f(0, 1) = 3$. Tem-se $a = 2$ e $b = 3$. Assim: $f(x,y) = 2x + 3y$.

5. *a)* homogênea de grau zero.   *b)* homogênea de grau 2.
   c) não é homogênea.   *d)* homogênea de grau -2.

6. *a)* $f(4\sqrt{3}, 4) = f\left(8 \cdot \dfrac{\sqrt{3}}{2}, 8 \cdot \dfrac{1}{2}\right) = 8^2 f\left(\dfrac{\sqrt{3}}{2}, \dfrac{1}{2}\right) = 64 \dfrac{\sqrt{3}}{2} = 32\sqrt{3}.$ $\left(\text{Observe que } \left(\dfrac{\sqrt{3}}{2}\right)^2 + \left(\dfrac{1}{2}\right)^2 = 1 \text{ e que } f\left(\dfrac{\sqrt{3}}{2}, \dfrac{1}{2}\right) = \dfrac{\sqrt{3}}{2}.\right)$

   b) $f(0, 3) = 3^2 f(0, 1) = 0$

c) $f(x,y) = (\sqrt{x^2+y^2})^2 f\left(\dfrac{x}{\sqrt{x^2+y^2}}, \dfrac{y}{\sqrt{x^2+y^2}}\right) = x\sqrt{x^2+y^2}$

8.2 1. a) $1-x^2-y^2 = c$ ou $x^2+y^2 = 1-c$ $(c \leqslant 1)$

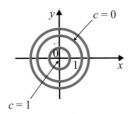
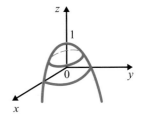

b) $x + 3y = c$

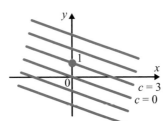
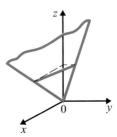

c)

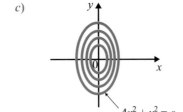
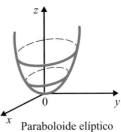

Paraboloide elíptico

d) As curvas de nível são circunferências com centros na origem.

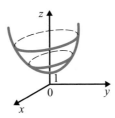

e) As curvas de nível são retas paralelas a $x + y = 0$.

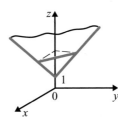

f) As curvas de nível são as circunferências $x^2 + y^2 = 1 - c^2$, com $0 \leq c \leq 1$.
O gráfico de *g* é a parte da superfície esférica $x^2 + y^2 + z^2 = 1$, correspondente a $z \geq 0$.

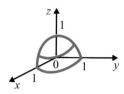

g) $x^2 = c$ $(0 \leq c \leq 1)$; $x = -\sqrt{c}$

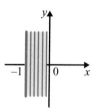
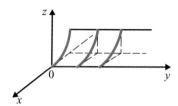

h)

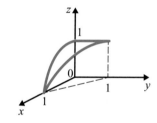

i) As curvas de nível são as circunferências $x^2 + y^2 = c^2$, $c \geq 0$.

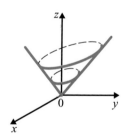

j) $y = x$ é a curva de nível correspondente a $c = 0$. Para $c > 0$, a curva de nível é o par de retas $y = x + \sqrt{c}$ e $y = x - \sqrt{c}$.

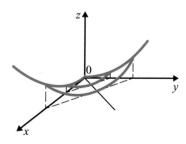

l) As curvas de nível são as elipses $x^2 + 4y^2 = 1 - c^2 \, (0 \leq c \leq 1)$.

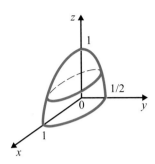

m) As curvas de nível são as circunferências $(c \geq 1) \, x^2 + y^2 = 1 - \dfrac{1}{c^2}$.

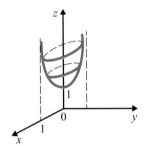

n) As curvas de nível são as circunferências $x^2 + y^2 = \operatorname{tg} c \left(0 \leq c < \dfrac{\pi}{2}\right)$.

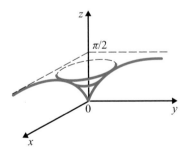

o) As curvas de nível são retas $x = c \, (c \geq 0)$.

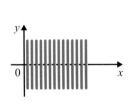
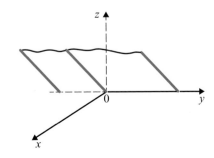

r)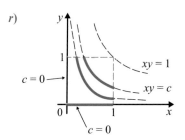

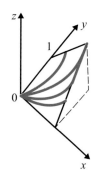

2. a) $x - 2y = c \ (c \in \mathbb{R})$ b) $c = \dfrac{y}{x-2} \Leftrightarrow y = c(x-2), x \neq 2$

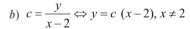

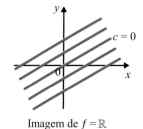

Imagem de $f = \mathbb{R}$

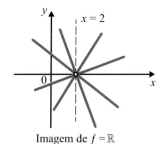

Imagem de $f = \mathbb{R}$

c) $(1+c)y = (1-c)x \ (c \in \mathbb{R})$ d) $c(y-1) = x \ (c \in \mathbb{R})$

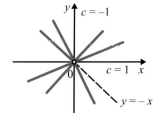

Imagem de $f = \mathbb{R}$

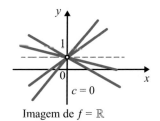

Imagem de $f = \mathbb{R}$

e) $xy = c \ (c \in \mathbb{R})$ f) $x^2 - y^2 = c \ (c \in \mathbb{R})$

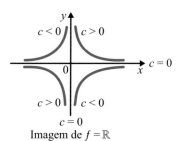

Imagem de $f = \mathbb{R}$

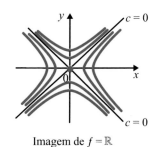

Imagem de $f = \mathbb{R}$

g) $4x^2 + y^2 = c (c \geq 0)$

Imagem $= [0, +\infty[$

h) $c = 3x^2 - 4xy + y^2$

$y = 2x \pm \sqrt{x^2 + c}$ $(c \in \mathbb{R})$

Imagem $= \mathbb{R}$

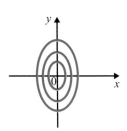

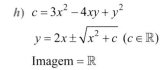

i) $cy^2 = (1-c)x^2 \, (0 \leq c \leq 1)$

Se $c = 0, x = 0$

Se $c \neq 0, y = \pm\sqrt{\dfrac{1-c}{c}}\, x$

Imagem $= [0, 1]$

j) Se $c = 0, x = 0$ ou $y = 0$

Se $c \neq 0, y = \dfrac{1 \pm \sqrt{1 - 4c^2}}{2c} \cdot x$

Imagem $= \left[-\dfrac{1}{2}, \dfrac{1}{2}\right]$

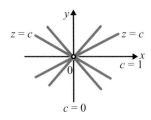

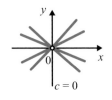

3.

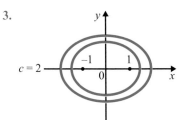

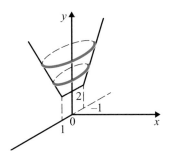

4. a) $f(1, 1) = 3$ é o valor mínimo de f. Não admite valor máximo.

b) Não admite valor máximo, nem mínimo.

c) Zero é o valor mínimo de f; este valor é atingido nos pontos $(x, 0)$, $x \geq 0$, ou $(0, y)$, $y \geq 0$. Não há valor máximo.

d) Valor máximo: 1; este valor é atingido nos pontos $(x, 0)$, $x \neq 0$. O valor mínimo é zero, que é atingido nos pontos $(0, y)$, $y \neq 0$.

Respostas, Sugestões ou Soluções

e) $f\left(\dfrac{1}{5}, \dfrac{2}{5}\right) = \dfrac{1}{5}$ é o valor mínimo de f em A; f não admite valor máximo em A.

f) 2 é o valor máximo, que é atingido em $(0, 0)$: $f(0, 0) = 2$. Não há valor mínimo.

g) $f\left(\dfrac{1}{2\sqrt{2}}, \dfrac{1}{\sqrt{2}}\right) = \dfrac{1}{4}$ é o valor máximo; $f\left(-\dfrac{1}{2\sqrt{2}}, \dfrac{1}{\sqrt{2}}\right) = -\dfrac{1}{4}$ é o valor mínimo.

(**Sugestão.** $g(x) = x\sqrt{1-4x^2}$, $-\dfrac{1}{2} \leq x \leq \dfrac{1}{2}$, fornece os valores de f sobre o conjunto $4x^2 + y^2 = 1$, $y \geq 0$.)

5. a) $f(0, 0) = 3$ é o valor mínimo e $f(2, 0) = 7$ o valor máximo.
   b) $f(1, 3) = 4$ é o valor máximo e $f(0, 0) = 0$ o valor mínimo.
   c) $f(-1, 1) = -\dfrac{1}{2}$ é o valor máximo e $f(0, 2) = -2$ o valor mínimo.
   d) $f(3, 0) = 0$ é o valor mínimo e $f\left(\dfrac{11}{5}, \dfrac{8}{5}\right) = \dfrac{4}{3}$ é o valor máximo.

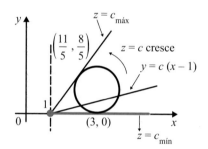

6. O que se quer são os valores máximo e mínimo de $z = (5-t)(t^2 + 3)$ em $[0, 4]$.
   Altura máxima: 24. Altura mínima: $\dfrac{392}{27}$.

7. $\left(\dfrac{1}{2}, \dfrac{1}{2}, \dfrac{1}{2}\right)$.

8.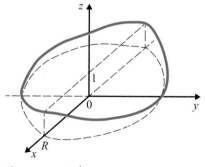

11.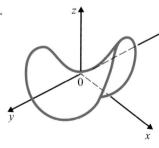

12. a) 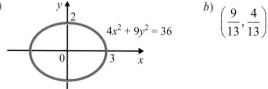 b) $\left(\dfrac{9}{13}, \dfrac{4}{13}\right)$

Respostas, Sugestões ou Soluções

13. a)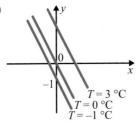

b) Ponto de mais alta temperatura: $\left(\dfrac{4\sqrt{5}}{5}, \dfrac{2\sqrt{5}}{5}\right)$. Ponto de mais baixa temperatura: $\left(-\dfrac{4\sqrt{5}}{5}, -\dfrac{2\sqrt{5}}{5}\right)$.

8.3

1. a) É uma esfera de centro $(0, 0, 0)$ e raio 1.

b) É o semiespaço abaixo do plano $z = 1$.

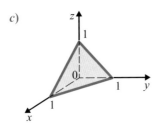

c)   d)

2. a)   b)

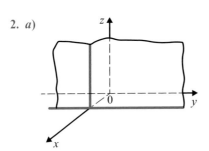

c)   d)

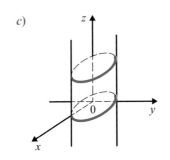 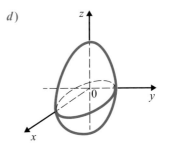

CAPÍTULO 9

9.1

1. a) 0   b) Não existe   c) 0   d) Não existe
   e) Não existe   f) Não existe   g) Não existe   h) Não existe

4. 0   5. Não existe.

Respostas, Sugestões ou Soluções

6. De $\lim_{u \to a} g(u) = L$ segue que para todo $\varepsilon > 0$, existe $\delta_1 > 0$, tal que

① $\quad 0 < |u-a| < \delta_1 \Rightarrow |g(u)-L| < \varepsilon.$

De $\lim_{(x,y) \to (x_0,y_0)} f(x,y) = a$, segue para o $\delta_1 > 0$ acima, existe $\delta > 0$ tal que

$$0 < \|(x,y)-(x_0,y_0)\| < \delta \Rightarrow |f(x,y)-a| < \delta_1$$

Como $a \notin D_g$ e $\text{Im } f \subset D_g$, resulta $f(x,y) \neq a$ para todo $(x,y) \in D_f$. Assim,

② $\quad 0 < \|(x,y)-(x_0,y_0)\| < \delta \Rightarrow 0 < |f(x,y)-a| < \delta_1.$

De ① e ②: $0 < \|(x,y)-(x_0,y_0)\| < \delta \Rightarrow |g(x,y)-L| < \varepsilon.$

7. 1   8. 0.

9.2 1. *a)* $\mathbb{R}^2$ *b)* $\{(x,y) \in \mathbb{R}^2 \mid 2x^2+3y^2 \leq 6\}$ *c)* $\{(x,y) \in \mathbb{R}^2 \mid x > y\}$

d) $\{(x,y) \in \mathbb{R}^2 \mid x^2+y^2 < 1\}$ *e)* $\{(x,y) \in \mathbb{R}^2 \mid (x,y) \neq (0,0)\}$ *f)* $\mathbb{R}^2$ *g)* $\mathbb{R}^2$

2. É contínua em $(0,0)$: $\lim_{(x,y) \to (0,0)} f(x,y) = \lim_{(x,y) \to (0,0)} x \cdot \dfrac{y^2}{x^2+y^2} = 0 = f(0,0).$

5. Seja $B = \{(x,y) \in \mathbb{R}^2 \mid f(x,y) < c\}$. Precisamos provar que para todo $(x_0, y_0) \in B$ existe uma bola aberta, de centro (x_0, y_0), contida em B. Como f é contínua em (x_0, y_0), tomando-se $\varepsilon > 0$, com $f(x_0, y_0) + \varepsilon < c$, existe $r > 0$ (como A é aberto, podemos tomar r de modo que a bola aberta de centro (x_0, y_0) e raio r esteja contida em A) tal que

$$\|(x,y)-(x_0,y_0)\| < r \Rightarrow f(x,y) < f(x_0,y_0) + \varepsilon < c$$

e, portanto, $V \subset B$; logo, B é aberto. (V é a bola aberta de centro (x_0, y_0) e raio $r > 0$.)

CAPÍTULO 10

10.1 1. *a)* $\dfrac{\partial f}{\partial x} = 20x^3 y^2 + y^3$ e $\dfrac{\partial f}{\partial y} = 10x^4 y + 3xy^2$

b) $\dfrac{\partial z}{\partial x} = -y \operatorname{sen} xy$ e $\dfrac{\partial z}{\partial y} = -x \operatorname{sen} xy$

c) $\dfrac{\partial z}{\partial x} = \dfrac{x^4 + 3x^2 y^2 - 2xy^2}{(x^2+y^2)^2}$ e $\dfrac{\partial z}{\partial y} = \dfrac{2x^2 y(1-x)}{(x^2+y^2)^2}$

d) $\dfrac{\partial f}{\partial x} = -2xe^{-x^2-y^2}$ e $\dfrac{\partial f}{\partial y} = -2ye^{-x^2-y^2}$

e) $\dfrac{\partial z}{\partial x} = 2x \ln(1+x^2+y^2) + \dfrac{2x^3}{1+x^2+y^2}$ e $\dfrac{\partial z}{\partial y} = \dfrac{2x^2 y}{1+x^2+y^2}$

f) $\dfrac{\partial z}{\partial x} = ye^{xy}(1+xy)$ e $\dfrac{\partial z}{\partial y} = xe^{xy}(1+xy)$

g) $\dfrac{\partial f}{\partial x} = 12y(4xy-3y^3)^2 + 10xy$ e $\dfrac{\partial f}{\partial y} = 3(4xy-3y^3)^2 (4x-9y^2) + 5x^2$

Respostas, Sugestões ou Soluções

h) $\dfrac{\partial z}{\partial x} = \dfrac{y}{x^2 + y^2}$ e $\dfrac{\partial z}{\partial y} = \dfrac{-x}{x^2 + y^2}$

i) $\dfrac{\partial g}{\partial x} = yx^{y-1}$ e $\dfrac{\partial g}{\partial y} = x^y \ln x$

j) $\dfrac{\partial z}{\partial x} = 2x[1 + \ln(x^2 + y^2)]$ e $\dfrac{\partial z}{\partial y} = 2y[1 + \ln(x^2 + y^2)]$

l) $\dfrac{\partial f}{\partial x} = \dfrac{x^2}{\sqrt[3]{(x^3 + y^2 + 3)^2}}$ e $\dfrac{\partial f}{\partial y} = \dfrac{2y}{3\sqrt[3]{(x^3 + y^2 + 3)^2}}$

m) $\dfrac{\partial z}{\partial x} = \dfrac{\text{sen } y[\cos(x^2 + y^2) + 2x^2 \text{sen}(x^2 + y^2)]}{[\cos(x^2 + y^2)]^2}$

$\dfrac{\partial z}{\partial y} = \dfrac{x\cos y \cos(x^2 + y^2) + 2yx \text{ sen } y \text{ sen}(x^2 + y^2)}{[\cos(x^2 + y^2)]^2}$

3. a) 4   b) −4

6. $\dfrac{\partial p}{\partial V} = -\dfrac{nRT}{V^2}$ e $\dfrac{\partial p}{\partial T} = \dfrac{nR}{V}$

7. $\dfrac{\partial z}{\partial x} = e^y \phi'(x-y)$ e $\dfrac{\partial z}{\partial y} = e^y \phi(x-y) - e^y \phi'(x-y)$; logo,

$\dfrac{\partial z}{\partial x} + \dfrac{\partial z}{\partial y} = e^y \phi(x-y) = z.$

10. $\dfrac{\partial z}{\partial x} = \dfrac{1-yz}{xy+3z^2}$ e $\dfrac{\partial z}{\partial y} = \dfrac{-xz}{xy+3z^2}$

13. $17\dfrac{\partial w}{\partial x} = y + 4z^3 \dfrac{\partial z}{\partial x}$

15. $\dfrac{\partial f}{\partial x} = 2xe^{-(x^2+y^2)^2}$ e $\dfrac{\partial f}{\partial y} = 2ye^{-(x^2+y^2)^2}$

16. $\dfrac{\partial f}{\partial x} = -2xe^{-x^4}$ e $\dfrac{\partial f}{\partial y} = 2ye^{-y^4}$

18. $\phi(y) = \dfrac{1}{2}\ln(1+y^2)$ 19. $x^3 y^2 - 6xy + \dfrac{1}{2}\ln(1+y^2)$

20. $\dfrac{\partial f}{\partial x} = \dfrac{y^2 - x^2 - 2xy^4}{(x^2+y^2)^2}$, $(x, y) \neq (0, 0)$ $\left(\dfrac{\partial f}{\partial x}(0,0) \text{ não existe}\right)$

$\dfrac{\partial f}{\partial y} = \dfrac{4x^2 y^3 + 2y^5 - 2xy}{(x^2+y^2)^2}$, se $(x, y) \neq (0, 0)$ e $\dfrac{\partial f}{\partial y}(0,0) = 0$

21. *a)*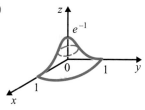

b)
$$\frac{\partial f}{\partial y} = \begin{cases} \frac{-2x}{(x^2+y^2-1)^2} e^{\left(\frac{1}{x^2+y^2-1}\right)} & \text{se } x^2+y^2 < 1 \\ 0 & \text{se } x^2+y^2 \geq 1 \end{cases}$$

$$\frac{\partial f}{\partial y} = \begin{cases} \frac{-2y}{(x^2+y^2-1)^2} e^{\left(\frac{1}{x^2+y^2-1}\right)} & \text{se } x^2+y^2 < 1 \\ 0 & \text{se } x^2+y^2 \geq 1 \end{cases}$$

23. *a)* $z(t) = f(t,t) = 2t^2$

b)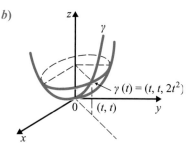

c) $(x, y, z) = (1, 1, 2) + \lambda(1, 1, 4)$, $\lambda \in \mathbb{R}$.

d) Verifique que $(1, 1, 2)$ pertence ao plano e que $\gamma'(1)$ é ortogonal ao vetor

$$\left(\frac{\partial f}{\partial x}(1,1), \frac{\partial f}{\partial y}(1,1), -1\right).$$

(Observe que $\left(\frac{\partial f}{\partial x}(1,1), \frac{\partial f}{\partial y}(1,1), -1\right)$ é normal ao plano.)

24. $z(t) = (x(t))^2 + (y(t))^2 \Rightarrow z'(t) = 2x(t)x'(t) + 2y(t)y'(t)$. Segue que $\gamma'(0) = (x'(0), y'(0), 2x'(0) + 2y'(0))$. Verifique que $(1, 1, 2)$ pertence ao plano e que $\gamma'(0)$ é ortogonal a

$$\left(\frac{\partial f}{\partial x}(1,1), \frac{\partial f}{\partial y}(1,1), -1\right).$$

25. O plano determinado por T_1 e T_2 passa pelo ponto $(x_0, y_0, f(x_0, y_0))$ e é normal ao vetor

$$\gamma_1'(y_0) \wedge \gamma_2'(x_0) = \begin{vmatrix} \vec{i} & \vec{j} & \vec{k} \\ 0 & 1 & \frac{\partial f}{\partial y}(x_0, y_0) \\ 1 & 0 & \frac{\partial f}{\partial x}(x_0, y_0) \end{vmatrix} = \frac{\partial f}{\partial x}(x_0, y_0)\vec{i} + \frac{\partial f}{\partial y}(x_0, y_0)\vec{j} - \vec{k}.$$

A equação do plano é, então:

$$\left(\frac{\partial f}{\partial x}(x_0,y_0), \frac{\partial f}{\partial y}(x_0,y_0), -1\right) \cdot [(x,y,z) - (x_0, y_0, f(x_0,y_0))] = 0,$$

ou seja, $z - f(x_0, y_0) = \frac{\partial f}{\partial x}(x_0, y_0)(x - x_0) + \frac{\partial f}{\partial y}(x_0, y_0)(y - y_0)$.

29. *a)* $(0, 0)$ *b)* Não há

c) $\left(-\frac{1}{2}, 0\right)$ *d)* $(1, 1), (1, -1), (-1, 1), (-1, -1)$

e) $(1, 1), \left(2, \frac{1}{2}\right)$ e $\left(-\frac{2}{3}, -\frac{3}{2}\right)$ *f)* $(0, 0), (1, -1)$ e $(-1, 1)$

10.2 **1.** *a)* $\frac{\partial f}{\partial x} = (1+x)e^{x-y-z}, \frac{\partial f}{\partial y} = -x\, e^{x-y-z}$ e $\frac{\partial f}{\partial z} = -x\, e^{x-y-z}$

b) $\frac{\partial w}{\partial x} = 2x \arcsin \frac{y}{z}, \frac{\partial w}{\partial y} = \frac{x^2|z|}{z\sqrt{z^2-y^2}}$ e $\frac{\partial w}{\partial z} = -\frac{x^2 y}{|z|\sqrt{z^2-y^2}}$

c) $\frac{\partial w}{\partial x} = \frac{yz(y+z)}{(x+y+z)^2}, \frac{\partial w}{\partial y} = \frac{xz(x+z)}{(x+y+z)^2}$ e $\frac{\partial w}{\partial z} = -\frac{xy(x+y)}{(x+y+z)^2}$

d) $\frac{\partial f}{\partial x} = 2x \cos(x^2+y^2+z^2), \frac{\partial f}{\partial y} = 2y \cos(x^2+y^2+z^2)$ e

$\frac{\partial f}{\partial z} = 2z \cos(x^2+y^2+z^2)$

e) $\frac{\partial s}{\partial x} = w\left[\frac{2x^2}{x^2+y^2+z^2+w^2} + \ln(x^2+y^2+z^2+w^2)\right], \frac{\partial s}{\partial y} = \frac{2xyw}{x^2+y^2+z^2+w^2}$,

$\frac{\partial s}{\partial z} = w\frac{2xzw}{x^2+y^2+z^2+w^2}$ e $\frac{\partial s}{\partial w} = x\left[\frac{2w^2}{x^2+y^2+z^2+w^2} + \ln(x^2+y^2+z^2+w^2)\right]$

4. *a)* 4 *b)* 8 *c)* $\frac{\partial g}{\partial z}(x,y,z) = f(x+y^2+z^4) \cdot 4z^3; \frac{\partial g}{\partial z}(1,1,1) = 16$

6. *a)* 8 *b)* 8 *c)* 8

CAPÍTULO 11

11.1 **1.** *a)* $E(h,k) = f(x+h, y+k) - f(x,y) - \frac{\partial f}{\partial x}(x,y)h - \frac{\partial f}{\partial y}(x,y)k = hk$. Então,

$$\lim_{(h,k)\to(0,0)} \frac{E(h,k)}{\|(h,k)\|} = \lim_{(h,k)\to(0,0)} h\frac{k}{\sqrt{h^2+k^2}} = 0$$

Portanto $f(x,y)$ é diferenciável em todo $(x,y) \in \mathbb{R}^2$, ou seja, $f(x,y) = xy$ é uma função diferenciável.

d) $E(h, k) = \dfrac{1}{(x+h)(y+k)} - \dfrac{1}{xy} + \dfrac{h}{x^2 y} + \dfrac{k}{xy^2} = \dfrac{h^2 y^2 + h^2 ky + k^2 x^2 + hkxy + hk^2 x}{(x+h)(y+k)x^2 y^2}.$

$\displaystyle\lim_{(h,k)\to(0,0)} \dfrac{E(h,k)}{\|(h,k)\|} = \lim_{(h,k)\to(0,0)} \dfrac{1}{(x+h)(y+k)x^2 y^2} \cdot \dfrac{h^2 y^2 + h^2 ky + k^2 x^2 + hkxy + hk^2 x}{\sqrt{h^2 + k^2}} = 0.$

pois,

$\displaystyle\lim_{(h,k)\to(0,0)} \dfrac{1}{(x+h)(y+k)x^2 y^2} = \dfrac{1}{x^3 y^3}, \quad \lim_{(h,k)\to(0,0)} \dfrac{h^2 y^2}{\sqrt{h^2+k^2}} =$

$= \displaystyle\lim_{(h,k)\to(0,0)} hy^2 \dfrac{h}{\sqrt{h^2+k^2}} = 0, \quad \lim_{(h,k)\to(0,0)} h^2 y \dfrac{k}{\sqrt{h^2+k^2}} = 0$ etc.

Segue que f é diferenciável em todo $(x, y) \neq (0, 0)$, ou seja, $f(x,y) = \dfrac{1}{xy}$ é uma função diferenciável.

2. *a)* $\displaystyle\lim_{t\to 0} f(t, 0) = 1$ e $\displaystyle\lim_{t\to 0} f(0, t) = -1$, logo, f não é contínua em $(0, 0)$, portanto, f não é diferenciável em $(0, 0)$.

b) $\displaystyle\lim_{(h,k)\to(0,0)} \dfrac{E(h,k)}{\|(h,k)\|} =$

$= \displaystyle\lim_{(h,k)\to(0,0)} \dfrac{f(0+h, 0+k) - f(0,0) - \dfrac{\partial f}{\partial x}(0,0)h - \dfrac{\partial f}{\partial y}(0,0)k}{\sqrt{h^2+k^2}}$

$= \displaystyle\lim_{(h,k)\to(0,0)} \dfrac{\dfrac{h^2 k}{h^2+k^2}}{\sqrt{h^2+k^2}} = \lim_{(h,k)\to(0,0)} \underbrace{\dfrac{h^2 k}{(h^2+k^2)\sqrt{h^2+k^2}}}_{G(h,k)}$

não existe, pois, $\displaystyle\lim_{k\to 0} G(0, k) = 0$ e $\displaystyle\lim_{t\to 0^+} G(t, t) = \dfrac{1}{2\sqrt{2}}$. Portanto, f não é diferenciável em $(0, 0)$.

c) $\displaystyle\lim_{(h,k)\to(0,0)} \dfrac{E(h,k)}{\|(h,k)\|} = \lim_{(h,k)\to(0,0)} \dfrac{\dfrac{h^4}{h^2+k^2}}{\sqrt{h^2+k^2}} =$

$= \displaystyle\lim_{(h,k)\to(0,0)} \dfrac{h^4}{(h^2+k^2)\sqrt{h^2+k^2}} = \lim_{(h,k)\to(0,0)} h \cdot \underbrace{\dfrac{h^2}{h^2+k^2}}_{\text{limitada}} \cdot \dfrac{h}{\sqrt{h^2+k^2}} = 0.$

Portanto, f é diferenciável em $(0, 0)$.

11.2 **1.** *a)* $\dfrac{\partial f}{\partial x} = e^{x-y^2}$ e $\dfrac{\partial f}{\partial y} = -2y e^{x-y^2}$ são contínuas em $\mathbb{R}^2$, logo, f é diferenciável em $\mathbb{R}^2$, ou seja, f é uma função diferenciável.

Respostas, Sugestões ou Soluções

2. *a)* f não é contínua em $(0, 0)$, logo, não é diferenciável neste ponto. Em $\mathbb{R}^2 - \{(0, 0)\}$ as derivadas parciais são contínuas, logo f é diferenciável em todos os pontos deste conjunto. Assim, $\mathbb{R}^2 - \{(0, 0)\}$ é o conjunto dos pontos em que f é diferenciável.

b) Em $\mathbb{R}^2 - \{(0, 0)\}$ as derivadas parciais são contínuas, logo f é diferenciável em todos os pontos deste conjunto.
Em $(0, 0)$,

$$\lim_{(h,k)\to(0,0)} \frac{E(h,k)}{\|(h,k)\|} = \lim_{(h,k)\to(0,0)} \frac{\frac{h^3}{h^2+k^2}-h}{\sqrt{h^2+k^2}} = \lim_{(h,k)\to(0,0)} \frac{-hk^2}{(h^2+k^2)\sqrt{h^2+k^2}}$$

não existe, logo f não é diferenciável em $(0, 0)$. Assim, $\mathbb{R}^2 - \{(0, 0)\}$ é o conjunto dos pontos em que f é diferenciável.

c) $\mathbb{R}^2$ *d)* $\mathbb{R}^2$

11.3

1. *a)* $z = 4x + 2y - 4; (x, y, z) = (1, 1, 2) + \lambda(4, 2, -1)$
b) $z = 2y - 1; (x, y, z) = (0, 1, 1) + \lambda(0, 2, -1)$
c) $z = -8x + 2y + 8; (x, y, z) = (1, -1, -2) + \lambda(-8, 2, -1)$
d) $z = 9x - 8y; (x, y, z) = (2, 2, 2) + \lambda(9, -8, -1)$
e) $4z = 2x - 4y + (\pi - 2); (x, y, z) = \left(2, \frac{1}{2}, \frac{\pi}{4}\right) + \lambda\left(\frac{1}{2}, -1, -1\right)$
f) $4z = 2x + 2y - 1; (x, y, z) = \left(\frac{1}{2}, \frac{1}{2}, \frac{1}{4}\right) + \lambda\left(\frac{1}{2}, \frac{1}{2}, -1\right)$

2. $x + 6y - 2z = 3$ 3. $z = 2x + y - \frac{5}{4}$

4. $\frac{\partial f}{\partial x}(1,1) = 2$ e $\frac{\partial f}{\partial y}(1,1) = 1$.

5. *a)* $\frac{\partial f}{\partial x}(1,1) = -\frac{2}{3}$ e $\frac{\partial f}{\partial y}(1,1) = -\frac{1}{3}$ *b)* $(x, y, z) = (1, 1, 1) + \lambda(2, 1, 3)$

8. $z = 2x + 3y + 3$ 9. $z = 0$ e $z = 6x + 6y - 18$

11. *a)* $V(a,b) = \frac{(1 + a^2 + b^2)^3}{24ab}$ *b)* $a = \frac{1}{2}$ e $b = \frac{1}{2}$

12. $z = 2\sqrt{2}y$ e $z = -2\sqrt{2}y$

14. $z - z_0 = -\frac{x_0 c^2}{a^2 z_0}(x - x_0) - \frac{y_0 c^2}{b^2 z_0}(y - y_0)$; segue que

$$\frac{z_0 z}{c^2} - \frac{z_0^2}{c^2} = -\frac{x_0 x}{a^2} + \frac{x_0^2}{a^2} - \frac{y_0 y}{b^2} - \frac{y_0^2}{b^2},$$

ou seja,

$$\frac{x_0 x}{a^2} + \frac{y_0 y}{b^2} + \frac{z_0 z}{c^2} = 1, \text{ pois } \frac{x_0^2}{a^2} + \frac{y_0^2}{b^2} + \frac{z_0^2}{c^2} = 1.$$

Observação. As derivadas parciais $\dfrac{\partial z}{\partial x}$ e $\dfrac{\partial z}{\partial y}$ foram obtidas diretamente da equação $\dfrac{x^2}{a^2}+\dfrac{y^2}{b^2}+\dfrac{z^2}{c^2}=1.$

11.4 1. *a)* $dz = 3x^2y^2\,dx + 2x^3y\,dy$

b) $dz = \left[\text{arctg}(x+2y) + \dfrac{x}{1+(x+2y)^2}\right]dx + \dfrac{2x}{1+(x+2y)^2}\,dy$

c) $dz = y\cos xy\,dx + x\cos xy\,dy$

d) $du = 2s\,e^{s^2-t^2}\,ds - 2t\,e^{s^2-t^2}\,dt$

e) $dT = \dfrac{2p}{1+p^2+V^2}\,dp + \dfrac{2V}{1+p^2+V^2}\,dV$

f) $dx = \dfrac{v}{\sqrt{1-u^2v^2}}\,du + \dfrac{u}{\sqrt{1-u^2v^2}}\,dv$

2. *a)* $\Delta z \cong dz$ e $dz = (e^{x^2-y^2}+2x^2e^{x^2-y^2})\,dx - 2xy\,e^{x^2-y^2}\,dy$. Fazendo $x = 1$, $y = 1$, $dx = 0,01$ e $dy = 0,002$, resulta $\Delta z \cong 0,03 - 0,004$, ou seja, $\Delta z \cong 0,026$.

b) Para $x = 1$ e $y = 1$ tem-se $z = 1$. Assim, $1 + 0,026 = 1,026$ é um valor aproximado para z correspondente a $1,01$ e $1,002$.

3. *a)* $dz = \dfrac{1}{2}dx + \dfrac{1}{12}dy$ \qquad *b)* $2,9966$

c) $\Delta z \cong \dfrac{-0,1}{2} + \dfrac{0,01}{12}$, ou seja, $\Delta z \cong -0,049166$

4. $A = xy$; $dA = y\,dx + dy$. Assim, $\Delta A \cong y\,dx + x\,dy$ em que $x = 2$, $y = 3$, $dx = 0,01$ e $dy = -0,03$, ou seja, $\Delta A \cong -0,03$.

5. $V = \pi r^2 h$ é o volume do cilindro de altura h e raio da base r; $dV \cong 2\pi rh\,dr + \pi r^2\,dh$. Sendo ΔV o volume do material utilizado na caixa, $\Delta V \cong 2\pi rh\,dr + \pi r^2\,dh$, em que $r = 1$, $h = 2$, $dr = 0,03$ e $dh = 0,03$, ou seja, $\Delta V \cong 0,15\pi$.

6. $\Delta P \cong -5$ watts.

7. $\Delta V \cong \dfrac{2}{3}\pi rh\,dr + \dfrac{1}{3}\pi r^2\,dh$, em que $r = 12$, $h = 20$, $dr = -0,1$ e $dh = 0,2$.

8. $(1,01)^{2,03} \cong 1 + dz$, em que dz é a diferencial de $z = x^y$, no ponto $(1, 2)$, relativa aos acréscimos $dx = 0,01$ e $dy = 0,03$. Ou seja, $(1,01)^{2,03} \cong 1,02$.

9. $\Delta z = dz$ em que dz é a diferencial de $z = \sqrt{x^2+y^2}$, no ponto $(3, 4)$, relativa aos acréscimos $dx = 0,01$ e $dy = -0,1$.

11. *a)* $dw = yz\,dx + xz\,dy + xy\,dz$ \qquad *b)* $dx = e^{2u+2v-t^2}(2du + 2dv - 2t\,dt)$

c) $dw = \dfrac{2x}{1+z^2}\,dx + \dfrac{2y}{1+z^2}\,dy - \dfrac{2z(x^2+y^2)}{(1+z^2)^2}\,dz$

d) $ds = 2xyz\,(1+x^2)^{yz-1}\,dx + (1+x^2)^{yz}\ln(1+x^2)[z\,dy + y\,dz]$

12. $\sqrt{(0,01)^2+(3,02)^2+(3,97)^2} \cong 5 + dw$, em que dw é a diferencial de $w = \sqrt{x^2+y^2+z^2}$, no ponto $(0, 3, 4)$, relativa aos acréscimos $dx = 0,01$, $dy = 0,02$ e $dz = -0,03$

$$\sqrt{(0,01)^2+(3,02)^2+(3,97)^2} \cong 4,988.$$

Respostas, Sugestões ou Soluções

11.5

1. a) $(2xy, x^2)$
   b) $e^{x^2-y^2}(2x\vec{i} - 2y\vec{j})$
   c) $\left(\dfrac{1}{y}, -\dfrac{x}{y^2}\right)$
   d) $\dfrac{y}{x^2+y^2}\vec{i} - \dfrac{x}{x^2+y^2}\vec{j}$

2. a) $\dfrac{x\vec{i} + y\vec{j} + z\vec{k}}{\sqrt{x^2+y^2+z^2}}$
   b) $(2x, 2y, 2z)$
   c) $(2xz^2(x^2+y^2+1)^{z^2-1}, 2yz^2(x^2+y^2+1)^{z^2-1}, 2z(x^2+y^2+1)^{z^2}\ln(x^2+y^2+1))$
   d) $\left(\dfrac{yz}{x^2+y^2}, \dfrac{-xz}{x^2+y^2}, \operatorname{arctg}\dfrac{x}{y}\right)$

3. $\nabla f(x, y) = (2x, -2y)$
   a) $\nabla f(1, 1) = 2\vec{i} - 2\vec{j}$
   b) $\nabla f(-1, 1) = -2\vec{i} - 2\vec{j}$

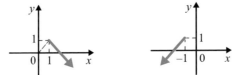

4. $\nabla f(x_0, y_0) = y_0\vec{i} - x_0\vec{j}$. Observe que $\nabla f(x_0, y_0)$ é normal a $x_0\vec{i} + y_0\vec{j} : \nabla f(x_0, y_0)$ é tangente em (x_0, y_0) à circunferência $x^2 + y^2 = 1$.

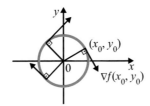

Observe, ainda, que para todo (x_0, y_0) na circunferência $x^2 + y^2 = 1, \|\nabla f(x_0, y_0)\| = 1$.

5. Derivando em relação a t os dois membros de $(x(t))^2 + (y(t))^2 = 1$, resulta:
$$2x(t)\,x'(t) + 2y(t)\,y'(t) = 0.$$

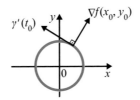

Para $t = t_0$, $(2x_0, 2y_0) \cdot \gamma'(t_0) = 0$, ou seja, $\nabla f(x_0, y_0) \cdot \gamma'(t_0) = 0$. $\gamma(t) = (\cos t, \operatorname{sen} t)$ é uma curva cuja imagem está contida na curva de nível $x^2 + y^2 = 1$.

7. a) $f'(x, y) = (y, x)$
   b) $f'(x, y) = 2^{x-y}\ln 2(1, -1)$
   c) $f'(x, y) = \left(\operatorname{tg}\dfrac{x}{y} + \dfrac{x}{y}\sec^2\dfrac{x}{y}, -\dfrac{x^2}{y^2}\sec^2\dfrac{x}{y}\right)$

d) $f'(x,y) = \left(\dfrac{y}{\sqrt{1-x^2y^2}}, \dfrac{x}{\sqrt{1-x^2y^2}} \right)$

11. b) $\nabla f(x_0, y_0, z_0) \cdot [(x, y, z) - (x_0, y_0, z_0)] = 0$

c) $(2, 8, 18) \cdot [(x, y, z) - (1, 1, 1)] = 0$

CAPÍTULO 12

12.1

1. a) $9t^2 \cos 3t^3$ b) $-4 \operatorname{sen} t \cos t$ c) 0

2. a) $3\dfrac{\partial f}{\partial x}(3t, 2t^2 - 1) + 4t \dfrac{\partial f}{\partial y}(3t, 2t^2 - 1)$ b) 1

3. a) $2t \dfrac{\partial f}{\partial x}(t^2, 3t) + 3\dfrac{\partial f}{\partial y}(t^2, 3t)$

   b) $3\cos 3t \dfrac{\partial f}{\partial x}(x, y) - 2 \operatorname{sen} 2t \dfrac{\partial f}{\partial y}(x, y)$, em que $x = \operatorname{sen} 3t$ e $y = \cos 2t$

4. $2t \dfrac{\partial f}{\partial x}(t^2, 2t) + 2\dfrac{\partial f}{\partial y}(t^2, 2t) = 3t^2 - 3$; faça agora $t = 1$.

5. a) $-\dfrac{11}{6}$ b) $z - \dfrac{\pi}{4} = -\dfrac{11}{6}(x-3) + 2(y-1)$

6. $g'(t) = -1$.

7. $x = 2 \cos t, y = \operatorname{sen} t$ é uma parametrização da elipse $\dfrac{x^2}{4} + y^2 = 1$. Basta mostrar que $g'(t) = 0$ em $\mathbb{R}$, em que $g(t) = f(2 \cos t, \operatorname{sen} t)$. Observe que a função g fornece os valores de f sobre a elipse dada.

8. $\gamma'(t) = (2, 2t, z'(t))$ e $z'(t) = \dfrac{\partial f}{\partial x}(x, y) \dfrac{dx}{dt} + \dfrac{\partial f}{\partial y}(x, y) \dfrac{dy}{dt}$; $\gamma'(1) = (2, 2, 0)$ e $\gamma(1) = (2, 1, 3)$. A reta tangente é: $(x, y, z) = (2, 1, 3) + \lambda(2, 2, 0), \lambda \in \mathbb{R}$.

10. $\dfrac{\partial z}{\partial u} = \dfrac{\partial f}{\partial x}(u + 2v, u^2 - v) + 2u \dfrac{\partial f}{\partial y}(u + 2v, u^2 - v)$

    $\dfrac{\partial z}{\partial v} = 2\dfrac{\partial f}{\partial x}(x, y) - \dfrac{\partial f}{\partial y}(x, y)$, em que $x = u + 2v$ e $y = u^2 - v$.

14. $\dfrac{dz}{dt} = 2t f(t^2, t^3) + t^3 \left[2\dfrac{\partial f}{\partial x}(t^2, t^3) + 3t \dfrac{\partial f}{\partial y}(t^2, t^3) \right]$.

16. $z = u f(x, y), x = u - v$ e $y = u + v$. Então:

    $\dfrac{\partial z}{\partial u} = f(x, y) + u \left[\dfrac{\partial f}{\partial x}(x, y) + \dfrac{\partial f}{\partial y}(x, y) \right]$ e $\dfrac{\partial z}{\partial v} = u \left[-\dfrac{\partial f}{\partial x}(x, y) + \dfrac{\partial f}{\partial y}(x, y) \right]$.

    Portanto,

    $$u \dfrac{\partial z}{\partial u} + u \dfrac{\partial z}{\partial v} = z + 2u^2 \dfrac{\partial f}{\partial y}.$$

18. $\dfrac{d}{dx}[f(x, g(x))] = \dfrac{d}{dx}[0]; \dfrac{\partial f}{\partial x}(x, g(x)) + \dfrac{\partial f}{\partial y}(x, g(x)) g'(x) = 0$.

Respostas, Sugestões ou Soluções

19. $\gamma'(t) = (1, f'(t))$ e $f'(t) = -\dfrac{\dfrac{\partial g}{\partial x}(t, f(t))}{\dfrac{\partial g}{\partial y}(t, f(t))}$. A equação da reta tangente é:

$$(x, y) = (0, 1) + \lambda(1, -\tfrac{1}{2}), \lambda \in \mathbb{R}.$$

20. $\dfrac{\partial}{\partial x}[f(x, y, \overbrace{g(x,y)}^{z})] = \dfrac{\partial}{\partial x}[0]; \dfrac{\partial f}{\partial x}(x, y, g(x, y)) + \dfrac{\partial f}{\partial z}(x, y, g(x, y)) \cdot \dfrac{\partial g}{\partial x} = 0$, ou seja,

$\dfrac{\partial g}{\partial x}(x, y) = -\dfrac{\dfrac{\partial f}{\partial x}(x, y, g(x, y))}{\dfrac{\partial f}{\partial z}(x, y, g(x, y))}$; então, $\dfrac{\partial g}{\partial x}(1, 1) = -\dfrac{1}{5}; \dfrac{\partial g}{\partial y}(1, 1) = -\dfrac{1}{2}.$

A equação do plano tangente no ponto $(1, 1, 3)$ é: $z - 3 = -\dfrac{1}{5}(x-1) - \dfrac{1}{2}(y-1).$

Observe: $\dfrac{\partial}{\partial x}[f(x, y, \overbrace{g(x,y)}^{z})] = \dfrac{\partial f}{\partial x} \overbrace{\dfrac{\partial x}{\partial x}}^{1} + \dfrac{\partial f}{\partial y} \overbrace{\dfrac{\partial}{\partial x}(y)}^{0} + \dfrac{\partial f}{\partial z}\dfrac{\partial z}{\partial x} = \dfrac{\partial f}{\partial x} + \dfrac{\partial f}{\partial z}\dfrac{\partial z}{\partial x}.$

21. a) $g'(t) = 6t\dfrac{\partial f}{\partial x}(x, y, z) + 3t^2\dfrac{\partial f}{\partial y}(x, y, z) + 2e^{2t}\dfrac{\partial f}{\partial z}(x, y, z)$ em que $x = 3t^2$, $y = t^3$ e $z = e^{2t}$.

b) $g'(0) = 8.$

22. $\dfrac{\partial g}{\partial x}(x, y) = f(x^2 + y, 2y, 2x - y) +$

$+ x\left[2x\dfrac{\partial f}{\partial x}(x^2 + y, 2y, 2x - y) + 2\dfrac{\partial f}{\partial z}(x^2 + y, 2y, 2x - y)\right].$

$\dfrac{\partial g}{\partial y}(x, y) = x\left[\dfrac{\partial f}{\partial x}(x^2 + y, 2y, 2x - y) + 2\dfrac{\partial f}{\partial y}(x^2 + y, 2y, 2x - y) - \dfrac{\partial f}{\partial z}(x^2 + y, 2y, 2x - y)\right].$

Observação. Poderia ter feito $g(x, y) = xf(u, v, w)$, $u = x^2 + y$, $v = 2y$ e $w = 2x - y$. Teríamos, então:

$$\dfrac{\partial g}{\partial x} = f(u, v, w) + x\left[\dfrac{\partial f}{\partial u}\dfrac{\partial u}{\partial x} + \dfrac{\partial f}{\partial v}\dfrac{\partial v}{\partial x} + \dfrac{\partial f}{\partial w}\dfrac{\partial w}{\partial x}\right] = \ldots$$

30. $f(x, y) = \phi\left(\dfrac{x}{y}\right)$, em que $\phi(u)$ é uma função diferenciável qualquer.

32. Para cada (x, y) fixo, $\dfrac{d}{dt}[f(tx, ty)]\bigg|_{t=0} = f(x, y),$

Respostas, Sugestões ou Soluções

419

ou seja,

$$x\underbrace{\frac{\partial f}{\partial x}(0,0)}_{a}+y\underbrace{\frac{\partial f}{\partial y}(0,0)}_{b}=f(x,y).$$

12.2 1. Seja $F(x,y)=y^3+xy+x^3-4$; F é de classe C^1 em $\mathbb{R}^2$, $F(0,\sqrt[3]{4})=0$ e $\frac{\partial F}{\partial y}(0,\sqrt[3]{4})\neq 0$.

Pelo teorema das funções implícitas, a equação define uma função $y=y(x)$ de classe C^1 num intervalo aberto I contendo 0. $\frac{dy}{dx}=-\frac{y+3x^2}{3y^2+x}$.

2. *a*) Seja $F(x,y)=x^2y+\text{sen }y-x$: observe que $F(0,0)=0$ e que

$$\frac{\partial F}{\partial y}(0,0)\neq 0; \frac{dy}{dx}=-\frac{2xy-1}{x^2+\cos y}$$

b) $\frac{dy}{dx}=-\frac{2xy^2+4x^3}{4y^3+2x^2y}$

3. *a*) Seja $F(x,y,z)=e^{x+y+z}+xyz-1$; note que

$$F(0,0,0)=0 \text{ e } \frac{\partial F}{\partial z}(0,0,0)\neq 0; \frac{\partial z}{\partial x}=-\frac{e^{x+y+z}+yz}{e^{x+y+z}+xy} \text{ e } \frac{\partial z}{\partial y}=-\frac{e^{x+y+z}+xz}{e^{x+y+z}+xy}$$

b) $\frac{\partial z}{\partial x}=-\frac{3x^2-1}{3z^2-1}$ e $\frac{\partial z}{\partial y}=-\frac{3y^2-1}{3z^2-1}$

4. $\frac{dy}{dx}=\frac{1-2x\frac{\partial F}{\partial u}(x^2+y,y^2)}{\frac{\partial F}{\partial u}(x^2+y,y^2)+2y\frac{\partial F}{\partial v}(x^2+y,y^2)}$

8. *a*) $\frac{dz}{dx}=-\frac{x}{z}$ e $\frac{dy}{dx}=\frac{x}{y}$ *b*) $y=x$ e $z=\sqrt{1-x^2}$

10. $\frac{\partial(u,v)}{\partial(x,y)}=\begin{vmatrix}\frac{\partial u}{\partial x} & \frac{\partial u}{\partial y} \\ \frac{\partial v}{\partial x} & \frac{\partial v}{\partial y}\end{vmatrix}=\begin{vmatrix}1 & 1 \\ -\frac{y}{x^2} & \frac{1}{x}\end{vmatrix}=\frac{1}{x}\left(1+\frac{y}{x}\right).$

11. *a*) $2(x-y)$ *b*) $-2xy^2$ *c*) $-2[s+3r]$ *d*) $2t[-9+2s]$

12. *a*) $\frac{\partial}{\partial u}(v)=\frac{\partial}{\partial u}(xy); 0=y\frac{\partial x}{\partial u}+x\frac{\partial y}{\partial u}$.

b) $\frac{\partial g}{\partial u}=\frac{\partial f}{\partial x}\frac{\partial x}{\partial u}+\frac{\partial f}{\partial y}\frac{\partial y}{\partial u}=\frac{\partial f}{\partial x}\frac{\partial x}{\partial u}-\frac{\partial f}{\partial y}\left(\frac{y}{x}\right)\frac{\partial x}{\partial u}=0$

13. *a*) $\frac{\partial x}{\partial u}=\frac{x}{2(x^2-y^2)}$ e $\frac{\partial y}{\partial u}=\frac{-y}{2(x^2-y^2)}$

b) $x=\frac{\sqrt{u+2v}-\sqrt{u-2v}}{2}$ e $y=\frac{\sqrt{u+2v}+\sqrt{u-2v}}{2}$

15. a) $\dfrac{\partial x}{\partial u} = \dfrac{u+y^2}{u-2x}$

b) $x = \dfrac{u-\sqrt{4v-3u^2}}{2}$ e $y = \sqrt{\dfrac{u+\sqrt{4v-3u^2}}{2}}$.

CAPÍTULO 13

13.1

1. a) $(x, y) = (1, 3) + \lambda(-6, 2), \lambda \in \mathbb{R}$ b) $\gamma(t) = (\sqrt{10}\cos t, \sqrt{10}\operatorname{sen} t)$

2. Reta tangente: $(x, y) = (2, 5) + \lambda(-2, 5), \lambda \in \mathbb{R}$.
   Reta normal: $(x, y) = (2, 5) + \lambda(5, 2), \lambda \in \mathbb{R}$.

3. a) $(4, 2) \cdot [(x, y) - (1, 2)] = 0$ ou $y - 2 = -2(x-1)$.
   b) $y = -4x + 3$.

4. $y = -2x + 3$ ou $y = -2x - 3$

5. $y - 2 = -\dfrac{4}{5}(x-1)$ ou $y + 2 = -\dfrac{4}{5}(x+1)$

6. a) $f(x, y) = \varphi(2x - 3y)$ em que $\varphi(u)$ é uma função derivável qualquer.
   b) $f(x, y) = \varphi(x + y)$ em que $\varphi(u)$ é uma função derivável qualquer.
   c) $f(x, y) = \varphi(x - y)$ em que $\varphi(u)$ é uma função derivável qualquer.
   d) $f(x, y) = \varphi(x^2 + y^2)$ em que $\varphi(u)$ é uma função derivável qualquer.

7. $f(x, y) = \varphi(x + y)$, com $\varphi(u)$ definida e derivável em $\mathbb{R}$, satisfaz a condição $\dfrac{\partial f}{\partial x} = \dfrac{\partial f}{\partial y}$. Determine uma $\varphi(u)$ tal que $\varphi(2) = 3$, $\varphi(0) = 1$ e $\varphi(1) = 2$. Por exemplo, tome $\varphi(u) = au^2 + bu + c$ e determine a, b e c para que as condições acima se cumpram.

8. $f(x, y) = \varphi(2x + y)$, com $\varphi(u)$ definida e derivável em $\mathbb{R}$, satisfaz a condição $\dfrac{\partial f}{\partial x} = 2\dfrac{\partial f}{\partial y}$. Para que o gráfico de f contenha a imagem de γ é preciso que $\varphi(3t) = t^2$. Basta então tomar $\varphi(u) = \dfrac{u^2}{9}$. A função $f(x, y) = \dfrac{1}{9}(2x + y)^2$ resolve o problema.

9. Seja $F(x, y) = x^2 + 2y^2$. Vamos determinar γ de modo que, para todo t, $\gamma'(t) = \nabla F(\gamma(t))$, ou seja, $\dot x = 2x$ e $\dot y = 4y$. Assim, $x = k_1 e^{2t}$ e $y = k_2 e^{4t}$. Para que a condição inicial $\gamma(0) = (1, 2)$ se verifique devemos tomar $k_1 = 1$ e $k_2 = 2$; $\gamma(t) = (e^{2t}, 2e^{4t})$ intercepta ortogonalmente todas as curvas da família $x^2 + 2y^2 = c$ e passa por $(1, 2)$.

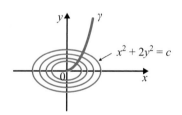

10. Seja $F(x,y) = xy$. A função $y = y(x)$ deve ser solução da equação $\dfrac{dy}{dx} = \dfrac{\frac{\partial F}{\partial y}}{\frac{\partial F}{\partial x}}$, ou

seja, $\dfrac{dy}{dx} = \dfrac{x}{y}$. Assim, $y^2 = x^2 + c$.

a) $y = x$
b) $y = \sqrt{x^2 + 3}$

13.2

1. a) Plano tangente: $(2, -6, 8) \cdot [(x, y, z) - (1, -1, 1)] = 0$ ou $x - 3y + 4z = 8$.
   Reta normal: $(x, y, z) = (1, -1, 1) + \lambda(2, -6, 8)$, $\lambda \in \mathbb{R}$.

   b) Plano tangente: $6x + 3y + z = 9$.
   Reta normal: $(x, y, z) = \left(\dfrac{1}{2}, 1, 3\right) + \lambda(6, 3, 1)$, $\lambda \in \mathbb{R}$.

   c) Plano tangente: $x - y + 4z = 4$.
   Reta normal: $(x, y, z) = (2, 2, 1) + \lambda(1, -1, 4)$, $\lambda \in \mathbb{R}$.

2. $z - 2 = -\dfrac{1}{4}(x-1) - \dfrac{1}{4}(y-1)$ ou $x + y + 4z = 10$.

3. $x + y + z = \dfrac{11}{6}$ ou $x + y + z = -\dfrac{11}{6}$.

   (**Sugestão.** Seja $F(x, y, z) = x^2 + 3y^2 + 2z^2$. O ponto de tangência (x_0, y_0, z_0) deve satisfazer as condições: $x_0^2 + 3y_0^2 + 2z_0^2 = \dfrac{11}{6}$ e $\nabla F(x_0, y_0, z_0) = \lambda(1, 1, 1)$, para algum λ.)

4. $x + y + \sqrt{2}z = 2$.

5. $(x, y, z) = (1, 1, 1) + \lambda(-2, 1, 1)$, $\lambda \in \mathbb{R}$.

6. a) $(x, y, z) = (1, 1, 1) + \lambda(1, -1, 0)$, $\lambda \in \mathbb{R}$.
   b) $\gamma(t) = (\sqrt{2}\cos t, \sqrt{2}\,\text{sen}\,t, 1)$.

7. a) $(x, y, z) = (0, 1, 0) + \lambda(-1, 0, 1)$, $\lambda \subset \mathbb{R}$.
   b) $x = \dfrac{1}{2}\cos t$, $y = \text{sen}\,t$ e $z = 1 - \dfrac{1}{2}\cos t - \text{sen}\,t$.

8. a) $F(x, y, z) = x^2 + y^2 - y^4 z^4 + 8$. b) $x - 7y - 16z = -28$.

9. $-5x + 16y - 9z = 0$.

10. $x - 2y + 2z = 7$ ou $x + 2y + 2z = 7$.

13.4

1. a) $-\dfrac{8}{\sqrt{5}}$ b) $-\dfrac{2}{5}$ c) 0 d) $\sqrt{2}$

2. a) $3\vec{i} + 3\vec{j}$ e $-3\vec{i} - 3\vec{j}$ b) $\vec{i} - \vec{j}$ e $-\vec{i} + \vec{j}$ c) $-\vec{i} - \vec{j}$ e $\vec{i} + \vec{j}$

3. $\dfrac{\partial f}{\partial \vec{u}}(1, 1) = \|\nabla f(1, 1)\| = \sqrt{\left(\dfrac{\pi}{4} + \dfrac{1}{2}\right)^2 + \dfrac{1}{4}}$

4. a) $\dfrac{2}{\sqrt{5}}$ b) $\dfrac{2}{3\sqrt{5}}$

Respostas, Sugestões ou Soluções

5. $-\dfrac{\sqrt{13}}{13}$

6. a) $(1, 3)$ b) $2\sqrt{2}$

7. $x = e^{-4t}$ e $y = 2e^{-2t}, t \geq 0$.

8. $\gamma(t) = (t, \sqrt{t^2 + 3}), t \geq 1$.

9. $\nabla f(1, 2) = (2, 1)$. Seja $\gamma(t) = (1 + 2t, 2 + t, f(1 + 2t, 2 + t))$. A tangente em $\gamma(0) = (1, 2, f(1, 2))$ é a reta procurada: $(x, y, z) = (1, 2, 2) + \lambda(2, 1, 5), \lambda \in \mathbb{R}$.

10. $(x, y, z) = (1, 1, 4) + \lambda(1, 2, 5)$.

11. Seja P' a projeção de P sobre o plano xy; P' move-se sempre na direção e sentido de máximo crescimento de f. Sendo $(x(t), y(t))$, uma parametrização para a trajetória de P', $\gamma(t) = (x(t), y(t), z(t))$, em que $z(t) = f(x(t), y(t))$, será uma parametrização para a trajetória de $P : \gamma(t) = (t^4, t, 4t^8 + t^2)$.

12. $(0, \sqrt{3})$.

(**Sugestão.** Aproveite a solução do problema 8.)

13. $\gamma(t) = (t, t^4, 5 - t^2 - 4t^8), 0 \leq t \leq 1$.

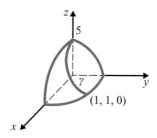

14. a) $x^2 + 2y^2 = 17$ b) $-6\vec{i} - 8\vec{j}$ c) $0{,}1°C$ d) $0{,}08°C$

15. a) $\dfrac{\sqrt{6}}{3}$ b) $\dfrac{2\sqrt{6}}{3}$

16. $\dfrac{5}{6}\sqrt{13}$

CAPÍTULO 14

14.1 1. a) $\dfrac{\partial^2 f}{\partial x^2} = 6xy^2, \dfrac{\partial^2 f}{\partial y^2} = 2x^3, \dfrac{\partial^2 f}{\partial x \, \partial y} = 6x^2 y$ e $\dfrac{\partial^2 f}{\partial y \, \partial x} = 6x^2 y$

b) $\dfrac{\partial^2 z}{\partial x^2} = 2e^{x^2 - y^2}(1 + 2x^2), \dfrac{\partial^2 z}{\partial x \, \partial y} = -4xye^{x^2 - y^2} = \dfrac{\partial^2 z}{\partial y \, \partial x}$ e $\dfrac{\partial^2 z}{\partial y^2} = 2e^{x^2 - y^2}(2y^2 - 1)$

c) $\dfrac{\partial^2 z}{\partial x^2} = \dfrac{2 + 2y^2 - 2x^2}{(1 + x^2 + y^2)^2}, \dfrac{\partial^2 z}{\partial y^2} = \dfrac{2 + 2x^2 - 2y^2}{(1 + x^2 + y^2)^2}, \dfrac{\partial^2 z}{\partial x \, \partial y}$

$= \dfrac{-4xy}{(1 + x^2 + y^2)^2} = \dfrac{\partial^2 z}{\partial y \, \partial x}$

d) $\dfrac{\partial^2 g}{\partial x^2} = 24xy^4$, $\dfrac{\partial^2 g}{\partial y^2} = 48x^3 y^2 + 6y$, $\dfrac{\partial^2 g}{\partial x\, \partial y} = 48x^2 y^3 = \dfrac{\partial^2 g}{\partial y\, \partial x}$

8. $\dfrac{\partial^2 f}{\partial x\, \partial y}(0,0) = 1$ e $\dfrac{\partial^2 f}{\partial y\, \partial x}(0,0) = -1$

11. $-\dfrac{1}{3}$

14. a) $-4xy\,\text{sen}\,(x^2 - y^2)^2$ \hspace{2em} b) 0

14.2

1. a) $2t\dfrac{\partial^2 f}{\partial x^2}(x,y) + \cos t\,\dfrac{\partial^2 f}{\partial y\, \partial x}(x,y)$, $x = t^2$ e $y = \text{sen}\,t$

b) $3t^2 \dfrac{\partial f}{\partial x}(3t, 2t) + t^3 \left[3\dfrac{\partial^2 f}{\partial x^2}(3t, 2t) + 2\dfrac{\partial^2 f}{\partial y\, \partial x}(3t, 2t) \right]$

c) $2t\dfrac{\partial^2 f}{\partial x^2}(t^2, 2t) + 2\dfrac{\partial^2 f}{\partial y\, \partial x}(t^2, 2t) + 5\left[3\cos 3t\,\dfrac{\partial^2 f}{\partial x\, \partial y}(\text{sen}\,3t, t) + \dfrac{\partial^2 f}{\partial y^2}(\text{sen}\,3t, t) \right]$

2. $g(t) = f(x,y)$, $x = 5t$ e $y = 4t$; $g'(t) = 5\dfrac{\partial f}{\partial x}(x,y) + 4\dfrac{\partial f}{\partial y}(x,y)$ Então:

$$g''(t) = 25\dfrac{\partial^2 f}{\partial x^2}(x,y) + 40\dfrac{\partial^2 f}{\partial x\, \partial y}(x,y) + 16\dfrac{\partial^2 f}{\partial y^2}(x,y).$$

9. $f(x,y) = 0$, em que $y = g(x)$; $\dfrac{d}{dx}[f(x,y)] = 0$, daí,

$$\dfrac{\partial f}{\partial x}(x,y) + \dfrac{\partial f}{\partial y}(x,y)\dfrac{dy}{dx} = 0 \text{ ou } \dfrac{dy}{dx} = -\dfrac{\dfrac{\partial f}{\partial x}(x,y)}{\dfrac{\partial f}{\partial y}(x,y)}$$

$$\dfrac{d^2 y}{dx^2} = -\dfrac{\dfrac{d}{dx}\left[\dfrac{\partial f}{\partial x}(x,y)\right]\dfrac{\partial f}{\partial y} - \dfrac{\partial f}{\partial x}\dfrac{d}{dx}\left[\dfrac{\partial f}{\partial y}(x,y)\right]}{\left(\dfrac{\partial f}{\partial y}\right)^2}$$

$$g''(x) = -\dfrac{\dfrac{\partial^2 f}{\partial x^2}\left(\dfrac{\partial f}{\partial y}\right)^2 - 2\dfrac{\partial f}{\partial x}\dfrac{\partial f}{\partial y}\dfrac{\partial^2 f}{\partial x\, \partial y} + \dfrac{\partial^2 f}{\partial y^2}\left(\dfrac{\partial f}{\partial x}\right)^2}{\left(\dfrac{\partial f}{\partial y}\right)^3}$$

10. b) $f(x,t) = \varphi(x+t) + \theta(x-t)$, em que $\varphi(v)$ e $\theta(u)$ são funções quaisquer, deriváveis até a 2ª ordem. Observe que $g(u,v) = \varphi(v) + \theta(u)$ satisfaz $\dfrac{\partial^2 g}{\partial v\, \partial u} = 0$.

13. 0 \hspace{2em} 14. 0

Respostas, Sugestões ou Soluções

CAPÍTULO 15

15.1 1. *a)* $f(2,3) - f(1,1) = \nabla f(\bar{x}, \bar{y}) \cdot [(2,3) - (1,1)]$, com $(\bar{x}, \bar{y})$ no segmento de extremos $(1, 1)$ e $(2, 3)$. Assim, $(\bar{x}, \bar{y})$ é solução do sistema

$$\begin{cases} 12 = (4\bar{x}, 3) \cdot (1, 2) \\ 2\bar{x} - \bar{y} = 1 \text{ com } 1 < \bar{x} < 2 \end{cases}$$

Então, $(\bar{x}, \bar{y}) = \left(\dfrac{3}{2}, 2\right)$.

b) $\left(\dfrac{5}{2}, \dfrac{5}{2}\right)$

c) $\left(\sqrt{\dfrac{7}{3}}, \sqrt{\dfrac{7}{3}}\right)$.

15.3 1. *a)* $f(x,y) = 3x^3 y^2 - 5x^2 + y + k$

b) $f(x,y) = \operatorname{sen} xy + x^3 - xy + y^3 + k$

c) $f(x,y) = e^{x^2 + y^2} + \operatorname{arctg} y + k$

2. $f(x,y) = x^2 y^3 - x^2 + y^2 - y - 8$.

3. $f(x,y) = \dfrac{1}{2} \ln\left(1 + x^2 + y^2\right) + \dfrac{1}{2} e^{y^2} + \dfrac{3}{2}$.

4. Não, pois, $\dfrac{\partial}{\partial y}(x^2 + y^2 + 1) \neq \dfrac{\partial}{\partial x}(x^2 - y^2 + 1)$.

5. $\varphi_1(x,y) = -\operatorname{arctg} \dfrac{x}{y} + \dfrac{\pi}{2}$.

6. $\varphi_2(x,y) = \operatorname{arctg} \dfrac{y}{x} + \pi$.

7. $\varphi(x,y) = \begin{cases} -\operatorname{arctg} \dfrac{x}{y} + \dfrac{\pi}{2} & \text{se } y > 0 \\ \operatorname{arctg} \dfrac{x}{y} + \pi & \text{se } x < 0. \end{cases}$

8. *a)* Sim, pois admite função potencial $\varphi(x,y) = \dfrac{x^2}{2} + \dfrac{y^2}{2}$.

b) Não, pois, $\dfrac{\partial}{\partial y}(y) \neq \dfrac{\partial}{\partial x}(-x)$.

c) $\varphi(x,y) = xy + y^2$ é uma função potencial, logo, $\vec{F}$ é conservativo.

d) Admite função potencial $\varphi(x,y) = \dfrac{-1}{\sqrt{x^2 + y^2}}$, logo é conservativo.

e) Não, pois, $\dfrac{\partial}{\partial y}(4) \neq \dfrac{\partial}{\partial x}(x^2)$.

f) Admite função potencial $\varphi(x,y) = e^{x^2 - y^2}$, logo é conservativo.

425

9. Como $\vec{F}$ é conservativo, existe $\varphi(x,y)$ definida em A tal que $\nabla\varphi(x,y) = \vec{F}(x,y)$. Pela regra da cadeia, $\frac{d}{dt}(\varphi(\gamma(t))) = \nabla\varphi(\gamma(t)) \cdot \gamma'(t) = \vec{F}(\gamma(t)) \cdot \gamma'(t)$. Portanto,

$$\int_a^b \vec{F}(\gamma(t)) \cdot \gamma'(t) dt = [\varphi(\gamma(t))]_a^b = 0.$$

11. a) $U(x,y) = 3x^2 + y^2$ b) $U(x,y) = -\frac{x^2}{2} - \frac{y^2}{2}$

    c) $U(x,y) = \frac{1}{\sqrt{x^2+y^2}}$ d) Não é conservativo

12. a) $\vec{F}(x,y) = -\nabla U = (-4x, -y)$.

    b) $\ddot{x} = -4x$, $\ddot{y} = -y$, $x(0) = 1$, $y(0) = 1$, $\dot{x}(0) = 0$ e $\dot{y}(0) = 0$; $\ddot{x} + 4x = 0 \Rightarrow x = A_1 \cos 2t + B_1$ sen $2t$; $\ddot{y} + y = 0 \Rightarrow y = A_2 \cos t + B_2$ sen t. Tendo em vista as condições iniciais, $\gamma(t) = (\cos 2t, \cos t)$. Como $\cos 2t = 2\cos^2 t - 1$, a imagem de γ está contida na parábola $x = 2y^2 - 1$.

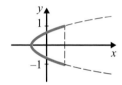

Como $y = \cos t$, a imagem de γ é arco de parábola $x = 2y^2 - 1$, $-1 \leq y \leq 1$.

13. a) $\vec{F}(x,y) = -x\vec{i} - y\vec{j}$.

    b) $\gamma(t) = (\cos t - \text{sen } t, \cos t + \text{sen } t) = \sqrt{2}\pi\left(\cos\left(t + \frac{\pi}{4}\right), \text{sen}\left(t + \frac{\pi}{4}\right)\right)$. A trajetória é a circunferência de centro na origem e raio $\sqrt{2}$.

14. $\gamma(t) = (\cos t, 2 \text{ sen } t)$. A trajetória é a elipse $x^2 + \frac{y^2}{4} = 1$.

15.4

1. a) $1 + x + 5y$ b) $5 + (x-1) + 7(y-1)$ c) $3x + 4y$

2. b) Inferior a 10^{-2}

3. $|f(x,y) - P_1(x,y)| = \frac{1}{2}\left|\frac{\partial^2 f}{\partial y^2}(\bar{x},\bar{y})(x-1)^2 + 2\frac{\partial^2 f}{\partial x \partial y}(\bar{x},\bar{y})(x-1)(y-1) + \frac{\partial^2 f}{\partial y^2}(\bar{x},\bar{y})(y-1)^2\right| = \frac{1}{2}|(6\bar{x}-2)(x-1)^2 + 6\bar{y}(y-1)^2|.$

De $0 < \bar{x} < 2$ e $0 < \bar{y} < 2$ segue

$$|f(x,y) - P_1(x,y)| < 7(x-1)^2 + 6(y-1)^2.$$

4. a) 4,931   b) 10^{-3}

7. $ah^2 + bhk + ck^2 = a\left[h^2 + \frac{b}{a}hk + \frac{b^2}{4a^2}k^2 - \frac{b^2}{4a^2}k^2 + \frac{c}{a}k^2\right]$

$= a\left[\left(h + \frac{b}{2a}k\right)^2 + \frac{4ac-b^2}{4a^2}k^2\right] > 0$ para todo $(h,k) \neq (0,0)$.

Respostas, Sugestões ou Soluções

15.5 1. *a*) xy
  b) $6 + 8(x-1) + 10(y-1) + 5(x-1)^2 + 4(x-1)(y-1) + 9(y-1)^2$
  2. $6 + 8(x-1) + 10(y-1) + 5(x-1)^2 + 2(x-1)(y-1) + 9(y-1)^2 + (x-1)^3 +$
   $+ 2(x-1)^2(y-1) + 3(y-1)^3.$

CAPÍTULO 16

16.2 1. $\left(0, \dfrac{1}{2}\right)$ é candidato a ponto de mínimo local.

  2. Não admite extremante local: $\left(-\dfrac{1}{13}, \dfrac{5}{13}\right)$ é o único ponto crítico e não pode ser extremante local, pois, $\dfrac{\partial^2 f}{\partial x^2}\left(-\dfrac{1}{13}, \dfrac{5}{13}\right) = 2$ e $\dfrac{\partial^2 f}{\partial y^2}\left(-\dfrac{1}{13}, \dfrac{5}{13}\right) = -2$

  3. $(0, 0)$ e $\left(-\dfrac{1}{6}, -\dfrac{1}{12}\right)$ candidatos a ponto de máximo local.

  4. $\left(\dfrac{1}{3}, \dfrac{1}{3}\right)$ é candidato a ponto de mínimo local. O ponto crítico $(0, 0)$ não é extremante local, pois $x = 0$ não é extremante local de $g(x) = f(x, 0) = x^3$.

  5. $(-1, -1)$ é candidato a ponto de mínimo local.

  6. $(1, 1)$ é candidato a ponto de mínimo local; $(-1, -1)$ é candidato a ponto de máximo local. Os pontos críticos $(1, -1)$ e $(-1, 1)$ não são extremantes locais.

16.3 1. *a*) $\left(\dfrac{54}{7}, -\dfrac{22}{7}\right)$ ponto de mínimo local. (Conforme Exercício 2, é ponto de mínimo global.)

  b) $(1, 1)$ é ponto de mínimo local, mas não global ($f(0, y) = y^3 - 4y + 5$ tende a $-\infty$ quando $y \to -\infty$). $\left(\dfrac{23}{12}, -\dfrac{5}{6}\right)$ é ponto de sela.

  c) $(-1, 1)$ é ponto de sela. $\left(\dfrac{5}{3}, -\dfrac{5}{3}\right)$ é ponto de mínimo local, mas não global ($f(x, 0) = x^3 - 5x$ tende a $-\infty$ para $x \to -\infty$).

  d) $\left(\dfrac{3}{2}, -\dfrac{1}{2}\right)$ é ponto de sela.

  e) $\left(3, \dfrac{3}{2}\right)$ e $\left(-3, -\dfrac{3}{2}\right)$ são pontos de sela.

  f) Não admite ponto crítico.

  g) Os extremantes locais de f coincidem com os extremantes locais de $g(x, y) = x^2 + 2xy + 4y^2 - 6x - 12y$; $(2, 1)$ é ponto de mínimo local. (Conforme Exercício 2, é ponto de mínimo global.)

  h) $(0, 0)$ ponto de máximo local; $(0, 1)$, $(0, -1)$, $(1, 0)$ e $(-1, 0)$ pontos de sela; $(1, 1)$, $(1, -1)$, $(-1, 1)$ e $(-1, -1)$ pontos de mínimo locais (verifique que são pontos de mínimo globais).

  i) $(1, 2)$ é ponto de mínimo local.

j) $(-1, -1)$ é ponto de mínimo local.

l) $(1, 1)$ é ponto de mínimo local; $(1, -1)$ e $(-1, 1)$ pontos de sela; $(-1, -1)$ ponto de máximo local.

3. *a*) $\left(2, -\dfrac{3}{2}\right)$ ponto de mínimo global.

   b) Não admite extremantes, pois, para todo (x, y), $\dfrac{\partial^2 f}{\partial x^2}(x, y) = 2$ e $\dfrac{\partial^2 f}{\partial y^2}(x, y) = -2$.

   O ponto crítico $\left(\dfrac{10}{13}, \dfrac{11}{13}\right)$ é de sela.

   c) $\left(\dfrac{1}{4}, \dfrac{1}{4}\right)$ ponto de máximo global.

   d) $\left(\dfrac{2}{11}, \dfrac{10}{11}\right)$ é ponto de mínimo global.

   e) Não admite extremante; $(2, -2)$ é ponto de sela. [Desenhe as imagens das curvas

   $$\gamma_1(t) = (t, -2, f(t, -2)) \text{ e } \gamma_2(t) = (2 - 3t, -2 + 2t, z(t))$$

   em que $z(t) = f(2 - 3t, -2 + 2t)$.]

   f) $(1, 2)$ ponto de mínimo global.

4. $\left(\dfrac{2}{3}, \dfrac{4}{3}, -\dfrac{2}{3}\right)$.

5. $E(\alpha, \beta) = \displaystyle\sum_{i=1}^{n} [\alpha a_i + \beta - b_i]^2$; $\dfrac{\partial E}{\partial \alpha} = \displaystyle\sum_{i=1}^{n} 2a_i[\alpha a_i + \beta - b_i]$ e

   $\dfrac{\partial E}{\partial \beta} = \displaystyle\sum_{i=1}^{n} 2[\alpha a_i + \beta - b_i]$. (α, β) é a solução do sistema

   $$\begin{cases} \alpha \displaystyle\sum_{i=1}^{n} a_i^2 + \beta \displaystyle\sum_{i=1}^{n} a_i = \displaystyle\sum_{i=1}^{n} a_i b_i \\ \alpha \displaystyle\sum_{i=1}^{n} a_i + n\beta = \displaystyle\sum_{i=1}^{n} b_i \end{cases}$$

6. *a*) $y = \dfrac{5}{2}x + 1$ [Sugerimos desenhar a reta encontrada e marcar os pontos dados.]

   b) $y = \dfrac{9}{10}x + \dfrac{14}{10}$

7. *a*)

a_i	b_i	a_i^2	$a_i b_i$
5	100	25	500
6	98	36	588
7	95	49	665
8	94	64	752
26	387	174	2.505

(α, β) é solução do sistema

$$\begin{cases} 26\alpha + 4\beta = 387 \\ 174\alpha + 26\beta = 2.505 \end{cases}$$

$$\boxed{y = -\dfrac{21}{10}x + \dfrac{1.104}{10}}$$

b) 89,4

8. $(\lambda, 2\lambda, 2)$ e $(\mu, \mu, 4+\mu)$ são pontos arbitrários de *r* e *s*, respectivamente;

$$\sqrt{(\lambda-\mu)^2 + (2\lambda-\mu)^2 + (2+\mu)^2}$$

é a distância entre eles. Basta, então, determinar (λ, μ) que minimiza

$$g(\lambda, u) = (\lambda-u)^2 + (2\lambda-u)^2 + (2+u)^2. \; P = (-1, -2, 2) \text{ e } Q = \left(-\frac{5}{3}, -\frac{5}{3}, \frac{7}{3}\right).$$

9. $(1, 2, 1)$.
10. $L = p_1 x + p_2 y - [x^2 + 2y^2 + 2xy] = 120x + 200y - 3x^2 - 3y^2 - 2xy$. A produção que maximiza o lucro é $x = 10$ e $y = 30$.
11. $L = 5z - (2x + y)$. A produção z que maximiza o lucro é a correspondente a $x = 15{,}8$ e $y = 20{,}4$ ou seja, $z = 1576{,}2$.
13. $\left(\dfrac{34}{14}, \dfrac{25}{14}, \dfrac{16}{14}\right)$. 14. $x + y + z = \dfrac{3}{2}$.

15. *a*) $(1, 0, 2)$ ponto de mínimo local (verifique que é ponto de máximo global).
    b) $(1, 1, 1)$ ponto de mínimo local: $(-1, -1, -1)$ ponto de máximo local; $(1, 1, -1)$, $(1, -1, 1)$; $(1, -1, -1)$, $(-1, 1, 1)$, $(-1, 1, -1)$ e $(-1, -1, 1)$ não são extremantes (veja Exercício 16).
    c) $(-1, 1, 2)$ não extremante; $\left(\dfrac{5}{3}, -\dfrac{5}{3}, 2\right)$ é ponto de mínimo local.
    d) $(3, -2, -1)$ não é extremante.

16.4 1. *a*) Valor máximo é 6 e é atingido em $(2, 0)$; valor mínimo é -3 e é atingido em $(0, 3)$.
    b) $\left(-\dfrac{3\sqrt{10}}{10}, \dfrac{\sqrt{10}}{10}\right)$ é ponto de máximo; $\left(\dfrac{3\sqrt{10}}{10}, \dfrac{\sqrt{10}}{10}\right)$ é ponto de mínimo.
    c) Valor máximo é 0 e é atingido nos pontos $(0, y)$, $0 \leqslant y \leqslant 1$. O valor mínimo é -2 e é atingido em $(1, 0)$.
    d) Valor mínimo é 0 e é atingido nos pontos $(0, y)$, $0 \leqslant y \leqslant 5$, $(x, 0)$, $0 \leqslant x \leqslant \dfrac{5}{2}$. O valor máximo é $\dfrac{25}{8}$ que é atingido em $\left(\dfrac{5}{4}, \dfrac{5}{2}\right)$.
    e) O único ponto crítico no interior de A é $(0, 0)$ que não é extremante. Assim, f assumirá os valores máximo e mínimo na fronteira $x^2 + y^2 = 4$ de A; $g(t) = f(2 \cos t, 2 \operatorname{sen} t)$ fornece os valores de f na fronteira. O valor máximo é 4, sendo atingido nos pontos $(0, 2)$ e $(0, -2)$. O valor mínimo é -4, sendo atingido nos pontos $(2, 0)$ e $(-2, 0)$.
    f) Valor mínimo é 0, sendo atingido em $(0, 0)$. Valor máximo é 2, sendo atingido nos pontos $(0, 1)$ e $(0, -1)$.
2. $\left(\dfrac{4\sqrt{17}}{17}, \dfrac{\sqrt{17}}{34}\right)$. $\left[\textbf{Sugestão.} \text{ Utilize a função } g(x) = f\left(x, \dfrac{1}{2}\sqrt{1-x^2}\right), -1 \leqslant x \leqslant 1.\right]$
3. $(0, 2)$
4. Valor máximo é 25, sendo atingido em $(0, 5)$.

5. O problema consiste em maximizar o lucro $L = 10x + 6y$ (x é quantidade do produto I e y do produto II) com as restrições: $x \leqslant 20$, $y \leqslant 45$, $5x + 4y \leqslant 200$, $10x + 4y \leqslant 240$, $x \geqslant 0$ e $y \geqslant 0$. O lucro será máximo para $x = 8$ e $y = 40$.

6. $(0, 1)$ maximiza; $\left(\dfrac{4}{9}, \dfrac{1}{9}\right)$ minimiza.

7. Observe que $Q(at, bt) = t^2 Q(a, b)$, em que $a^2 + b^2 = 1$.

16.5

1. a) $\left(\dfrac{6}{\sqrt{38}}, \dfrac{1}{\sqrt{38}}\right)$ é ponto de máximo; $\left(-\dfrac{6}{\sqrt{38}}, -\dfrac{1}{\sqrt{38}}\right)$ é ponto de mínimo.

   b) $\left(\dfrac{6}{\sqrt{38}}, \dfrac{1}{\sqrt{38}}\right)$ é ponto de máximo; $\left(-\dfrac{6}{\sqrt{38}}, -\dfrac{6}{\sqrt{38}}\right)$ é ponto de mínimo.

   c) $\left(\dfrac{6}{19}, \dfrac{1}{19}\right)$ ponto de mínimo.

   d) $\left(\sqrt{2}, \dfrac{\sqrt{2}}{2}\right)$ ponto de mínimo.

   e) $(2, 1)$ e $(-2, -1)$ pontos de máximo; $(-2, 1)$ e $(2, -1)$ pontos de mínimo.

   f) $(-1, 1)$ ponto de mínimo.

   g) $\left(\dfrac{1}{\sqrt{2}}, \dfrac{1}{\sqrt{2}}\right)$ ponto de mínimo; $\left(\dfrac{1}{\sqrt{2}}, -\dfrac{1}{\sqrt{2}}\right)$ e $\left(-\dfrac{1}{\sqrt{2}}, \dfrac{1}{\sqrt{2}}\right)$ pontos de máximo.

   h) $(2, 0)$ ponto de máximo; $\left(\dfrac{2}{3}, \dfrac{2\sqrt{2}}{3}\right)$ e $\left(\dfrac{2}{3}, -\dfrac{2\sqrt{2}}{3}\right)$ pontos de mínimo.

   i) $(1, 1)$ ponto de mínimo local; $\left(-\dfrac{13}{7}, \dfrac{17}{7}\right)$ ponto de máximo local.

   j) $\left(\dfrac{1}{\sqrt{3}}, -\dfrac{1}{\sqrt{3}}\right)$ e $\left(-\dfrac{1}{\sqrt{3}}, \dfrac{1}{\sqrt{3}}\right)$ ponto de máximo, $\left(\dfrac{2}{\sqrt{6}}, \dfrac{1}{\sqrt{6}}\right)$ e $\left(-\dfrac{2}{\sqrt{6}}, -\dfrac{1}{\sqrt{6}}\right)$ ponto de mínimo.

2. $x^2 + 16y^2 = 8$; o ponto de tangência é $\left(2, \dfrac{1}{2}\right)$.

3. $\left(\dfrac{1}{2}, \dfrac{1}{4}\right)$.

4. $(2, 4)$. [**Sugestão.** Minimize $f(x, y) = (x - 14)^2 + (y - 1)^2$ com a restrição $y = x^2$.]

5. $\left(\dfrac{1}{\sqrt{3}}, \dfrac{1}{2\sqrt{3}}, \dfrac{1}{\sqrt{3}}\right)$.

6. $x^2 + y^2 + 2y^2 = \dfrac{32}{19}$. O ponto de tangência é $\left(\dfrac{8}{19}, \dfrac{16}{19}, \dfrac{12}{19}\right)$.

7. Valor máximo é 4, sendo atingido em $(1, 1, 1)$. O valor mínimo é -4, sendo atingido em $(-1, -1, -1)$.

8. $\left(\dfrac{2}{7}, \dfrac{4}{7}, -\dfrac{6}{7}\right)$. [**Sugestão.** Minimize $f(x, y, z) = x^2 + y^2 + z^2$ com a restrição $x + 2y - 3z = 4$.]

9. $\left(\dfrac{24}{11}, -\dfrac{9}{11}, \dfrac{5}{11}\right)$. [**Sugestão.** Minimize $x^2 + y^2 + z^2$ com as restrições e $x + 2y + z = 1$ e $2x + y + z = 4$.]

10. $\left(\dfrac{2-\sqrt{66}}{6}, \dfrac{1}{3}, \dfrac{2+\sqrt{66}}{6}\right)$ maximiza f.

11. $(1, 1)$ e $(-1, -1)$ são os mais próximos da origem; $(\sqrt{3}, -\sqrt{3})$ e $(-\sqrt{3}, \sqrt{3})$ são os mais afastados.

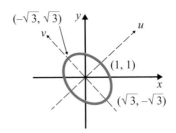

Observação. Sejam $\vec{u} = \left(\dfrac{1}{\sqrt{2}}, \dfrac{1}{\sqrt{2}}\right)$ e $\vec{v} = \left(-\dfrac{1}{\sqrt{2}}, \dfrac{1}{\sqrt{2}}\right)$; sejam u e v as componentes de (x, y) na base $(\vec{u}, \vec{v})$; isto é: $(x, y) = u\vec{u} + v\vec{v}$, ou seja,

$(x, y) = u\left(\dfrac{1}{\sqrt{2}}, \dfrac{1}{\sqrt{2}}\right) + v\left(-\dfrac{1}{\sqrt{2}}, \dfrac{1}{\sqrt{2}}\right)$. Verifique que a mudança de coordenadas

$$\begin{cases} x = \dfrac{1}{\sqrt{2}}u - \dfrac{1}{\sqrt{2}}v \\ y = \dfrac{1}{\sqrt{2}}u + \dfrac{1}{\sqrt{2}}v \end{cases}$$

transforma a equação dada na equação $\dfrac{u^2}{2} + \dfrac{v^2}{6} = 1$.

12. $\left(\dfrac{1}{4}, \dfrac{1}{4}\right)$. Verifique que a mudança de coordenadas $x = \dfrac{1}{\sqrt{2}}u - \dfrac{1}{\sqrt{2}}v$, $y = \dfrac{1}{\sqrt{2}}u + \dfrac{1}{\sqrt{2}}v$, transforma a equação dada na equação $2v^2 - 2\sqrt{2}u + 1 = 0$ que é uma parábola.

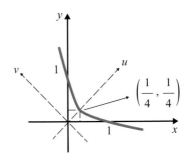

13. $(1, 3)$ e $(-1, -3)$. A mudança de coordenadas

$$\begin{cases} x = \dfrac{1}{\sqrt{10}}u - \dfrac{3}{\sqrt{10}}v \\ y = \dfrac{3}{\sqrt{10}}u + \dfrac{1}{\sqrt{10}}v \end{cases} \text{ou} \quad (x, y) = u\underbrace{\left(\dfrac{1}{\sqrt{10}}, \dfrac{3}{\sqrt{10}}\right)}_{\vec{u}} + v\underbrace{\left(-\dfrac{3}{\sqrt{10}}, \dfrac{1}{\sqrt{10}}\right)}_{\vec{v}}$$

transforma a equação dada na equação $\dfrac{u^2}{10} - \dfrac{v^2}{40} = 1$ que é uma hipérbole:

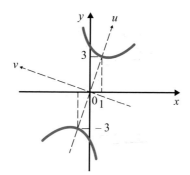

Observe que $\vec{u} = \left(\dfrac{1}{\sqrt{10}}, \dfrac{3}{\sqrt{10}}\right)$ e $\vec{v} = \left(-\dfrac{3}{\sqrt{10}}, \dfrac{1}{\sqrt{10}}\right)$ são os versores de $(1, 3)$ e $(-3, 1)$.

14. $(1, 1, 1)$.
15. 12 cada um.
16. Equilátero.
18. Cubo.
19. Cubo de aresta 1 m.
20. Cubo de aresta $\dfrac{5\sqrt{2}}{\sqrt{3}}$.
21. Paralelepípedo de arestas $\dfrac{4}{\sqrt{3}}, \dfrac{6}{\sqrt{3}}$ e $\dfrac{8}{\sqrt{3}}$.
22. $x = 4, y = 2$ e $z = \dfrac{4}{3}$.
23. Temperatura máxima: 200. Temperatura mínima: -200.
24. $6x + 4y + 3z = 12\sqrt{3}$.
25. $P = (2, 1)$ e $Q = \left(\dfrac{5}{2}, \dfrac{3}{2}\right)$.

CAPÍTULO 17

17.1   **1.** *a)* $\dfrac{14}{15}$ *b)* $\dfrac{6}{7}$

2. $\left(\dfrac{39}{14}, \dfrac{13}{14}, \dfrac{26}{14}\right)$

3. $\left(\dfrac{7}{6}, \dfrac{2}{6}, \dfrac{13}{6}\right)$

17.3 1. a) $\left(\dfrac{11}{7}, \dfrac{9}{14}\right)$; não b) (1, 1); sim c) $2x + y = \dfrac{9}{7}$; não

2. $\left(\dfrac{36}{14}, \dfrac{3}{14}, \dfrac{23}{14}\right)$; $\dfrac{3\sqrt{14}}{14}$

3. a) $z = 0$ b) $t = \dfrac{2}{10}$

17.4 1. a)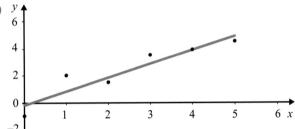

b) $\hat{y} = \dfrac{349}{350}x - \dfrac{23}{210}$ c) $R^2 = 0{,}86532$ (aproximado)

2. a) $\hat{y} = \dfrac{31}{15}$ b) $\dfrac{31}{15}$ c) $R^2 = 0$

Bibliografia

1. APOSTOL, T. M. *Análisis matemático*. Barcelona: Editorial Reverté, 1960.
2. _____. *Calculus*. 2. ed. v. 2. Barcelona: Editorial Reverté, 1975.
3. ÁVILA, G. *Cálculo*. v. 1, 2 e 3. Rio de Janeiro: LTC, 1995.
4. BUCK, R. C. *Advanced calculus*, Second Edition. Nova York: McGraw-Hill, 1965.
5. BUSSAB, W. O.; MORETTIN, P. A. *Estatística básica*, São Paulo: Atual Editora, 1995.
6. CARAÇA, B. *Conceitos fundamentais da matemática*. Lisboa, 1958.
7. CARTAN, H. *Differential forms*. Paris: Hermann, 1967.
8. CATUNDA, O. *Curso de análise matemática*. Belo Horizonte: Bandeirantes.
9. COURANT, R. *Cálculo diferencial e integral*. v. I e II. Porto Alegre: Globo, 1955.
10. _____; HERBERT, R. *¿Qué es la matemática?* São Paulo: Aguilar, 1964.
11. DEMIDOVICH, B. *Problemas y ejercicios de análisis matemático*. Edições Cardoso.
12. ELSGOLTZ, L. *Ecuaciones diferenciales y cálculo variacional*. Moscou: Mir, 1969.
13. FIGUEIREDO, D. G. de. *Teoria clássica do potencial*. Editora Universidade de Brasília, 1963.
14. FLEMING, W. H. *Funciones de diversas variables*. México: Compañía Editorial Continental S.A., 1969.
15. GURTIN, M. E. *An introduction continuum mechanics*. Cambridge: Academy Press, 1981.
16. KAPLAN, W. *Cálculo avançado*. v. I e II. São Paulo: Edgard Blücher, 1972.
17. KELLOG, O. D. *Foundations of potential theory*. Frederick Ungar Publishing Company, 1929.
18. LANG, S. *Analysis I*. Boston: Addison-Wesley, 1968.
19. LIMA, E. L. *Introdução às variedades diferenciáveis*. Porto Alegre: Meridional, 1960.
20. _____. *Curso de análise*. v. 1. Projeto Euclides — IMPA, 1976.
21. _____. *Curso de análise*. v. 2. Projeto Euclides — IMPA, 1981.
22. MEYER, P. L. *Probabilidade — Aplicações à Estatística*. Rio de Janeiro: Ao Livro Técnico S.A. e Editora da Universidade de São Paulo, 1969.
23. PISKOUNOV, N. *Calcul différentiel et intégral*. Moscou: Mir, 1966.
24. PROTTER, M. H.; MORREY, C. B. *Modern mathematical analysis*. Boston: Addison-Wesley, 1969.
25. RUDIN, W. *Principles of mathematical analysis*. Nova York: McGraw-Hill, 1964.
26. SPIEGEL, M. R. *Análise vetorial*. Rio de Janeiro: Ao Livro Técnico, 1961.
27. SPIVAK, M. *Calculus*. Boston: Addison-Wesley, 1973.
28. _____. *Cálculo en variedades*. Barcelona: Editorial Reverté, 1970.
29. WILLIAMSON, R. E. et al. *Cálculo de funções vetoriais*. v. 2. Rio de Janeiro: LTC, 1975.

Índice

A

Ajuste de curva pelo método dos mínimos
    quadrados, 323
        na HP-48G, 364
        no EXCEL, 376
Ajuste linear com duas ou mais variáveis
    independentes, 365
Ajuste polinomial, 365
Amortecimento
    crítico, 80
    forte ou supercrítico, 80
Amplitude, 76
Ângulo, 97
Aplicativo FIT DATA da HP-48G, 364
Argumento, 71

B

Bola aberta, 100

C

Cálculo de integral de função limitada e descontínua em um número finito de pontos, 6
Campo conservativo, 269
Coeficiente de determinação, 324, 327, 330, 332, 371
Coeficientes da reta dos mínimos quadrados, 373
Combinação linear, 99
Comprimento de curva, 125, 126
Conexo por caminhos, conjunto, 264
Conjugado de número complexo, 70
Conjunto
    aberto, 90
    compacto, 290
    conexo por caminhos, 264
    fechado, 103, 290
    limitado, 103, 290
Conservação do sinal, 309
Conservativo, campo de forças, 269
Contínua, função, 156, 294
Correlação, 330
Cosseno hiperbólico, 21
Critério de comparação na integral imprópria, 33, 34
Curva
    de nível, 138
    definição de, 127
    equipotencial, 144
    parametrizada pelo comprimento de arco, 130
Curvatura, 131
    raio de, 131

D

Definindo função na HP-48G, 374
Derivação de função definida implicitamente, 206
Derivada(s), 158
    direcional, 223
    parciais, 210, 219
    parciais de ordens superiores, 247, 251
Desigualdade
    de Schwarz, 97
    triangular, 98
Desvio padrão, 45
Determinante jacobiano, 211
Diagrama de dispersão, 324
Diferenciabilidade, uma condição suficiente para, 166
Diferencial, 187
Diferenciável, função, 198
Distribuição de variável aleatória
    de Rayleigh, 61
    de Weibull, 60
    exponencial, 58
    F de Snedecor, 59
    gama, 56
    normal ou de Gauss, 47, 48
    normal padrão, 52
    qui-quadrado, 59
    t de Student, 59
    uniforme, 57

E

Energia
    cinética, 74
    potencial, 74
Equação
    amostral, 36
    diferencial linear, de 1ª ordem, com coeficiente constante, 62
    diferencial linear homogênea, de 2ª ordem, com coeficientes constantes, 64
    diferencial linear, de 3ª ordem, com coeficientes constantes, 344
    diferencial linear não homogênea, 81
    do plano, 95
Espaço vetorial, 90

F

Fase, 76
Fatorial, 57
Forma polar de número complexo, 71

Índice

Fórmula de Taylor com resto de
  Lagrange, 261, 272, 275
Função(ões)
  com gradiente nulo, 263
  dada implicitamente por uma equação, 160
  dada por integral, 8, 51
    imprópria, 56
  de distribuição, 43
  de duas variáveis reais a valores reais, 133
  de uma variável real a valores complexos, 334
  de uma variável real a valores em $\mathbb{R}^n$, 104, 106, 108
  de variável aleatória, 44
  densidade de probabilidade, 44
  diferenciável, 115
  energia potencial, 144
  gama, 56
  homogênea, 136
  integráveis, 8
  não integráveis, 1
  polinomial, 135
  potencial, 269

G

Gradiente, 190
  relação entre funções com mesmo gradiente, 265
Gráfico de função de duas variáveis reais, 222

H

Hessiano, 285
HP-48G (veja, também, variáveis da HP-48G)
  aplicativo FTT DATA, 364
  corrigindo ou visualizando o coeficiente de uma
    variável, 368
  menu personalizado na HP-48G, 353
    incluindo variáveis no, 354

I

Imagem de função, 109, 133
Imagem ou trajetória de uma curva, 104, 127
Impulso de uma força, definição de, 125
Integral
  de Riemann, 127
  extensões do conceito de, 24
  imprópria, 28, 32
Isotermas, 144

L

Laplace, transformada de, 38
Limitada, função, 5, 157
Limite, 111, 148

M

MathCad, 346
Matriz
  completa, 358
  escalonada, 358

Máximos (mínimos), 280
Máximos e mínimos no EXCEL, 379
Média aritmética, 44, 305
Método dos mínimos quadrados, 288
Momento de inércia, 284
Movimento
  harmônico simples, 76
  oscilatório amortecido ou subcrítico, 79
Multiplicadores de Lagrange, 270

N

Norma de um vetor, 96
Normal
  reta, 183, 225
  vetor, 220, 223
Número complexo, 69
  adição, 70
  multiplicação, 70
  puro, 70
  real, 70

P

Paraboloide
  de rotação, 139
  elíptico, 140
Parametrização, 126
Perpendicularismo ou ortogonadismo, 91, 92
Plano
  dos mínimos quadrados, 333
  tangente, 169, 183
Polinômio de Taylor, 270, 272, 274, 278
Ponto
  crítico ou estacionário, 283, 285
  de acumulação, 100
  de fronteira, 283
  de máximo (mínimo), 156, 307
    global ou absoluto, 280
    local, 219, 283
  de sela, 283
  interior, 100, 282, 283
Princípio de superposição, 87
Probabilidade, 39, 40
Produto escalar, 91
  na HP-48G, 315
Produto vetorial, 96, 110
Pulsação, 76

R

Raio de curvatura, 131
Regra da cadeia, 193
Relação
  de Euler, 205, 305
  entre funções com mesmo gradiente, 265
Reparametrização de curva pelo comprimento de
  arco, 130
Ressonância, 85, 89
Reta
  dos mínimos quadrados, 323
  normal, 183

Índice

S

Seno hiperbólico, 21
Sistema auxiliar, 319, 322
Solução LSQ ou dos mínimos quadrados de sistema
   linear, 322, 324, 329, 354
Solução particular, 82, 83
Solve System da HP-48G, 354
Soma de Riemann, 123
Superfície de nível, 147

T

Teorema
   das funções implícitas, 206, 207
   de Pitágoras, 313
   de Schwarz, 249
   de Weierstrass, 157, 380
   do confronto, 151
   do valor médio, 261
      para integral, 15
   fundamental do cálculo, 15
Transformada de Laplace, 38

V

Valor
   esperado de variável aleatória, 44, 45
   máximo, 141, 380
   mínimo, 141
Variação da quantidade de movimento, 125
Variância, 44, 45
Variável aleatória
   contínua, 45
   discreta, 44
Variáveis da HP-48G
   ABS, 368
   BAN, 373
   C2NA, 351
   C2NX, 351
   CST, 353
   DOT, 367
   FNNA, 353
   FNNX, 353
   LSQ, 354
   MATR, 356
   MEAN, 372
   NMVA, 346
   NMVX, 347
   PREDY, 364
   RREF, 356
   RSD, 367
   TNA, 353
   TNX, 352
   UTPC, 351
   UTPF, 353
   UTPN, 346
   UTPT, 352
Versor, 131, 234
Vetor(es)
   linearmente independentes, 99
   perpendiculares ou ortogonais, 93
   tangente, 116